Tous Continents

Collection dirigée par
Anne-Marie Villeneuve

Docteure Irma

Tome 2 – *L'Indomptable*

ROMAN HISTORIQUE

De la même auteure

Adulte

Évangéline et Gabriel, Montréal, Lanctôt éditeur, 2007, 424 p.

Docteure Irma. Tome 1 – La Louve blanche, Montréal, Éditions Québec Amérique, 2006, 544 p.

Marie-Antoinette, la dame de la rivière Rouge, Montréal, Éditions Québec Amérique, 2005, 312 p.

Les Fils de la cordonnière, tome IV de la Saga de la Cordonnière, Montréal, VLB éditeur, 2003, 602 p.

Et pourtant, elle chantait, Montréal, VLB éditeur, 2002, 185 p.

Le Testament de la cordonnière, tome III de la Saga de la Cordonnière, Montréal, VLB éditeur, 2000, 664 p.

Guide pour les aidants naturels, Longueuil, CLSC Longueuil, 1999, 29 p.

La Jeunesse de la cordonnière, tome I de la Saga de la Cordonnière, Montréal, VLB éditeur, 1999, 370 p.

La Cordonnière, tome II de la Saga de la Cordonnière, Montréal, VLB éditeur, 1998, 615 p.

Dans l'attente d'un OUI, Montréal, Éditions Edimag, 1997, 150 p.

Le Château retrouvé, Montréal, Libre Expression, 1995, 286 p.

Les Enfants de Duplessis, Montréal, Libre Expression, 1991, 271 p.

> Cet ouvrage a dépassé les frontières québécoises et canadiennes
> et circule en Europe, en Australie et aux États-Unis.

La Porte ouverte, Montréal, Éditions du Méridien, 1990, 143 p.

Jeunesse

Le Miracle de Juliette, Montréal, Éditions Phoenix, 2007, 94 p.

Dans les yeux de Nathan, Moncton, Éditions Bouton d'or d'Acadie, 2006, 32 p.

Pauline Gill

Docteure
Irma

Tome 2 – L'Indomptable

ROMAN HISTORIQUE

QUÉBEC AMÉRIQUE

Catalogage avant publication de Bibliothèque et Archives nationales du Québec et Bibliothèque et Archives Canada

Gill, Pauline
Docteure Irma : roman historique
(Tous continents)
Sommaire: t. 1. La louve blanche -- t. 2. L'indomptable.

ISBN 978-2-7644-0531-4 (v. 1)
ISBN 978-2-7644-0611-3 (v. 2)

1. LeVasseur, Irma, 1878-1964 - Romans, nouvelles, etc. 2. Enfants - Hôpitaux - Québec (Province) - Romans, nouvelles, etc. I. Titre. II. Titre: La louve blanche. III. Titre: L'indomptable. IV. Collection.

PS8563.I479D62 2006   C843'.54   C2006-941581-1
PS9563.I479D62 2006

Note : Veuillez prendre note que le vocabulaire utilisé dans ce roman reflète le lexique en usage à cette époque.

Conseil des Arts du Canada   **Canada Council for the Arts**

Nous reconnaissons l'aide financière du gouvernement du Canada par l'entremise du Programme d'aide au développement de l'industrie de l'édition (PADIÉ) pour nos activités d'édition.

Gouvernement du Québec – Programme de crédit d'impôt pour l'édition de livres – Gestion SODEC.

Les Éditions Québec Amérique bénéficient du programme de subvention globale du Conseil des Arts du Canada. Elles tiennent également à remercier la SODEC pour son appui financier.

Québec Amérique
329, rue de la Commune Ouest, 3ᵉ étage
Montréal (Québec) Canada H2Y 2E1
Téléphone : 514-499-3000, télécopieur : 514-499-3010

Dépôt légal : 1ᵉʳ trimestre 2008
Bibliothèque nationale du Québec
Bibliothèque nationale du Canada

Révision linguistique : Diane Martin et Diane-Monique Daviau
Conception graphique : Karine Raymond et Isabelle Lépine
Illustration en couverture : Sybiline (www.sybiline.ca)
Montage : André Vallée – Atelier typo Jane
Production cartographique du cahier photos : François Goulet

Imprimé au Canada

Je dédie ce deuxième tome
à toutes les femmes et à tous les hommes qui,
par souci d'intégrité et par fidélité à leur idéal,
choisissent d'emprunter des sentiers...
moins fréquentés ou d'en ouvrir de nouveaux.

Remerciements

Que de mercis à distribuer en retour des appuis reçus pour la rédaction de ce deuxième tome relatant la vie de notre admirable Irma LeVasseur!

Ils vont d'abord à mes proches pour leur compréhension, leur patience et leur présence vivifiante. À mes amis, pour leur inaltérable confiance. À mes aides à la recherche : Annie Pickup, Thierry Lagarde, Julien Bourbeau, le personnel des bibliothèques de Longueuil et de Varennes.

Un merci particulier aux dames Sandra, Mary, Kathleen-Ann et Patricia Shee pour les photos.

Ma gratitude va aussi à l'équipe de Québec Amérique, pour sa souplesse, sa confiance et son efficacité.

L'amour est une fumée formée de la vapeur des soupirs
William Shakespeare

Préface

Je suis extrêmement reconnaissante à madame Pauline Gill de mettre son talent d'écrivaine et sa passion d'historienne au service des pionnières et bâtisseurs du Québec.

Depuis plus de 25 ans, chaque fois que j'ai eu le bonheur de la rencontrer, j'ai retrouvé chez elle la même ferveur, le même désir d'authenticité, le même respect de ses lecteurs et lectrices. Pauline Gill aura fait œuvre utile en démocratisant l'intérêt pour la lecture et en insufflant l'enthousiasme d'apprendre chez des milliers de mes concitoyennes et concitoyens.

D'ailleurs, son engagement social personnel fait foi de ses convictions et éclaire ses choix en tant qu'auteure. Elle a dégagé de l'ombre qui les ensevelissait des femmes exceptionnelles qui ont manifesté un courage remarquable pour sortir de la condition d'infériorité à laquelle leur féminité et leur société les destinaient.

Le deuxième tome de la vie de la docteure Irma Levasseur, instigatrice de la fondation des hôpitaux Sainte-Justine et Enfant-Jésus de même que de l'Institut Cardinal-Villeneuve, poursuit avec éclat ce devoir de mémoire.

Ce roman est un pur bonheur.

Plus que jamais en ces temps incertains, il est utile de faire connaître les combats menés au nom de la dignité humaine, de la justice sociale et de la fierté nationale par cette première femme médecin canadienne-française. Avec pugnacité, certains diront intransigeance, elle a secoué la fatalité et refusé de se résigner. Son combat ne fut pas sans douleur.

À cette héroïne qui reçut bien peu d'honneurs de son vivant, Pauline Gill rend justice. Je lui transmets toute ma gratitude et la vôtre.

Louise Harel

Note de l'auteure

Dans ce deuxième tome, comme dans le précédent, vous trouverez les trois ingrédients du roman historique : la réalité, la vraisemblance et un peu de fiction.

Ce roman respecte la réalité historique de la vie d'Irma LeVasseur en ce qui concerne les faits publics, les lieux, les dates. Certains acteurs et événements de sa vie intime sont fictifs.

À la fin du livre, vous trouverez un cahier photos contenant, notamment, trois cartes géographiques, soit une du quartier Saint-Roch, une de New York et une de la Serbie, auxquelles vous pourrez vous référer en cours de lecture. Ces cartes illustrent fidèlement ces trois lieux tels qu'ils étaient au moment des faits relatés.

La graphie des lieux parcourus par la D^{re} LeVasseur pendant la Première Guerre mondiale, ainsi que le découpage des pays ont pu être modifiés depuis 1919.

Pauline Gill
Montréal 2008

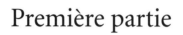

Première partie

Chapitre I

New York, été 1908

« Y aurait-il donc, entre l'offense et la blessure, un passage obligé vers le bonheur ? » se demande Irma en visite chez ses amis Bob et Hélène.

Pas plus que sa tante Rose-Lyn, la D^{re} LeVasseur ne prendra le train pour Québec en ce lundi 8 juin. Le besoin de rester lovée encore et encore dans cette ambiance chaleureuse la retient là, abandonnée à cette source lénifiante. L'amitié d'Hélène, l'allégresse de Rose-Lyn, l'amour discret de Bob, son cousin, et, plus que tout, la présence du petit Charles portent à son oreille et à son cœur tous les mots qu'elle aurait souhaité entendre avant de quitter son hôpital de Montréal, maintenant désigné sous le vocable d'hôpital Sainte-Justine. Des mots et des gestes qui lui auraient peut-être évité un départ. Dans les yeux de cet enfant, elle retrouve toute la limpidité qu'elle avait naïvement prêtée à chaque être humain. Que de déceptions à cet égard ! « Comment doser circonspection et confiance dans ses relations ? » se demande-t-elle, enviant la candeur de l'enfant. Quand elle tient son filleul dans ses bras, ce sont tous les enfants malades du Québec qu'elle presse sur son cœur, qu'elle enchâsse dans sa détermination de revenir près d'eux... quand la blessure sera guérie.

Le ciel prend un bain de feu. Assise dans le jardin, Irma voit Bob venir vers elle, des papiers à la main. Une opportunité dont il lui a soufflé un mot en matinée. Une proposition pour le moins flatteuse.

— Tu devrais te présenter, Irma. Ce n'est pas un hasard si tu es ici juste au moment où commencent les entrevues.

— C'est très tentant, mais j'ai peur que le contact direct avec les enfants me manque... terriblement.

Plus un mot de la bouche de la jeune pédiatre. Des larmes gonflant ses paupières, les mains posées sur la page du journal que Bob a découpée pour elle, Irma réfléchit. De fait, l'idée de se consacrer à la recherche la fascine depuis son entrée en faculté de médecine. Celle de rédiger un guide d'hygiène destiné aux parents avait fait l'objet d'une de ses conférences lors de son bénévolat à la crèche de la Miséricorde. La même tâche lui serait confiée si sa candidature était retenue; mais la perspective de travailler sous l'autorité des dirigeants de la ville de New York l'inquiète. Ces hommes épouseront-ils sa perception des priorités à établir pour donner aux jeunes enfants un milieu de vie sain et des habitudes alimentaires favorables à la santé? «Comment les familles que je devrai visiter me recevront-elles?» La D^{re} Mary Putnam lui manque. Le 10 juin, ce sera le deuxième anniversaire de son décès.

— Crois-tu, Bob, que les morts peuvent quelque chose pour les vivants?

La question le bouscule.

— Qu'est-ce que cette idée vient faire dans la décision que tu dois prendre? demande-t-il, un tantinet coquin.

— Si Mme Mary Putnam était encore des nôtres, j'irais lui demander conseil. Son expérience, sa grande sagesse et son affection surtout...

Bob devine les mots coincés dans sa gorge, Irma le sait.

— À nous trois, Hélène, Rose-Lyn et moi, on n'arrive pas à la remplacer? murmure-t-il, attristé.

Irma relève la tête, sourcille et, rivant ses yeux noisette aux siens, elle lui confie :

— Ce que j'ai vécu à Montréal m'a fait comprendre une chose : riches ou pauvres, instruits ou ignorants, on est tous uniques mais rarement irremplaçables.

— Une mère ?

— Irremplaçable, une mère ! Mme Putnam en était une pour moi, à certains égards. Elle a complété...

Bob attend la suite, mais elle ne vient pas.

— Y a donc deux complaintes qui ne se taisent jamais en toi...

« Et celle de la mère perdue n'est pas moins présente que celle de l'enfant que je ne porterai jamais. Mais seul un autre orphelin de mère peut mettre des mots aussi justes sur une telle blessure », aurait-elle aimé lui répondre.

Le regard d'Irma parle pour elle.

Instants de silence. Instants de dérive vers un passé qui se conjugue toujours au présent. Un passé qui risque de lézarder leur devenir à moins que...

— Bob, il m'est arrivé d'entendre, plus forts que cette complainte... les éclats de rire des petits que j'avais délivrés de leurs douleurs. Et toi ?

— Moi ? La voix de mon fils. La tienne aussi, parfois. Quand elle porte des mots... des mots tendres.

Pour sortir de ce couloir d'intimité qu'elle n'a ni choisi ni anticipé, Irma revient à la page du journal.

— On décrit les tâches mais pas un mot sur l'expérience requise...

— Tu sais bien, Irma, que tu en as amplement. Ce n'est pas pour rien que...

Il s'arrête, hésite, puis reprend :

— Il faut que je te dise... Sachant que tu venais à New York, je suis allé leur parler de toi. Je leur ai laissé un compte-rendu de tes études et de tes expériences.

Soupçonnant qu'il n'a pas tout dit, Irma ne le quitte pas du regard. Bob retourne dans la maison et en revient avec une enveloppe déjà décachetée.

— C'est leur réponse, annonce-t-il.

Le ton résolument impassible, Irma marmonne le texte.

— Elle est arrivée avant-hier. Comme elle était adressée à mon nom, je l'ai regardée, explique Bob.

«Comment lui reprocher ça? Comment lui reprocher quoi que ce soit?» se dit-elle, hochant la tête.

— Je savais qu'ils voudraient te rencontrer, enchaîne-t-il.

— Laisse-moi y penser, Bob. C'est au-delà de mes attentes, tout ça. Puis, il y a tant de choses à considérer...

— Un grand frère attentionné te conseillerait de ne pas oublier, dans ta réflexion, ton besoin de guérir, ta mère à retrouver, le salaire offert et surtout les bons moments que nous pourrions passer ensemble.

De peur de céder à la tentation de lui avouer qu'il est bien plus qu'un grand frère pour elle, Irma acquiesce d'un signe de tête, allume un sourire et se retire dans la chambre qu'elle partage avec Rose-Lyn.

Un coup d'œil furtif vers son miroir lui révèle que son séjour à New York n'a eu le temps ni de traiter ses yeux cernés de bistre ni d'aviver son teint blafard. Son sommeil est encore trop habité par le deuil de son hôpital. Son filleul Charles l'en console mais non sans lui rappeler les poupons qu'elle a laissés derrière elle et ceux qui s'y ajoutent chaque jour alors qu'elle n'est plus là pour les accueillir. Pour courir de l'un à l'autre sans perdre une seconde. Pour chasser de leurs petits corps un mal qui ne leur appartient pas. Un mal infligé par l'ignorance, la négligence et le manque d'hygiène... «Une mission à la fois noble et urgente que celle de s'allier les parents et les autorités municipales pour lutter contre la maladie et la mort. Je l'ai réclamée... à genoux à Montréal, mais...»

La relecture de cette page d'un passé encore récent la ramène au poste à combler, mais à New York. «Voilà donc qu'une fois de plus, je trouve un écho à mes rêves, en terre étrangère. Je suis peut-être née citoyenne du monde, épouse d'une cause, mère de tous les enfants malades», se dit-elle, enchantée par cette perspective qui vient compenser de si grands renoncements. «Et puis, à bien y penser, ce travail, en plus d'être passionnant, pourrait m'outiller pour que je puisse fonder dans ma ville natale cet hôpital dont les enfants ont tant besoin », pense-t-elle, projetée dans un avenir qu'elle souhaite porteur de réalisations à la mesure de ses espoirs.

— Oh! Je crois que je te dérange, dit Rose-Lyn, prête à tourner les talons aussitôt entrée dans la chambre.

— Au contraire, ma tante, venez. Je pense qu'à force de réfléchir tout bas je fais comme le chat qui court après sa queue. Vous êtes au courant pour le poste à combler à la ville?

— Vaguement, oui.

— J'aimerais avoir votre avis.

— Tu te vois faire ce travail, Irma?

— Travailler seule dans un laboratoire de recherche, oui; guider les mamans dans les soins à apporter à leurs enfants, aussi.

— Qu'est-ce que t'appréhendes?

— La peine que mon éloignement causera à mon frère, à tante Angèle et à mes bonnes amies de Montréal; sans compter la déception que je ferai vivre à mon père. Mais, plus encore, l'optique des autorités sur la mission qu'elles me confient.

Rose-Lyn n'a pas à questionner sa nièce. Elle connaît sa rigueur, son intégrité et son peu d'aptitude à jouer la salamandre. Ces qualités ne sont pas nécessairement chéries par les élus politiques.

— Il n'en reste pas moins qu'à ta place, Irma, je ne me presserais pas de tirer des conclusions. Je me donnerais le temps de tout peser. Pourquoi pas un autre séjour à New York?

— Pourquoi?

— Pour ajouter une expérience à ton bagage et... qui sait si...

— Qu'est-ce que vous sous-entendez, ma tante?

— Un autre séjour dans cette ville permettrait peut-être aux événements de jouer en ta faveur...

« À l'entendre, on jurerait qu'elle retient des renseignements qui me concernent. Ma mère, peut-être. Ce ne serait pas la première fois. Tante Rose-Lyn a mené une existence tissée de secrets », se dit Irma. En d'autres circonstances, elle l'aurait priée de clarifier ses allusions. Mais elle préfère ne pas les entendre ce soir. Se donner le temps de les voir venir... pour mieux réagir. Garder l'accent sur l'offre d'emploi de la ville.

❦

Le soleil incendie New York. La chaleur se fait messagère de bonheurs simples, instinctifs.

— Il fait si beau ! Viens, mon p'tit homme, on va se balader au parc, dit Irma à son filleul, tôt ce matin du 10 juin.

S'impose le besoin de prendre du recul face à l'offre pourtant alléchante des dirigeants de New York : mener des recherches sur les maladies infantiles et élaborer un guide d'hygiène pour les jeunes familles, et ce, dans les plus brefs délais. L'incite plus encore à cette balade le bonheur qu'elle éprouve en compagnie du fils de Bob et d'Hélène. Vêtu d'un bleu d'océan et coiffé d'une petite casquette blanche dont s'échappent quelques bouclettes rousses, bien campé dans son landeau, Charles est prêt pour la promenade. De la Soixante-Huitième Rue, à l'angle de l'avenue Columbus, ils sont à une quinzaine de minutes de marche du Central Park. À peine engagés sur le trottoir, une passante s'arrête devant l'enfant qu'elle inonde de compliments sur la beauté de ses yeux et de son sourire.

— *My congratulations, lady. Your son is very fine.*

— *Thank you. Thank you very much*, lui répond Irma sans la moindre envie de corriger la dame.

D'autres piétons s'exclament.

— *How old is your son* ? demandent les uns.

— *What's his name* ? demandent d'autres, non moins certains de s'adresser à la mère du bambin.

« Je ne suis donc pas guérie », découvre Irma.

Le déplorer ? À certains égards, oui. Pour l'ambivalence et pour la vulnérabilité dans lesquelles cet attrait pour la maternité la place. S'en réjouir ? Tout autant, pour ces instants de pure délectation qui anesthésient la douleur de ses renoncements.

« Oui, mon petit Charles, tu seras mon fils chaque fois que nous serons seuls, tous les deux. Dans la maison comme à l'extérieur. Le jour comme la nuit », choisit-elle.

Irma s'arrête pour replacer le bambin confortablement. Dans son regard passent des « Je t'aime », elle en est sûre. Il n'y a que ces mots-là qui peuvent créer une telle luminosité. «Il existe sûrement une autre forme de maternité non moins réelle et non moins gratifiante que l'enfantement», se dit-elle à la lumière de ses expériences. Elle épouse cette conviction. Pour avoir moins mal. Pour comprendre ce qu'elle ressent en présence des enfants. Ce qu'elle éprouve par moments en repensant à sa mère. «Que reste-t-il du lien maternel chez l'enfant abandonné?» Cette question allait jeter la grisaille sur une sortie si bien amorcée quand les joyeux gazouillis de Charles, devant le rideau d'argent que forme le débit d'eau autour des bassins, la ramènent à l'instant présent. Dans ce parc où fleurissent, au milieu des jacinthes et des azalées, de merveilleux souvenirs. «Ce n'était donc pas illusoire de penser que Charles ressentirait le même émerveillement que moi devant cette magnifique fontaine à trois vasques», constate-t-elle, ravie. Son attention dérive soudain vers les personnages bibliques qui y sont représentés : des aveugles, des paralytiques et des boiteux attendant le mouvement des eaux pour implorer leur guérison.

«La guérison... ils l'obtenaient, à ce que racontent les Saintes Écritures. S'il en est une que je souhaiterais, c'est celle des meurtrissures causées chez les enfants par l'abandon de leur mère.» Une profonde détresse l'envahit. Celle de ce 23 juin 1887. La sienne, celle de son frère, de son père et peut-être même de sa mère. «Elle a dû être si déchirée... Son mal est peut-être plus grand que celui qu'elle nous a causé», imagine Irma, arrachée à ses cogitations par l'arrivée d'un jeune couple. La dame, visiblement en fin de grossesse, est en admiration devant Charles.

— *Lady, your son has your smile and your eyes*, dit-elle, gracieuse, se tournant vers son mari de qui elle implore une approbation.

— *Yes, yes! He is very cute, your baby, lady.*

Irma les remercie d'un signe de tête et se dirige vers un massif de fleurs odorantes.

— Viens, mon p'tit homme. Viens sentir ça, dit-elle en prenant l'enfant dans ses bras pour l'approcher d'un rosier dont elle détache un pétale.

Le chatouillement du pétale sur son nez le fait rire aux éclats. Pur bonheur pour sa marraine. Joie trop tôt émoussée par les pleurs d'un autre bambin... sensiblement du même âge que Charles. « Pauvre enfant ! » se dit Irma, devant l'air maladif et indigent de la jeune mère. Son bébé semble congestionné, secoué par une mauvaise toux. Irma se sent interpellée. L'approche est délicate. « Comment aider sans offenser ? Si ma démarche réussit, ce sera le signe que j'attendais pour signer mon contrat avec la Ville. »

Irma replace Charles sur son siège et roule doucement vers le banc qu'occupe la jeune dame; celle-ci, la voyant venir vers elle, sort son bébé du carrosse et le garde dos à la promeneuse. Le petit Charles, d'un bras tendu vers le bambin qui pleure incite Irma à s'en approcher. La jeune femme leur jette un regard timide. Irma le capte et lui répond de son plus beau sourire. Puis, elle lui fait remarquer que très jeunes, les enfants sont attirés les uns vers les autres. Un signe d'ouverture sur le visage de la maman. Irma s'aventure. D'abord avec des questions générales, tels le nom de l'enfant et son âge, ensuite sur son état de santé. Sur ce point, les réponses sont vagues. Le malaise de la jeune femme est évident.

— *I'm a doctor. I can help you and your little Eddy, lady.*

Scepticisme. Agacement.

Irma lui présente sa carte de médecin. Un moment d'hésitation, puis la jeune mère tourne le petit malade vers elle. Eddy, huit mois, a les joues en feu. Irma le coiffe du bonnet pris sur la tête de Charles en expliquant qu'il faut protéger un enfant du soleil quand il est fiévreux. Un rictus sur le visage de la mère. Irma insiste et ajoute que Charles, n'étant pas malade, n'en a pas besoin. Enfin, un acquiescement. Irma tend les bras à Eddy, qui semblait n'attendre que ce geste pour s'y précipiter. Charmée, la D^{re} LeVasseur presse l'enfant sur sa poitrine, pose sa main sur son dos, mesure la gravité du mal qui le mine. La brûlure de l'urgence. Le ressac de toute sa révolte contre la maladie et la pauvreté. Contre les victoires de la mort sur la vie des enfants.

— *Who is nursing him ?*

— *Me !*

— *You don't have a doctor ?*

— *No. No money, no doctor.*

— *I'll be your doctor, if you want. Free of charge.*

La jeune femme écarquille les yeux. Une main posée sur son cœur, elle ne peut retenir ses larmes... ses sanglots. Des aveux suivent. Tous font écho à l'impuissance et à l'épuisement. Irma n'en est pas surprise. Les vêtements du bébé, l'odeur qu'ils dégagent en témoignent. L'inconfort de la maman à recevoir une étrangère chez elle présage du délabrement de son logis. Irma la comprend, mais elle veut soigner ce bébé avant qu'il ne soit trop tard. Le récit qu'elle fait à la mère de ses expériences auprès des enfants de tous les milieux la convainc de lui consentir un rendez-vous pour le lendemain matin.

— *My name is Suzy. Good bye, Doctor.*

— *See you tomorrow, Suzy.*

Charles s'est endormi. Sa marraine pousse délicatement le landeau près d'un massif de lilas auquel est adossé un banc de bois à l'armure de fer décorative. L'arôme du lilas, en harmonie avec les *pe-ti-ti-diou* des chardonnerets et les *tsiu-tsiu-piou-piou-piou-piou* d'un cardinal rouge vite rejoint par la femelle qui n'a de rouge que le bec, la queue et les ailes. Irma savoure ce spectacle grandiose que la nature lui a réservé. Il n'est de soif en elle qu'elle ne compte assouvir pour faire contrepoids à son renoncement au mariage et à la maternité. « Y avoir renoncé un jour n'épargne pas à jamais du vide qu'il laisse dans ma chair et dans mon cœur », constate-t-elle chaque fois qu'elle se retrouve seule avec son filleul. « Si on en guérit, c'est avec le temps et... les compensations, peut-être. » À n'en pas douter, le sentiment d'être porteuse de guérison en est une. La rencontre fortuite du petit Eddy dans ce parc et la réceptivité de sa mère la confirment dans cette mission qu'elle chérit. Le signe qu'elle attendait pour accepter le travail que lui offre la Ville s'est manifesté. « Pour quelques années... Qui sait si, à mon retour, la population de Québec ne sera pas désireuse d'avoir son hôpital pour enfants ? »

Cet espoir s'ajoute aux bonnes raisons de travailler à New York, là où les médecins sont bien payés, les chercheurs, mieux encore. « Je prendrai le temps qu'il faudra afin d'accumuler assez d'argent pour l'achat d'une maison et de tout le nécessaire pour en faire un hôpital. Une liberté qui me permettra cette fois d'établir mes priorités et de les faire respecter », conçoit-elle.

❧

Les pommiers en fleurs continuent d'exhaler leur parfum, même si le soleil a tiré sa révérence. Dans la belle oasis du jardin des Smith, Bob et sa mère célèbrent la décision d'Irma. Hélène viendra les rejoindre sitôt son bambin endormi. Sur la petite table de fer forgé, recouverte d'une nappe aux coloris d'été, Bob a déposé des coupes et des bouteilles. De son index, Rose-Lyn redessine les contours d'une tulipe pour la énième fois.

— Vous prenez le train avec moi, tante Rose-Lyn? demande Irma, discrète sur la réponse souhaitée.

Bob s'empresse d'annoncer :

— Je ne pense pas. Elle sait bien que, dans le doute, il vaut mieux s'abstenir...

— Je n'ai jamais eu autant de misère à me faire une idée, réplique Rose-Lyn.

— Sûr, maman? Je crois plutôt que c'est l'histoire de votre vie... quand vous êtes en terre américaine, en tout cas, reprend Bob, rappelant avec tendresse les tergiversations de Rose-Lyn au moment de choisir entre son fils et sa famille.

— Y avait de quoi! riposte Irma. À moins d'être une mère dénaturée.

— J'avoue que je l'ai été un peu. D'ailleurs, ça fait encore mal, ici, dit-elle, deux doigts posés sur son plexus solaire.

— Le pardon... Vous connaissez, maman?

— Le donner aux autres, c'est pas mal plus facile que se l'accorder.

— Pourtant, s'il en est une qui le mérite, c'est bien vous, ma tante; quand on sait comment votre vie de jeune femme a été sacrifiée, rappelle Irma.

— Un sacrifice imposé, tout de même. Alors que toi, tu l'as choisi, le tien. C'est bien plus méritoire...

— C'est héroïque, ajoute Bob, son regard rivé à Irma qui fixe le sol.

De longs moments d'un silence brûlant et l'absence d'Hélène font glisser Irma vers la capitulation. Ses joues se sont incendiées, comme au premier frisson d'amour, sept ans plus tôt, au cimetière, là où sa raison avait glissé, la jetant dans les bras de Bob. Une étreinte de leurs âmes, de leurs cœurs, de leurs corps. Un vertige dont elle avait eu du mal à sortir.

Ce soir, une étincelle égarée suffirait pour que le brasier s'enflamme. Des regards qui s'attarderaient indûment, un effleurement de leurs mains. Irma le ressent. «Serait-ce que ma volonté n'offre pas plus de résistance à mes sentiments qu'une terre argileuse? Serait-ce que je n'ai pas renoncé de tout mon être à l'amour de Bob? Est-ce possible que je me sois menti? S'il est une certitude, c'est que la place de Bob est auprès d'Hélène. La mienne? Ailleurs... auprès des enfants souffrants», se répète-t-elle avec une conviction d'acier.

La voix de Bob la ramène auprès de lui.

— Hélène et moi aimerions bien que maman passe l'été avec nous.

— Et plus encore, si elle le veut bien, confirme Hélène, venue les rejoindre.

Irma ne dit mot, mais elle souhaite que Rose-Lyn prenne goût à la vie new-yorkaise auprès de cette petite famille n'apportant que du bonheur à cette femme qui avait désespéré de revoir son fils. «Je me sens égoïste de souhaiter être entourée encore plus longtemps de ceux qui me sont le plus chers après mon père et mon frère», reconnaît-elle. Sa pensée dévie vers Paul-Eugène. Une fois de plus, elle lui «crèvera le cœur», comme il dit à chacun de ses espoirs déçus. «S'il pouvait cesser de prendre mes projets pour des promesses, je serais moins forcée de lui cacher la vérité», déplore-t-elle, en quête d'une recette miracle.

— Qu'est-ce que tu en penses, Irma? demande Rose-Lyn.

— Excusez-moi, j'étais déjà à Québec. Vous parliez de quoi, donc?

Bob en profite pour étoffer son plaidoyer.

— Personne n'a besoin de ma mère à Saint-Roch, alors qu'ici...

— ... on a tellement de temps à rattraper, et puis Charles n'a pas d'autre grand-maman, plaide Hélène.

Il leur a suffi d'évoquer le nom de son petit-fils pour que Rose-Lyn laisse parler son cœur. Dans un éclat de rire, elle confesse :

— Jamais un homme ne m'aura autant fait marcher que Charles Smith.

Bob et son épouse la noient de baisers et de mercis.

— Dans ce cas, je vous reverrai tous dans deux semaines, dit Irma. Et vous, ma tante, vous me ferez la liste de ce que je dois vous rapporter.

— J'aurai des lettres à te confier, dit Rose-Lyn, pressée d'aller les rédiger.

Soudain soucieuse, Hélène ne s'en cache pas :

— J'ai peur que tu te laisses influencer par ta famille, Irma. Que tu ne reviennes pas...

— Je croyais que tu me connaissais assez pour savoir que, quand je prends une décision, je ne reviens jamais en arrière.

— Je te connais assez aussi pour remarquer un petit nuage dans ton regard. Qu'est-ce qui te tourmente ?

Irma ne peut mentir à sa grande amie. À la limite, ne lui révéler qu'une partie de ce qui la préoccupe.

— Il n'y a pas de décision facile dans notre monde. Plus on réfléchit, plus les raisons d'avancer ou de reculer se multiplient, explique-t-elle.

— Le nombre n'est pas important. Tu ne devrais considérer que les aspects qui te vont droit au cœur, il me semble.

« Droit au cœur... C'est justement là où le bât blesse, se dit Irma. Une partie de mon cœur est au Québec et l'autre est à New York. Hélène croit donc que je suis complètement libérée de tout l'amour que j'ai éprouvé pour Bob. Le contraire me rendrait encore plus mal à l'aise. Mais il n'en reste pas moins que sa présence attise mes sentiments. Mes rêves en sont la preuve. »

Que de fois, au cours des dernières semaines, Irma s'est surprise à s'imaginer à la place d'Hélène dans des scènes dont elle n'arrivait pas à détourner son regard! Hélène embrassant Bob, Hélène recevant une caresse de son mari, Hélène et Bob échangeant des regards passionnés... comme ceux qu'elle a tant de fois retenus. Les inhibitions sont telles que les rêves nocturnes en sont peuplés. Des rêves édéniques. Enivrants. Troublants.

Le silence d'Irma tracasse Hélène.

— Quand tu vas revenir, tu pourras t'installer dans la grande chambre à débarras. On va la vider, Bob et moi. Ça nous prenait une belle occasion comme celle-là pour faire le ménage, dit-elle, cherchant un sourire d'appréciation sur le visage de son amie.

Irma reste sans voix. Elle braque son regard sur Bob.

— C'est une proposition... Une simple proposition, nuance-t-il. Comme dit Hélène, depuis le temps qu'on remet ça au lendemain.

— C'est délicat de votre part, mais ce ne sera pas nécessaire. J'ai loué un petit appartement à quelques rues de l'hôtel de ville, ajoute-t-elle, consciente d'anticiper sur son programme du lendemain.

Le train ne quittant la gare de New York qu'en début d'après-midi, Irma avait prévu prendre la matinée pour visiter le petit Eddy et se trouver un appartement meublé où elle s'installerait dans deux semaines.

La déception d'Hélène est évidente. De son côté, un peu trop empressé de se réjouir de cette décision, Bob évoque les avantages d'habiter tout près de son travail et ajoute :

— Ça nous aurait fait plaisir, Irma.

Le lendemain matin, bien avant que le plancher de bois franc n'ait gémi sous les pas des parents de Charles, Irma a quitté la maison de Bob. Dans une main, le sac du strict nécessaire pour ses deux semaines au Québec; dans l'autre, un balluchon rempli pour Eddy et sa mère : des vêtements trop petits pour Charles, d'autres pour Suzy et des échantillons de médicaments et de vitamines quêtés à l'hôpital St. Mark. Eddy et sa maman ne doivent manquer de rien en son absence.

Les trois visites d'Irma, mais les progrès du bambin, surtout, ont étoffé la confiance de Suzy envers la jeune docteure. Même qu'une larme a glissé sur les joues de la mère d'Eddy. À Irma qui s'en inquiète, Suzy avoue craindre de ne plus la revoir.

— *I swear on the Bible, I'll come back*, dit Irma.

➤◄

Avant de rentrer à Saint-Roch, la D^re^ LeVasseur s'arrête à Montréal pour voir deux amies : Maude Abbott et, si elle peut être rejointe en dehors de l'hôpital Sainte-Justine, Euphrosine Rolland.

Après avoir frappé à trois reprises et sans succès à l'appartement de son amie Maude, Irma se dirige vers l'Université McGill. La brunante s'installe sur la ville alors que Maude, absorbée dans sa lecture, n'a pas encore quitté son bureau. La porte demeurée entrouverte permet à Irma d'annoncer sa présence en douceur.

— Puis-je vous voler quelques minutes, D^re^ Abbott ? demande Irma, l'air coquin.

— Irma ! Ma chère Irma ! Recule que je te regarde à mon aise, s'écrie Maude avec une exubérance exceptionnelle.

Sa visiteuse, particulièrement élégante dans sa robe d'organdi vert pomme garnie de rubans et de volants ocre, s'éloigne de deux pas, pose ses mains sur ses hanches et se dandine, feignant l'ostentation.

— Votre diagnostic, docteure Abbott ?

— Excellente forme... si ce n'est...

Dans un éclat de rire confondu, les deux jeunes femmes reprennent leur étreinte.

— Sortons d'ici, décide Maude.

— Volontiers, mais pas avant que tu m'aies dit sur quoi tu étais si concentrée.

— Oh, Irma ! J'ai l'impression que si ça continue comme ça, 1908 sera pour moi une année inoubliable. Une des plus heureuses de ma vie.

— Raconte-moi, insiste Irma.

— Deux semences que j'avais mises en terre et qui m'apportent de grands espoirs de récolte.

— Je gage que ton travail sur les malformations cardiaques est terminé.

— Plus que ça, le Dr Osler se charge de le faire diffuser dans le monde entier.

— Tu le mérites bien, Maude.

— J'espère que cette étude convaincra les autorités de m'accorder enfin le titre de docteure en médecine.

— Je te le souhaite. Et la deuxième semence ?

— L'*Association internationale des musées médicaux* que j'ai travaillé à mettre sur pied, il y a deux ans... Tu te souviens ? Elle prend de la vigueur. On a triplé le nombre de membres.

— Internationale ! Mme Abbott vise grand !

— C'est ma revanche.

— Contre quoi ? Ou contre qui ? demande Irma.

— Tu sais comme les Canadiens sont doués pour encenser tout ce qui vient d'ailleurs...

— ... et rapides pour critiquer tout ce qui vient d'ici.

— Moi, je me dis qu'on pourrait inverser cette tendance-là. Montrer à l'Europe et aux États-Unis que nous aussi on peut faire des découvertes importantes.

Irma, éprise du même idéal, l'approuve d'un signe de tête.

— Tu sais comme moi que les médecins d'ici et d'ailleurs ne croient pas au traitement chirurgical du cœur humain. Mon *Systems of modern medicine* va leur prouver qu'ils ont tort. Que ça presse de mettre mes recherches en pratique. Qu'on a des milliers de vies à sauver.

Cette envolée décroche un sourire à la D^{re} LeVasseur.

— Je venais justement t'apprendre, Maude, que dans quelques semaines, je travaillerai à un projet comparable au tien.

— Où ça ?

— À New York.

— Mais pourquoi à New York ?

— Parce que c'est là que je suis désirée...

Le visage d'Irma se rembrunit. Sa bouche se vide de mots. Maude ouvre ses bras. Irma ne résiste pas à cette accolade silencieuse mais combien lénifiante.

— Viens chez moi, Irma. On sera tellement mieux...

À un rythme calqué sur leurs pas, Maude bombarde sa collègue de questions sur les circonstances, les conditions et les motivations qui l'envoient travailler à New York. Nombre de réponses sont brèves mais non moins éloquentes. Devant certaines hésitations de son amie, elle n'insiste pas... du moins pas avant que toutes deux s'attablent pour partager leur dernier repas de la journée. L'appétit et la curiosité se font concurrence.

Le dessert à peine entamé, Maude croit le moment venu de poser une question... délicate :

— Faut-il qu'il t'admire assez, ce M. Bob Smith, pour avoir fait de telles démarches pour toi ! Vous vous connaissez depuis longtemps ?

— Six ans, à peu près. Il est propriétaire d'une très belle bijouterie tout près du *Metropolitan Opera*.

Bijouterie, Metropolitan Opera. Des mots que Maude n'avait jamais entendus de la bouche d'Irma. « Le côté caché de ma belle amie », se dit-elle, désireuse de le connaître davantage.

— C'est là que tu as trouvé tes magnifiques broches à cheveux ? avance-t-elle.

— Oui, oui, répond Irma, n'osant avouer qu'elle ne se souvient absolument pas de celles qu'elle a piquées dans sa chevelure ce matin même.

— Et ce bijoutier s'intéresse à sa cliente au point de lui trouver un travail ? Ça me dépasse !

— C'est qu'il est aussi un cousin...

Autre surprise ! « De la parenté aux États-Unis ! »

— Ce sont ces gens-là qui se sont occupés de toi pendant tes études au Minnesota ?

— Indirectement, si tu veux, répond Irma, fuyant le regard de Maude qui n'a pas oublié certaines allusions de son amie quant à ses difficultés familiales.

— Contrairement à la mienne, ta mère n'est pas décédée, si je me souviens bien. Elle vit toujours au Québec ?

Un silence que Maude n'avait pas prévu lui fait regretter sa question.

— Pour être franche avec toi, je ne sais pas si ma mère est encore de ce monde... Et, si oui, dans quelle ville elle habite, avoue Irma, un coude appuyé sur la table, frottant son menton de gestes nerveux pour ne pas pleurer.

Plus un mot entre les deux femmes jusqu'au moment où Maude ose une fois de plus provoquer les confidences de son amie.

— Tu as l'intention de...

— D'en avoir le cœur net ? Oui.

— Tu as un espoir de...

— Une brûlure au creux de l'estomac me dit qu'elle est vivante... même qu'elle pourrait être dans mes parages, parfois.

— Au Québec ou aux États-Unis ?

— Je ne sais trop. Mais je suis portée à croire qu'elle est à New York. Si elle avait habité Montréal, je l'aurais senti.

— Tu es munie d'un petit radar, ma chanceuse ?

— Petit, c'est le mot ! Depuis le temps que je la cherche...

Les derniers mots se sont perdus dans un flot d'émotions qu'Irma a du mal à contenir. Maude ne l'a jamais vue ainsi. « L'épreuve de Sainte-Justine l'a meurtrie plus qu'elle ne l'avait laissé voir. L'absence de sa mère aussi », se dit-elle.

Les aveux de son amie, un choc pour celle qui a grandi dans l'indifférence face à l'abandon de son père. Pour la première fois de sa vie, Maude en questionne la normalité. « Il est vrai que ma grand-mère Abbott a tout fait pour effacer de ma mémoire ce qui concernait les Babin, mais... »

— Je vais t'avouer quelque chose, Irma. Je t'ai dit, lors de notre première rencontre, que je n'avais que sept mois quand mon père nous a quittées et que je ne savais pas ce qui était advenu de lui. Que ce n'était nullement tragique pour moi parce que ma grand-mère Abbott avait fait plus pour moi et ma sœur que mes parents n'auraient pu le faire. Ce n'est pas tout à fait ça.

Irma ne se montre nullement surprise.

Son dessert abandonné avant d'être entamé, Maude enchaîne :

— Mon père aussi vit aux États-Unis. Ma mère est morte exactement un an après son départ.

— De chagrin ?

— Probablement. On m'a dit qu'elle était atteinte de tuberculose. Quand j'ai commencé mes études en médecine, j'ai découvert qu'on avait tendance, au Québec, à émettre ce diagnostic pour tous les décès aux causes douteuses. Ça m'a tellement troublée...

— Tu avais quel âge quand ta mère est morte ?

— Vingt mois. C'était en novembre 1869. J'ai su par grand-maman Abbott que mon père n'était pas venu aux funérailles. Il habitait à Newport, dans le Kentucky, à ce moment-là.

— C'est le travail qui l'a poussé si loin ? ose Irma.

Maude hoche la tête, le regard happé par un souvenir : à Buckingham, des villageois chuchotaient en la regardant passer avec sa grand-mère.

— Le fait que ma sœur et moi ne sommes jamais allées à l'école...

— Mais comment as-tu appris à lire et à écrire ? questionne Irma.

— Ma grand-mère engageait des dames qui venaient nous instruire à la maison. Elle disait que ma sœur avait su jouer du piano avant de parler. Alice avait ce grand talent, entre autres.

— Et toi ?

— J'adorais la lecture et je me plaisais à chanter et à jouer avec mes chats.

— On avait les mêmes goûts, relève Irma. Sauf que, comme ta grande sœur, j'étais plus douée pour le piano que pour le chant.

Dans l'esprit d'Irma, une scène qu'elle aurait souhaité réelle la fait sourire : les deux filles Babin et elle-même habitant le même village et occupant leurs soirées d'hiver autour d'un piano.

— Tu estimes avoir eu une belle enfance ? relance Irma.

— Plutôt agréable, du moment qu'on ne mettait pas les pieds dehors.

Des souvenirs douloureux défilent dans la mémoire de Maude.

— Les particularités de notre famille alimentaient abondamment les commères, ajoute-t-elle d'une voix éteinte. Des paroles sont venues jusqu'à mes oreilles : « Pauvre petite ! Si elle savait que son père a fait de la prison... il ne s'est pas sauvé pour rien. » Ce serait la honte qui lui a fait quitter sa cure de Buckingham. J'avais presque vingt ans quand une tante maternelle m'a appris que mon père avait été accusé puis innocenté du meurtre de sa sœur Aglaé, une infirme.

Irma ne peut cacher sa stupéfaction. Cette révélation, une autre similitude avec sa situation familiale. Une infirme... un procès... une réputation entachée.

— Je connais d'autres familles qui ne sont pas sans reproches. C'est moins rare qu'on ne le pense, Maude. J'ai un oncle maternel qui a été présumé coupable d'un meurtre et envoyé aux États-Unis pour se faire oublier...

Une telle confidence incite Maude à poursuivre.

— Je viens d'avoir quarante ans. Il serait peut-être temps que je me fasse une idée personnelle de ce qu'était mon père... Que je démêle le vrai du faux dans ce que ma grand-mère me répondait quand je la harcelais de questions.

— Tu doutes qu'elle t'ait dit la vérité ?

— Qu'elle ait fait disparaître Babin de mon nom de famille pour me donner celui de ma mère m'a toujours laissée croire que mon père n'avait eu que des torts, que des défauts. Si je découvrais un honnête homme chez le pasteur anglican Jeremiah Babin ?

— Qui sait si ce ne sera pas aussi ma découverte par rapport à ma mère...

Les deux amies s'accordent des instants de silence sans en être indisposées.

— Chercher à le revoir, c'est peut-être courir au-devant des problèmes, craint Maude.

— Par moments, c'est obsédant, cette hantise de retrouver quelqu'un, avoue Irma.

— Ce l'est encore pour toi ?

— Oh, oui ! Surtout quand je revois mon frère.

— Un jeune frère ? C'est normal qu'il ait besoin de sa mère...

— Plus vieux que moi mais jeune... de caractère. Très jeune. Trop jeune. Si attachant. Si malheureux... Je déplore de ne pas posséder plus de connaissances pour traiter ce genre de maladie, confie Irma, ses doigts filiformes allant et venant sur son front inquiet.

— C'est un peu comme ma sœur... malade depuis dix ans. Elle avait eu le temps, elle, de connaître ma mère et de s'attacher à elle.

— Comme mon frère et moi... Elle en souffre encore ?

— C'est difficile à dire. On ne sait plus vraiment ce qu'elle ressent. Elle est très atteinte mentalement depuis son attaque de diphtérie survenue lors d'un voyage à Vienne; un voyage qui avait si bien commencé pour nous deux.

Médusée, Irma laisse les minutes dissiper quelque peu le trouble qui l'a envahie.

— Qu'est-ce que les médecins en disent?

Maude tarde à répondre. Irma la croit au bord des larmes.

— Je reste persuadée que c'est moi qui ai raison : elle pourrait guérir. La preuve? À certains moments, elle redevient presque normale et plus sereine. Jamais très exubérante; pas plus qu'avant sa maladie. Je finirai bien par trouver le spécialiste qu'il lui faut.

— Elle ne s'entendait pas bien avec votre grand-mère?

— Moins que moi, à cause, justement, de l'espèce de mélancolie qu'elle entretenait, au dire de ma grand-mère.

— Tu m'as bien dit, Maude, que tes parents ne t'avaient jamais manqué...

— C'est vrai, mais peut-être que je ne me le suis jamais avoué. Il faut dire que, lorsque j'ai réalisé qu'il manquait un papa dans la maison, j'avais eu le temps de m'attacher beaucoup à celle que j'appelais maman. Elle prenait bien soin de ses petites-filles. Elle m'a donné le plus précieux des bagages : l'instruction, la confiance en la vie et la ténacité.

— Ta sœur a été aussi choyée?

— Alice n'aimait pas beaucoup l'étude. Par contre, elle aurait voulu apprendre à jouer de tous les instruments, tant elle était passionnée de musique. Moi, à l'âge de quinze ans, j'avais le goût de poursuivre mes études, d'aller à l'université, même. J'avais déjà choisi la médecine. Comme toi, Irma, j'ambitionnais de découvrir le remède à toutes les maladies.

— Nous avons tant de choses en commun, nous deux...

— ... que tu ne devrais pas t'en aller travailler loin comme ça, Irma.

— Ce que j'ai envie de faire ne m'est pas vraiment possible ici. Pas encore, d'après ce que j'ai vécu.

— Il y aurait peut-être une autre façon de s'y prendre, suggère Maude.

— Peut-être. C'est plus facile pour moi de réfléchir à tout ça loin de Montréal et entourée...

Maude va au-devant de son amie :

— ... de gens qui te comprennent et qui t'aiment ?

Irma l'approuve... timidement, puis de nouveau le silence. Irma le rompt pour exprimer un désir :

— J'aurais aimé laisser un au revoir à ma bonne Euphrosine Rolland. Mais comme je la connais, elle doit passer tout son temps auprès des petits malades...

— Et tu ne veux pas aller la voir à l'hôpital, devine Maude.

D'un signe de tête, les lèvres scellées sur son chagrin, Irma lui donne raison.

— J'ai une idée, s'écrie Maude. Écris-lui un petit mot et j'irai le lui porter de main à main.

— En l'embrassant très fort de ma part, lui recommande Irma, les yeux mouillés.

— Tu as des nouvelles de ton hôpital ?

— De temps en temps, par Euphrosine, oui.

— Je te garde à dormir, Irma.

D'emblée, les deux jeunes femmes s'accordent d'autres précieux moments à causer des rêves qu'elles espèrent réaliser dans les vingt prochaines années, assaisonnant leurs projections d'humour et de taquineries.

⟶⟵

— Paul-Eugène ! Mais qu'est-ce qui t'arrive ?

Irma est catastrophée. En fin d'après-midi, son frère est venu lui ouvrir en titubant, le regard perdu, l'élocution vaseuse. Nazaire n'est pas là.

— Travail... travail... tout le temps au travail, mon père, marmonne Paul-Eugène, avant d'atteindre péniblement le sofa sur lequel il s'échoue comme une barque à la dérive. Un spectacle dégoûtant dans ce salon où Irma a vécu des événements d'une grande beauté, vingt ans plus tôt.

Une odeur fétide, dans la chambre de Paul-Eugène. Des bouteilles vides sur le plancher. La découverte ne laisse place à aucune illusion.

« Il ne manquait plus que l'alcool pour en faire un abruti accompli. Ça, ajouté aux médicaments qu'il prend, s'il les prend encore, y a de quoi devenir fou », se dit-elle, indignée.

L'urgence d'en savoir davantage sur le compte de son frère la pousse vers sa tante Angèle, qu'elle trouve dans la cuisine, affairée à rouler sa pâte à tarte. L'émoi des retrouvailles fait vite place à une kyrielle de questions :

— Le saviez-vous ?

— Je m'en doutais...

— Depuis quand ?

— Un peu plus d'un an, je dirais.

— Et papa ?

— Aucune idée ! On se parle de moins en moins... à cause du capitaine Bernier. Ton père le voit dans sa soupe.

— Qu'est-ce que vous voulez dire, tante Angèle ?

— Tu le lui demanderas, il va se faire un plaisir fou de tout te raconter dans les moindres détails. Moi, je viens les oreilles en feu chaque fois qu'il débarque ici pour me donner de ses nouvelles.

— C'est pour ça que Paul-Eugène est de plus en plus seul à la maison ?

— Ton frère s'en va sur ses trente-trois ans, Irma. On ne va pas le surveiller comme un enfant.

— C'est un enfant, ma tante. Vous le savez bien.

— Un instant, Irma. Je l'ai assez observé pour savoir qu'il joue à l'enfant quand ça fait son affaire.

— D'accord. Il est loin d'être fou, Paul-Eugène, je le sais. Ce n'est pas dans sa tête que ça va mal. C'est ici, dit Irma, la main sur le cœur, les yeux mouillés.

— Viens t'asseoir dans le jardin, Irma. Sous ton cerisier préféré. Je te sers un bon thé chaud. On va discuter calmement.

À cinquante-huit ans, Angèle dit en avoir plein les bras avec l'entretien de sa maison, du terrain, en plus de ses leçons de chant et de piano et des dîners qu'elle va souvent porter à Paul-Eugène.

— Vous avez bien dû le voir saoul une fois ou l'autre...

— Jamais. Il sait que je n'y vais qu'à l'heure du midi. Par contre, je l'ai vu sortir de l'épicerie une fois avec un sac très lourd et j'ai entendu les claquements de bouteilles... J'ai essayé de le rejoindre, mais il courait, presque.

Irma se sent couler dans une mer de tristesse. La somme de ses chagrins passés, les drames familiaux et ses combats personnels l'y tiennent captive. L'acharnement d'un destin pernicieux. Un atavisme hérité d'elle ne sait qui.

— Je ne te cache pas, ma pauvre fille, que Paul-Eugène m'inquiète beaucoup. Plus ça va, plus je le vois comme un boulet à la cheville de... Un boulet dont personne ne veut.

Un silence glacial prend place.

— Pas plus toi que nous autres, ose ajouter Angèle.

— Pardon ! J'aimerais pouvoir m'en occuper, mais...

— Chacun a son « mais », Irma.

— Avant de repartir, je vais aller voir son médecin.

— Tu repars où cette fois ?

La nouvelle bouscule et chagrine Angèle. Elle aimerait croire qu'au-delà de ce travail intéressant à New York un amour possible l'y attend. « Un peu de réconfort dans sa vie, ça lui ferait tant de bien. Encore faudrait-il qu'elle mette son célibat en veilleuse », se dit-elle, déterminée à sonder le terrain... subtilement.

— Je ne comprends pas ce qui t'attire tant dans cette ville. C'est si loin !

— Ce n'est pas la ville qui m'attire, tante Angèle. Si Québec m'offrait le même travail ici et autant de soutien et de compréhension, je ne partirais pas, riposte Irma, consciente de ne dire qu'une demi-vérité.

Angèle l'a perçu.

— La recherche de ta mère, tu l'as abandonnée ?

— Non. Même que j'ai le sentiment de me rapprocher d'elle quand je suis à New York.

Angèle pousse un grand soupir. Pas un seul signe d'approbation sur son visage. Que des rides qui se creusent sur son front. Irma en réclame la raison.

— Ma pauvre fille, je ne voudrais tellement pas que tu entretiennes une autre...

— ... une autre illusion ? l'interrompt Irma.

Angèle cache mal sa pensée.

— Une autre déception, pour le moins, corrige-t-elle.

— La vie est tissée de risques, ma tante. Ce n'est pas quand j'aurai soixante ans qu'il sera temps de mordre dedans.

— Ah, non ? Aurais-tu oublié l'âge de ton père ? Il les a eus, ses soixante ans, en février. Ça ne l'a pas empêché de se lancer dans une nouvelle aventure.

— Ça ne me surprend pas. Mon père ! Un être à part... que j'admire à bien des égards, pourtant.

— Un être que je n'arrive pas encore à comprendre, riposte Angèle. Trop de talents ! J'ai l'impression qu'il y a au moins quatre hommes en lui et qu'ils veulent tous prendre leur place. Le plus surprenant, c'est que le musicien réussit aussi bien que le journaliste, le géographe aussi bien que le politicien.

— Malheureusement, on ne peut pas en dire autant de sa vie privée et de sa situation financière, murmure Irma. Comme père, il aurait pu faire mieux. Je ne sais à peu près rien de ses qualités d'époux, mais plus je vieillis, moins je suis portée à lui attribuer une note enviable.

— Et à ta mère, tu en donnerais une bonne ?

— Je ne sais pas vraiment pourquoi elle est partie. Je ne sais pas non plus si elle n'aurait pas tenté de...

L'émotion étrangle Irma. Les pensées d'Angèle ne traversent pas ses lèvres. Les allusions de sa nièce l'ont prise au dépourvu. Elle tremble comme si elle venait d'échapper à un grave danger. Irma le perçoit lorsqu'elle lève les yeux. Une vague d'interdictions les rive au silence.

Invitée à souper avec sa tante, Irma refuse.

— Je n'ai pas faim. Je vais aller me reposer au parc tout en surveillant l'arrivée de mon père à la maison, annonce-t-elle.

— Comme tu veux, laisse tomber Angèle, le cœur alourdi, l'œil chagrin.

« Tu n'es pas au bout de tes peines, ma petite », pense-t-elle en la regardant s'éloigner.

L'angélus du soir a sonné et l'appétit a eu le temps de se loger au creux de l'estomac d'Irma. Nazaire n'est toujours pas apparu. « Si je savais au moins de quel côté il va venir, j'irais au-devant de lui. Même si Paul-Eugène avait tous ses esprits, il ne pourrait probablement pas me dire à quel Dieu notre père s'est voué cet après-midi », présume-t-elle, néanmoins décidée à quitter son banc d'observation. La marche déjoue l'impatience qui la gruge. « S'il n'est pas là dans une demi-heure, je m'en retourne chez tante Angèle », décide-t-elle.

Une trentaine de pas dans un sens, tout autant dans l'autre lui permettent de ne pas perdre de vue la maison familiale. Une abeille qui la courtisait l'a-t-elle trop longtemps distraite ? La porte de la maison est entrouverte et, un peu plus loin, un homme clopine vers… elle sait où, elle sait qui.

« Non, Paul-Eugène ! » allait-elle crier quand elle aperçoit Nazaire venant en direction opposée, vers son fils.

Les deux hommes s'affrontent. Naît une altercation, les gestes en témoignent. Irma se précipite vers eux. Nazaire bouscule Paul-Eugène, qui résiste puis s'étale dans l'herbe.

— T'as pas fini de nous faire honte ? Rentre à la maison ! crie Nazaire, exaspéré et combien humilié.

« Comme il y a vingt-cinq ans », se rappelle Irma, qui s'écraserait sur ses talons et, la figure cachée sur ses genoux, pleurerait sans retenue. Plus d'un souvenir lézarde sa mémoire. Ce n'est pas la première fois, de fait, que Paul-Eugène fait honte à son père. Il devait avoir sept ou huit ans quand Nazaire était allé le conduire à l'école avec quelques taloches au derrière et avait dû le ramener à la maison tant il hurlait pour ne pas y rester. Son père avait alors prononcé pour la première fois un qualificatif à propos de son fils, un mot dont elle avait deviné la gravité à la réaction de Phédora.

— Il serait peut-être moins débile que tu le dis si tu t'en occupais autant que tu t'occupes de tes chanteurs, de tes musiciens, de tes bébelles ! avait-elle rétorqué, se retirant dans sa chambre avec Paul-Eugène.

Avant de refermer la porte derrière eux, Phédora, en larmes, avait défié son mari de porter la main une autre fois sur son fils.

Irma est à moins de cent verges de la scène lorsque Nazaire l'aperçoit enfin. Que du bafouillage sur les lèvres de celui qui, d'ordinaire, sait aussi bien manier les mots que l'archet ; ses bras, à mi-chemin vers une étreinte... avortée. Un regard noir de reproches tient lieu de salutations de la part de sa fille. Le cœur en charpie, Nazaire appelle des mots qui ne viennent pas.

Irma se penche vers Paul-Eugène qui sanglote... comme avant.

— Lève-toi. Viens. On va rentrer à la maison tous les trois... Comme avant, Paul-Eugène.

— Avec toi, ma petite sœur, parvient-il à balbutier.

— Papa va t'aider, dit-elle, ne parvenant pas à le remettre sur ses pieds.

— Non. Pas lui, riposte Paul-Eugène.

Sans attendre sa permission, son père l'empoigne et le replace debout.

— Avoir su, dit Nazaire en se tournant vers Irma. Tu aurais dû me prévenir. Ça m'aurait fait plaisir de te préparer une belle réception.

— Pas besoin de réception, papa. Je n'attends de vous qu'un peu plus d'amour pour mon frère.

— De l'amour ! De l'amour ! Tu ne voudrais quand même pas que je le traite comme un enfant ! Que je ferme les yeux sur sa paresse ! Sur ses mauvaises habitudes ! Encore moins sur celle qu'il est en train d'ajouter aux autres !

— On s'en reparlera, papa. Le moment n'est pas bien choisi.

Tous trois cheminent vers la maison familiale dans un silence lourd des reproches qui foisonnent dans la tête de l'un et de l'autre, de l'un vers l'autre.

Paul-Eugène veut se réfugier dans sa chambre, Irma le retient :

— Tu vas m'aider à préparer le souper, dit-elle, en réclamant de leur père qu'il leur trouve de quoi cuisiner un bon repas.

Du lait, des œufs, des tomates, des morceaux de lard salé feront une bonne omelette, accompagnée de pommes de terre et de pain. Paul-Eugène dégrise lentement en pelant les patates tout aussi lentement. Nazaire, confus devant le désordre de la maison, s'affaire à laver la vaisselle qui, de toute évidence, traîne depuis quelques jours. Il cause peu, plus intéressé à ne rien perdre des propos échangés entre ses deux enfants. «Ça paraît qu'elle n'a pas à l'endurer à longueur d'année», se dit-il, non moins touché de la gentillesse d'Irma envers son frère.

— Si tu allais te chercher un petit travail payant, vous pourriez, papa et toi, vous offrir les services d'une dame qui viendrait chaque semaine faire du ménage et de la lessive, lance-t-elle à Paul-Eugène.

Outré, Nazaire riposte :

— Il n'a que ça à faire, puis regarde dans quel état est la maison !

— Je parle d'un vrai travail d'homme, papa. Ils sont rares ceux qui sont intéressés à remplacer la femme à la maison.

Cette phrase aussitôt émise, Irma donnerait cher pour la rattraper. Paul-Eugène l'a saisie comme l'occasion ultime de reprendre sa jérémiade.

— Si maman était pas partie... Si papa nous avait pas empêchés d'aller la retrouver. Si... Si...

Irma n'écoute plus. Paul-Eugène vient d'avancer une hypothèse qu'elle n'a jamais entendue de sa bouche. « Ou il divague ou il l'a apprise... Mais comment ? De qui ? Maman aurait bien pu tenter de nous emmener avec elle. Comment n'y ai-je jamais pensé ? Si je me rappelle bien, les réponses de grand-père William concernant ma mère ne m'ont jamais entraînée sur cette piste... ni détournée non plus. »

Tout au long du souper, Irma chouchoute les deux hommes qui l'entourent comme rarement dans sa vie. Les révélations qu'elle attend d'eux pendant sa visite en valent le prix.

Une joue gonflée par sa dernière bouchée d'une tarte préparée par sa tante Angèle, Paul-Eugène quitte la table.

— Va pas t'écraser sur le sofa, tu sais bien qu'en moins de trois minutes tu vas ronfler à pleins tuyaux, lui dit Nazaire.

— Quand ma sœur est avec moi, j'ai pas envie de dormir. Ni de...

— J'ai hâte de voir ça, l'interrompt son père.

Irma pince les lèvres sur un sourire malicieux. «Je ne demanderais pas mieux qu'il s'endorme. Sinon, il est bien capable de m'accaparer jusqu'aux petites heures du matin sans que je puisse tirer une confidence», pense-t-elle. Paul-Eugène, un être un peu retardé sur certains plans, tous en conviennent, mais combien doué pour la manipulation !

— Je ne sais pas comment expliquer ce phénomène, mais Paul-Eugène nous mène comme des marionnettes, avait dit Angèle alors qu'il n'avait que treize ans.

Vingt ans plus tard, rien qu'à le voir faire semblant de dormir quand son père discourt, Irma jurerait qu'il a triplé ce pouvoir. Inutile d'ajouter qu'elle en aurait fait autant parfois ; entre autres quand Nazaire lui décrivait dans les moindres détails les articles qu'il rédigeait dans le *Bulletin de La société de géographie de Québec* qu'il a cofondée en 1880. Combien de fois n'est-il pas revenu sur une étude publiée en 1884, portant sur le lac Winnipeg et qui lui a valu d'être abondamment louangé ! Il s'en est fallu de peu pour qu'il ne s'y attarde encore ce soir.

— Ma prochaine étude mérite que je lui accorde tous mes temps libres, annonce-t-il, résolument énigmatique.

Son stratagème réussit, Irma souhaite l'entendre.

— Elle va porter sur le bassin du grand fleuve Mackenzie. C'est pour ça que j'ai abandonné la direction du *Bulletin* le mois dernier. Le capitaine Bernier aurait bien aimé que je poursuive...

— Pourquoi donc ?

— Pas un numéro ne sortait de presse sans que j'aie fait état de ses œuvres et de ses voyages. Il m'impressionne tellement, cet homme. Si j'avais pu, ça ferait longtemps que je serais monté sur son bateau avec lui pour aller à la conquête du pôle Nord, confie-t-il à sa fille en lançant vers Paul-Eugène un regard qui en dit long sur les barrages que ce garçon a semés sur sa route.

Un accablement teinté de révolte et de désarroi courbe les épaules d'Irma. Les coudes posés sur la table, la figure abandonnée au creux de ses mains, elle s'astreint au silence... pour ne pas contrarier son père.

— Je t'ai déjà parlé du capitaine Bernier, il me semble, lui demande-t-il.

— Oui, oui, s'empresse d'affirmer Irma, impatiente de passer au sujet qui la hante.

— Quand je pense qu'à l'âge où j'entreprenais mes études en médecine, Joseph-Elzéar Bernier commandait déjà le navire de son père pour un long voyage transatlantique. Il a vu Cuba, la mer Noire, l'Australie, l'Irlande, l'Afrique, même. Maintenant, c'est le grand Nord qui le passionne. Il y a tellement peu de recherches publiées depuis deux cents ans sur ces territoires ! C'est révoltant de voir l'indifférence des gouvernements sur le sujet. Si tu savais tous les refus de financement qu'il a essuyés de leur part. Il me disait récemment : « Il ne manque pas de gens qui croient que, quand une chose ne rapporte pas de profits immédiats, elle ne mérite pas qu'on s'en occupe. » Il me fait tellement penser à toi...

La remarque fait monter une rafale de frissons dans le dos de sa fille. Sa gorge se serre.

— Un indomptable, ce capitaine ! Prêt à défendre une cause à n'importe quel prix, reprend Nazaire, fasciné par les images qui l'habitent. Et dire que des gens ont le front de l'accuser de ne travailler que pour sa gloriole.

— Heureusement qu'il s'en trouve pour penser autrement, murmure Irma.

— Dans le cadre du tricentenaire de la ville de Québec, on lui a préparé une grande fête pour souligner son départ pour l'Arctique. J'envie d'avoir été chargé d'une si noble mission, avoue-t-il, le regard rembruni.

— Une mission ?

— Oui, ma fille. Toute une mission ! Assurer la souveraineté canadienne dans les îles de l'Arctique, annonce Nazaire, bombant le torse d'une fierté partagée.

— Vous auriez aimé réaliser quelque chose de semblable ?

— C'est le genre d'exploit qui donne du sens à une vie, répond-il.

— La vôtre n'est pourtant pas monotone, papa.

Nazaire hoche la tête puis s'égare dans ses pensées. Tout haut, il lui confie, pétri de regrets :

— Maintenant, il est trop tard. C'est à quarante ans qu'il aurait fallu que je le fasse...

Irma calcule et comprend qu'en 1888, son père aurait aimé se réaliser sur le plan de la carrière. « Un an après le départ de maman. J'avais onze ans. Grand-papa William vivait encore. J'habitais chez lui », se remémore-t-elle.

— Vous auriez fait quoi, cette année-là ?

— J'aurais terminé mes études de médecine puis je me serais embarqué sur les grands voiliers du capitaine Bernier, affirme Nazaire avec une fermeté belle à voir.

De quoi laisser Irma sans voix.

— Tout mon plan était fait, dévoile-t-il. Tous mes talents auraient été exploités : en plus de pratiquer la médecine, j'aurais tenu le journal de bord, mis mes connaissances en géographie à profit, rédigé des rapports sur nos expéditions, monté une chorale et une fanfare sur le voilier pour maintenir le moral des troupes.

— J'avoue, papa, que je vous aurais bien vu faire tout ça...

Une remarque qui enchante Nazaire.

— Le problème, c'est qu'il n'aurait pas fallu vous marier, ajoute Irma.

— Le capitaine Bernier l'était.

— Il avait des enfants, lui aussi ?

— Non. Pas d'enfants, répond Nazaire.

Rien de ce qui tourbillonne dans sa tête ne franchit ses lèvres. Trop d'émotions. Plusieurs, inavouables devant sa fille. Certaines, insoutenables. Il n'a pas à lever les yeux pour savoir qu'Irma le scrute de son œil de lynx. En quête de diversion, il pose son regard sur l'évier débordant de vaisselle sale.

— Je m'occupe de la laver, propose Irma, un dessein en tête.

Son frère dort à poings fermés, du moins le croit-elle.

— On va faire ça tous les deux en continuant de jaser, suggère Nazaire. On en aurait encore pour la nuit... Je n'ai même pas eu le temps de te demander si tu avais fait un bon voyage !

Irma se voit contrainte de lui apprendre qu'elle n'est que de passage, son retour à New York étant prévu pour le 25 juillet. Les questions se bousculent sur les lèvres de Nazaire. L'emballement naît et s'intensifie au gré des réponses d'Irma.

— C'est un grand honneur, ma fille! Venant de cette ville fabuleuse... Une ville où j'aurais aimé m'établir, un jour, dévoile-t-il, le regard accroché à un rêve avorté. Un autre...

L'étonnement bâillonne Irma. Tant de révélations en une seule soirée! Elle se croirait parachutée dans une fiction créée juste pour elle. Une scène montée par son frère et son père, jouant chacun leur rôle en solo mais en parfaite synchronie.

Et si, dans cette scène, les deux hommes n'avaient fait qu'exposer leur vérité au grand jour?

Paul-Eugène, un homme beaucoup plus affecté émotivement que mentalement. Un hypersensible chez qui l'alcool vient anesthésier une douleur trop vive, trop persistante. Un cœur d'enfant trituré de chagrin. Un homme dans la jeune trentaine, ballotté par les énigmes familiales, résolu à les éventrer. Un être qui semble avoir usurpé son droit à l'existence... un empiètement sur celle des autres. Sur celle de sa sœur aussi qui, navrée, s'éloignera de lui une fois de plus.

Nazaire, un personnage qui lui inspire tantôt de l'admiration, tantôt du désenchantement, parfois même de la colère. Un extraverti sur le plan professionnel mais qui se dissimule sous une carapace dès qu'on aborde sa vie privée. Un passionné épris de perfection. Un être aux talents multiples qui connaît le langage de l'intelligence mais à qui ne semble pas familier le chemin qui mène au cœur de ses proches. Le trouve-t-il qu'il l'emprunte sans carte routière, au risque de rater son entrée. Un père qui a la confidence frileuse mais combien bouleversante pour qui sait l'y bien disposer.

En cette journée, l'un comme l'autre ont gagné un plus grand espace dans le cœur d'Irma. Si Nazaire méritait un reproche, ce serait en relation avec le mutisme qu'il perpétue quant à son passé avec Phédora Venner. Le nouvel épisode auquel elle compte assister dans les prochaines heures.

— Si vous aviez réalisé au moins deux de vos nombreux rêves, la vie de toute la famille aurait peut-être été toute différente, avance-t-elle.

— Lesquels, par exemple?

— Vous installer aux États-Unis, entre autres, comme votre grand ami Canac-Marquis.

— Que je l'ai envié, cet homme ! soupire-t-il.

« Que je l'envie encore ! » tait-il.

Nazaire a porté toute sa vie l'odieux de la disparition de son épouse et de la fainéantise de son fils. À sa fille, il fait porter la lourde responsabilité d'emprunter et de garder le chemin de la réussite et de l'honneur... au nom des LeVasseur. À quiconque s'informe de l'hôpital fondé par Irma à Montréal, il répond, laconique : « La locomotive est sur les rails. » Qu'il puisse dorénavant annoncer que la D^re Irma LeVasseur dirige un projet innovateur à New York le ravit.

— Qu'auriez-vous fait, papa, à New York ? le relance-t-elle pour le ramener près d'elle, à Saint-Roch de Québec dont il semble s'être éloigné depuis quelques instants.

— De la musique... de l'écriture... de la recherche et bien d'autres choses.

Un grand soupir de regret, puis le silence.

— Pourquoi vous n'y êtes pas allé ? ose demander Irma.

Nazaire secoue la tête, multiplie les gestes égarés, à la recherche d'une réponse... confortable mais non moins crédible. Présumant que jamais ses enfants ne seraient en contact avec leur mère, présumant aussi qu'elle ne le souhaite plus, si elle vit encore, l'époux humilié s'est promis d'emporter dans sa tombe les véritables raisons de son échec conjugal.

— Mes responsabilités, dit-il sur un ton qui appelle la simple logique.

Une logique si implacable qu'aucune question d'Irma ne pourrait se justifier, croit-il.

— C'était vers quelle année ?

— Je te l'ai dit tout à l'heure... Quand j'avais quarante ans, lui rappelle-t-il, reprenant sa place au bout de la table.

Sa fille fait de même mais elle s'assoit à l'autre extrémité, face à lui. Paul-Eugène dort toujours et son père décrète qu'il passera la nuit sur le sofa.

— Je me trompe ou si, comme moi, vous pensez que le mariage brime la liberté ? reprend Irma avec une audace qui déconcerte son père.

Un piège d'une grande habileté, reconnaît Nazaire.

— Un débat qui dure depuis des siècles et qu'on ne réglera sûrement pas en une soirée... d'autant plus que je dois partir tôt demain matin, prétexte-t-il.

Puis, jetant un dernier regard sur son fils, il annonce :

— Je te laisse ma chambre, Irma. Je vais aller dormir dans celle de ton frère.

— Vous n'irez pas passer la nuit dans ce bordel ! Vous avez vu ?

— Non, mais je m'en doute... Dans ce cas, je vais aller m'installer dans le solarium.

— C'est justement là que j'aimerais dormir, papa.

— D'accord ! Ce sera plus confortable, dit-il, se levant aussitôt pour aller embrasser Irma et se précipiter vers son refuge dont il ferme soigneusement la porte.

Pour sa fille qui l'observe, ses gestes parlent haut du refus de lui confier ses déboires familiaux.

Sur un divan-lit acheté au début de l'été, Irma s'allonge, plus disposée à réfléchir qu'à dormir. Témoins de sa veille, les dizaines d'étoiles qu'elle peut observer de sa couche. Un arôme de lis royaux traverse les grandes fenêtres à moustiquaires ; une invitation à la détente, un rendez-vous à ne pas rater avec ces petits bonheurs gratuits. Il ne manque plus à Irma qu'une mélodie... elle vient de la voix de Phédora, portant les lieder de Schubert jusqu'à son oreille, limpides dans sa mémoire, chauds à son cœur. Un écho du *Ständchen*, cet hymne au printemps dont Irma avait voulu connaître la traduction. Le visage de Phédora qui, des larmes glissant sur ses joues, avait déclamé : « Désirs inassouvis, cœur insatiable, ne connaissez-vous que larmes, plaintes et tourments ? Moi aussi, je me sens riche de sève et de vie ! Qui apaisera enfin ma passion brûlante ? Toi seule peux délivrer le printemps qui est en moi, toi seule ! Doucement mes chants te supplient dans la nuit. Descends au bosquet silencieux, viens à moi. » Irma s'abandonne. Toute à l'émotion de se sentir à la fois Phédora et Irma. Des moments de symbiose et de transcendance qu'elle voudrait éternels. Le sommeil se porte complice.

Un grincement de porte puis des pas feutrés sur le pavé... Nazaire, dans sa traditionnelle tenue de ville, s'engage dans la rue Fleury à une vitesse effrénée. « Serait-il en retard ? » se demande Irma, tirant sa montre de sous le coussin qui lui a servi d'oreiller. « Ma foi ! Je rêve ! Neuf heures dix ! Ça ne se peut pas ! » Derrière la porte vitrée qui sépare le solarium de la cuisine, le profil de Paul-Eugène. Deuxième choc en moins d'une minute. Irma disparaît totalement sous le drap. Elle a besoin de silence et de solitude pour préparer cet autre entretien ultime qu'elle projette avant de reprendre le train pour New York.

Dans l'esprit d'Irma, il s'est écoulé des semaines depuis qu'elle a surpris Paul-Eugène ivre mort. Et pourtant, c'était hier. C'est en préparant le souper qu'il a dit : « Si papa nous avait pas empêchés d'aller la retrouver... » Se remémorer cette phrase telle qu'elle a été lancée, sans la moindre déformation. En obtenir la source exacte. Pour ce faire, regagner la confiance de Paul-Eugène, éprouvée peut-être par les heurts de la veille. « Un défi à ma taille », considère Irma. Son frère n'est peut-être plus celui avec qui la communication coule comme rivière. Un spectre s'est dressé entre eux : l'ivrognerie et son cortège de turpitudes. Irma ne peut en faire abstraction. Son regard sur cet homme a changé. Pour causes : la déception et l'inquiétude. « Paul-Eugène le percevra vite... à moins que son flair soit déjà émoussé par l'alcool. Sinon, il a déjà songé à se montrer contrit. »

De timides toc toc toc à la porte du solarium tirent Irma de sous ses draps. Paul-Eugène, tout sourire, le nez collé à la vitre, mendie une invitation... L'heure n'est plus à la cogitation. Irma se lève, va ouvrir.

— C'est pour toi. Tu dois avoir faim, dit son frère en portant un plateau de déjeuner bien garni.

— C'est trop, Paul-Eugène. Je vais aller manger à la cuisine avec toi.

Le regard du grand frère dévoué s'est rembruni.

— C'est trop ? Je n'arrive donc jamais à faire juste bien !

Il a tourné les talons et placé le plateau sur la table, tel quel.

— Excuse-moi, Paul-Eugène. Je voulais dire que c'est vraiment très gentil de ta part. Mais tu comprends, je ne suis pas habituée à tant de gâteries. Ça me rend gauche.

— Dis pas ça, petite sœur. Jamais tu ne ferais de gaucheries, toi. T'es si intelligente! riposte-t-il, tirant doucement une chaise face à Irma.

— Ça n'a rien à voir avec l'intelligence, tu sais. Des fois c'est l'émotion, des fois c'est la timidité.

Paul-Eugène, étonné et sceptique, la dévisage.

— Ça m'arrive plus souvent que tu penses, ajoute-t-elle.

— Toi, c'est par accident que tu fais des bêtises. Moi, c'est le contraire. C'est quand je fais un bon coup que tout le monde est surpris.

Irma est trop honnête pour le contredire. Faute de trouver quoi répliquer, elle opte pour un geste de réconfort et lui présente une de ses deux tartines. D'un geste de la tête, Paul-Eugène décline ce partage.

— J'ai mangé...

— Avec papa?

— Non. Il est parti sans déjeuner... de très mauvaise humeur.

— Il t'a dit pourquoi?

— Non. Il me parle rarement. À part me dire quoi faire de ma journée.

— Tu t'es levé tôt?

— Comme d'habitude. Sans faire de bruit. C'est comme ça qu'elle doit commencer, ma journée. «Une souris. Pas plus bruyant que ça», comme papa me demande toujours quand il est dans la maison.

— Mais il travaille rarement ici...

— Aussi bien de même, d'un côté.

Le visage enfoui jusqu'au nez dans son chandail, Paul-Eugène tente de cacher sa détresse.

«T'es malheureux ici?» allait demander Irma qui, alertée par l'ouverture qu'allait créer cette question, se ressaisit à temps.

Son frère pousse de longs soupirs. Intentionnellement, devine-t-elle.

— Tu te rappelles, Paul-Eugène, la suggestion que je t'ai faite hier ? Un travail qui te ferait sortir de la maison et qui te rendrait plus indépendant...

Paul-Eugène a relevé la tête, le temps de fustiger sa sœur du regard. Visiblement désabusé, il reporte à son visage ses doigts aussi laiteux que filiformes.

— T'étais la seule à me comprendre, balbutie-t-il.

La blessure est réelle et d'autant plus vive que le coup est porté par l'être qu'il chérit le plus au monde... depuis que sa mère l'a abandonné.

— Je ne demande pas mieux que de te comprendre, Paul-Eugène. Il faudrait que tu m'expliques ce qui t'arrive...

Paul-Eugène se lève, furieux à en bafouiller.

— Il m'arrive rien de nouveau. Rien ! C'est ça que tu comprends pas, toi non plus. Je suis malade, Irma. Malade ! S'il y en a une qui devrait le savoir, c'est bien toi !

— Malade...

— Quand on prend des pilules, c'est qu'on est malade, non ? crie-t-il, exaspéré.

Irma repousse son assiette, croise les bras sur la table et, tête basse, souhaite que son silence apaise son frère et l'incite à livrer ses sentiments.

« Mais quand est-ce qu'il va s'arrêter ? » se demande-t-elle en le voyant multiplier les pas de sa chambre à la cuisine, de la cuisine au solarium et de là au salon.

— C'est vrai qu'il y a des maladies plus difficiles à comprendre que d'autres, dit-elle, lasse de l'attendre.

— C'est pas moi qui l'ai demandée, cette maladie-là. Je n'ai rien fait pour l'attraper non plus, riposte-t-il enfin.

— Elle est due à quoi ? T'as une idée ?

— C'est toi le médecin, Irma. Pas moi.

— Tu continues à les prendre, tes médicaments ?

— Qu'est-ce que ça me donnerait ? As-tu vu une différence, toi, pendant les quatre ans où je les ai pris fidèlement ? Pas moi ! déclare-t-il sans qu'Irma ait eu le temps de répondre. La vie ? Pas plus drôle qu'avant.

— Paul-Eugène, si tes médicaments sont bien dosés, ils ne vont te faire que du bien, tandis que la boisson ne te fait que du tort.

— Trouve-moi un remède qui va remplir le vide que la disparition de maman m'a creusé dans le cœur et je vais le prendre, tu peux en être sûre.

— Tu vas vers tes trente-trois ans, Paul-Eugène...

— Ce n'est pas une question d'âge, tu devrais comprendre ça... Faire le deuil d'une mère sans savoir si elle est morte ou non, c'est ça qui est insupportable. Invivable ! La pensée que je pourrais passer à cinq cents pieds d'elle à tout moment sans la remarquer... La brûlure que ça me fait au ventre d'imaginer le calvaire qu'elle a dû vivre une fois rendue l'autre bord des lignes américaines... sans ses enfants... C'est tout ça qui me ronge jour et nuit, qui me...

Plus qu'un long gémissement.

— Ton plus grand problème, Paul-Eugène, c'est que t'as trop de temps pour ressasser tes souvenirs et tes questions...

— Tu te trompes ! C'est que moi, je ne me résigne pas, comme tu le fais, à croire qu'on n'aura jamais de réponses à nos questions.

— Qui te dit que je me résigne ?

— Ça se voit ! On n'est pas plus avancés qu'il y a vingt ans...

— ... mais toi, tu...

Paul-Eugène l'interrompt, visiblement déterminé à aller au bout de sa pensée :

— Moi, je n'attends plus après toi. Je prends les moyens que je peux pour... pour comprendre.

— Tu m'intrigues, Paul-Eugène. Qu'est-ce que tu veux dire ?

— Je parlerai seulement quand je serai sûr de ce que j'avance. Moi aussi, je suis capable de garder un secret.

— Pardon ?

— Je garde tout pour moi. C'est votre tour de comprendre ce que ça peut faire.

Démasquée, Irma réfléchit. Son frère a raison. Pour le protéger, n'a-t-elle pas gardé secrets tant ce qu'elle savait de Phédora que les démarches entreprises pour la retrouver? «Je le savais qu'il était doué d'un flair exceptionnel, mais pas à ce point-là», pense-t-elle, déterminée à élargir la brèche qu'il a ouverte.

— Pendant que je cherche à New York, tu cherches où, toi?

Paul-Eugène revient s'asseoir face à Irma. Ses yeux se mouillent. Un large sourire se dessine sur son visage. Ses mains vont chercher celles de sa sœur.

— C'est comme ça qu'on va finir par la trouver, notre mère. Toi, par là-bas, moi, par ici, chuchote-t-il, heureux comme Irma le voyait dans sa première enfance.

— Au juste où, par ici?

— Je peux pas le dire. Pas du vivant de notre père.

— Paul-Eugène, parle, je t'en prie!

— Pas du vivant de notre père, répète-t-il, immuable.

— T'as fouillé dans ses papiers, je gage!

— Essaie pas, Irma. Je t'ai dit: pas du vivant de papa.

— Il te fait peur?

Paul-Eugène sourcille, échappe un rictus et déclare:

— Je l'aime pas plus qu'il ne m'aime.

— Tu veux dire?

— Il mène sa vie sans s'occuper de moi, je fais pareil de mon bord. On est devenus deux étrangers dans cette maison.

— C'est triste quand même.

— Y a plus triste que ça dans notre vie, petite sœur...

Une fois de plus, Paul-Eugène a raison. Futile, toute parole. Éloquents, leurs regards. Chaude, leur accolade. Chacun a retrouvé le sentier qui conduit au cœur de l'autre.

❧

— Tu ne peux pas me refuser cette faveur, Irma, l'avait supplié Nazaire en lui exposant le programme du troisième centenaire de la fondation de Québec.

— J'ai promis à tante Angèle de passer la journée avec elle.

— Elle pourrait venir avec nous...

— Non, papa. La foule la fatigue beaucoup et c'est à la basilique Saint-Anne de Beaupré qu'elle aimerait que je l'emmène.

— C'est dommage ! Tu aurais pu assister à l'arrivée du Prince de Galles et de son escadre cet après-midi.

— Vous savez bien, papa, que je tiens moins que vous à ce genre de célébrations.

— Ce soir alors. La séance solennelle de la Société royale en hommage à Champlain promet d'être un succès. On pourrait finir la soirée sur la terrasse Dufferin au son de la musique militaire.

Irma fait la moue.

— Tiens, je vais te lire le programme et tu vas me dire ce qui t'intéresse.

Avant qu'elle n'ait eu le temps de l'en dissuader, d'une voix tonitruante, Nazaire l'informe des activités de la semaine :

— Demain après-midi, ce sera l'arrivée de Champlain sur son *Don de Dieu*.

— Son *Don de Dieu* ! Qu'est-ce que c'est, ça ?

Nazaire s'esclaffe.

— C'est le vaisseau de Champlain. À ce que je vois, tes cours d'histoire du Canada sont loin derrière toi, ma fille. Écoute ça, enchaîne-t-il. On a prévu pour la soirée de jeudi un grand feu d'artifice tiré des hauteurs de Lévis.

Irma hoche la tête, pas plus séduite.

— Ah ! Je pense que là, tu ne pourras pas dire non. Le programme de vendredi est enlevant : dans la matinée, le défilé de vingt mille soldats au son de la musique militaire sur les plaines d'Abraham, suivi, en après-midi, de la dédicace du parc des Batailles, et clôturé en soirée par le grand concert de Gala.

— J'aurais aimé la soirée, mais je reprends le train samedi matin, papa.

— C'est bien vrai ! Je l'avais oublié ! Tu vas manquer la fête d'enfants de mardi prochain sur les Plaines...

— Ah, non !

— J'y assisterai avec tes yeux et ton cœur, Irma, promet Nazaire, ému et des plus sincères.

À Paul-Eugène, Irma n'a pas eu à annoncer la date de son retour à New York. Il était né, croyait-elle, avec cette propension à feindre de dormir, à simuler le mal, à épier et à écouter en cachette. De cette première conversation entre Nazaire et sa fille, il avait presque tout entendu. Les louanges adressées à Irma l'avaient blessé. Non pas qu'il ne les trouvât justifiées, mais jamais de la bouche de son père il n'avait entendu le moindre compliment à son endroit. Au plus, sollicité, Nazaire avait approuvé les mots d'encouragement de Zéphirin, d'Angèle ou d'Irma. Cette désaffection paternelle l'avait longtemps révolté. L'indifférence qu'il cultivait maintenant lui procurait le sentiment de prendre sa revanche.

Irma, en route vers la gare, aborde le sujet avec son père. La riposte est rapide et cinglante :

— Qu'il fasse un homme de lui et il en aura, de l'appréciation.

— Facile à dire quand on a une santé de fer et du talent à revendre.

— Écoute-moi bien, Irma. Toi comme moi, si on se tâtait le pouls aux cinq minutes, on s'en trouverait, des bobos. Ton frère a choisi de faire pitié, eh bien, qu'il en assume les conséquences.

— Je ne pense pas que ce soit aussi simple que ça, papa. Paul-Eugène n'est pas moins malade que celui qui est atteint de la tuberculose.

— Qu'est-ce que tu attends pour le traiter si tu le juges vraiment malade ? rétorque Nazaire, fiévreux de colère.

— Un boulet à votre cheville que Paul-Eugène, n'est-ce pas, papa ?

— Une honte en plus ! T'as vu dans quel état il était l'autre jour ?

À quelques minutes de la gare, Irma ne veut pas quitter son père sur des paroles aussi amères.

— S'il vous venait l'idée de me rendre une visite-surprise, n'hésitez pas. J'ai laissé mon adresse à Paul-Eugène. Ça lui ferait du bien, à lui aussi, de faire ce petit voyage.

Un regard gratifiant, une accolade du bout des doigts, un empressement à rebrousser chemin laissent Irma perplexe. Elle tremble pour son frère. Rien dans l'attitude de Nazaire ne présage de meilleures dispositions envers Paul-Eugène.

En plein cœur de l'après-midi, le train démarre avec vingt minutes de retard. Des passagers importants ont été retardés sur le traversier Lévis-Québec. Irma regarde sa montre. « Je ne serai pas à Montréal avant neuf heures et demie », conclut-elle, désappointée. Le rendez-vous que Maude lui a tricoté avec Euphrosine Rolland a été fixé à dix heures. Irma ne voudrait pas faire attendre ses amies, encore moins les inquiéter.

Les quatre longues heures de train qui la séparent de Montréal lui offrent l'opportunité de réfléchir à son séjour à Saint-Roch. Si, en ces derniers moments de sa visite, l'attitude de son père l'a déçue, le bilan de ces deux semaines est plus positif que jamais. « Non seulement papa a-t-il bien accueilli ma décision d'accepter le mandat confié par les autorités de New York, mais il m'en a félicitée. Plus encore, il m'a ouvert son cœur. Paul-Eugène aussi », reconnaît-elle, satisfaite.

Le train entre en gare à neuf heures trente-deux minutes, et Irma constate qu'elle aura tout juste le temps de déposer ses bagages dans une chambre de l'Hôtel Viger où Maude doit l'attendre. Un saut dans la calèche et toutes deux iront ensuite rejoindre son amie Euphrosine Rolland, à l'angle des rues Papineau et Rachel.

Maude Abbott est là, dans le hall de l'hôtel. Une brève accolade, et Irma réclame quelques minutes pour réserver une chambre.

— Pas question que tu dormes ici, rétorque Maude. Tu as une chambre chez moi. Tout a été prévu : demain matin, mon cocher te ramènera à la gare.

Sans perdre un instant, les deux jeunes femmes sautent dans la calèche qui les conduira rue Rachel. Les réverbères de la ville se découpent en feux follets sur la nappe bleutée du firmament. Le tableau séduit Irma. Ce qu'elle donnerait pour le peindre à cet instant. Elle ferme les yeux pour le graver dans sa mémoire. Le velours dont il l'enveloppe étouffe la nervosité qui la gagnait à la pensée de revoir Mlle Rolland. Elle s'y abandonne, le temps de reprendre la maîtrise de ses émotions. Maude commence à s'inquiéter de son silence. Penchée vers sa compagne de banquette, elle présume :

— Le voyage t'a fatiguée, je pense...

— Au contraire, se hâte d'affirmer Irma. Il m'a reposée de...

— De quoi, Irma ?

— De mes petits tracas familiaux.

— Ça ne va pas bien à Saint-Roch ?

— Pas si mal quand même.

L'inquiétude n'a pas quitté Irma. Sa voix en fait foi.

— Tu es sûre, Maude, que Mlle Rolland a bien compris qu'on ne se rencontrerait pas devant l'hôpital ?

— Sans le moindre doute.

La voiture avance vers la rue Papineau. À moins de trente mètres de l'intersection Rachel, Irma reconnaît Euphrosine qui feint de musarder en les attendant. Un afflux à ses tempes, des tremblements dans tous ses membres. Une envie folle de sauter de la calèche avant même que celle-ci ne s'immobilise. L'irrésistible tentation de lui crier : « Mademoiselle Rolland, c'est moi ! C'est Irma ! Attendez-moi ! »

Rien de cela. Que sa main qui va serrer celle de Maude.

— Wô ! Wô ! crie le charretier.

Plus un cataclop ne vient lézarder le silence de la rue Rachel.

— Oh ! Ma petite docteure ! murmure Euphrosine, cœur et bras tendus.

Irma vient se pendre au cou de l'imposante célibataire. Toutes deux, enlacées, boivent à la même coupe. Une saveur aigre-douce. Une grande tristesse. Une affection indestructible. Quinze mois d'espoirs, de passion, de tourments, de joies profondes et de déchirements défilent, tourbillonnent et les soudent l'une à l'autre à quelques pas du théâtre de leur complicité.

« On dirait une jeune fille dans les bras de sa mère », pense Maude, happée par un sentiment étrange, interpellée par une telle étreinte. Ses bras, à elle, Maude Babin, refermés sur le vide. L'inéluctable absence de ses parents. Un serrement dans la gorge. L'aveu d'une douleur occultée. « Je n'aurais jamais pensé que maman me manquait autant... » Constat troublant que les éclats de joie d'Euphrosine ne parviennent pas à dissiper totalement.

— Je vous ramène chez moi, offre Maude, résolue à ne pas se laisser assombrir en présence de sa meilleure amie.

Une hésitation, de la part des deux invitées.

— J'aurais aimé vous recevoir chez moi, même si je n'ai pas fait d'époussetage depuis plus d'une lune, confesse Euphrosine.

— La poussière ne me dérange absolument pas, réplique Irma. Mais je craindrais qu'à tout moment...

— Quelqu'un de l'hôpital vienne frapper à ma porte? Vous avez raison, ma petite docteure.

— Mais j'aimerais quand même passer... discrètement, devant le 820 de l'avenue De Lorimier, balbutie Irma.

Maude et Euphrosine ne taisent pas leur réticence.

— Je sais que je risque de me faire mal mais j'y tiens, persiste Irma.

Toutes trois remontent dans la calèche... dans un silence qui perdure une fois que la voiture s'est immobilisée devant l'hôpital Sainte-Justine.

Les volets sont ouverts. Sur tous les carreaux vitrés de la partie principale, une lueur diaphane. Dans l'escalier, un couple et deux jeunes enfants, dont un dans les bras de sa mère. À une centaine de pas, sur l'avenue De Lorimier, un bambin se lamente, couché dans une voiturette tirée par un vieillard. Irma les regarde, impuissante, déchirée, ballottée par le ressac d'une peine... insoumise. Des sanglots secouent ses épaules. Maude les ressent. Les comprend. Leur laisse libre cours. Euphrosine n'a pas besoin de la lumière du jour pour les percevoir. «J'aurais dû insister pour ne pas passer par ici», se reproche-t-elle.

— On peut filer, monsieur, décrète Euphrosine Rolland.

— Oui, oui. Vous nous emmenez chez moi, rue Sherbrooke, s'il vous plaît, précise Maude.

Libérée du poids de ce silence, elle y va d'une question:

— Dites-moi, mademoiselle Rolland, si on en juge par les articles de *La Patrie*, le gala de la fin d'avril aurait été un succès?

— Grâce à Dieu, oui. Avez-vous assisté en soirée à la pièce de théâtre, docteure Abbott?

— Une pièce de théâtre?

— Oui. *La loi du pardon* écrite par M. Landry...

Ces mots secouent Irma, demeurée muette. « Une sainte, que cette chère Euphrosine ! Qu'elle souhaite que j'aie pardonné à ceux et celles qui m'ont injustement traitée ne m'étonne pas. Comme elle serait déçue si elle savait... » se dit-elle.

— Vous auriez dû voir le public à l'entracte. Les gens se lançaient vers les jeunes filles costumées pour leur acheter des friandises au profit de... de... de nos petits malades..

Aucune réplique ne vient.

— Mais ce que je trouve le plus édifiant, leur confie Euphrosine, c'est de voir les tablées de fillettes appliquées à coudre à la main des langes, des couches, des linges à vaisselle... Vous vous souvenez, docteure Irma ?

— Comment oublier ça ? rétorque-t-elle, peu disposée à participer à la conversation.

— Vous saviez aussi que les médecins doivent bientôt commencer une série de conférences, d'un bout à l'autre de la ville, pour former les mamans aux soins de base à donner à leurs bébés ?

Maude se voit dans l'obligation de répondre.

— Non, mais ça ressemble drôlement au travail que tu vas entreprendre à New York, n'est-ce pas, Irma ?

— Puis à ce que je prêchais déjà en 1904, ici même à Montréal, rétorque la D^re LeVasseur, on ne peut plus laconique.

— Votre semence porte ses fruits, ma petite docteure. Et c'est loin d'être fini. Vous allez voir...

Chapitre II

« Comment les convaincre qu'il me faut d'abord visiter les familles et les écoles avant de décider de mes priorités de recherche ? » se demande Irma, ce matin du 18 août.

D'une fenêtre de son petit appartement de la Vingtième Rue, elle observe la rivière Hudson, vigoureuse et prodigue, puis le centre-ville de Manhattan qui s'étale à pleine vue. Les deux spectacles l'incitent à laisser sa passion lui inspirer les mots et la manière de toucher les autorités qui l'ont engagée.

Les médecins du *Mount Sinaï Hospital*, où elle aura accès au laboratoire de recherche, approuvent son orientation. Des études venant tant de l'Europe que des États-Unis et du Canada démontrent que l'insalubrité de l'eau, du lait et de nombre de foyers cause la plus grande partie de la mortalité infantile.

— New York aussi compte de nombreux quartiers où la pauvreté règne, engendrant la maladie, a-t-elle fait remarquer à son supérieur.

Une promesse d'y réfléchir avait clos l'entretien.

Irma cumule les ouvrages traitant du sujet et s'en imprègne avant de réclamer une rencontre avec les responsables des départements de santé et d'hygiène. Des chercheurs européens, tel le Dr Paul Camille Hippolyte Brouardel, professeur de médecine légale à Paris, ont publié des ouvrages sur la prévention de la typhoïde et de la tuberculose il y a plus de quinze ans. Grâce aux appareils construits par ses collaborateurs, un vaccin contre le typhus a été mis au point. « Si ce nom ne leur dit rien, celui de Louis Pasteur leur est sûrement familier. De ce fait, il me sera plus facile de les faire adhérer aux trouvailles de son disciple, le Dr Émile Roux», prévoit-elle. Irma l'a connu, ce médecin et biologiste français, lors de son stage à l'Hôpital des enfants malades de Paris. Il venait de terminer ses travaux démontrant l'efficacité de la vaccination, et il a rédigé des ouvrages sur les causes de la diphtérie. Depuis 1903, il mène des recherches sur la syphilis. Les résultats sont horrifiants. « Je leur dirai qu'à l'instar du Dr Roux, des médecins du Québec ont constaté que les maladies vénériennes sont une des causes de l'excès de mortalité des enfants. Irma a appris qu'à l'hôpital général anglais de Montréal, on traite pas moins de huit cents cas de maladies syphilitiques par année et qu'on en compte pas moins de cinq mille dans la ville de Montréal. « Tout un défi que d'aborder ce sujet en dehors du milieu médical ! » pressent Irma. D'autant plus que les maladies honteuses sont gérées par la loi du silence dans bien des sociétés.

Irma avait confié ses appréhensions à Bob, Hélène et Rose-Lyn lors d'une soirée où elle leur rendait visite :

— Vous savez, ma tante, comment la tuberculose est perçue au Québec. On attribue cette maladie à la classe pauvre. C'est pareil pour la syphilis.

Les jeunes époux, assis l'un contre l'autre, sont avides d'information.

— La tuberculose, ça me dit quelque chose, se souvient Bob, mais je ne comprends pas ton allusion, Irma.

— C'est la bourgeoisie qui en parle comme de la maladie du peuple.

— Tu ne savais pas que les maladies avaient leurs classes sociales ? demande Rose-Lyn, l'air si espiègle que son fils y voit une simple boutade.

— Ce n'est pas une blague, reprend Irma. Les esprits cultivés la désignent comme la grande faucheuse ou la peste blanche...

— ... et les pauvres parlent de consomption, ajoute Rose-Lyn.

— C'est fondé ou non ? questionne Bob.

— C'est évident que, devant la maladie et la mort, les classes pauvres n'ont pas le même pouvoir que les classes bourgeoises. Des études faites en France, en Angleterre et aux États-Unis le démontrent aussi.

Inquiet pour le sort de son fils advenant des revers financiers à la bijouterie, Bob demande :

— Comment ils expliquent ça ?

— Du fait qu'ils gagnent moins cher, les travailleurs manuels sont plus exposés à de mauvaises conditions hygiéniques, au travail autant qu'à la maison. Le surmenage aussi est considéré comme une des causes de la tuberculose.

— J'ai vu mourir tellement de gens parce qu'ils n'avaient pas les moyens de se faire soigner, reprend Rose-Lyn. Les plus forts survivent à la maladie, mais les jeunes enfants et les bébés, non.

— Si on en croit les statistiques, la tuberculose cause onze pour cent de la mortalité infantile au Québec... les Canadiens français en tête.

Hélène se rebiffe.

— Plus de mortalités que chez les Canadiens anglais ? Mais...

— ... c'est directement lié à la situation financière, lui rappelle Rose-Lyn.

— C'est révoltant ! s'écrie Hélène.

— Une des plus grandes injustices que j'ai jamais rencontrée que celui du droit à la santé, clame Irma. Tout le monde devrait pouvoir jouir de la lumière et du bon air. On n'aurait que ça qu'on sauverait beaucoup d'enfants. C'est prouvé que les familles entassées dans des taudis perdent beaucoup de bébés et de vieillards. Puis ce ne sont pas les seules causes. Il fallait voir les rues de Montréal, à une certaine époque : bordées de déchets, de carcasses d'animaux morts. Aussi, le lait était de qualité plus que douteuse. Le bureau de santé de Montréal a découvert que certains laitiers ajoutaient de la craie, d'autres de l'amidon et certains, de la cervelle de mouton à leur lait.

— Pauvres enfants ! s'écrie Rose-Lyn, une main sur le cœur.

— De là est venue l'idée de fonder la Goutte de lait.

— Qu'est-ce que c'est ? demande Bob.

— C'est une organisation qui visait à promouvoir l'hygiène pour lutter contre la mortalité infantile. À Montréal, l'idée de distribuer gratuitement un lait sain aux enfants des milieux populaires a été lancée au début de l'année 1900 par le Dr Dubé, que j'ai bien connu. Malheureusement, ça n'a pas eu le succès souhaité. En France, on le faisait depuis quelques décennies déjà. Ici, aux États-Unis, c'est le Dr Goler qui a proposé la fondation à Rochester d'une consultation de nourrissons avec distribution de lait sain, dans un des quartiers défavorisés de la ville.

Pendant que la D^re LeVasseur poursuit la discussion avec sa tante et Bob, Hélène demeure muette et pensive. Son mari s'en inquiète. Les questions qu'il lui pose semblent l'embarrasser.

— La mort du petit Raoul nous a tellement affectée... allègue-t-elle, prenant Irma à témoin.

Fils unique du Dr Canac-Marquis, orphelin de mère, l'enfant était décédé à l'âge de cinq ans. Malgré la sollicitude presque maternelle de Mme Broche, la seconde épouse de son père, et malgré les soins médicaux les plus recherchés, une néphrite l'avait emporté.

À la conversation, maintenant dirigée vers le souvenir de ce décès, Hélène ne participe que du bout des lèvres. Personne dans ce jardin où règnent la beauté et la sérénité ne pourrait soupçonner de quelle angoisse Hélène vient d'être assaillie. Des images, des odeurs, des marmonnements, des rictus refont surface : sa jeunesse, empoisonnée par le scandale d'une grossesse hors mariage, l'air dégoûté et horrifié de sa mère à qui le médecin chuchotait des mots qui évoquent la honte et le scandale, les regards méprisants des vieilles tantes...

Au tour d'Irma de se tracasser au sujet d'Hélène.

— Toi qui as travaillé si longtemps chez le Dr Canac-Marquis, dit-elle, tu as dû entendre parler tant et plus des maladies contagieuses.

— Non ! Jamais !

Visiblement agacée, Hélène se lève et dit :

— Je vais jeter un coup d'œil à mon bébé. Excusez-moi.

Son absence se prolonge. Dans le jardin, on commence à se questionner. Bob ne tient plus en place.

— Charles s'est peut-être réveillé... Je reviens dans une minute.

La clenche cède sous le pouce de Bob avant qu'il ait eu le temps de l'enfoncer. Devant lui, une épouse tout sourire.

— Il n'a même pas bougé depuis que je l'ai couché, dit-elle, en parlant de leur fils.

— Les bébés en santé dorment comme des anges, affirmait ma grand-mère.

— Il faut la croire, Bob, le supplie-t-elle, se lançant dans ses bras.

— On a toutes les raisons de la croire, ma chérie.

Hélène n'a pu retenir un long soupir.

— Jure-moi sur le nom de ta grand-mère qu'on ne le perdra pas, notre petit Charles.

— Mais voyons ! Pourquoi t'affoler comme ça tout d'un coup ?

— Je ne supporte pas d'entendre parler de maladie.

— C'est nouveau, ça !

— Depuis la naissance de notre fils, reconnaît Hélène.

— Je me charge de détourner la conversation vers un autre sujet. Viens te rasseoir avec nous, on est si bien dehors.

Enlacés, Bob et son épouse réapparaissent, à nouveau sereins. Les propos d'Irma le sont aussi.

— Dans moins de deux semaines, les enfants reprendront le chemin de l'école, annonce-t-elle. J'ai tellement hâte de les y rencontrer.

— Tes patrons t'en ont donné la permission ? s'informe Bob.

Cette requête avait beaucoup hérissé Irma.

— Des réglementations ! Encore des réglementations ! Comme si la santé et la charité devaient passer par des lois, se plaint-elle.

— Tu ne t'y habitues pas ? Pourtant, on a tous été élevés là-dedans, rétorque Bob qui saisit l'occasion pour évoquer ses souvenirs d'écolier.

L'intérêt de sa mère et de son épouse est palpable. Celui d'Irma, assombri par la perspective de devoir encore se soumettre à des exigences qui grugent le temps prévu pour les soins de santé. «Des rapports détaillés... Voir si c'est nécessaire », gémit-elle.

❦

Mois laborieux que celui de septembre. Vivement le mois d'octobre qui emmène Irma LeVasseur bien au-delà de ce qu'elle avait anticipé. Après nombre de plaidoyers auprès des autorités médicales et civiles, elle se voit largement récompensée. Les hôpitaux de la ville se prêtent volontiers à son désir d'établir des statistiques sur les principaux facteurs de mortalité infantile dans leurs institutions. Irma l'apprécie d'autant plus que les registres des décès, en dehors des périodes d'épidémies et des cas de noyade, sont très sobres sur les facteurs ayant causé la mort.

À l'instar du Mount Sinaï, le St. Mark Hospital accueille la jeune doctoresse avec enthousiasme. Ce n'est pas sans émotion qu'elle en longe les corridors, serrant la main des infirmières encore en place, saluant des collègues médecins.

Devant une porte close à laquelle elle est déjà venue frapper, elle reste figée. Une autre inscription y a été apposée : *Dr Florence R. Sabin.* Irma se souvient. À la demande de la D^{re} Mary Putnam Jacobi, elle était venue remplacer la D^{re} Sabin. Et ce bureau était celui de la D^{re} Putnam Jacobi. «Il y a moins de dix ans, Mary travaillait encore là...» se souvient Irma, une boule de feu dans la poitrine. Ses efforts pour demeurer maître de ses émotions la font trembler.

Le stage qu'elle y avait fait sous la direction de cette pionnière de la médecine l'avait enrichie non seulement de l'exceptionnelle expertise de cette spécialiste en maladie cérébrovasculaire mais aussi de ses égards et de son affection toute maternelle. Resurgit le souvenir des confidences faites au sujet de Phédora. Mary avait été la première personne à qui Irma avait révélé l'exode de sa mère à New York. La possibilité qu'elle y réside encore et qu'elle ait chanté au *Metropolitan Opera* avait été évoquée. C'était à l'été 1901. Mary avait admis conserver un souvenir flou de ce nom. Elle croyait reconnaître ce visage sur la photo qu'Irma lui présentait. Elle s'était même demandé si cette femme n'avait pas déjà été sa patiente, à ce même hôpital. Mais tout était si nébuleux dans la tête de Mary depuis ses deux attaques cérébrovasculaires qu'Irma avait dû nuancer ses témoignages.

L'effleure soudain la possibilité que sa mère ait pu emprunter ce même corridor. «Elle est peut-être venue frapper à cette porte. Elle pourrait même être ici... pour des soins. À cet étage. Me croiser... sans me reconnaître. » La raison vient à la rescousse d'Irma et la renvoie aux buts de sa présence dans ce bureau : la consultation des dossiers des enfants traités dans cet hôpital au cours des dix dernières années. Le même relevé qu'au Mount Sinaï Hospital.

La clé enfoncée dans la serrure, le loquet cède. La porte de l'ex-bureau de Mary s'ouvre. Le décor, identique. Même ameublement. Même disposition. Mêmes bibliothèques. « Par révérence », présume Irma. Quelques changements affichés sur les murs, et pour cause. Des diplômes. Des mentions d'honneur. La D^{re} Sabin en a déjà plusieurs. «Elle ne méritait pas moins que d'hériter des dossiers de Mary Putnam», se dit Irma. Quatre classeurs de métal noir sont alignés contre le mur derrière le fauteuil qu'utilisait Mary. Les dossiers y sont entassés par ordre alphabétique. Ceux des enfants sont placés dans des chemises blanches, les autres dans des brunes. Irma cède à la tentation. Le dernier tiroir. Celui des Ve. Ses doigts ne courent que sur les chemises brunes... au cas où elle verrait le nom de Phédora Venner. Elle n'en a vérifié que la moitié lorsque, de la porte laissée entrouverte, proviennent des graillonnements. Un chirurgien qui a supervisé le stage de la D^{re} LeVasseur en salle d'opération. La lumière qui glissait sous la porte lui a fait croire à la présence de la D^{re} Sabin. Mais il s'avoue agréablement surpris de revoir la jeune Québécoise. Son plaisir prend une audace qu'il ne s'était encore jamais permise... avec elle. Des éloges et des regards qui tentent d'allumer une flamme. Puis, sa main chaude et pulpeuse vient enchâsser celle si gracile d'Irma. Il la retient, le temps qu'elle sente passer un message... non équivoque. Il n'était pas nécessaire qu'il lui demande si elle venait enfin pour rester; elle a compris. Sept ans d'absence avaient donc moussé à ce point son attirance ? Irma retire sa main et, d'un regard dissuasif, elle signifie son désir de ne plus être importunée. Retournée vers le classeur, elle incite le collègue cupidon à quitter le bureau. Étonnamment, le Dr Brown ne semble pas pressé. Chaque réponse d'Irma engendre de nouvelles questions.

— *Excuse me, doctor, I'm very busy today.*

Le prétexte lui attire d'autres galanteries, dont sa disponibilité pour une causerie dans un café de l'avenue Columbus.

Irma laisse peu d'espoir au chirurgien, qui ne cache pas sa déception et relance l'invitation pour le jour qu'elle voudra elle-même déterminer.

Penchée sur le tiroir qu'elle était à passer au peigne fin, Irma l'en remercie mais ne lui réitère pas moins son besoin de travailler en paix.

Elle n'attendait que le retour du silence pour aller fermer la porte du bureau et, cette fois, s'astreindre à dépouiller uniquement les dossiers des enfants en commençant par la lettre A.

Après des heures de lecture et des pages de relevés, une conclusion se profile : comme au Québec, quatre responsables de la mortalité infantile figurent au banc des accusés : le lait, les mamans, le monde médical et l'État. Les producteurs laitiers et leurs distributeurs vendent un lait impropre à la consommation. « Cette source de contamination serait évitée si les mères offraient l'allaitement maternel à leurs petits de moins d'un an. En sont-elles informées ? » Irma en doute. Cette responsabilité revient à l'équipe médicale. L'assume-t-elle ? Précédemment, lors de son passage à la crèche de la Miséricorde, Irma avait donné des conférences sur l'urgence de renseigner et de former les mamans, premières responsables de la survie des bébés. L'approbation du public avait été mitigée. Qu'en sera-t-il à New York ? « Je devrai questionner le personnel des hôpitaux à ce sujet. Je devrai aussi trouver le moyen de gagner leur collaboration. Si j'étais un homme, ce serait plus facile », sait-elle.

Les quelques recherches dans les dossiers de la ville lui apprennent qu'au cours des dix dernières années, l'État n'aurait fait adopter aucun règlement favorisant la santé des enfants. « C'est à se demander si, comme au Québec, les familles qui n'ont pas fait venir le médecin auprès de leurs enfants peuvent facilement les enfouir sous terre sans être accusées d'infraction au Code criminel. Même indifférence envers les idiots et les infirmes », pense Irma, un frisson dans le dos.

Le défi est de taille : des études à consulter, des organismes et des individus à interroger et à convaincre de l'urgence d'agir. « L'urgence cadre si mal avec toutes ces approches qui demandent du temps ! Du temps, oui, mais du cran, de la diplomatie et une force de persuasion aussi. Un travail qui pourrait s'étaler sur plusieurs années. À quand les répercussions directes sur la santé des enfants ? Vaut mieux ne pas y penser », se dit Irma, résolue à narguer la mort.

En attendant de recevoir la permission des autorités scolaires pour entreprendre la visite des écoles, tôt le matin, elle se dirige vers les hôpitaux et poursuit l'examen des dossiers médicaux des enfants y étant décédés. Ses soirées sont majoritairement réservées à la lecture d'ouvrages traitant du sujet qui la préoccupe. L'un d'eux la désole et la bouscule dans sa fierté de Canadienne française de race blanche. Des rapports produits par différentes villes d'Amérique et d'Europe révèlent qu'au sein des populations francophones le taux global de mortalité infantile est plus élevé que chez les anglophones. La ville de Montréal figure au troisième rang, devancée par les villes nord-américaines à forte population d'origine canadienne-française dont Fall River et Lowell. Les régions urbaines de la France s'en rapprochent alors que Toronto, tout comme les grandes villes de l'Angleterre, estime à seize sur cent au lieu de vingt-six le taux global de mortalité infantile. Des chiffres qui vont droit au cœur de la jeune doctoresse. Des constats déchirants. Des situations qui lui feraient plier bagage pour aller travailler là où la mort fait le plus de ravages, si... « Si je ne m'étais pas engagée ici. Si je n'étais pas convaincue de l'utilité et de l'efficacité du travail que j'entreprends ici. Si je renonçais à chercher ma mère. Si j'étais assurée de la collaboration des autorités et de la population de ces villes. » Confidences que Bob, venu seul à l'appartement, a eu le privilège d'entendre de la bouche d'Irma. À son tour, il lui dévoile ses appréhensions :

— Quelle femme imprévisible tu es, Irma ! Puis en même temps si fidèle... à toi-même.

— Tu me surprends, Bob. Je ne me considère pas moins prévisible que fidèle...

Bob fronce les sourcils.

— Il suffit de connaître mes ambitions, il me semble, pour comprendre et même prévoir mes décisions.

— Si tu n'avais qu'une ambition, d'accord, mais ce n'est pas le cas.

Irma sent qu'il veut la faire parler.

— D'après toi, j'en ai combien ? le défie-t-elle, l'œil espiègle.

— Impossible à dire !

— Voyons donc, Bob !

— Parce que je te connais, je sais que tu ne dis pas tout... même à ton cousin des États.

— Toi non plus, Bob. À commencer par le but de ta visite, lui lance Irma.

Un esclaffement. En écho, celui d'Irma, qui ne s'habitue pas à entendre le rire franc et contagieux de cet homme. Puis, le regard de Bob se rembrunit.

— Ma mère me cause du souci.

Irma s'avance sur le bout de sa chaise.

— Le mal du pays l'a prise, je pense. J'ai peur qu'elle ne soit pas avec nous pour le temps des fêtes.

Irma sourcille, sans plus. De quoi ajouter à l'inquiétude de Bob.

— Ne me dis pas que toi aussi, tu penses à ...

— Oui, Bob. À cause de mon frère, surtout. Il se sent si seul... Tandis que vous trois n'avez besoin de personne d'autre pour vous sentir comblés.

Le silence est de plomb. Un malaise s'installe. Irma est patiente.

— Nous trois, comme tu dis, on s'attache de plus en plus à Rose-Lyn, rétorque-t-il en fuyant le regard d'Irma. Nous nous sommes laissé prendre à croire que nous fêterions Noël à cinq, cette année.

— Tu avais oublié que nous avons des familles... disloquées.

— Notre passé nous suit longtemps, tu crois ?

— Il nous poursuit, même.

— Jusqu'à ce qu'on l'accepte, peut-être, souhaite Bob.

— Je ne veux pas t'empêcher de le croire, mais je te dirais que j'ai recollé des fractures, refermé des plaies, recousu des incisions, et que dans tous les cas, il reste toujours une cicatrice.

— Indolore ?

— Normalement, oui. Mais je crois qu'il en est autrement des blessures psychologiques.

— La vie t'apprendra peut-être qu'on peut arriver à ne plus avoir mal.

Irma réfléchit. Bob n'a que six ans de plus qu'elle, mais il lui semble beaucoup plus accompli, plus heureux, plus stable et plus sûr de son avenir. « Qu'en sera-t-il de moi à son âge ? » se demande-t-elle alors que Bob se hasarde en prédictions, comme si elle avait pensé tout haut :

— À trente-sept ans, tu seras reconnue à ta juste valeur ici comme au Canada, tu auras fondé un autre hôpital et tu auras retrouvé ta mère et...

— ... et quoi, Bob ?

— Tu... tu seras heureuse, Irma.

Dans les yeux de Bob, un océan d'amour. Dans sa voix, un abîme de tristesse. Une détresse cachée se resserre autour d'eux. Des amours envolées. Des rêves en lambeaux. Des espoirs bâillonnés. Tout semble ondoyer, chavirer... Le vertige prêt à les emporter. Irma sait qu'elle ne doit pas fermer les yeux. Réagir. Vivement. Se cramponner à la raison.

— Tu voudrais que je retienne ta mère à New York pour le temps des fêtes ? trouve-t-elle à balbutier faiblement, gauchement.

Bob se lève et, tête retombée sur la poitrine, il murmure :

— Je n'avais pas le droit de te faire ça, Irma. Je te demande pardon.

D'un geste de la main, il la salue et part.

La porte s'est refermée sur des non-dits. Une brèche sur une ancienne cicatrice au cœur d'Irma.

➤◀

À un mois de Noël, les plus beaux rêves dessinent des étoiles dans les yeux des élèves. La D^{re} Irma y puise l'enthousiasme de son enfance. Une enfance qui a pris fin prématurément. À dix ans, elle renonçait à rêver... pour avoir moins mal. Aujourd'hui, elle laisse une flamme toute nouvelle la consumer. En secret. Une voix lui a chaviré le cœur.

Rien de logique dans cette effervescence. Des milliers de voix semblables de par le monde ! Des centaines, dans une ville comme New York ! Pourquoi celle qui venait de la classe de chant de cette école serait-elle de Phédora ?

Le deuxième jeudi de novembre, elle a entendu pour la première fois cette voix qui l'a happée, transie, subjuguée. Son vibrato, son registre, sa limpidité, sa chaleur. Rares ont été les moments, dans la vie d'Irma, où la tentation de feindre d'avoir oublié un rendez-vous a été aussi forte. Toute la nuit, elle serait demeurée dans ce corridor pour voir sortir le professeur de chant. Un glissement de sa raison. La capitulation de sa volonté. Un appel de l'innommable dans sa chair.

Une autre porte s'était ouverte. C'est dans cette classe qu'Irma LeVasseur devait se rendre. Des tout-petits de six à neuf ans l'attendaient, fébriles. Tous allaient faire écouter leur cœur, examiner leurs oreilles, leurs dents, leurs yeux. Chacun leur tour, ils connaîtraient leur poids, leur taille et repartiraient avec un billet à remettre à leur maman. Comme l'enfant en danger qui se cramponne à sa mère avec toute la force du désespoir, Irma avait dû s'arracher à l'emprise de cette voix. Le lendemain, elle était passée par ce couloir avant de se rendre à une classe du deuxième étage. Les enfants jacassaient, « en attendant que leur directrice leur donne le signal », avait-elle présumé.

— *Stand up ! Take your place, please*, avait demandé... la voix.

Des notes avaient roulé sur le clavier d'un piano. Un air de Noël. Une reprise, puis les enfants avaient entonné le refrain.

— *Good ! Very good !*

Irma avait entendu ces mots comme si le compliment lui était adressé.

Les jeunes chanteurs avaient enchaîné avec un couplet, puis de nouveau le refrain, puis un autre couplet. Chaque pas qui éloignait Irma de cette classe en amenuisait la sonorité jusqu'à ce que le vide prenne toute la place.

Ce matin du 25 novembre, Irma rencontre les élèves de l'école St. James pour la dernière fois. Au milieu de l'après-midi, elle viendra, tout à son aise, écouter la fin de la pratique de chant. Dans ce couloir, à quelques portes du local de musique, un bureau est réservé pour le personnel enseignant et autres intervenants. De là, Irma pourra voir sortir la dame à la voix... spéciale.

Comme elle l'a souhaité, c'est le silence total dans la salle des professeurs; dans le couloir aussi. À pas feutrés, Irma s'avance, colle son oreille au carreau givré de la porte : aucune voix ne se fait entendre; aucun bruissement de papier non plus. La déception d'Irma, difficile à avaler. Ses salutations à Madame la directrice de l'école St. James, brèves et discrètes. Irma referme la porte derrière elle avec le sentiment de devoir enterrer un espoir encore embryonnaire. Dans l'allée bordée de peupliers de Lombardie, ses pas sont lourds. Le mauvais sort, plus cruel. Des flocons de neige désinvoltes effleurent ses paupières et viennent s'échouer sur son manteau pour disparaître, sans témoin... comme la dame à la voix spéciale.

Une vingtaine de minutes de marche la sépare de son appartement. Elle voudrait s'y voir déjà et s'y enfermer pour tenter de comprendre quelques chose à tant d'ironie. Passant devant la petite église érigée aussi dans la *Main Street*, elle hésite. «Prier ? Plein de gens y trouvent du réconfort. Mais je peux le faire chez moi, en toute discrétion», convient-elle en accélérant le pas... jusqu'à ce que des voix d'enfants la rejoignent. Des enfants sortent de cette église et, parmi eux, une adulte. Irma s'est retournée, l'a aperçue et n'est plus que feuille au vent. Ils fredonnent, ces enfants. Des passages de cantiques de Noël s'envolent, épars. Joyeux. Irma se retourne une deuxième fois. Une petite fille parle à la dame vêtue d'un manteau de drap rouge garni d'un col de fourrure grise. D'un chapeau agencé s'échappent des mèches de cheveux du même gris argenté. Subjuguée, Irma n'a pas eu le temps de détourner la tête avant d'être aperçue de la dame. Le temps d'un éclair. L'effet d'un éclair. Irma presse le pas... pour fuir; elle ne sait quoi, elle ne sait qui. Des enfants gambadent, la dépassent, l'encerclent, tout à leurs jeux, à leur joie, à leur insouciance. Elle profite de cette diversion pour jeter un coup d'œil derrière elle. Quelques fillettes et garçonnets encore. Seulement. «Ou elle habite dans une de ces maisons, ou elle a pris l'avenue transversale», se dit-elle, déroutée.

Dans son appartement, la détente et la prière ne sont pas au rendez-vous. Une agitation innommable les a supplantées. Impossible de réfléchir seule. « Tante Rose-Lyn, je vous invite à souper. C'est ça que je vais lui dire ! Il est quatre heures trente. La bijouterie n'est pas fermée. Charles ne dort plus. Hélène est toute à son fils et à la préparation du repas. Ma tante prendra juste le temps d'attraper son manteau et son chapeau, de prévenir sa bru de l'invitation reçue et d'embrasser son petit-fils. Elle se précipitera vers moi, portée par la curiosité », se dit Irma.

Moins d'une heure plus tard, Irma se rend chez Bob, trouve sa tante lisant dans le boudoir. « Il faut que je vous raconte quelque chose de... de pas ordinaire, tante Rose-Lyn. Venez à mon appartement. Apportez ce qu'il faudra pour passer la nuit au cas où... »

Un scénario parfait. Une réalisation non moins réussie... sauf qu'Hélène perçoit l'étrangeté dans le comportement de son amie Irma.

— Tu es donc bien pressée. Tu vas revenir nous raconter ? lui dit-elle, son fils dans les bras.

— C'est seulement que j'ai terminé à l'école St. James... répond Irma, consciente de l'impertinence de son allégation.

— Je ne t'ai jamais vue dans un tel état, ajoute Hélène, espérant la retenir un peu.

— Bonne soirée ! Mes salutations à ton mari ! crie Irma du trottoir où elle s'est déjà engagée en quête d'une voiture qui les emmènera à son appartement.

— Veux-tu bien me dire ce qui t'arrive pour l'amour du bon Dieu ? demande Rose-Lyn, sitôt assise dans la calèche.

— Je ne veux pas perdre la tête... J'ai besoin de quelqu'un comme vous pour me ramener à la raison.

— Je gage que t'es en amour !

Irma éclate de rire.

— Je vous raconterai tout, mais seulement entre les quatre murs de mon appartement, ma tante.

— Tu m'énerves, à la longue, Irma !

— On ne dirait jamais que c'est vous qui m'avez appris à rester calme...

Un rictus sur le visage de Rose-Lyn et le silence s'installe jusqu'à ce que la voiture s'immobilise devant le gîte d'Irma. La porte n'est pas déverrouillée que Rose-Lyn lance sa première question :

— C'est à quel sujet ?

— Si on prenait le temps de se faire un bon thé chaud et de s'installer à notre aise ?

— T'aimes donc ça faire languir le monde, toi.

— La patience est toujours récompensée, vous verrez, ma tante.

— Bon ! Mon manteau est pendu dans le placard et je suis bien campée dans ta chaise berçante. Tu peux parler, Irma.

De la cuisinette où elle prépare le thé, vient une première information :

— C'est au sujet de ce qui s'est passé à l'école St. James.

— Ah ! Je m'attendais à quelque chose de bien plus palpitant que des nouvelles de ton travail, réplique Rose-Lyn, la déception plein la voix.

Irma avait souhaité cette accalmie. Le silence règne jusqu'à ce qu'elle rejoigne sa tante au salon et lui verse son thé.

— Tante Rose-Lyn, j'ai eu l'impression de reconnaître la voix de...

— ... de Phédora ! susurre Rose-Lyn, réalisant trop tard l'invraisemblable de sa présomption.

Tout le bonheur retrouvé dans les yeux d'Irma.

Rose-Lyn écarquille les yeux, dépose sa tasse de thé, s'avance sur le bord de son fauteuil, toute au récit de sa nièce. Sans l'interrompre une seule fois. Happée par l'émotion.

— Qu'est-ce que vous pensez de tout ça, ma tante ?

Le temps de reprendre son souffle, Rose-Lyn laisse tomber des mots jaillis de l'émerveillement :

— Un vrai conte de fées, ma petite fille. Le problème, c'est que les fées n'existent pas et que...

— ... je me suis créé des illusions ?

— Des espoirs, surtout.

— Qu'est-ce que vous feriez à ma place ?

Rose-Lyn tarde à répondre.

— J'irais dans cette église un de ces dimanches. Pour voir.

— Il ne reste que cette possibilité de vérifier. Mais où trouver le temps ? Mes journées sont longues depuis que j'ai entrepris la visite des écoles du nord de la ville ; la fin de semaine, je travaille au laboratoire de Mount Sinaï Hospital.

— À la messe de minuit...

— Bien oui ! À la messe de minuit ou à la messe du jour de Noël !

— J'aurais aimé être avec toi.

— Moi aussi. Vous l'auriez reconnue plus facilement que moi, si c'est elle.

— Tu ne peux pas savoir comme je suis tiraillée, Irma. Si je ne me retenais pas, je me rendrais à cette école, je questionnerais la première personne trouvée sur mon chemin mais...

— ... vous avez peur d'être déçue des réponses.

— Plus que ça. S'il fallait qu'on arrive face à face... Sa réaction, si elle me reconnaissait... La mienne...

Rose-Lyn souhaite retourner chez son fils pour réfléchir seule dans sa chambre.

❧❦

À trois semaines de Noël, la joie anticipée tout comme l'appréhension causent de l'insomnie à Irma et à sa tante. C'est pire encore depuis que cette dernière a entrepris de ratisser les environs de l'école St. James pour retrouver la directrice de la chorale. Les contacts avec sa nièce sont rarissimes. Irma travaille sept jours sur sept pour finaliser ses rapports semestriels avant le 23 décembre, date butoir pour les rendre à la direction de la ville. D'autre part, le soleil vient à peine d'incendier l'horizon que chaque jour Rose-Lyn élabore un nouveau stratagème, plus efficace que celui de la veille. Toute pomponnée, avec d'infinies précautions pour n'éveiller les soupçons de personne, elle longe le couloir qui la mène à la cuisine où elle tartine deux tranches de pain qu'elle avale avec un verre de lait. Un petit mot laissé sur la table, « Je m'en vais à la messe. Embrassez Charles pour moi », et elle sort de la maison en catimini. Bob et son épouse s'étonnent d'une ferveur aussi inusitée chez Rose-Lyn.

— C'est comme ça que ça se passe au Canada pendant le temps de l'avent ? demande le New-Yorkais à son épouse au moment d'aller dormir.

— Je ne pourrais te dire. Je n'y suis pas retournée depuis presque vingt ans.

— Je la trouve nerveuse, ma mère, depuis quelques jours. Elle ne t'a parlé de rien ?

— Non. De toute manière, je ne la vois presque plus de la journée... Je me demande bien où elle va, avoue Hélène.

— Étrange ! Je vais essayer de lui parler demain.

⁂

Bob ne s'attendait pas à recevoir la visite de sa mère à la bijouterie le lendemain midi, juste avant le dîner.

— Tu fermes bientôt ? présume-t-elle.

— Pas en décembre. Trop de clients. Puis de la belle argent à faire.

— Tu ne t'arrêtes même pas pour manger ?

— Pour vous, je le ferai, répond Bob qui, d'un coup d'œil, obtient la complicité de son commis.

Au bras de sa mère, il entre dans la petite pièce arrière, là même où il avait reçu Irma pour la première fois. Avec une galanterie enjouée, il prend son manteau et lui offre son fauteuil. Rose-Lyn ne se déride pas.

— Tu comptes prendre combien de temps pour avaler ton sandwich et ton pouding ? demande-t-elle.

— Tout le temps dont vous aurez besoin pour me dire ce qui vous tracasse depuis quelque temps, ma chère dame Venner.

— Dame Venner... Par chance que mon défunt mari ne t'entend pas, riposte-t-elle, l'esquisse d'un sourire sur les lèvres.

— Puis ? Qu'est-ce qui vous énerve tant ?

— Irma. Elle ne m'a pas donné la permission de t'en parler, mais je ne peux plus garder ça pour moi. Puis, j'ai besoin de tes conseils.

Bob reçoit les révélations de Rose-Lyn avec l'émoi de l'homme qui vient de retrouver sa mère. Il y a six mois, exactement, il mettait enfin un visage sur ce nom, une voix sur les mots de sa dernière lettre. Il décrocherait la lune pour Irma qu'il chérit toujours, pour la voir partager le bonheur qu'il vit depuis mai dernier. Ivresse et trouble à la fois. Tentation de se laisser emporter par ses vœux. Comme le fait sa mère.

— Penses-tu, Bob, qu'Irma va me pardonner de t'en avoir parlé ?

— Elle est si imprévisible, parfois. Demandez-le dans vos prières.

Rose-Lyn sourit. Bob sait maintenant que ce n'est pas la piété qui, au cours des dernières semaines, l'amenait à cette église étrangère à leur quartier.

— Je serais si heureuse de retrouver ma sœur, mais je n'arrête pas de penser à la réaction qu'elle pourrait avoir si je me trouvais sur son chemin... ce que je devrais lui dire... ce que je devrais faire.

Bob comprend ses tergiversations, mais il les supporte mal. Il n'a pas cette tendance.

— Il faudrait d'abord cesser d'en parler comme si la directrice de chorale était Phédora. Vous vous êtes monté un bateau, vous et Irma, lance-t-il, taisant qu'il s'y est lui-même laissé embarquer.

— Ça m'obsède, Bob. Le pire et le meilleur. J'ai un pressentiment...

— Ah ! Vous les femmes et vos pressentiments ! Vous êtes-vous déjà arrêtée à compter le nombre de fois où vos prétendues intuitions vous ont joué de mauvais tours ?

Rose-Lyn ne peut que l'approuver.

Bob saisit cette ouverture pour lui faire une recommandation :

— Essayez de chasser cette préoccupation de votre tête pour quelques jours.

— Mais Noël est à nos portes. Il faut le savoir avant... Ça pourrait changer tellement de choses !

Une idée traverse l'esprit de Bob.

— Pendant que je vais prendre votre relève, cet après-midi, vous allez me rendre un service, maman. Un service qui me fera gagner beaucoup de temps et qui risque de vous faire du bien.

Rose-Lyn affiche une moue sceptique. Son fils sort un papier de sa poche de chemise et le lui présente.

— Charles aura un an lundi prochain, et je n'ai pas trouvé le tour d'aller lui acheter son cadeau. Vous pourriez aller lui en choisir un et acheter les cadeaux de Noël en même temps. Je fréquente tellement peu les magasins que ça me prendrait trois fois plus de temps que vous pour trouver ces articles, reconnaît-il en lui tendant la liste des achats à faire et une liasse de billets tirée de son portefeuille.

— Je peux savoir ce que tu vas faire pendant que je m'occupe des emplettes ?

— Non, maman. Faites-moi confiance. Oh, j'oubliais ! Pas d'exagération pour les cadeaux de Charles !

Ce prénom, à lui seul, incendie le regard de la grand-maman.

Elle n'a pas laissé l'empreinte de vingt pas sur la chaussée que Bob réserve déjà les services d'un autre commis pour une période... indéterminée. « Le temps d'en avoir le cœur net », se promet-il.

En moins de temps qu'il n'en a fallu à sa mère pour terminer les emplettes de Noël, Bob avait une réponse. Mais encore fallait-il trouver le bon moment et la bonne manière de la révéler à Rose-Lyn. Au milieu de la soirée, alors qu'elle allait déposer dans son lit son petit-fils endormi dans ses bras, Bob la suit... sous prétexte d'aller embrasser son fils.

— J'ai quelque chose d'important à vous dire, chuchote-t-il.

— Au sujet de...

— ... de la dame qui enseigne le chant et dirige la chorale des enfants, oui. Elle n'est ni une LeVasseur ni une Venner.

— Comment le sais-tu ?

— M. le curé. Je suis allé le voir.

— Ah, bon ! Merci quand même, Bob.

Rose-Lyn ramasse sa déconvenue comme on traîne un amas de débris. « Une des plus grandes déceptions de ma vie », envisage-t-elle de dire à Irma quand elle aura trouvé le courage de tout lui avouer.

❧

— Tu viens passer le temps des fêtes avec moi à Québec, avance-t-elle après s'être présentée très tôt, un dimanche matin, à l'appartement de sa nièce.

Irma dodeline de la tête et laisse tomber son morceau de pain dans son assiette. Rose-Lyn abandonne sa tasse de thé.

— Ne me dis pas que t'as changé d'idée !

— Je profiterais de ces deux semaines de congé pour reprendre mes recherches...

— Les laboratoires ne sont pas fermés ?

— Oui, oui. Je parlais de la dame...

— Ah ! J'ai su quelque chose à son sujet.

— Quoi ?

— Oui. Cette dame n'est ni une Venner ni une LeVasseur, lui annonce Rose-Lyn, lui révélant qu'elle le tient du curé de la paroisse St. James.

Irma quitte sa chaise et se tourne vers la fenêtre pour dérober son regard mouillé à celui de sa visiteuse. Cette nouvelle, un raz de marée. Le troisième dans la vie de la jeune femme. Non moins ravageur que le renoncement à son hôpital de Montréal en avril dernier et que la disparition de Phédora, vingt ans auparavant.

Rose-Lyn assiste, tenaillée, à la montée des sanglots dans la gorge de sa nièce tant aimée. La compassion ne franchit pas ses lèvres. Le silence prend son temps.

Quand Irma reprend sa place à la table, c'est pour confesser sa naïveté et sa tendance à se fier à ses intuitions. Rose-Lyn abonde dans le même sens, avouant sa propension à l'emballement.

— Vous savez son nom ? susurre la jeune femme, visiblement épuisée.

— Hum... non.

— Il ne vous l'a pas dit ?

Un autre aveu s'impose.

— Pour te dire toute la vérité, c'est Bob qui est allé voir le curé.

— Bob !

— À mon insu. Il m'a forcée, avec ses questions, à lui confier ce qui me tourmentait.

Irma baisse les yeux, pour mieux imaginer cet entretien entre sa tante et Bob. Elle déplore de ne pas avoir été témoin de leurs échanges, des propos de Bob, de sa réaction, de son regard si éloquent.

— Il est à la maison aujourd'hui ?

— Bob ? Oui. C'est dimanche.

— Je vais aller le lui demander, annonce Irma, pressée de débarrasser la table.

— Mais je n'ai pas terminé mon déjeuner...

— Oh ! Excusez-moi, dit-elle en présentant à sa tante la demi-tranche de pain qu'elle s'était tartinée. Je vais aller me préparer.

— Qu'est-ce que ça te donnerait de plus ?

— Peut-être qu'il m'en dira plus qu'à vous. Que je poserai des questions auxquelles vous n'avez pas pensé.

— Ce n'est pas impossible.

Rose-Lyn est impressionnée par la force de caractère de sa nièce. « Une indomptable », se dit-elle au souvenir des autres combats dont elle est sortie chaque fois plus énergique. « On dirait que les contrecoups se transforment en rampes de lancement dans sa vie. Un héritage de son père ou de sa mère ? » Rose-Lyn ne saurait dire. D'à peine deux ans l'aînée de Phédora, elle n'avait pas le recul nécessaire pour apprécier ses qualités. Qui plus est, son long séjour aux États-Unis l'a coupée de toute sa famille. « Ça fera vingt-deux ans le 6 janvier que je suis retournée au Canada. À peine cinq mois avant la disparition de Phédora. La première fois que j'ai vu la petite Irma, c'est comme si je l'avais connue depuis sa naissance. Elle me fascinait. Si intelligente ! Si débrouillarde ! Si affectueuse ! Si enjouée... avant que sa mère les quitte ! » se rappelle-t-elle. Lors de cette première rencontre, un lien s'était tissé entre les deux. Et depuis, Irma prétextait sa volonté de parler l'anglais parfaitement pour se retrouver en compagnie de sa tante Rose-Lyn. En retour, cette dernière l'avait choisie comme bouquetière à son mariage. Une grande épreuve avait intensifié son attachement : ses trois grossesses avaient avorté avant terme. Pour s'en consoler, elle gardait chez elle des orphelins et des enfants de familles pauvres. En mai 1908, elle assistait à ce qu'elle appelait un juste retour du balancier : sa nièce, qu'elle avait traitée comme sa vraie fille après la fugue de Phédora, lui ramenait son fils, ce garçon qu'elle avait dû confier aux grands-parents paternels pour ne pas déshonorer la famille Venner. Comme elle aurait aimé, à son tour, lui rendre sa mère. Les résultats de ses efforts marquaient la démesure. Tout comme ceux de son fils, constatait-elle, navrée.

— Hélène est au courant ? s'inquiète Irma, prête à partir.

— Tu sais bien que Bob n'a pas de secret pour elle, affirme spontanément Rose-Lyn.

Même si elle sait qu'il n'en est pas ainsi, jamais Irma ne contredirait qui que ce soit sur ce point. Reçue par Hélène avec un enthousiasme fidèle à lui-même, Irma apprend, désolée, que Bob est absent.

— Il est allé à la messe.

— À la messe ! s'écrient Rose-Lyn et sa nièce, en duo.

— Ce n'est pas son habitude, il me semble, rétorque Irma.

— Non, mais c'est ce qu'il m'a dit, répète Hélène.

L'impatience aurait gain de cause chez Irma si ce n'était des prouesses fascinantes du petit Charles qui célébrera sous peu son premier anniversaire de naissance :

— Un futur acrobate ! s'écrie-t-elle en le surprenant à monter les escaliers du sous-sol, du côté extérieur de la rampe.

Le carillon vient de sonner son dixième coup lorsque Bob apparaît dans le portique.

— On a de la belle visite, lui annonce son épouse, accourant à sa rencontre.

— À cette heure-ci !

Irma s'avance, suivie de sa tante. Contrairement à son habitude, Bob hésite à lui ouvrir les bras. Un malaise gêne ses mouvements. Irma le ressent et croit en connaître la cause. Rose-Lyn aussi.

— En congé, docteure Irma, aujourd'hui ? lui demande-t-il.

— Ce n'était pas prévu, mais il n'y a pas que dans les hôpitaux que des urgences se présentent, répond-elle, énigmatique.

Bob porte son regard sur Hélène, qui hausse les épaules, puis sur Rose-Lyn, qui baisse la tête, et enfin sur son fils, qui trépigne pour se faire prendre. C'est à lui qu'il accorde la priorité. Ses joues et ses mains sont gelées ; le bambin en est d'abord surpris, puis il s'amuse à expérimenter ce contact avec le froid.

Irma est invitée à manger avec eux.

— Tout dépend de la réponse que tu auras à me donner, Bob.

Hélène n'aime pas l'ambiguïté.

— Qu'est-ce qui se passe, donc ? demande-t-elle à son mari.

L'information vient de Rose-Lyn :

— Irma espérait avoir trouvé sa mère à l'école où elle travaillait...

Rose-Lyn étant occupée à la préparation du repas, Hélène en profite pour lancer à Irma une rafale de questions. De la cuisine, sa belle-mère tend l'oreille pour ne rien manquer de cet échange. Bob et son épouse sont friands de détails. Toutefois, Irma est venue chez ses amis non pour répondre aux questions mais pour en poser une.

— Te souviens-tu, Bob, du nom que le curé t'a donné ?

— Je l'avais oublié. C'est pour ça que je suis allé à la première messe ce matin. Je ne savais pas que la chorale y serait.

— À cause de l'avent, peut-être...

— Possiblement. Les enfants ont chanté le cantique du début de la cérémonie et celui de la fin. De toute beauté.

Les derniers mots ont titillé Rose-Lyn, qui s'approche de la salle à manger.

— Tu l'as vue, Bob ? demande-t-elle.

Sa réponse est positive.

— Elle est comment ?

— Je ne peux pas vous dire... Normale. Réservée, souriante. Attentionnée auprès de ses jeunes choristes.

— Son nom ? réclame Irma, hors d'elle-même.

— C'est d'une dame âgée que je l'ai entendu : Ann Valley.

— Valley ! Tu en es sûr, Bob ?

— C'est ce que j'ai entendu. Et quand j'ai demandé le prénom, c'est un monsieur sensiblement de son âge qui me l'a dit.

Irma a blêmi. Elle serre les paupières sur les larmes qui les gonflent.

— Je comprends ta déception, murmure Hélène. Ç'aurait été si merveilleux que tu retrouves ta mère, comme ça, juste avant Noël.

Rose-Lyn fond en larmes. Irma, saisie d'une douleur vive, croise ses bras sur sa poitrine. Bob vient se placer derrière elle et couvre ses épaules de ses longues mains caressantes. Des mains qu'il voudrait capables de consoler celle qu'il aime le plus... après Hélène. Quand Irma reprend son souffle, un long gémissement sort de sa bouche.

— Je le savais. Je le savais que c'était elle, fait-elle entendre à travers ses pleurs.

Hélène croit que son amie divague... de peine. Bob ne comprend rien. Rose-Lyn suffoque. Elle vient de comprendre. Sur la chaise libre au bout de la table, elle se laisse choir.

— Maman... son nom, parvient-elle à balbutier.

Irma l'approuve d'un signe de tête.

La mère de Phédora et de Rose-Lyn, de descendance écossaise, signait Mary Le Valley avant de se convertir à la religion catholique et d'épouser le veuf Sir William Venner.

— Anne, c'est un des prénoms de Phédora, ajoute Rose-Lyn à l'intention de Bob et d'Hélène.

— Marie-Éloïse-Anne-Phédora ; c'était écrit comme ça sur le contrat de mariage de maman, murmure Irma.

Plus un mot autour de la table. Bob a repris sa place et fixe son regard sur Irma, qui semble ballottée constamment entre l'euphorie et la tristesse.

Rose-Lyn jubile à la pensée de revoir sa sœur.

— Elle va être si heureuse de nous retrouver, s'écrie-t-elle en cherchant l'approbation dans tous les regards.

— Quel beau cadeau de Noël pour cette pauvre femme, ajoute Hélène.

— Pas si sûr que ça... murmure Irma.

— Mais voyons donc! Un cœur de mère voudra toujours retrouver son enfant, clame Hélène, encore chagrinée d'avoir dû donner son fils illégitime en adoption.

— Tu oublies qu'elle nous a abandonnés...

« C'est ce qu'on a dit à ses enfants », se souvient Rose-Lyn.

Le regard d'Irma vient chercher son approbation. Il ne trouve qu'une absence de réaction.

— Personne ne m'a rien dit, sauf grand-père LeVasseur, et il en savait si peu... Grand-père Venner n'a jamais répondu à mes questions. Papa non plus. Pas plus que vous, ma tante.

Rose-Lyn penche la tête, muselée par la promesse que Sir William Venner avait exigée de ses enfants : « Top secret », avait-il décrété.

— Je te comprends, Irma, de craindre la réaction de ta mère, dit Bob, croisant le regard affectueux de Rose-Lyn.

Les deux heures qui suivent sont meublées de scénarios d'approche. Aucun d'eux ne fait l'unanimité, mais Rose-Lyn ira à la messe dimanche prochain et elle attendra Ann Valley à la sortie de l'église.

— Vous préférez être seule avec elle ? demande Irma.

— Oui. Je pense que ce serait mieux comme ça.

Autour de la table, que des approbations, sauf pour la fille de Phédora, qui en pense autrement. « Je vais m'arranger pour les observer sans être vue », se propose-t-elle.

— Vous avez encore une semaine pour y réfléchir, mais je redoublerais de prudence, leur suggère Bob.

Irma aimerait se retrouver seule avec lui pour lui exprimer sa reconnaissance sans contrainte, le questionner sur sa propre expérience de retrouvailles et valider ses projections personnelles. Les conversations des deux autres femmes l'ennuient. Bob l'a-t-il perçu pour qu'il lui offre d'aller la reconduire au laboratoire ? Irma acquiesce spontanément, quitte à décider de la direction à prendre sitôt montée dans la calèche.

— Je préfère retourner à mon appartement.

— Comme tu veux, Irma.

Le ciel tire sur le gris acier. La neige prépare son arrivée. De gros nuages en sont gorgés.

— Tu as froid ? s'inquiète Bob en voyant sa cousine remonter son col de fourrure autour de sa tête et enfouir ses mains dans les manches de son manteau.

— C'est décembre même si on est à New York.

— Tu aimerais te voir au Canada ?

La réponse se fait attendre jusqu'à ce que la voiture s'immobilise devant le domicile d'Irma.

— J'aimerais te parler, Bob. Tu pourrais me donner une petite demi-heure ?

— Et plus encore si ça pouvait te faire du bien.

— Hélène...

— Hélène comprendra.

Dans la cuisine qu'Irma et sa tante ont quittée précipitamment, les restes du déjeuner encombrent la petite table ronde. Seul le bruit de la chaise que Bob tire vient sillonner le silence. Sur la cuisinière, une marmite d'eau bout. Irma y a accroché son regard... pour mieux réfléchir. Elle n'ouvrira la bouche que lorsque la table, dégagée et lavée, aura reçu deux tasses et une théière.

— Dirais-tu que tes retrouvailles avec ta mère ne t'ont apporté que du bonheur, Bob ?

Des hochements de tête, des sourires éloquents de satisfaction, quelques soupirs, puis une réponse se dessine sur ses lèvres.

— Rien n'est parfait dans la vie, Irma.

— C'est ce que je crains. Par moments, je crierais de joie ; la minute suivante, je tremble à en être malade.

— La peur d'être déçue ?

— Oui. Puis la peur d'apprendre des choses qui me feraient mal. Si on pouvait voir l'avenir !

Bob prie pour qu'elle continue de se confier... sans le questionner sur sa propre expérience. « Ça peut être si différent de l'un à l'autre », considère-t-il.

— Le rejet... Je me demande s'il existe plus grande cruauté sur terre, dit-elle, tourmentée.

— Tu l'appréhendes ?

— Plus pour mon frère que pour moi. Plus de vingt ans, c'est beaucoup ! Qu'est-ce qu'ils ont fait d'elle ? S'il fallait que ces années aient été aussi dévastatrices pour ma mère que pour son pauvre fils.

Irma angoisse à penser aux réponses qu'elle devra donner à Phédora quand celle-ci s'informera de Paul-Eugène. « Elle va chercher à savoir ce qu'il devient, c'est sûr... à moins qu'elle nous ait chassés de sa pensée et de son cœur. » L'émotion à fleur de peau, Irma pose un regard tourmenté sur Bob, qu'elle appelle au secours :

— Ton fils a un an. Je sais que tu l'adores. Mais crois-tu que tu pourrais t'en détacher si, plus tard, il t'apportait de grandes déceptions ?

— Jamais ! Il commettrait un crime, il deviendrait difforme que mon cœur de père l'aimerait toujours autant. Je te le jure, Irma. J'aurais de la peine... Mais la peine ne tue pas l'amour.

— Longtemps je me suis plu à croire que rien ne pouvait tuer l'amour, comme tu dis. Mais...

Un sentiment d'interdit étouffe un aveu... embarrassant.

— Tu as souhaité le contraire... face à moi, c'est ça, Irma ?

— Pas toi ?

— Je fais confiance à la vie sur ce point-là, entre autres. Je ne me bats pas contre ce qui m'habite. J'essaie de rester lucide... et fidèle.

— Tu l'aimes, Hélène ?

— C'est pas le mot ! Une femme et une mère parfaites.

— Je ne pourrais pas souhaiter mieux, lui retourne Irma, le regard embrumé.

— Tu me donnes congé ? demande Bob pour échapper au trouble qui l'assaille.

La jeune femme ne le retient pas davantage.

— Tu seras avec nous pour le souper d'anniversaire de Charles ?

— Oh ! J'allais l'oublier ! Pourtant, j'ai acheté son cadeau il y a plus d'un mois.

— C'était avant... l'histoire de la directrice de chorale, l'excuse-t-il.

Une accolade clôt leur rencontre.

De la fenêtre de sa cuisine, Irma regarde partir l'homme qu'elle aime. « Un homme comblé à s'en morfondre de jalousie. Hélène ne méritait pas moins que Bob Smith. Lui, un bonheur parfait, pour autant qu'il soit possible d'être heureux avec deux amours logés au fond du cœur. »

Irma LeVasseur vit un des rares moments de son existence où le cœur parvient à faire un pied de nez à la raison, au devoir, à l'abnégation. Phédora et Bob, Bob et Phédora. Un univers où les émotions les plus contradictoires ont pris place. Un monde d'allégresse, déserté après la fugue de Phédora, retrouvé périodiquement... en présence de ses jeunes patients, en présence de Bob. Aujourd'hui, Irma ne cherche pas à le quitter. Abandonnée à l'ivresse comme à l'anxiété. Une expérience inconditionnelle, sans tricherie. Des moments de vertige sur ce radeau qu'une lame de fond pourrait engloutir. Naviguer sur une mer... une mère... devenue étrangère à force d'absence. Une traversée qui a perdu ses repères, à force de temps et d'orages. « Et si, au bout de ce chemin, l'invraisemblable m'attendait ? Une mère d'une beauté édénique, avide d'amour, riche d'affection ? »

Les nuages ont commencé à saupoudrer le sol. Des flocons viennent exhiber leur charme avant de s'évanouir sur les carreaux. Irma veut leur tendre la main, s'en laisser titiller le nez, chatouiller les paupières. Comme avant. Comme après. Après les retrouvailles, si...

❦

L'anniversaire de Charles, fêté dans une atmosphère de joie candide, a pris fin tôt après le souper. Le bambin est un peu fiévreux et les esprits sont inévitablement distraits par la toute récente découverte d'Ann Valley.

La semaine prend son temps. Si lente ! Si déchirante ! D'une part, la pensée obsédante de Phédora, d'autre part, des écoliers si mal en point, si pauvrement vêtus qu'Irma craint que Noël ne les plonge dans une détresse plus grande encore. L'école St. Patrick est située dans une des zones grises de New York, où de nombreuses familles d'immigrants se sont réfugiées. L'alimentation et le logement sont de si piètre qualité que la D^{re} LeVasseur décrit la situation aux autorités de la ville dans l'espoir qu'un secours soit apporté à ces familles dans les plus brefs délais.

Leur accueil serait de nature à faire baisser pavillon aux plus armés. L'organisation des festivités de Noël et des parades dans la ville a pris la vedette. La jeune chercheure canadienne est perçue par le maire et ses conseillers en réunion comme une trouble-fête qu'on tente de museler avec de vagues promesses pour janvier prochain. Irma y va d'une contre-attaque gênante : un article dans les journaux de la ville faisant état de la gravité du problème et de l'apathie du conseil municipal. Des regards incendiaires ne la font nullement renoncer à sa démarche. Son patron immédiat lui rappelle qu'elle a été engagée pour servir la ville et non pour la dénigrer sur la place publique. Bob, qui l'accompagnait, avait prévu cette tentative d'intimidation. Il se lève fièrement et rappelle à ces messieurs outrés que la D^{re} LeVasseur a été engagée par la Ville pour améliorer les conditions de santé et d'hygiène de la population. Un conseiller accueille favorablement l'intervention de M. Smith et promet d'en discuter avec le Conseil. Irma rage.

— Évidemment! Le plaidoyer d'une femme, c'est de la broutille à côté d'une parole d'homme, marmonne-t-elle.

Bob le reconnaît et le déplore.

— C'est d'autant plus choquant que c'est toi la spécialiste... Mais je me doutais bien que ça se passerait comme ça.

Le souvenir des combats de la D^{re} Putnam Jacobi et de Maude Abbott la ramène à cette réalité : aux États-Unis comme au Canada, la femme doit conquérir d'arrache-pied son droit à la dignité et à l'égalité.

— Tu sais, Bob, c'est avec l'appui d'ambassadeurs comme toi que les femmes peuvent espérer gagner la bataille. Vous, on vous écoute pour vrai; on prend la peine de considérer vos idées, dit-elle, engagée dans la rue que le grésil a rendue glissante.

Bob accroche son bras et chemine sur la réflexion de son amie.

— La situation serait tout autre si les hommes n'étaient pas si différents en public...

— Tu veux dire que c'est dégradant pour un homme de prendre parti pour les femmes?

— C'est mal vu dans la société... Et combien d'autres choses aussi.

La liste est longue dans la tête d'Irma, beaucoup plus que dans celle de Bob, et pour cause.

— Y a pas que les femmes déterminées à faire carrière qui sont mal vues; pour d'autres raisons, ta femme, ta mère, la mienne aussi ont été un objet de scandale.

Bob s'arrête. Un constat le fige sur place. « Je suis entouré de femmes mises au ban de la société. Des femmes que j'adore. Des femmes exemplaires. »

— T'as raison de crier à l'injustice, Irma. Il faut que ça change.

— Je pourrai compter sur toi, Bob ?

Un geste arraché au silence, un pas accéléré, un long soupir d'indignation parlent pour lui. Le temps d'un au revoir venu, Irma lui murmure :

— Ils sont trop rares, les hommes comme toi.

— Un jour, tu m'expliqueras, balbutie Bob en s'éloignant de sa cousine.

« Ne sait-il pas l'essentiel ? Que pourrais-je lui dire de plus ? Je n'en ai même pas le droit... »

✦

Deux jours à essayer de survivre à l'angoisse.

Deux nuits à chercher le sommeil dans la lecture et les tisanes chaudes.

Quarante-huit heures qui n'ont qu'étoffé sa crainte d'être à nouveau déçue, sa peur d'être anéantie comme en ce 23 juin 1887.

Irma souhaite rêver après avoir tant prié pour que son vœu le plus ardent se réalise.

Les oraisons, l'homélie, la consécration, rien de cette messe dominicale ne retient son attention, sauf le défilé des communiants et l'*Ite missa est* du célébrant. Des choristes sont descendus du jubé, mais impossible de distinguer leur directrice des autres femmes qui se sont avancées vers la sainte table, tête courbée sous le poids du recueillement. Plus d'une porte un manteau de drap rouge garni d'un col de fourrure grise. Plus d'une aussi a la taille de la présumée Phédora Venner. Entrée juste au début de la cérémonie, Irma s'est placée dans un des derniers bancs pour mieux voir... Or, ses paupières ont résisté à sa volonté dès qu'un visage arrivait à portée de vue. Ainsi en a-t-il été de la sortie des fidèles, la célébration terminée. Il ne reste plus qu'une vingtaine de personnes dans l'allée principale lorsque Irma se glisse dans leur rang. Il était temps. Les choristes adultes commencent à descendre du jubé.

«Comment observer sans être vue? sans paraître suspecte? sans être aperçue par Rose-Lyn?» se demande-t-elle. De la vitrine d'une boutique environnante, elle aurait pu suivre la scène en catimini mais, comme c'est l'habitude, tous les commerces sont fermés du samedi midi au lundi matin. La déception rythme sa marche dans le flot des piétons pressés de fuir l'humidité glaciale de ce 13 décembre. Tentée de regarder derrière elle à tous les dix pas, elle se sent de plus en plus opprimée. L'idée lui vient de laisser tomber un de ses gants sur la chaussée... Le temps de le ramasser, Irma se retrouve à la queue de la file, libre de ses gestes. L'espace totalement libéré. Plus personne derrière elle. Personne! Sur le parvis de l'église et dans les environs non plus. Déroutée, Irma fait demi-tour, en direction de la résidence des Smith. Une porte de l'église s'ouvre pour laisser passer un vieil homme. Irma s'approche et lui demande s'il reste quelqu'un à l'intérieur. Le vieillard grimace, soulève les épaules et file son chemin. «Ou il est sourd, ou il ne comprend pas l'anglais», conclut-elle en marchant sur ses déboires. Une brûlure au ventre. «Rose-Lyn est peut-être déjà de retour. Déconfite. Ma mère l'a reconnue, puis elle lui a tourné le dos. Je pourrais comprendre, si...»

La mélancolie courbe son dos. Ironiquement, l'humeur du ciel s'y marie si bien qu'une résistance alourdit ses pas : la gaieté pourrait la heurter. Celle du petit Charles, même. À un coin de rue de la demeure des Smith, il est encore temps de rebrousser chemin ou d'attendre un peu. Le temps de se rhabiller le cœur. Le temps pour Rose-Lyn de la rejoindre, là, au pied de l'escalier extérieur.

— Vous l'avez vue!

Des yeux mouillés, une gorge sans voix, des bras qui se referment sur le dos d'Irma. Rose-Lyn l'a vue.

— Entrons!

— Oui, oui, la presse sa nièce.

Irma épie ses moindres gestes, son visage, ses soupirs. Ses larmes, éclats de joie ou de chagrin ? Son étreinte, une approche de compassion ou d'exaltation ?

Bob ne tarde pas à se présenter dans le portique, un doigt sur la bouche.

— Chut ! Mes deux amours font dodo.

Son bras en crochet leur fait signe de le suivre dans le salon, dont il referme la porte.

— On a mis de quoi·manger au four. Vous aimeriez passer à table tout de suite ou plus tard ?

Les deux femmes n'ont pas faim.

— Un bouillon chaud, peut-être...

Suggestion approuvée.

Irma attendait que sa tante prenne place pour s'asseoir droit devant elle.

— Ç'a été difficile ? lui demande-t-elle avec une prudence doublée d'appréhension.

— Oui et non. Surtout très bouleversant.

Bob revient au salon, place devant chacune une tasse de bouillon, approche une chaise berçante, s'y installe et n'ouvre la bouche que pour s'excuser d'avoir interrompu leur échange.

— Elle vous a reconnue ?

— Oui, mais pas moi, avoue Rose-Lyn, serrant les paupières pour ne plus pleurer.

Le silence est cruellement meublé de dizaines de questions restées en suspens. Se protéger. Ne rien brusquer. Laisser venir.

— Quand elle m'a aperçue, elle a redressé le dos, écarquillé les yeux, blêmi et fait deux pas en arrière puis...

L'émotion érode son récit.

— ... elle s'est enfuie ? demande Bob.

— Non. Elle... elle s'est lancée dans mes bras... comme en petits morceaux. Tout son poids sur ma poitrine.

« Le poids de sa détresse », pense Irma, une entaille au cœur.

— Elle a tellement pleuré, enchaîne Rose-Lyn.

Bob regarde Irma, livide, secouée. « Incapable de prononcer le moindre mot », soupçonne-t-il, déterminé à lui porter secours.

— Elle a parlé, votre sœur ?

— Très peu, lui répond Rose-Lyn. Je lui ai demandé si elle acceptait qu'on se donne rendez-vous.

Les cous se tendent, les regards se figent, le souffle s'arrête.

Dans les yeux de Rose-Lyn, un oui que pas un son n'aurait pu traduire fidèlement. Le oui tant attendu.

Une main sur le cœur, Irma esquisse le sourire le plus lumineux que Bob ait vu sur ce visage. Puis, une pensée le rembrunit « Oui à sa sœur. Mais à sa fille, que dira cette maman devenue Ann Valley ? Que reste-t-il de la femme qui a chéri ses enfants ? mais qui les a abandonnés... »

— Seulement avec vous ou avec sa fille aussi ? ose questionner Bob.

S'adressant à Irma, Rose-Lyn répond :

— Elle ne sait encore rien de toi. Je lui dirai que tu es ici mardi, le 22.

— Et que je... je...

Une fois de plus, Bob exprime ce qu'il croit deviner :

— Qu'elle ferait le tour de la terre pour se retrouver dans ses bras.

Un monde de détresse passe d'Irma à son cousin. Une gratitude à la mesure de son admiration pour cet homme pour qui les mots sont souvent superflus.

— C'est ça, Bob.

De Rose-Lyn, Irma veut savoir pourquoi elle n'a pas reconnu sa sœur.

— Vingt ans sans se revoir... Y a des femmes qui changent beaucoup entre trente et cinquante ans, surtout si...

Un accablement rive Rose-Lyn au silence.

— Vous pensez que maman a eu des années difficiles ?

Un signe de la tête lui donne raison.

— Qu'est-ce qui vous porte à le croire ?

— Son apparence. Tu verras, Irma. N'oublie surtout pas que la dernière image que tu as de ta mère t'est venue à travers tes yeux de petite fille.

— Puis avec le cœur plein d'amour et d'admiration d'une enfant de dix ans, ajoute Bob.

La remarque méduse Rose-Lyn. « Bob avait presque sept ans quand je l'ai embrassé la dernière fois... Certains aspects de nos retrouvailles ont pu m'échapper. L'impression que je lui ai faite, entre autres. J'avais moins de trente ans et j'en ai presque soixante aujourd'hui. En maman affectionnée, je ne le voyais, comme toujours, qu'avec les yeux du cœur. J'ai quitté un garçonnet très intelligent et affectueux mais timide, je retrouve un bel homme épanoui qui dégage tant de confiance en lui... Aussi, j'oublie trop facilement que les circonstances l'ont forcé à se détacher de moi alors que mon amour pour lui n'a fait que grandir... malgré l'absence. À cause de l'espoir que j'ai gardé de le revoir. M'aime-t-il encore un peu ? Ou s'efforce-t-il de réveiller en lui l'amour qu'il avait pour moi ? »

— Vous n'êtes pas d'accord, maman ? s'inquiète Bob.

La réponse tarde.

— Personne n'est mieux placé que toi pour en parler, dit-elle enfin, aussitôt aspirée par son questionnement.

« À la façon dont il prononce " maman " et à la tendresse qu'il a dans les yeux quand il me regarde, je dirais que Bob a des sentiments pour moi », considère-t-elle avant de découvrir chez son fils une attitude similaire envers Irma, avec qui il a repris la conversation. La même douceur dans la voix, la même sympathie dans le regard. « Que Bob ressente la même affection pour nous deux voudrait dire que l'amour filial l'a quitté ? Irma l'aura-t-elle conservé envers sa mère ? » Une tristesse s'installe au détriment du bonheur qu'elle a ressenti quelques heures plus tôt dans les bras de sa sœur retrouvée. Irma le remarque et s'en inquiète.

— J'ai l'impression que vous nous cachez quelque chose, ma tante. Je veux tout savoir de votre rencontre avec ma mère.

— Je réfléchissais tout simplement à ce que les retrouvailles peuvent faire vivre de part et d'autre.

Bob croit la comprendre.

— Auriez-vous du regret ? ose-t-il lui demander.

— Jamais ! Au grand jamais... si je ne pense qu'à moi !

Des regards se croisent, interrogateurs. Chacun enfermé dans ses pensées, tous trois laissent passer les secondes, les minutes.

— Je n'aurais pas cru que vous douteriez un instant du bonheur que vous nous apportez... maman.

À Hélène qui vient de se joindre à eux avec son fils dans ses bras, Bob fait le résumé de leurs échanges. L'empathie de la jeune femme est palpable. Les bras grands ouverts, elle s'approche d'Irma et lui dit, des trémolos dans la voix :

— Ma chère Irma, tu mérites tellement que ton plus grand rêve se réalise... Ne crains pas. Une mère a toujours une place dans son cœur pour l'enfant qu'elle a porté, je peux te le jurer.

Et se tournant vers Rose-Lyn, elle ajoute :

— Vous aussi, vous pourriez le jurer, n'est-ce pas ?

— Sur la tête de notre petit Charles, déclare-t-elle avec une spontanéité et une ferveur belles à voir.

Tournée vers Irma, elle ajoute :

— Ta mère ne pourra pas ne pas t'adorer quand elle va apprendre ce que tu es devenue, affirme Hélène.

Bob l'approuve. Irma le souhaite sans se départir d'une réserve de prudence. Rose-Lyn aimerait n'en pas douter.

— Mardi prochain, vers onze heures. Vos prières me seront très précieuses, confie-t-elle, chamboulée.

Son fils et sa bru les lui promettent, alors qu'Irma cherche à tromper l'anxiété qui l'assaille en se retirant avec son filleul dans la salle de jeu. Les gestes du bambin, les suppliques de sa voix, ses petits bras tendus vers elle lui parlent plus fort que jamais. Elle met du temps à s'abandonner candidement à ses jeux. Sa pensée court de l'enfant à Phédora, de Phédora à Nazaire, à Paul-Eugène, au grand-père William. La reconstitution de sa fresque familiale. Une renaissance qu'elle n'avait pas cherchée. Une projection dans un univers maternel... sacrifié. Irma presse sur son cœur l'enfant qui couvre son cou de douces caresses.

Une prière monte à ses lèvres : « Mon Dieu, je vous en supplie, que jamais cet enfant ne soit séparé de sa mère. »

— Mon petit homme, je serai toujours là pour t'aimer. Pour t'aider. Comme lorsque tu as fait tes premiers pas. Mes bras tendus vers toi t'inspiraient tellement confiance.

L'idée vient à Irma de rentrer chez elle et d'occuper ses loisirs du temps des fêtes à peindre. Peindre des scènes où cet enfant lui a apporté une joie unique. Peindre la représentation qu'elle se fait de Phédora. De leurs retrouvailles. Peindre pour exorciser ses peurs.

Le dîner tire à sa fin lorsqu'elle annonce à ses hôtes sa décision de rentrer chez elle.

— Mais tu n'es pas en congé ? s'étonne Bob.

— J'ai vraiment le goût de peindre.

— Pourquoi t'isoler quand tu pourrais te distraire avec nous quatre ? lui demande Hélène.

— Je vous aime beaucoup, mais je sais que c'est par la peinture que je vais le mieux me préparer à la nouvelle que ma tante aura à m'apprendre après-demain.

— Je comprends, dit Rose-Lyn. On souhaite fort que le meilleur arrive, mais on ne peut en être sûr...

— S'il y a une justice sur terre, vos retrouvailles devraient se passer aussi bien que celles que tu as préparées pour ma mère et moi, ajoute Bob.

— J'irai à ton appartement mardi, pour t'apporter les nouvelles... propose sa tante, la serrant dans ses bras.

La fille de Phédora volerait pour se retrouver devant sa toile, pinceau en main. Une scène la hante. Ann Valley, vêtue de son manteau rouge, venant à sa rencontre. À la rencontre de la femme qu'est devenue sa petite Irma, sa fille unique.

Une frénésie fait trembler sa main sur son crayon. Une urgence... pour ne pas perdre cette image. En arrière-scène : l'église et les enfants qui en sortent, excités par les flocons de neige qu'ils essaient d'attraper. En avant-scène : la mère et sa fille. Le croquis imaginé se place sur la toile sans bavure, sans résistance jusqu'au moment venu de dessiner la fille. « Pourquoi je bloque sur la fille et pas sur la mère ? Comme si son image n'était pas claire dans ma tête. Comme si je ne la connaissais pas... À moins que ce soit son regard qui s'impose à moi. Un trou noir sur ce que sa petite Irma est devenue. Me manifester en douceur, me dessiner en clair-obscur, me raconter au compte-gouttes. Mes sentiments, en laisse. La mère, diaphane, de verre, de cristal peut-être, me le demande. »

Plongée dans un état second, Irma travaille l'avant-plan. Plus elle tente de le modifier, plus il s'enfonce dans le lointain. Le crépuscule s'approprie l'appartement. Le déloge, un éclairage tamisé aux nuances ombrées d'ocre. L'atmosphère enveloppante qui manquait à l'inspiration. Le tableau en témoigne.

Il est tard. La fatigue et la faim forcent Irma à déposer ses crayons et à remettre au lendemain l'application de la peinture sur cette esquisse.

❦

Dans moins d'une heure, le soleil s'effacera.

Enfin ! Des pas sur le palier. Un pivotement de clenche dans le mentonnet, un profil dans le carreau vitré, Rose-Lyn est là, entre le vestibule et le salon. Entre la gaieté et le tourment.

— Je commençais à douter de votre visite, ma tante, avoue Irma, livide.

Une question a épuisé ses réserves de sérénité : pourquoi tant tarder à livrer les nouvelles promises ?

« M'en excuser ? Mais à quoi bon ? » considère sa visiteuse.

Sur les lèvres d'Irma, les reproches se bousculent, puis agonisent... dans les bras de Rose-Lyn qui exige que le temps soit leur complice en cette fin de journée, comme il le fut depuis la matinée. Irma s'incline. Les gestes posés de sa tante, ses regards quelque peu fuyants, les sillons qui se creusent sur son front, rien n'échappe à son attention.

Accoudées à la table de la cuisine, elles prêtent leur visage à la lueur papillotante d'une grosse bougie. Le contact est établi. Irma espère...

— Elle vous a reçue ?

— Très bien reçue. Une grande dame... malgré son train de vie modeste.

— Elle vous a raconté sa vie ?

— Avec beaucoup de réserves.

— Qu'est-ce qu'elle vous a appris ?

— Elle t'en dira sûrement plus qu'à moi si...

— Elle hésite à me rencontrer ?

— Je pense que si tu étais à sa place, tu aimerais prendre le temps de réfléchir, toi aussi.

Irma mendie ses paroles. L'angoisse lui serre la gorge. La révolte se fraie un chemin.

— Comment une mère peut-elle avoir besoin de réfléchir quand elle sait que son enfant l'a cherchée pendant vingt ans ? Je ne me résigne pas à croire qu'elle puisse être à ce point dénaturée ! Faut être sans cœur pour...

— Ce n'est pas ça, Irma !

— Tante Rose-Lyn, je n'étais pas un bébé quand elle est partie. Elle a eu le temps de s'attacher à moi, de découvrir mes bons côtés, mes talents. Qu'elle ne me fasse pas croire qu'elle...

— Elle ne te mentira pas, Irma. J'ai été suffisamment longtemps avec elle aujourd'hui pour savoir qu'elle est honnête, ta mère. Elle est juste très éprouvée.

Irma se lève, traverse au salon, saisit la toile peinte et, d'un geste prêt à la destruction, elle la replace à l'envers sur le chevalet. Rose-Lyn s'approche.

— J'aimerais beaucoup la voir.

Adossée au mur, une moue de dépit aux lèvres, sa nièce ne répond pas. Ne la regarde pas. Ne bronche pas.

Rose-Lyn tranche. Avec beaucoup de respect, elle soulève un coin du tableau. Ébahie, elle quête la permission d'Irma pour le remettre... à l'endroit, cette fois. Aucune réaction ne vient de l'artiste. Une œuvre sur trois plans. En fond de scène, des dizaines d'enfants qui gambadent, légers comme des papillons. Au second plan, une femme apparentée à une sirène. En avant-plan, très floue, une nymphe de la taille d'une fillette. Se sentant observée, Irma pointe du doigt.

— C'est comme ça que je me sentais avant que maman parte.

Le sourire ravi de sa tante se passe de commentaires.

— J'ai peur qu'elle m'imagine encore comme ça.

— Ça me surprendrait, Irma. Ça me surprendrait beaucoup.

Puis c'est le silence. Rose-Lyn s'y claustre. Les questions de sa nièce restent sans réponses.

— Y a-t-il un petit espoir qu'elle donne sa réponse avant Noël ?

— Je prie fort pour qu'elle t'accorde ce cadeau, Irma.

— C'est vous qu'elle avertira ?

— Oui. Maintenant, j'ai une proposition à te faire.

Nul besoin d'être devin pour l'anticiper. À des patients en rémission ou en attente de traitement, la D^{re} LeVasseur suggérait fortement de se distraire. De se mettre en quête de tout ce qui pourrait apporter un peu de joie, « ingrédient de guérison miraculeux », leur affirmait-elle.

L'heure est venue de goûter à sa propre médecine.

— Tu as sûrement déjà assisté aux spectacles de Noël à Central Park. Bob m'a dit que c'était féerique. On emmènerait le petit Charles avec nous deux.

Irma demeure impassible.

— À moins que tu ne préfères y aller seule avec lui...

— Non, avec vous aussi, ma tante. J'espère qu'ils auront encore le carrousel des dernières années. Puis les glissades. Puis la parade de Santa Claus.

Rose-Lyn réprime un éclat de joie.

Le lendemain matin, un soleil flamboyant fait oublier la froidure de ce 23 décembre. Il n'est pas encore dix heures qu'Irma, emmaillotée dans son manteau de tweed marron, se présente au domicile de Bob. L'empressement de son filleul à courir vers elle et à se lancer dans ses bras la réjouit. Son humeur, calquée sur celle de l'enfant, rassure Rose-Lyn. L'atmosphère de Noël est parvenue à imprégner toute la maisonnée. Hélène jubile à la proposition de son mari :

— Je t'emmène faire la tournée des magasins le temps que mes dames se baladeront avec notre fils dans Central Park.

— Tu fermes la bijouterie ?

— Je fais entrer mon deuxième commis, aujourd'hui et demain avant-midi.

Rose-Lyn croque avec avidité ces instants de bonheur. L'enjouement la sert bien : se faire aussi élégante que sa nièce, emprunter une broche à cheveux d'Hélène pour lui faire honneur, poudrer ses joues pour camoufler ses ridules et faire une provision de sucreries pour récompenser Santa Claus des cadeaux qu'il leur laissera la nuit prochaine. Le couple Smith se prête si bien à cette jovialité qu'Irma a l'impression que tout le monde a oublié Phédora... son mystère, la réponse qu'elle doit donner. « Et pourquoi ne pas essayer d'en faire autant », considère-t-elle, l'étonnement passé. Une suggestion lui vient à l'esprit : se faire conduire au Central Park dans une calèche tirée par des chevaux au harnais paré de grelots et abriés d'une couverture rouge. Bob et sa mère échangent des regards vainqueurs.

La réaction de Charles, assis entre Irma et Rose-Lyn, est hilarante. Cris de joie, applaudissements, jargon adressé aux chevaux ramènent les deux femmes au bonheur simple de l'enfant, à l'instant présent.

Des airs de Noël diffusés dans les haut-parleurs accueillent les visiteurs à l'entrée du parc. Des bouffons hors mesure, aux costumes les plus variés, tapent des pieds, tournoient et exécutent leurs pirouettes pour amuser les petits et faire sourire les grands. Les enfants les oublient vite pour aller s'entasser autour des glissades et piétiner en attendant leur tour. Même dans la plus petite, Charles ne se sent pas à l'aise.

— On s'en va au carrousel, propose Rose-Lyn.

Irma s'y oppose. D'un pas déterminé, elle file, avec le bambin dans ses bras, vers la plus haute des glissades et en grimpe l'échelle.

— Tante Irma te tient bien. Ferme tes yeux, on descend. You ! You-ou-ou !

— Encore ! réclame Charles sous le regard ébahi de sa grand-maman.

Les descentes se multiplient sans qu'il s'en lasse.

— Viens-tu prendre une bouchée au kiosque ? Ça sent les bons beignes, crie Rose-Lyn.

— Pas tout de suite, répond Irma, qui semble prendre autant de plaisir que son filleul à se laisser aller sur la glissoire.

Rose-Lyn trépigne d'impatience.

— Je commence à avoir froid aux pieds, prétexte-t-elle.

— Bougez un peu, rétorque Irma, engagée pour une autre descente.

— Je vais vous attendre là-bas.

— Où ça?

— Au kiosque du lunch, là-bas.

— D'accord!

— Ne retarde pas trop. Le petit risque de vouloir passer encore plus de temps dans le carrousel.

— Un ou deux autres tours et ce sera tout, promet Irma, à regret.

«C'est un retour à l'enfance qui n'a pas de prix. Il y a longtemps que je n'ai pas ri comme ça. Quel bienfait!» constate-t-elle, portée par les cris de joie de Charles et des autres bambins. «C'est vraiment avec les enfants que je me sens le mieux. Existe-t-il un métier où on ne fait que les amuser, à part celui de clown?» se demande-t-elle.

À la quatrième glissade supplémentaire, Irma voit revenir sa tante.

— Amène-toi donc, Irma! Il est grand temps que le petit mange. Puis, il doit avoir les pieds gelés...

Irma constate qu'il est déjà midi trente.

— Je n'aurais pas cru qu'il était si tard, avoue-t-elle à sa tante.

Visiblement agacée, Rose-Lyn réplique :

— Je me demande lequel de vous deux s'y plaisait le plus...

Étonnante remarque! Un reproche, peut-être même. Irma n'en saisit pas la légitimité.

— Je comprends que vous avez hâte qu'on emmène notre petit homme dans le carrousel, dit-elle pour dérider sa tante.

— Bien oui! Si on veut le ramener à la maison avant deux heures pour son dodo de l'après-midi.

— On pourrait bien lui donner congé... pour une fois.

Rose-Lyn hoche la tête, la mine contrariée.

«J'oublie qu'elle n'a pas mon âge, ni ma résistance ni mon agilité, peut-être bien», se reproche Irma.

— Vous allez pouvoir vous asseoir dans ce manège, dit-elle en s'y rendant d'un pas pressé qui étonne Rose-Lyn. Celle-ci riposte :

— On va pouvoir s'amuser tous les trois ensemble, cette fois.

Heureusement pour elle, Charles et sa marraine prennent un plaisir fou à se prêter aux cahotements des sièges, au défilé des décors et à la musique qui les accompagne. Il faut presque crier pour être entendu.

— On n'est pas descendus d'ici, prévoit Irma en s'adressant à sa tante.

Le regard de Rose-Lyn, happé, troublé. Sa gorge, vide de mots. Ses mains, croisées sur sa poitrine.

— Qu'est-ce qu'il y a, ma tante ?

— Elle est là !

— Qui ça ?

À peine la question posée, Irma en pressent la réponse.

Chapitre III

Ce dîner de Noël ? À nul autre comparable ! Dans la salle à manger, des espoirs, tantôt utopiques, tantôt légitimes. Dans le cœur de Bob, la joie de partager ce repas avec sa mère pour la première fois depuis trente ans. Même allégresse dans les yeux de Rose-Lyn. À côté d'Irma, une chaise vide. Celle de Phédora Venner LeVasseur, alias Ann Valley.

— Il aurait suffi de si peu, murmure Bob.

— Ça prend une bonne dose de courage et de sang-froid, Irma, pour ne pas te laisser mener par tes émotions dans de telles circonstances, reconnaît Rose-Lyn, encore toute à l'événement de la veille.

Les festivités du 24 décembre au Central Park avaient pris fin abruptement pour Irma, le jeune Charles et sa grand-mère. Croyant apercevoir Phédora, Rose-Lyn avait risqué de se blesser dangereusement en sautant du carrousel bondé d'enfants et de parents.

— Attends-moi ici, avait-elle crié à sa nièce avant de se fondre dans la foule.

Restée seule avec son filleul, Irma avait cherché Rose-Lyn jusqu'à ce que Charles, les pieds gelés, ait dû être ramené à la maison. Bob, mis au fait de cette mésaventure, était aussitôt retourné au Central Park pour en revenir, près de deux heures plus tard, bredouille.

— Elle a dû se blesser... avait supposé Hélène.

— Si c'est le cas, c'est une blessure grave pour qu'elle n'ait pu revenir t'en informer, avait dit Bob.

— Pour qu'elle ne nous ait pas téléphoné, avait ajouté Hélène.

— Ce n'est pas dans les habitudes de ma tante de laisser les gens se tourmenter à son sujet, avait soutenu Irma.

— Il faudrait bien qu'on essaie de souper, avait proposé Hélène. Charles a assez patienté.

Son mari et Irma avaient affiché une moue, puis s'étaient approchés de la table. Sauf pour le bambin, l'appétit n'était pas au rendez-vous.

Les assiettes étaient déjà empilées dans l'évier quand la porte s'était ouverte et que Rose-Lyn était entrée en rafale... sans blessure apparente, mais à bout de souffle. Étourdie de questions, elle avait dû ramener tout le monde au calme :

— Comme vous voyez, j'ai tous mes membres et toute ma tête. C'est que j'ai été prise à secourir... une dame qui a fait une crise de cœur, là, dans le parc. Je ne pouvais pas la laisser seule, même quand un médecin qui se trouvait pas loin d'elle est venu à notre secours. Je me doutais bien, Irma, que tu ne serais plus là quand je suis retournée voir près du carrousel.

— On l'a sauvée, la dame, ou non ? avait demandé Irma, qui avait blêmi au récit fait par sa tante.

— Oui, oui. Une ambulance l'a transportée à l'hôpital.

Irma avait demandé le nom de cet hôpital et l'âge approximatif de la dame. Rose-Lyn avait feint de ne pas l'entendre, tournée vers son petit-fils qu'elle cajolait.

— Vous m'avez gardé de quoi souper ? J'ai une faim de loup, avait-elle lancé après s'être libérée de son manteau et de ses bottes.

Les faux-fuyants de Rose-Lyn avaient agacé Irma. Aussi avait-elle repris ses questions avec insistance.

— Je vous raconterai la suite quand Charles sera couché, avait-elle promis, tentant d'alléger l'atmosphère par le récit des finesses de son petit-fils lors de cette balade dans le Central Park.

Le moment venu, Bob et les trois femmes avaient rapproché leur fauteuil. Une couronne autour de Rose-Lyn.

— Tu te rappelles, Irma, quand je suis partie à la course ? J'avais cru voir ta mère qui nous observait, dévoila-t-elle.

Le souffle coupé, Irma, d'un geste de la main, l'avait suppliée de poursuivre.

— J'ai voulu aller à sa rencontre, mais elle s'est mise à courir, puis elle est tombée...

— C'était bien elle ? demanda Bob, gardant les yeux sur sa cousine.

Le silence de Rose-Lyn, son battement de paupières parlaient pour elle.

— Pourquoi ne pas être revenue me chercher ? lui reprocha Irma.

— Ça s'est fait si vite... Puis tu riais de si bon cœur. Comme lorsque ta mère te poussait sur ta balançoire.

Ce rappel d'une page de son enfance l'avait transfigurée, jusqu'à ce qu'elle soit de nouveau happée par l'état actuel de sa mère.

— Elle a repris conscience ?

— Dans l'ambulance, oui. Quand elle m'a vue à ses côtés, de grosses larmes ont coulé sur l'oreiller, puis sa main... sa main est venue chercher la mienne.

L'émotion les avait tous rivés au silence. Dans un suprême effort de maîtrise de soi, Irma avait finalement posé la question qui l'obsédait :

— Est-ce qu'elle a parlé ?

— Très peu. D'ailleurs, après lui avoir demandé si elle reconnaissait la personne qui l'accompagnait, le médecin lui avait recommandé de ne pas se fatiguer à essayer de parler. S'il avait su ce qui nous arrivait !

— Qu'est-ce qu'elle a répondu ? s'inquiéta Hélène.

Tout oreilles, Irma mendiait une réponse, une seule, celle qu'elle souhaitait de tout son être.

D'un signe de tête, Rose-Lyn l'avait exaucée. Les deux sœurs retrouvées s'étaient comportées comme si elles étaient demeurées en contact depuis des années.

— Il ne fallait pas que je m'arrête à y penser, parce que j'en aurais perdu mes moyens, avait confié Rose-Lyn. Quand le personnel médical me demandait qui j'étais, je leur répondais avec fierté que nous étions les deux petites sœurs. Vous auriez dû la voir ! Tout le paradis dans ses yeux et dans son sourire. Elle aurait voulu que je la quitte au plus vite, pour te rassurer, Irma. Mais je lui ai répondu que je ne partirais que lorsque je serais sûre qu'on s'occupait bien d'elle.

Irma avait retrouvé la force de questionner sa tante :

— Elle était comment quand elle a repris conscience ?

— D'une pâleur extrême. Avec le souffle court. Mais si belle malgré son accident... avait ajouté Rose-Lyn, manifestement impressionnée.

Médusée, Irma ferme les yeux pour mieux imaginer la scène... dont elle aurait tant aimé être témoin.

— J'ai beaucoup insisté pour que ta mère accepte que je retourne la voir demain. Par chance ! Sinon, ma petite Irma, je n'aurais jamais pu t'offrir un si beau baluchon d'espoir pour Noël, s'était exclamée Rose-Lyn.

— Vous irez sans moi ?

— Pour l'instant, oui. Ta mère m'a laissé entendre qu'elle avait besoin de temps... mais qu'elle te le ferait savoir quand elle se sentira prête à te rencontrer.

Irma avait passé cette nuit du 24 décembre à tisser des liens entre la fin de cette année 1908 et celle de 1907. « Seulement un an ! Un chapelet de rêves, de démarches, d'affrontements, d'instants magiques en présence de mes petits malades, de déchirements... Depuis le début de cette année qui fuit, un raz de marée est passé dans ma vie. Combien de fois je me suis surprise à me dire : mais c'est le monde à l'envers ! Puis, à d'autres moments, j'ai eu l'impression que le destin me traçait une route juste à ma mesure. Dans le casier des eaux troubles, mes sentiments envers certains hommes, dont Bob Smith. Dans celui des choses dont je suis fière, les enfants que j'ai guéris, les mamans que j'ai secourues, les amitiés que j'ai développées et la fidélité à mes principes malgré le prix à payer. Non moins chargé, celui de mes projets : redonner à nos enfants le droit à la santé et mettre en place les outils nécessaires pour y arriver; ouvrir au Québec des dizaines d'hôpitaux qui donneront des soins gratuits à nos enfants; offrir des écoles spécialisées pour les infirmes et ceux qui ont un retard mental. Le dernier casier, le plus précieux et le plus fragile, celui des retrouvailles, sera fermé à clé. Pour que l'infiniment petit instant ne souffre pas de l'érosion de la mémoire. »

Épuisée par le défilé des images et la redondance des approches inspirées par l'éventuel rendez-vous avec sa mère, Irma avait imploré le sommeil de l'emporter. Pour s'y disposer, elle n'avait habituellement qu'à se revoir allongée près de son grand-père Zéphirin lui racontant une histoire... dont elle n'avait jamais le temps de connaître le dénouement. En cette nuit de la Nativité, Irma LeVasseur fut tant et si bien piégée par le désir de se les remémorer qu'elle considéra n'avoir pas dormi plus de deux ou trois heures.

Ce midi de Noël, assise au bout de la table, le petit Charles à sa droite, elle appelle la joie candide de cet enfant. « Pour aujourd'hui, surtout. Pour ne pas passer à côté d'un événement que je n'aurai peut-être plus jamais l'occasion de vivre. Pour conjurer le destin. En ma faveur. En faveur de maman. »

Irma cause peu. Sentir tous les regards braqués sur elle l'importune.

— J'irais bien jouer dehors avec Charles... il n'a plus faim, trouve-t-elle pour se soustraire à cette pression.

— Je finis de manger mon dessert et j'y vais avec toi, propose Hélène.

❧

Jeudi matin, 31 décembre 1908.

Dernier jour de navigation sur la mer agitée des quatorze derniers mois.

Congé pour Irma. Vivement la solitude !

Invitée chez Bob, elle hésite à s'y rendre, puis elle tranche. Happée par un besoin aussi fou qu'inavouable de se langer de silence et de repos, elle reporte sa visite à l'heure du souper. Depuis quelques semaines, elle a négligé sa correspondance. Vient en tête de liste, Paul-Eugène. Suivront, sans ordre précis, son père, sa tante Angèle, Maude et Euphrosine.

Bonjour, cher frère

Si tous les vœux que je formule pour toi se réalisent, tu seras l'homme le plus heureux de la terre. Crois-tu, toi, que nos souhaits ont de réels effets?

Les minutes s'additionnent. Sur le papier, une tache grande comme une pièce de cinquante sous. Le désert dans l'esprit d'Irma. Incompréhensible. Trêve d'acharnement.

Maude, mon amie,

Toutes mes excuses pour ces deux mois de silence. Novembre et décembre m'ont apporté beaucoup de travail. Mes visites dans les écoles m'ont causé un méli-mélo de sentiments.

Irma sursaute. Quelqu'un a frappé à la porte. « Pourquoi insister? Je leur ai dit que je n'irais pas avant le souper », grogne-t-elle, présumant qu'il s'agit de Bob, ou de son épouse ou de Rose-Lyn. D'un coin du rideau relevé, elle aperçoit... un étranger. Un messager. Il est mandaté par le St. Mark Hospital. La main sur le cœur, Irma craint avoir fait un oubli ou commis un impair la veille ou les jours précédents. L'enveloppe remise est si mince qu'elle la croirait vide. Avant d'en déchirer le rabat, Irma remercie le messager, prête à le voir partir. Mais il proteste, il doit attendre la réponse.

— *As you wish!* dit-elle dans un geste de résignation.

Sur l'unique feuillet tiré de l'enveloppe, cinq lignes. Il n'en faut pas plus pour lui tourner les sangs. Le redoutable, entre ses mains.

Irma cherche du papier sans voir les feuilles qui sont déjà là sur la table de la cuisine. Du calendrier sur le point de rendre l'âme, elle arrache la dernière page et, au verso, elle confirme sa présence pour onze heures.

Sa calligraphie est si boiteuse qu'elle décide de se reprendre... sur une feuille tirée de son bloc de papier à lettres, cette fois. Un appel au calme ralentit les tremblements.

Sur l'enveloppe-réponse, le nom du directeur général de l'hôpital.

La convocation du directeur tombe comme une épée de Damoclès sur la tête de la D^re LeVasseur : «Discuter avec moi de quelque chose de délicat... Exiger de le faire de vive voix et le plus tôt possible. Comment peut-il me demander de ne pas m'alarmer? Une affaire délicate... mais pas dramatique. Que dois-je comprendre? Dans une heure, je saurai...» se dit-elle, à court de moyens pour demeurer sereine.

Finie la correspondance! Adieu, petite journée douillette! Les pulsions cardiaques doivent cesser leur rythme effréné. «Les petits gestes routiniers les ralentissent, habituellement», se dit-elle. Certains s'imposent : se coiffer, choisir des vêtements de sortie chauds et élégants, avaler quelque chose de nourrissant. De fait, ces occupations épongent la nervosité de cinquante minutes d'attente, de questions et de suppositions. L'idée d'informer Bob et les siens de cette convocation lui vient mais elle ne la retient pas. «À mon retour», décide-t-elle.

À dix heures cinquante-cinq, après s'être emmaillotée de quiétude, Irma se présente au bureau du directeur de l'hôpital. «Pour une chose délicate... mais non alarmante», se répète-t-elle avant de frapper à sa porte.

Après l'avoir invitée à s'asseoir, le Dr Mansfield, le visage aussi laiteux que sa chemise, braque ses grands yeux noirs sur son invitée. Des loupes qui lui ratissent la tête et le cœur. Plus déstabilisantes encore, les premières phrases de ce grand monsieur : des propos élogieux sur la discrétion de la D^re LeVasseur, sur son dévouement jugé exceptionnel, sur ses compétences professionnelles. Suivent des questions sur son travail pour la ville de New York, sur son emploi du temps. «Où veut-il en venir?» se demande Irma, déterminée à lui poser la question sans détour. La réponse, des plus imprévisibles : il a reçu une demande spéciale la concernant. Un patient transféré à l'hôpital mercredi réclame d'être traité par elle.

Irma lui rappelle qu'elle ne fait plus partie de son équipe médicale, qu'elle ne vient maintenant que pour effectuer des travaux de recherche.

— *I know! I know! But it's an exceptional arrangement ... for an exceptional patient.*

Plus un mot sur les lèvres du Dr Mansfield. Que des yeux de lynx qui mendient ... une réponse ou une question. Les deux se bousculent dans la bouche d'Irma, retenues par l'affolement puis par un appel à la raison. Le courage refait surface :

— *Her name?*

— *You know... I think. This lady wants Dr Irma LeVasseur to take care of her... Do you accept?*

Un raz de marée dans la poitrine d'Irma. Un instant, elle ferme les yeux. Le temps de reprendre son souffle. De retrouver la maîtrise qui lui permettra d'articuler trois mots sans que sa voix ne se brise.

— *She's here?* s'étonne-t-elle.

Du Dr Mansfield, Irma apprend que sa mère a demandé à être transférée au St. Mark Hospital et qu'elle y a été admise le 28 décembre. Que l'infarctus qui l'a terrassée le 24 décembre, l'état d'épuisement dans lequel elle se trouve exigeront plusieurs semaines d'hospitalisation. Dans une institution comme le St. Mark Hospital, elle peut s'attendre à recevoir des soins spécialisés et à être traitée pour d'autres troubles de santé dont on soupçonne l'existence. Des investigations débuteront le 4 janvier si son état le permet.

— *When will I begin?*

— *As soon as possible.*

Irma n'a pas l'habitude des décisions spontanées. Et puis, qui va informer sa mère du succès de sa requête ? À la question posée, une réponse engageante :

— *You. If you wish.*

Devant le Dr Mansfield, une jeune femme toute menue dans son tailleur marine, visiblement tourmentée.

Irma hoche la tête. Tant de choses à prévoir, à organiser. Encore faut-il que l'équipe médicale soit préparée à ce qu'elle prenne la relève...

La réponse est affirmative. Irma demande dès lors à voir le dossier médical de Mme Ann Valley. Il était déjà sur le bureau du médecin en chef. La D[re] LeVasseur prend le temps de le parcourir. Mis à part quelques passages un peu nébuleux, le Dr Mansfield l'avait bien résumé.

— *Room twenty four,* ajoute le médecin, présumant des dispositions de la jeune doctoresse.

Alerté par les tremblements de sa collègue, il lui suggère de prendre le temps d'y réfléchir et de décider du moment où elle souhaite donner sa réponse.

Voilà qui plaît à Irma.

L'air est pur, le froid, sec. Dix minutes de marche devant l'hôpital ont sur elle un effet bénéfique. Sans la moindre ambiguïté, une première décision la ramène à l'intérieur.

Dans les corridors de l'hôpital, on s'active. C'est l'heure du dîner. Des femmes en blanc distribuent les plateaux aux patients. Irma croit le moment désigné pour apprivoiser les abords de la chambre vingt-quatre. Apercevoir sa mère, sans être vue... « Un miracle, si j'y arrive ! Huit lits ! Lequel est le sien ? Je ne crois pas que le Dr Mansfield me l'ait dit. » À la jeune fille qui pousse le chariot tout près de cette porte, elle le demande.

— *On the right, near the window*, lui répond-elle.

« Ce sera facile de la voir sans entrer dans la chambre », conclut Irma, rassurée.

Or, le lit est vide. Les couvertures sont tirées, prêtes à recevoir une nouvelle patiente. « Elle est partie ! Mais où ? » La panique veut s'installer. Cet instant passé, la fille de Phédora se dirige vers le poste de garde pour apprendre qu'une personne apparentée a demandé que Mrs Valley soit placée dans une chambre à un seul lit. Le transfert vient tout juste d'être effectué dans la chambre trente-deux.

« Une personne apparentée ? Mais qui ? Tante Rose-Lyn ? À moins que quelqu'un d'autre soit en contact avec elle, un inconnu de nous tous ? » se demande Irma, pressant le pas vers cette chambre au chiffre inoubliable : Irma aura trente-deux ans dans quelques semaines. Une infirmière, un plateau à la main, l'y précède. De la porte entrouverte, qu'Irma retient, la réponse souhaitée arrive.

— *Hello ! Mrs Valley ! Here's your lunch.*

La patiente à la chevelure argentée, allongée, dos à la porte, refuse de manger.

— *Why ?* demande l'infirmière.

— *I'm not hungry,* explique la patiente d'une voix à peine audible.

— *Try, Mrs Valley. I'll be back in thirty minutes,* annonce la jeune dame en déposant le plateau sur la petite table qu'elle fait rouler vers la tête du lit.

La volte-face est imminente. Irma retient son souffle. L'infirmière, interloquée, fait un pas en arrière, puis somme l'intruse de sortir de la chambre. Irma s'empresse de lui exhiber son insigne.

— *Sorry, Doctor,* dit l'infirmière, multipliant les excuses.

On l'avait prévenue qu'un nouveau médecin serait probablement assigné à Mrs Valley... Il n'était pas venu à l'idée de l'infirmière que ce pût être une femme.

La porte, refermée avec d'infinies précautions. Des pas de velours. Un cœur tout près d'éclater. Un doute. Le vertige. La tentation de faire marche arrière. Un mouvement de la patiente. Un effort pour se retourner sur le dos. Entre l'affolement et l'exultation, la mère et sa fille. Des gorges nouées. Des bras qui s'ouvrent, tremblants de désirs... exaucés. L'univers reconstruit... sur deux cœurs en lambeaux.

— Maman !

Renaissance.

— Ma petite fille !

Le silence les enveloppe, les retient liées l'une à l'autre. Des instants de liberté et d'abandon à savourer... les yeux clos. Ceux du cœur les transcendent. Leurs mains, éloquentes. Suprématie d'une affection réciproque. Bonheur partagé avant l'heure des confidences. Tristes aveux d'une mère éprouvée, d'une fille affligée.

— Je m'étais résignée... mais tu es là, enfin... dans mes bras, murmure Phédora, ses grands yeux marron perdus dans ceux de sa fille.

Sur la joue de Phédora, un parfum de lavande. « Le même qu'avant 1887. Avant qu'elle nous quitte », se souvient Irma. Deux mains violacées empoignent celles qui, encore petites, se tendaient désespérément... dans le vide. Dans l'absence. Des mains insatiables.

Un trou dans le ventre de Phédora. Un abysse de regret et de détresse.

— Plus jamais loin de moi, ma petite Irma.

— Plus jamais, maman.

Une marée de douleurs refoulées les submerge... puis s'éloigne sans disparaître pourtant. Derrière elle, un peu d'apaisement.

L'étreinte relâchée, Irma place deux oreillers sous la tête de sa patiente, remonte ses couvertures jusqu'à ses épaules et lui offre son premier sourire.

— Merci, docteure... LeVasseur, chuchote Phédora, avec un sourire coquin à peine retenu.

— Bienvenue, madame...

— ... Venner ou Valley, à ton choix.

— Alors, ce sera, Mrs Valley tant que vous serez hospitalisée.

— *All right!*

— Vous devriez manger, maman. On est deux à vous le conseiller : votre médecin et votre fille.

Phédora écarquille les yeux, le temps de saisir le message :

— Je ferai mon possible...

— Je vais vous chercher quelque chose de chaud, décide Irma, filant vers la cuisine.

Soudain, derrière elle, des pas vigoureux et pressés, et une voix essoufflée :

— *I was waiting for you, doctor LeVasseur. Have you forgotten...*

— *... Excuse me, doctor Mansfield. I'm sorry. I'm very busy. Mrs Valley is...*

— *I see. I see. Congratulations! And good luck, doctor LeVasseur,* dit le médecin, promettant de lui rapporter le dossier d'Ann Valley avec les corrections qui s'imposent.

Devant une porte affichant CLOTHING, Irma s'arrête. « J'aimerais m'y enfermer quelques secondes, le temps de m'assurer que je ne rêve pas. Que c'est bien elle. Qu'elle m'a souri. Taquinée, même. Que, dans quelques minutes, je me retrouverai de nouveau avec elle. Sa guérison entre mes mains. Sa vie. Jamais je n'aurais pensé vivre un si grand bonheur. Trop grand, on dirait. »

La D^re^ LeVasseur, un plateau en main, marche sur des nuages vers la chambre de Mrs Valley, la patiente la plus précieuse de toute sa carrière.

— Du poulet bien chaud! Arrosé d'une sauce brune! Mon mets préféré, s'exclame Phédora.

De toute évidence, l'appétit lui est revenu.

— Ç'a été moins dur que je ne pensais, dit Phédora entre deux bouchées. Et pour toi, Irma?

— Pour moi aussi.

⇥⇤

Chez les Smith, l'inquiétude gagne du terrain. L'heure du souper est passée, le petit Charles est déjà au lit et Irma ne s'est pas présentée. Pas de réponse chez elle. Hélène est au bord de l'affolement. Rose-Lyn s'entête à présumer que sa nièce s'est rendue au laboratoire de recherche et qu'elle n'a pas vu passer le temps.

— Impossible! Elle m'a dit ce matin qu'elle voulait s'accorder une petite journée tranquille chez elle, riposte Hélène.

— Ça ne m'étonnerait pas moi non plus. Quand elle est dans son élément, elle perd la notion du temps, ajoute Bob pour calmer son épouse.

— Voyons! Je suis toute seule à m'inquiéter ici? Et pourtant, il y a de quoi! Elle a pu avoir un accident... Être incapable de demander de l'aide. Ce n'est pas parce qu'elle est médecin qu'elle est à l'abri de tout danger, riposte Hélène.

Tentée de lui donner raison, Rose-Lyn se ravise :

— Mon intuition me dit qu'on n'a pas à s'en faire.

— C'est suffisant, vous pensez? Votre intuition ne vous a jamais trompée? Bob, fais quelque chose! le supplie son épouse. Va voir au laboratoire.

— Tu veux que je me rende aux deux hôpitaux où elle fait des recherches? J'en ai pour jusqu'à minuit!

— Commence par le St. Mark Hospital. C'est moins loin et peut-être que tu vas la trouver là.

Bob acquiesce, mais sans empressement. Il est seul à savoir qu'avant de se rendre à la bijouterie, en matinée, il y était, à cet hôpital St. Mark, qu'il y est resté tout près d'une heure, le temps de visiter les chambres à un lit, d'en choisir une, de signer les papiers relatifs au paiement de la chambre retenue pour Phédora. Combien de temps ? Il tente de le mesurer, se souvenant que, impressionné, le Dr Mansfield lui a demandé de préciser son lien de parenté avec Mrs Valley. Que, pris au dépourvu, il a été surpris de s'entendre déclarer que cette patiente était la mère de sa meilleure amie. Bob a insisté pour que son nom ne soit pas divulgué... par délicatesse pour les autres membres de la famille, a-t-il justifié. Dans ses allées et venues, nulle ombre d'Irma.

Bob Smith allait franchir le seuil de la porte, mais il revient sur ses pas, la laissant toute grande ouverte.

— Ne me dis pas que tu as changé d'idée ! s'écrie Hélène. Ferme la porte, on gèle !

Un signe de tête de son mari, un bras tendu vers le portique, des pas sur le perron, Irma entre, à bout de souffle.

— Veux-tu bien me dire où t'étais passée ? réclame Rose-Lyn.

— On s'est tellement inquiétés pour toi ! s'écrie Hélène.

— T'as l'air bien étrange, fait remarquer Bob.

L'une se charge de son manteau et de son chapeau, l'autre lui offre une soupe bien chaude.

Agitée de frissons, la gorge nouée, les genoux tremblants, Irma serre l'une contre l'autre ses mains de glace. Ce regard de feu, ce sourire d'enfant... que comprendre ?

— ... c'est à cause de Phédora ? balbutie Rose-Lyn.

D'un geste arraché au silence, Irma méduse les deux femmes qui l'inonderaient de questions.

Un hochement de tête, des bras qui s'ouvrent, des larmes qui déjouent la retenue, Irma a révélé l'essentiel. Le bonheur les enlace tous les quatre. Accolades et étreintes savent mieux dire que les mots. Aucune fausse note dans ce concert de fin d'année.

On remet les plats sur le feu. La bouteille de champagne, au milieu de la table. Le goût de fêter a emboîté le pas à Irma.

— J'étais prête à l'enterrer vingt pieds sous terre, cette fameuse année-là, confesse Hélène.

Manifestement plus doué pour le bonheur, Bob nuance :

— Elle nous a quand même apporté de grandes joies, Hélène. Pour le reste, mon grand-père disait : faut être aussi patient que la terre quand on décide de semer.

Ce parfum de sagesse séduit les trois femmes, le champagne les dispose à la réjouissance. Après la deuxième coupe, Irma se montre plus loquace, au grand bonheur des trois convives qui boivent ses paroles. Le dévoilement des faits et gestes qui se sont déroulés au cours de cette journée, tant de sa part que de celle de Bob, les captive.

— On n'a pas beaucoup parlé. Rien que d'être là, l'une près de l'autre, prenait toute la place... tout notre temps, confie Irma.

— Elle a beaucoup changé ? demande Hélène.

— Physiquement, bien sûr ! Tout comme moi. Mais pour le reste, je dirais oui et non. Ça prend du recul pour apprécier correctement. Je n'en ai pas.

Hélène essuie une larme et pour cause.

— Elle doit se trouver chanceuse que sa fille l'ait cherchée. Et retrouvée. En plus, qu'elle prenne soin d'elle... comme t'as accepté de le faire, Irma.

Que d'aveux derrière ces mots, pour qui connaît le passé d'Hélène. «Ce que je donnerais pour qu'il m'arrive d'aussi belles choses !» traduit Irma. Comment oublier que, moins de neuf ans plus tôt, l'ancienne servante des Canac-Marquis était prête à suivre Irma au Québec, histoire de se placer sur la trajectoire de ce fils illégitime qu'elle avait dû abandonner pour sauver l'honneur de sa famille ?

— Faut être aussi patient que la terre quand on décide de semer, répète Irma, non moins discrète qu'empathique.

— Je suis portée à oublier que ça fait plus de dix ans que tu fouilles New York et plus de vingt ans que tu l'attends, ce jour-là, reconnaît Hélène.

— La suite des choses... ce qu'elle nous réserve, personne ne peut le prédire, laisse tomber Irma.

Sa prudence intrigue Rose-Lyn.

— Son état de santé ?

— Ça et tout ce qu'elle pourrait nous révéler de son passé, précise Irma.

Bob n'accepte pas que les peurs viennent endeuiller cette soirée. L'occasion se prête bien aux souhaits et aux prédictions.

— J'ai vu dans mes cartes que l'année 1909 fera un pied de nez à toutes celles qui l'ont précédée, annonce-t-il, fripon. Vous voulez de l'amour et du bonheur ? Préparez vos charrettes et vos greniers, mes belles dames !

Les coupes se lèvent, les visages s'illuminent, les plus belles prophéties s'enchaînent, couronnées d'audace et d'humour... jusqu'à minuit passé.

De retour chez elle, lovée entre ses couvertures de flanelle, Irma s'abandonne enfin. Des souvenirs la bercent... de confiance et de tendresse. À trois ans et demi, sur les genoux de Phédora, dans le jardin du grand-père Venner. Le regard du patriarche, éloquent d'admiration pour sa fille et sa petite-fille. Un peu plus tard, dans le salon de Zéphirin LeVasseur, Phédora guide la main de sa fille sur le clavier. Deux évocations éclipsées... par le temps, par la douleur. L'espoir né dans la chambre trente-deux, cet après-midi du 31 décembre 1908, triomphe. « Pourquoi m'inquiéter ? C'est papa qui causait à la maison. Maman n'a jamais été volubile. Ses gestes, ses regards, ses soupirs même parlaient pour elle. Comme hier. Un malaise persiste pourtant en moi... la crainte de ne pas bien saisir les messages. J'étais si jeune. Aussi, j'ignore de quoi ont été faites ses années passées ici... Seule ou avec quelqu'un ? Un homme qui l'a protégée ou qui l'a fait pleurer ? Un travail qu'elle a adoré ou qui l'a éprouvée ? De bonnes relations sociales ou une grande solitude ? L'aisance ou la misère ? Que de confidences à recevoir ! Viendront-elles spontanément ? Dieu, que j'en doute ! »

♦~♦

Les enfants d'âge scolaire ont affronté un froid cinglant ce mardi matin 12 janvier 1909. De quoi donner à la Dʳᵉ LeVasseur le goût de garder les plus jeunes dans ses bras, de les réchauffer avec tout ce que ces deux semaines de vacances lui ont apporté de féerique. Une tension lui noue les tripes. Le regard de Phédora, des pages entières dont elle ne peut décoder les textes.

— Vous ne parlez pas beaucoup, maman, lui a-t-elle fait remarquer, au terme de dix jours de soins.

— Quand tu es là, je trouve le courage de regarder derrière... De là à être capable d'en parler...

Un grand baume sur son cœur que ces aveux de Phédora. La volonté est là, la force viendra.

Un sentiment étrange habite la jeune doctoresse en présence des enfants qu'elle vient examiner et instruire des règles élémentaires d'hygiène. Même milieu, mêmes groupes d'âge, mêmes examens, mêmes questionnaires, mêmes propos qu'à l'école St. James, mais dans son cœur, un espace s'est créé pour le bonheur. Ces enfants de l'école St. Margaret l'occupent avec leurs sourires si généreux et leur joie de recevoir une femme docteur. Des enfants qui, du bonheur à revendre, s'inventent des raisons pour retenir la docteure une autre minute, deux autres, trois autres. À leur contact, à l'effleurement de leurs mains sur sa peau, sa mémoire se ravive. D'heureux souvenirs déverrouillent en elle une enceinte de « oui » à la joie, au rire, au bien-être.

À l'école St. Margaret, fréquentée par des enfants de familles plutôt modestes, Irma allait vivre une expérience unique. Une petite fille, pâlotte et pauvrement vêtue, a insisté pour lui chuchoter un secret à l'oreille.

— *What's your name?* lui demande Irma.

— *Edith Young.*

La fillette à la chevelure hirsute, à la pupille ébène et aux membres squelettiques, réclame une faveur... à couper le souffle. Après s'être assurée qu'Irma n'avait pas d'enfants, elle a demandé à être emmenée chez elle avec son petit frère de cinq ans. Deux questions ont suffi pour révéler les raisons de cette requête : ces enfants habitent chez une dame âgée et alitée. Une femme très malade, au dire de la petite Edith.

Une entaille au ventre de celle qui l'écoute. Irma reconnaît cette douleur... La détresse d'une enfant. La coupure d'un lien affectif irremplaçable. Le sentiment de ne plus appartenir à quelqu'un. Une main bâillant sur celle qui s'y était réfugiée. La main de Phédora en juin 1887. D'un filet de voix dans ce flot d'émotions, Irma promet à Edith de lui parler après la classe.

Elles lui ont semblé longues, ces trente minutes avant que la cloche sonne la fin des cours. Main dans la main, la D^re LeVasseur et la fillette rouquine se rendent au bureau du directeur de l'école. Irma n'aurait pu imaginer accueil plus glacial de sa part. Un despote qui ne sait faire mieux que de lui rappeler qu'elle est dans une maison d'enseignement et non dans un orphelinat et qui, sans la moindre gêne, lui signale qu'il est l'heure de quitter l'école. Argumentation n'ayant aucun effet dissuasif sur la D^re LeVasseur, qui doit lui rappeler le mandat dont l'a chargée la Ville de New York. Monsieur lui présente ses excuses, en plaidant l'oubli. Mais les excuses ne suffisent pas, Irma réclame sa collaboration. Elle le prévient des démarches qu'elle compte entreprendre : se rendre chez la dame qui héberge les deux enfants, voir à ce que la malade reçoive des soins, et emmener Edith et son jeune frère avec elle pour quelques jours, le temps qu'on leur trouve un autre domicile. Elle confie cette dernière tâche au directeur, qui doit connaître les parents de ses élèves et l'aider à trouver un refuge pour ces deux jeunes infortunés. Les promesses de ce dernier sont si évasives qu'Irma y va de considérations humanitaires. Le moment est mal choisi. Monsieur ne cache pas son impatience de la voir sortir de son bureau. Ses classeurs verrouillés, son fauteuil poussé contre sa table de travail, il a ouvert la porte et fait signe à Irma de quitter son bureau.

— *I'll come back Monday, sir,* le prévient la D^re LeVasseur.

L'indigence habille Edith de la tête aux pieds. Contraste troublant que ce regard lumineux, éloquent d'audace et d'espoir. Au moment d'affronter le froid de janvier, un autre constat laisse Irma transie : le bonnet de laine miteux et les moufles trouées de la petite.

— *Give me that*, dit-elle, enfouissant ces haillons dans son sac avant de coiffer Edith de son chapeau de feutre vert forêt bordé d'une fourrure de lapin noir. Autour de son cou, une collerette de la même fourrure. Pour protéger ces petites mains bleutées, des gants de cuir fourrés de mohair.

Accroupie devant la fillette qui s'amuse de cette nouvelle tenue, Irma retient un éclat de rire.

Les révélations de l'enfant naissent au rythme de leurs pas. Toutes aussi époustouflantes les unes que les autres. L'âge d'Edith, incertain. Environ huit ans. Le nom de la vieille dame, inconnu. Tout comme le lien de parenté. Les enfants la nomment Granny. Depuis quand habitent-ils avec elle ? La fillette n'en a aucune idée. Elle croit que Harry, son petit frère, n'a jamais vécu ailleurs.

Irma juge prématuré de la questionner au sujet de ses parents.

Après plus de vingt minutes de marche, Edith emprunte enfin le sentier enneigé qui les conduit à un piètre immeuble à logements multiples. Du minuscule et lugubre portique partent deux escaliers. La petite s'engage dans celui qui mène au sous-sol. D'un doigt posé sur la bouche, elle demande le silence. Avant même que la clenche cède, Irma entend une voix plaintive.

— *It's Harry*, s'écrie Édith, qui, faisant fi de son accompagnatrice, se précipite au fond de cet appartement minable... dans la chambre de la vieille dame.

Le bambin en larmes ne réussit pas à réveiller sa Granny.

Macabre découverte. Le pouls de la malade est si faible que le pire pourrait arriver d'une minute à l'autre. Edith va puiser une étincelle d'espoir dans les yeux d'Irma, qui se félicite de ne jamais se départir de sa trousse d'urgence. L'aide des enfants est indispensable, mais combien éprouvante. Irma n'hésite toutefois pas à la leur réclamer, consciente de nourrir ainsi leur confiance. Les manœuvres de réanimation réussissent, mais les effets sont de courte durée. Il n'y a pas de téléphone dans cet appartement. Y en a-t-il un dans l'édifice ? Edith ne le sait pas. À moins de cinq minutes, une tabagie. Irma s'y précipite.

— *Please ! Please, sir. It's an emergency !* crie-t-elle à l'homme qui vient de verrouiller la porte.

Il revient sur ses pas. La moue qu'il fait à cette cliente harcelante qui le retarde reste sans importance.

À la deuxième sonnerie du téléphone, aucune réponse. À la quatrième, le récepteur est décroché, Bob est au bout de la ligne.

— Bob! Bob! J'ai besoin de toi. Viens vite au 930 de la Quatorzième Avenue, au sous-sol. Mais avant, envoie-nous un médecin. Il faut transporter une dame à l'hôpital. C'est urgent. Puis, il y a les enfants...

— Je n'y comprends rien, Irma. Mais compte sur moi.

Au chevet de l'agonisante, Irma retrouve les deux enfants : le garçonnet pleure dans les bras de sa sœur. Il a peur... Peur de perdre sa Granny pour toujours. Peur de devoir rester seul pendant qu'Edith va à l'école. Peur des méchants, des voleurs. Il avoue avoir faim aussi.

Sur la table encombrée, des restes de pain séché, un petit pot de confiture sans couvercle, presque vide, deux boîtes de conserve entamées, à la surface croûtée, à l'odeur de moisi. Insoutenable!

Paupières closes, visage émacié, la malade respire encore mais si péniblement... Ses mains sont glacées. Il fait froid dans ce taudis. Irma demande d'autres couvertures; Edith revient avec un édredon élimé et un drap de flanelle d'une propreté douteuse. Le premier va couvrir la dame et, dans l'autre, Irma enveloppe Harry, le jeune frère d'Edith.

Des pas dans l'escalier, la porte s'ouvre abruptement. Entrent deux brancardiers suivis du médecin appelé... le Dr Brown. Le Don Juan du St. Mark Hospital! Étonnement partagé. En pareilles circonstances, les vies à sauver ne laissent aucune place au flirt.

À peine le Dr Brown a-t-il commencé à ausculter la patiente que, d'un rictus, il signifie son désarroi. La vieille dame a peu de chance de s'en sortir. Irma le laisse seul dans la chambre et emmène les bambins avec elle dans la cuisine. Elle doit les préparer... Un bruit de moteur les précipite vers la fenêtre. L'ambulance est arrivée. Irma a juste le temps de dire aux enfants que leur Granny va être transportée à l'hôpital. Harry s'affole. Pour calmer son angoisse, Irma lui jure qu'on ne fera pas mal à sa Granny. Qu'on va en prendre grand soin... pour qu'elle guérisse.

— *And us ?* lui demande Edith, au bord des larmes.

— *You'll come with me.*

Irma écoute la fillette expliquer à son petit frère pourquoi ils sont très chanceux d'aller avec la dame docteure.

Il ne manquait plus que Bob, le voilà enfin ! Toute son attention immédiatement dirigée vers Edith et Harry.

— Tu les habilles. Je vous emmène tous les trois, décrète-t-il.

— Tu arrives au bon moment, Bob. Je ne savais plus comment leur épargner ce qui s'en vient...Tu les feras monter dans ta voiture et tu t'éloigneras un peu, le temps que les brancardiers sortent leur Granny de la maison.

Elle allait oublier :

— *Where's the key, Edith ?*

La fillette ouvre la porte d'un placard, en sort le sac à main de sa Granny, le fouille... sans succès. Irma y pense : le vieux manteau de drap noir ! De fait, on trouve la clé dans une des poches.

— *Your clothes, now ?*

Edith guide timidement sa bienfaitrice vers la chambre qu'elle partage avec son frère. Deux tiroirs presque vides, un tas de vêtements sur le plancher dans un coin de la chambre.

— *They're dirty,* explique la petite, honteuse.

— *No problem, Edith. We have a good washing machine.*

Dans un sac de papier trouvé sous le lit d'Edith, Irma enfouit les vêtements souillés. Maintenant, il faut trouver le manteau et les chaussures de Harry. Sa grande sœur cherche. Confuse, elle souligne qu'il y a longtemps que son frère n'est pas allé dehors. Bob enlève son parka et en couvre le petit de la tête aux pieds. Sa tuque sur la tête, son manteau sur le bras, Edith lance vers Irma un regard interrogateur.

— *You can take mine,* lui confirme la D^{re} LeVasseur.

La fillette abandonne ses loques pour reprendre le chapeau et la collerette d'Irma. Bob lui sourit.

Emportés par l'étrangeté de l'événement, les deux enfants allaient quitter la maison sans embrasser leur Granny. Edith le réclame la première. Embarrassée, Irma les fait attendre à la porte de la chambre. La malade est déjà sur la civière, prête à être montée dans l'ambulance.

Le Dr Brown hésite. Il allait donner son avis quand, à bout de patience, Edith et son petit frère poussent la porte et s'arrêtent, médusés. Bob les suit, deux pas derrière. Il soulève le bambin, l'approche de la figure de sa Granny. Deux minuscules mains sortent du grand manteau de Bob et vont se poser sur les joues émaciées de la malade… qu'il supplie de ne pas l'abandonner. Edith, venue se placer à la tête de sa Granny, éclate en sanglots. Elle tient dans ses mains posées sur celles de Harry la tête inerte de celle qui lui a tenu lieu de père et de mère. Une rupture est imminente, irréversible. Irma la ressent vivement. Douleur connue.

Bob entraîne les petits Young vers la sortie. À l'instant où tous trois entrent dans la voiture de Bob, la malade quitte sa chambre en emportant avec elle son mince bien : un sac à main qui révèle son identité. Deux lettres reçues à la fin de décembre et une carte de citoyenneté y ont été placées. Renversante découverte des origines de Granny : Mrs Boudrot. Mrs Madeleine Boudrot. Soixante-douze ans. Veuve. « Elle pourrait bien comprendre le français », espère Irma. Il faut voir.

La main décharnée de Mrs Boudrot dans la sienne, Irma lui souffle quelques mots d'adieu :

— Je vais prendre soin de vos petits…

Un effort suprême pour soulever les paupières a avorté. Une faible pression de ses doigts est ressentie sur la main qui cherchait un signe. L'esquisse d'un sourire disait merci. « Elle m'a entendue. Elle a compris ! » Irma en est sûre. Mais c'est la fin, craint-elle en verrouillant la porte derrière les ambulanciers.

➤◄

À quelques jours du trente-deuxième anniversaire d'Irma, son univers, celui des Smith, des Young et de Rose-Lyn a basculé.

Granny n'est plus. Deux jours de grâce lui ont été accordés, le temps de confier à la D^{re} Irma la tutelle des petits Young, nés de Joan, sa fille décédée peu après la naissance de Harry. Le temps de leur léguer ses maigres biens et de confirmer ou d'infirmer les hypothèses d'Irma par des gestes de la main ou des mouvements de la bouche.

Des papiers conservés dans son appartement ont révélé ses origines : son arrière-grand-mère était du nombre des Acadiens déportés à Boston en 1755. De là, sa famille est remontée vers New York et s'y est établie au début des années 1800. Le mari de Joan a déserté le foyer peu avant la naissance de Harry. Le chagrin a emporté la jeune maman.

— Il faut que ces deux enfants apprennent à parler français. C'est très important pour leur bien-être psychologique, pour la recherche de leur identité, soutient Irma.

Rose-Lyn doute de l'utilité de leur imposer cette discipline.

— Ça va venir naturellement si on ne leur parle qu'en français. On le leur expliquera à mesure qu'ils seront en âge de comprendre, précise Irma.

Rose-Lyn y consent, son gendre et sa bru aussi.

Irma prend le temps d'écrire quelques paragraphes à Maude et à son père. Aux deux, elle confie :

> *J'ai l'impression que quelqu'un là-haut tire sur les ficelles, tant ma vie se dessine au jour le jour, sur une toile aux coloris inhabituels, surgis de l'inconnu. Deux orphelins me tombent dans les bras, m'enlacent le cœur sans que je puisse, une fois de plus, me les approprier. Mes droits et mes responsabilités se limitent à voir à leur bien-être, à les laisser m'aimer jusqu'aux frontières d'un attachement préjudiciable de part et d'autre. Tante Rose-Lyn est heureuse de les prendre sous son aile tant qu'ils auront besoin d'elle. Je n'aurais pu trouver mieux pour s'occuper d'eux pendant que je travaille. On la croirait née pour ce genre de mission qu'elle pensait n'abandonner que temporairement en quittant Québec pour une visite à New York. Mais voilà qu'ici aussi, de petits enfants dans le besoin lui seront redevables. D'ailleurs, nous avons convenu que pour Edith et Harry, je serais une tante et Rose-Lyn, une grand-maman ? que Charles et ses parents seraient leurs cousins ?*

À son père exclusivement, elle annonce :

L'année 1909, commencée sous le signe de l'espoir, va de contentement en contentement. Je vous serais reconnaissante d'en informer mon frère et tante Angèle. Je compte leur écrire bientôt.

Irma dépose sa plume, troublée par le silence qu'elle a maintenu sur les retrouvailles avec Phédora. Le temps n'est pas venu, juge-t-elle, de partager avec eux cet immense bonheur. Bonheur pour elle, mais qu'en sera-t-il pour Nazaire ? Et Paul-Eugène demeure au cœur du dilemme : sa mère voudra-t-elle le revoir ? Le pourra-t-elle ? Si oui, il faudra la préparer à rencontrer l'homme diminué qu'il est devenu. Phédora donne des signes d'une guérison possible. Néanmoins, elle n'a encore demandé aucune nouvelle des autres membres de sa famille. « La charge émotive doit être si grande qu'il ne faut pas la bousculer », a recommandé Irma à sa tante Rose-Lyn.

Que Nazaire et Paul-Eugène soient gardés dans l'ignorance au sujet de Phédora leur semble sage. L'un, déshonoré et fort occupé, ne doit pas trouver le temps de penser à son ex-épouse. L'autre, encore traumatisé par la disparition de sa mère, avait entrepris, disait-il, ses propres recherches, mais n'en a plus soufflé mot à sa sœur.

❖

Ce vendredi soir, 12 février, Irma rentre chez Bob pour prendre les enfants Young et les emmener passer la fin de semaine à son appartement; il en est ainsi depuis le décès de leur grand-maman. Le couple Smith la supplie de faire l'inverse.

— T'as grand besoin de repos, lui fait remarquer Hélène.

Bob y va d'un argument de béton :

— Si maman et toi restiez toutes les deux à la maison avec les trois enfants, Hélène et moi pourrions en profiter pour sortir...

Marché conclu.

Depuis l'arrivée des enfants Young dans la maison, Charles aime moins sa chambre, son lit et ses siestes. Ce soir, sa marraine est là pour lui prodiguer une faveur unique : le bercer jusqu'à ce qu'il se soit profondément endormi.

À quatorze mois, le bambin se plaît, à ne pas s'en lasser, aux jeux de Harry et aux faveurs d'Edith. Le plaisir est réciproque. Ces deux jeunes orphelins, heureux et reconnaissants, illuminent la vie de ceux qui les ont accueillis temporairement. D'une obéissance exemplaire, d'une complicité exceptionnelle, ils se consolent l'un l'autre quand le cafard causé par l'absence, sans retour, de leur Granny les envahit. Ce vide les attrape souvent à l'heure du coucher. Rose-Lyn le devine à leurs soupirs retenus sous leurs draps, à leur étreinte silencieuse. Les jeunes laissés-pour-compte qu'elle a secourus à Québec le lui ont appris.

— Ces enfants me sont destinés, décrète-t-elle lorsque Irma la rejoint dans le paisible salon des Smith. C'est le signe que j'attendais pour prendre ma décision. Je reste à New York tant que ces deux petits auront besoin de moi. Tant que quelqu'un aura besoin de moi.

— Vous pensez à maman ?

— Tellement ! Dès demain, j'entreprends la recherche d'un grand logement, pour nous quatre, si elle veut bien venir vivre sa convalescence avec moi.

— Elle devrait pouvoir sortir de l'hôpital dans deux ou trois semaines, lui annonce Irma.

— Je n'ai pas une minute à perdre. Le temps qu'Edith est à l'école, j'irai avec mon petit homme voir dans les environs.

— Ce serait bien que cette fillette change de milieu. Elle a beau être propre et bien vêtue, à l'école elle est toujours considérée comme une petite pauvre... déguisée. Son professeur me l'a confirmé.

— Et ta mère ? Son appartement ?

— Impossible de prévoir quand elle pourra retourner y vivre seule. Sa guérison dépend beaucoup de son moral.

— Et il n'est pas bon ?

Irma hoche la tête.

— Ce n'est pas l'impression qu'elle me donne quand je lui rends visite, riposte Rose-Lyn. Comment est-elle avec toi ?

— On dirait qu'elle a toujours le cœur gros. Comme si elle avait plein de choses à dire...

— ... c'est peut-être à toi qu'elle a le goût de se confier.

Sidérée par cette remarque, Irma ne dit mot.

— On peut en avoir le goût sans en avoir la force... le courage.

— Vous avez raison, tante Rose-Lyn. Je suis en pleine santé et je n'arrive même pas à lui demander si elle aimerait qu'on demeure ensemble pendant sa convalescence.

— Bien moi, je me sens capable de lui faire dire comment elle aimerait que ça se passe à sa sortie de l'hôpital. Je pourrais aller la voir demain, c'est samedi. Toi, tu resterais ici avec Hélène pour t'occuper des enfants.

La proposition charme Irma, qui y va d'un conseil à sa tante :

— Ce serait prudent d'avoir sa réponse avant de vous chercher un grand logement.

— Peu importe qu'elle vienne ou non. Depuis que tu nous as emmené ces deux enfants, je me vois reprendre ici le travail que je faisais à Québec. Y en a tellement, d'enfants dans le besoin, tu le sais mieux que moi.

Un silence porteur de sérénité s'installe. La réflexion s'y loge. Rose-Lyn croit le moment venu d'aborder un sujet délicat :

— Il faudrait peut-être que tu lui montres plus clairement, à ta mère, que tu es prête à entendre tout ce qu'elle aimerait te dire.

— Prête ? Par moments, j'en doute.

— T'as peur que ça te fasse beaucoup de peine ?

Les mots sont superflus.

— Je te comprends, Irma. Par contre, il m'est souvent arrivé d'imaginer bien pire que la réalité. Et plus tu vas tarder, plus ce sera difficile, je pense.

— Je suis très contente que vous alliez la rencontrer... avant.

Le silence revient ponctuer cet échange.

Irma le rompt pour causer non plus de Phédora, mais des enfants Young, de leur comportement.

— Ils ne sont plus les mêmes depuis qu'ils vivent ici, reconnaît-elle.

— Y a de quoi ! Tu devrais entendre Hélène quand elle se pense seule avec eux. Tous les compliments qu'elle leur fait, les mots encourageants qu'elle leur dit. Je sais qu'elle les embrasse très souvent. L'autre jour, quand Edith est restée ici à cause de sa grippe, elle les a pris sur ses genoux, elle et son petit frère, et les a bercés pendant toute la sieste de Charles. Elle leur fredonnait des airs que je n'ai jamais entendus. C'était beau ! Je serais restée cachée des heures pour l'écouter. C'est curieux qu'elle soit différente quand on est là. Beaucoup plus réservée, tu ne trouves pas ?

Un secret tient les lèvres d'Irma scellées. Si Rose-Lyn le connaissait, si elle savait que le premier fils d'Hélène lui a été arraché des bras pour être donné en adoption, elle comprendrait tout. L'incommensurable tendresse de cette femme envers les enfants puise sa source dans ce drame. Irma trouve une réponse crédible :

— J'ai constaté que certaines personnes n'expriment leur tendresse que dans un minimum d'intimité, c'est peut-être son cas. Elle est tellement discrète, mon amie Hélène.

— Un peu mystérieuse, je dirais.

D'un signe de tête, Irma lui donne raison.

— Je l'aime vraiment, ma bru. Bob l'adore, ça se voit. Je ne me fatiguerais pas de les observer si ce n'était pas inconvenant.

Aucune réaction de la part de sa nièce, dont le regard est resté accroché à une pensée... obsédante. Rose-Lyn le ressent. Un malaise s'installe, pernicieusement, à peine perceptible, puis encombrant.

— On devrait aller dormir, Irma. T'as eu une grosse semaine et moi, j'ai besoin d'avoir les idées claires, demain.

Irma ne s'obstine pas. La chambre qui lui était allouée étant occupée par les enfants Young, elle devance Rose-Lyn avec qui elle dormira. Du moins le souhaite-t-elle.

Pour la deuxième fois au cours de cette nuit, elle entend pleurer le jeune Harry. Elle se précipite dans sa chambre, Hélène y est déjà.

— Il fait beaucoup de cauchemars, le petit ange, lui apprend-elle.

— C'est comme ça depuis qu'il dort ici ?

— Bien oui. Ça me fend le cœur... Il est arrivé que je le trouve tout en sueur dans ses draps.

— Il a dû vivre l'horreur pendant toutes ces journées seul à essayer de réveiller sa Granny. Ça va lui prendre quelque temps et beaucoup de tendresse pour s'en remettre, chuchote Irma.

Hélène craque. Irma l'emmène dans le petit boudoir et en referme la porte.

— C'est trop lourd à garder pour toi toute seule, Hélène. Attends-moi ici, je vais aller chercher ton châle et ta berçante.

Elle tarde un peu.

— Excuse-moi, Hélène ! J'ai pensé qu'un bouillon chaud nous ferait du bien, explique Irma, pressée de déposer le plateau sur le bureau et de couvrir son amie du châle qu'elle lui a donné peu après leur épisode chez le Dr Canac-Marquis. Je reviens avec ta chaise...

Les confidences d'Hélène coulent comme une rivière.

— Bob trouve que j'exagère avec les enfants. Même qu'il me trouve pire avec Edith et Harry qu'avec notre fils, lui apprend-elle, affligée.

Irma croit le comprendre.

— Le sait-il... ?

Un long silence, des pleurs, puis un aveu :

— Je m'étais promis de me libérer de cet affreux secret si on avait un garçon. Mais je n'en ai pas encore trouvé l'occasion ni le courage.

— Tu devrais le faire, Hélène. C'est très important... pour votre relation.

— J'ai peur...

— Je connais assez ton mari pour croire qu'il ne t'aimera pas moins quand il le saura. Au contraire, il comprendra pourquoi tu es portée à trop les chouchouter, les enfants. Il ne t'en fera plus le reproche, Hélène, tu sauras me le dire.

— Si je m'écoutais, je les adopterais. Pas rien qu'Edith et Harry. Tous ceux qui sont négligés. Je ferais tout pour leur épargner la moindre souffrance.

— Nous nous ressemblons beaucoup sur ce point. Mais il faut se raisonner. On ne sera pas toujours là pour les emmailloter, nos enfants. Puis, il faut les préparer à la vraie vie...

Hélène sanglote.

— Je sais que je déçois mon chéri sur ce point. Il en a été question en soirée.

Irma lui rappelle de nouveau l'urgence de révéler ce triste pan de son histoire à son mari.

— Après, tu devras te donner le temps de guérir. C'est comme une blessure rouverte. Ça peut être plus ou moins long, ajoute Irma, consciente de parler pour elle aussi.

— Je suis tourmentée de tous bords tous côtés, ces temps-ci, lui confie Hélène dans un soupir plaintif.

Irma n'est qu'écoute.

— Y a pas qu'à Bob que je devrais faire des aveux... À toi aussi, Irma. Ça ne m'est jamais arrivé avant d'aimer une personne et de la haïr en même temps.

Aucun doute dans l'esprit d'Irma. Mais elle n'ouvre pas la bouche, de peur de se tromper. De ses mains posées sur celles de sa grande amie, elle mendie sa confiance.

— Je suis tellement jalouse...

— Mais de qui donc?

— De toi, Irma.

— À cause de ma mère?

— Surtout, oui.

— Et pour quoi d'autre?

Cette fois, Hélène semble regretter de s'être ouverte. Elle repousse les mains d'Irma et pose les siennes sur son visage crispé.

— Dis, Hélène. Tu devrais savoir qu'il n'y a plus grand-chose qui me surprenne... avec ce que j'ai vécu.

Leurs regards se croisent, enfin. Ce qu'Hélène donnerait pour anticiper avec justesse la réaction de son amie! Tant de sollicitude chez cette femme devrait lui donner espoir. «Effleurer le sujet, pour voir. Quitte à ne pas poursuivre», se dit-elle.

— Jamais il ne t'adresse le moindre reproche... à toi.

Les regards se fuient. La révélation la plus appréhendée vient de défoncer le mur du silence. Un bâillon sur la bouche d'Irma. Un amer regret dans le cœur d'Hélène. L'ex-amoureuse de Bob n'a pas toute la nuit pour extirper le doute de l'esprit de son amie. «Plus je prends de temps à réagir, plus je lui donne raison », se dit-elle. Feindre de ne pas saisir. « Je n'ai d'autre solution », juge-t-elle.

Un léger sourire sur les lèvres, Irma commente :

— C'est tout à fait normal, Hélène, qu'entre mari et femme on se fasse de petits reproches. Je te défie de trouver un couple qui ne connaît pas ça après quelques années de mariage. Comme personne n'est parfait, nos petits défauts sortent au quotidien.

Hélène dodeline de la tête. Sur le point de s'affoler, Irma y va d'une digression :

— C'est justement à cause de l'usure du quotidien que j'hésite à offrir à ma mère de venir habiter avec moi. C'est égoïste, je le sais. Mais c'est comme si je venais de trouver un superbe diamant et que je refusais d'en voir la plus petite imperfection.

— Penses-tu que ce soit le cas de tous ceux qui retrouvent leur mère ?

— Peut-être. C'est connu qu'on est porté à idéaliser la personne qui nous a beaucoup manqué.

— Mon fils... s'il est encore de ce monde...

— ... il t'admirerait dès la première minute, Hélène. Tu es une très jolie femme, délicate et débordante d'amour. C'est irrésistible, ce bagage-là.

Hélène sourit... un court instant. Une vive émotion fait trembler ses lèvres. Elle a mal. « Il ne le faut pas. Je ne veux pas que ma meilleure amie souffre ainsi », se dit Irma, non moins accablée que sincère.

— Ton fils t'admirerait comme tous ceux qui ont la chance de te connaître, Hélène. Penses-y bien. Tu as conquis le cœur de l'homme le plus extraordinaire de New York. Et cet homme-là t'adore.

À voir pleurer son amie, Irma a l'impression d'avoir déverrouillé un tiroir secret. D'avoir ravivé une douleur étouffée. La réserve devient aussi aidante que la présence. Irma en a fait maintes fois l'expérience.

Hélène s'apaise, doucement.

— Si j'étais ton médecin, je te prescrirais un médicament. Un seul.

L'intérêt d'Hélène est manifeste.

— La confiance. En toi et dans les autres, Hélène. Tu en vaux tellement la peine.

Une longue étreinte clôt cet entretien... un des plus bouleversants pour ces deux jeunes femmes.

Il est deux heures trente.

À pas feutrés, Irma retourne dans la chambre et se glisse entre les draps avec une délicatesse infinie... pour ne pas réveiller Rose-Lyn. Elle ferme les yeux. Peine perdue, elle ne parvient pas à chasser l'image que cet échange lui renvoie d'elle-même. « L'hypocrisie ! S'il est un défaut que je ne supporte pas, c'est bien l'hypocrisie ! Pour la consoler, j'ai fait semblant de ne pas comprendre et de trouver son questionnement injustifié. J'ai cru qu'il était possible de lui cacher l'amour que je ressens pour son mari. En voulant la libérer de ce doute, je l'ai accablée d'un autre. Comment pourra-t-elle croire désormais en la justesse de ses perceptions ? Quelle bêtise ! Par contre, je ne sais comment j'aurais pu l'éviter. »

Un autre gémissement de Harry la tire précipitamment de son lit. « Il ne faut pas qu'Hélène l'entende. » Ouf ! Son amie ne l'a pas devancée cette fois. Une caresse sur le front du bambin déjà apaisé, pareil câlin pour Edith, et Irma ne craint plus. Elle pourra s'offrir quelques heures de sommeil, d'autant plus qu'une inspiration lui est venue pour calmer sa conscience : chasser sans merci le moindre sentiment amoureux envers Bob, éviter de se trouver en présence de cet homme quand son épouse est là et ne laisser passer aucune occasion de louanger Hélène.

·····

Deux visites à Phédora ont été nécessaires pour que Rose-Lyn puisse apporter à sa nièce la réponse tant attendue. Après une journée éreintante dans une école, Irma s'impatiente du retard que sa tante met à venir frapper à sa porte.

— Je n'arrivais plus à quitter mes petits pensionnaires, explique Rose-Lyn, à bout de souffle.

— Ils ne vont pas bien ?

— Pas tout le temps. Ça fait seulement un mois que leur Granny est décédée. Il ne faut pas se surprendre qu'ils s'ennuient encore d'elle, ces petits chéris, lui fait remarquer sa messagère en lui chargeant les bras de ses vêtements glacés.

— Venez ! Je vous ai préparé un bouillon chaud.

— Mais j'ai soupé... Tu n'as pas mangé, toi ?

— Je m'attendais à ce que vous arriviez d'une minute à l'autre. Je vous attends depuis la fin de l'après-midi.

Rose-Lyn laisse échapper un soupir d'agacement. Présumant qu'Irma est en grand appétit, elle file vers la cuisine et s'attable. Les deux femmes avalent leur bouillon en silence. Sans tarder, Irma débarrasse la table.

— Tu ne prends que ça ! s'exclame sa tante.

— Quand mon heure est passée, inutile de forcer, explique Irma qui, du même souffle, dispense Rose-Lyn de se fondre en excuses. Rien ne saurait la dérider. L'inquiétude qui la tenaille depuis quarante-huit heures l'a épuisée.

La fille de William Venner sait très bien que sa nièce et elle ne partagent ni la même fougue ni les mêmes exigences. Aussi s'arme-t-elle de finesse et d'affabilité.

— Ça t'a semblé long, je le sais, mais je te jure que c'était nécessaire. S'il y a une chose que je ne devais pas faire, c'est bousculer ta mère.

Irma s'efforce de se détendre. Rose-Lyn lui en donne le temps avant d'enchaîner :

— Ce doit être difficile pour elle de prendre quelque décision que ce soit. Tant d'événements sont venus en même temps chambarder sa vie.

— Elle en a quand même pris quelques-unes, et pas les plus banales. C'est elle qui a demandé à être transférée au St. Mark Hospital...

— ... et qui a demandé à être soignée par la D^{re} LeVasseur. Un exploit pour une femme dans sa condition. Le grand coup donné, c'est comme si elle voulait maintenant vivre les étapes une à la fois. Plus tranquillement. Se ménager un peu plus, tu comprends ?

Irma répond d'un battement de paupières.

— Ce qui la préoccupe pour l'instant, c'est le temps qu'elle devra encore passer à l'hôpital et dans quel état elle sortira de cet accident. Elle a bien peur d'être diminuée, de ne pas pouvoir reprendre son travail de sitôt. Elle s'inquiète aussi de trouver comment payer son loyer si elle tarde à reprendre ses cours.

— Vous lui avez offert notre aide, suppose Irma.

— Oui, mais...

— Mais quoi, ma tante ?

— Mes propositions l'ont mise très mal à l'aise.

— Dommage !

— C'est normal, Irma. Mets-toi à sa place et reporte-toi vingt et un ans en arrière. C'est très lourd à porter... tous les jugements contre elle, toute la peine qu'elle vous a causée, celle qu'elle a eue aussi et qu'elle est seule à vraiment connaître.

— Je croyais que mon attitude l'avait convaincue...

L'émotion lui casse la voix.

— ... que tu lui accordais un pardon... inconditionnel ? suppose Rose-Lyn.

Une approbation vient sans qu'un son ne sorte de la bouche d'Irma.

— Tu lui as fait un bien énorme, Irma. N'en doute pas. Mais elle m'a laissé entendre qu'elle ne pourrait vivre à l'aise avec quelqu'un de sa parenté que si elle arrivait à expliquer ce qui a provoqué son départ pour New York.

— On ne demande pas mieux ! s'exclame Irma.

— C'est ce que je lui ai dit. Sais-tu ce qu'elle m'a répondu ?

— Dites, ma tante.

— « C'est parce que vous ne savez pas que vous affirmez ça. »

Le mystère qui a toujours régné autour de sa fugue, les raisons et les circonstances... Des souvenirs si déchirants pour Phédora. Rose-Lyn en a été mise au parfum, mais sans l'autorisation de les dévoiler.

— Puis, elle a tourné la tête vers le mur. Elle pleurait beaucoup. J'ai cru qu'il était préférable de la laisser se reposer, quitte à revenir le lendemain. J'ai pris mon manteau et j'ai eu le temps de faire quelques pas vers la sortie avant qu'elle murmure des mots que je ne suis pas sûre d'avoir bien saisis.

— Ça ressemblait à quoi ?

— Hum ! Ce n'est peut-être pas ça, mais j'ai cru comprendre qu'elle nous prévenait...

— Mais de quoi ?

— Que la vérité risquait de nuire à la réputation de certaines personnes que nous connaissons ...

— Vous ne l'avez pas fait répéter ?

— Je suis retournée près de son lit, je l'ai embrassée et je lui ai dit que ce n'était pas si pressant. Qu'elle devait attendre de se sentir prête à parler. Que sa fille et sa sœur seraient toujours disposées à l'écouter.

Des sanglots montent dans la gorge de la fille de Phédora.

— Je te laisse te reposer, ma petite Irma. On reprendra ça un autre jour, propose Rose-Lyn après l'avoir serrée dans ses bras.

※-※

Une enveloppe dodue. « L'écriture de papa, on dirait ! » s'écrie Irma. Mais le tracé qui fuit vers le bas de l'enveloppe l'en fait douter. Ses doigts courent sur le rabat, qu'elle déchire sans ménagement. « C'est lui ! » Une coupure de journal sur laquelle il apparaît, accompagné de dignitaires et quittant le manège militaire, le lui confirme. Une autre rend hommage à la Société symphonique de Québec dont il est le contrebassiste et le vice-président depuis 1903. Sur quatre autres feuilles, des compositions musicales inachevées. L'une porte le titre : *Une romance pour quintette à cordes*, l'autre, *Marche militaire*. Sa lettre manuscrite se limite à une page.

21 février 1909

Ma fille chérie,

Tous ces billets pour t'informer de ce qui occupe ma pensée et qui me console des problèmes de santé que je vis depuis quelques mois. Il ne pouvait y avoir pire épreuve pour moi que d'être privée d'une bonne vue. J'avais commencé à voir embrouillé avant que tu partes pour New York, mais j'espérais tellement que ça s'arrange que je n'ai pas voulu t'en parler. Imagine, un de mes yeux est devenu presque nul. Je cherche les meilleurs spécialistes en la matière. Si tu en as un à me recommander, je ferai des milles pour aller le consulter.

J'ose t'envoyer une copie de deux pièces musicales. La marche militaire pourrait être complétée avec quelques séquences énergiques filant vers la douceur... Quant à la romance, autant je l'ai entreprise avec goût et confiance, autant elle me donne du fil à retordre. Je bloque toujours à la même place. Je n'arrive pas à la terminer. Tu aurais des suggestions à me faire ou quelques notes à ajouter sur ces portées vides ? Je t'en serais très reconnaissant.

Je me bats pour garder bon moral. Le meilleur remède trouvé, tu le devines : ne pas démissionner de mes engagements. C'est ma façon de déjouer le destin.

Je me bats, oui. Je me bats comme toi. J'espère remporter des victoires, comme toi. Une que je partage avec toi et qui devrait te réjouir profondément. Notre premier ministre, Lomer Gouin, compte parvenir sous peu à faire adopter une loi sur la pratique médicale : les jeunes médecins devront faire des études d'une durée de cinq ans. De nouvelles disciplines vont être ajoutées au programme : la bactériologie, la dermatologie et la pédiatrie. Tu as bien lu : la pédiatrie. Les charlatans vont en avoir pour leur rhume. Il est grand temps.

Ta tante Angèle perd de l'endurance depuis quelques mois. Ton frère n'a pas fait grand changement dans ses habitudes si ce n'est de prendre ses médicaments de temps en temps. Je pense qu'il ne t'a pas écrit depuis longtemps...

Tu viens nous rendre visite bientôt ? au cours de l'été ? Je te parlerai de la défense que je prépare pour le capitaine Bernier. Quelle insulte, après tout le travail qu'il a accompli dans le Grand Nord !

Tu es heureuse dans ton nouveau travail ?
J'espère te revoir dans quelques mois.

Ton père qui t'adore,
L.N. LeVasseur

« Un vrai battant, mon père ! Ma mère aussi, peut-être. Dommage que Paul-Eugène ne le soit pas autant », pense Irma, empathique comme jamais à l'état de panique qui guette son père face à cette menace de cécité. « Enlever la vue à cet homme, c'est lui enlever toute raison de vivre, j'en suis sûre. Je ne le laisserai pas tout seul avec ça », se jure Irma. Le Dr Brown, ce confrère de St. Mark Hospital, a fait des séjours de perfectionnement en Europe sur les troubles visuels. « Il n'est probablement pas le seul », souhaite-t-elle, pour ne pas nourrir les espoirs de conquête de ce Don Juan.

Tout compte fait, la parenté LeVasseur bat de l'aile. Raison de plus pour qu'Irma lui rende visite à la fin de juin, après la fermeture des classes. « Où en serai-je à ce moment-là avec ma mère ? Qu'aurai-je appris ? Que dirai-je à mon père ? Que cacherai-je à mon frère ? À tante Angèle, je dirai tout », se promet-elle. Le goût lui vient de se pencher sur les compositions musicales de son père. Les idées viennent sans effort. Les notes filent sur les portées. Une finale s'installe d'elle-même. « Si j'avais donc mon piano ! » Sans plus tarder, Irma griffonne sur un bout de papier : *En espérant que vous en serez aussi charmé que j'ai été heureuse de vous rendre ce service.* À son tour de poster une enveloppe qui fait le dos rond.

Encore quatre mois avant la fin des classes ! Mais tant de travail ! Les jours empiètent sur les nuits depuis que les visites dans les familles sont commencées. Dans certains quartiers, des situations comparables à celles qu'ont vécues Edith et Harry ne sont pas rares. Rose-Lyn ne peut hélas les emmener tous vivre avec elle. La maison que « la Providence » lui a trouvée, comme elle dit, est spacieuse, mais il faudrait engager des aides; et plus encore si Phédora va vivre sa convalescence chez elle.

— Je ne veux pas me mettre dans une situation où je ne pourrais plus m'occuper correctement de ta mère, confie-t-elle à Irma venue lui demander un hébergement temporaire pour une jeune mère et son nouveau-né.

— Contrairement à ce que j'avais anticipé, maman en a encore pour un bon mois. Elle vient juste de commencer à bien s'alimenter.

— Elle a quand même fait beaucoup de progrès en février, tu ne trouves pas ?

— L'appétit vient avec le goût de vivre...

— Je le crois moi aussi. Et tu y es pour beaucoup, Irma. Je ne suis pas médecin, mais je pense que plus elle va parler, plus ça va faire de la place dans sa vie pour la santé et le bonheur.

— Je vous répète que je ne demande pas mieux qu'elle se confie.

— Tu en es sûre, Irma ?

Un silence, puis un regard mendiant.

— Elle ne me l'a pas dit dans ces mots-là, mais ta mère a l'impression que tu as peur de ce qu'elle pourrait te révéler.

— Elle aussi hésite. Elle me l'a laissé savoir.

Rose-Lyn ne dit mot. Elle s'affaire à préparer un lit et un berceau pour accueillir les nouveaux protégés de celle qui, tout comme Harry, ne la laisse pas d'une semelle.

— Il faudra que tu décides. Le plus important pour toi, est-ce d'éviter d'autres déceptions, d'autres chagrins, ou d'entendre ce que ta mère a le goût de te dire ?

La question semble tomber dans le vide.

— Demande-toi ce que tu aimerais avoir fait, dans cinq ans, par exemple. Ça pourrait t'aider à trancher, ajoute Rose-Lyn.

Cette fois, la réponse vient... enflammée.

— Je veux tout savoir de maman, tante Rose-Lyn. Tout !

— Là, je te reconnais ! Pour te récompenser de ton courage, je te dirai que certaines révélations vont te faire énormément plaisir.

Le visage d'Irma se métamorphose. Une étreinte des plus spontanées couronne cette rencontre :

— C'est ma journée ! s'écrie Irma, promettant de revenir avant la fin de l'après-midi avec Judy et son bébé.

— Dis donc, comment se fait-il que tu te sois retrouvée avec cette femme et son bébé sur les bras ? Ça n'a pas de rapport avec les écoles...

— Non, mais avec les familles qui ont fait l'objet d'un signalement au bureau de santé, oui.

— Je vois. Emmène-les-moi.

Harry réclame une ondée de tendresse de sa bienfaitrice avant de la laisser franchir le seuil de la porte.

« Maman. Le Dr Brown. Les petits. Mes recherches », se remémore Irma, tourmentée par le temps et la priorité à accorder à chacune de ces obligations.

À peine engagée dans la rue, elle voit Hélène qui presse le pas vers elle, l'air préoccupé.

— J'ai pris une chance de te trouver chez ma belle-mère, dit-elle, mendiant une écoute.

Une autre sollicitation vient s'ajouter à l'agenda de la jeune doctoresse.

— J'ai réfléchi. Je ne me sens pas capable de parler de mon passé... avec Bob. Pas tout de suite, en tout cas.

Pas une réplique. Qu'un regard accueillant.

— J'ai pensé que ce serait bien de semer d'abord le doute dans l'esprit de mon mari... à l'occasion d'une soirée tranquille entre nous. Pour provoquer ses questions.

Irma hoche la tête et attend la suite.

— Ce serait facile pour toi d'amener le sujet sur le tapis...

— Non, Hélène ! Non ! Ces choses-là se disent en tout intimité et au moment que tu jugeras le plus opportun. Je peux te rendre bien des services, mais pas celui-là.

Hélène claque des dents. La température est pourtant très clémente.

— Ça t'énerve à ce point-là ? lui demande Irma.

— Tu ne peux pas savoir...

De fait, Hélène n'a pas tout révélé à sa grande amie. Ce qu'elle lui a caché devrait être confié à Bob, elle en est très consciente.

— Tu devrais faire confiance à ton mari, il a tellement bon cœur.

Hélène acquiesce d'un signe de tête et rebrousse chemin. La lourdeur de ses pas révèle un passé parsemé de honte, de regret et de déchirures. «Ni mon père, ni ma mère, ni ma grand-mère n'ont voulu me croire. Personne, dans la parenté et dans l'entourage, n'a voulu admettre que ce prêtre avait fréquenté certaines maisons de débauche. Comment espérer que mon mari fasse mieux? Il me semble l'entendre déjà s'exclamer : Un homme de Dieu ne pourrait jamais descendre aussi bas...Violer sa nièce!»

Par instinct, Hélène se retourne : Irma n'a pas bougé. Comme si elle attendait cet au revoir de la main pour reprendre sa route.

«Il a dix-sept ans, mon fils, s'il vit encore. Pourvu qu'il ne ressemble pas à son père! Pas à cause de l'apparence de cet homme. Pour le souvenir horrible...» Hélène presse le pas... pour fuir les images monstrueuses du viol. Pour les écrabouiller sous ses pieds avec une véhémence à la mesure de son dégoût. Crier! Crier à pleine gorge! Où? Là. Dans son manchon. À s'en ouvrir le ventre... pour accoucher de toute l'ignominie, de l'odieux et de la souillure qui s'y logent encore. Crier jusqu'au bout cette fois. Sans égard aux autres... qui ne savent rien. Hélène s'accroupit. Un piéton la contourne de loin, gêné, embêté. Une dame lui demande si elle est malade et... file son chemin sans attendre la réponse. Deux grandes amies en balade ralentissent le pas puis, avant de poursuivre leur route, lancent une injure à la débauchée qui ne crie presque plus. Qui laisse sa révolte s'épuiser. Son visage épongé, son manteau dépoussiéré, Hélène reprend sa marche vers... La maison où la gardienne et son fils l'attendent? Non. Elle peut retarder d'une heure encore. Rose-Lyn. «Mais pourquoi retourner auprès de Rose-Lyn? Elle sera bouleversée. Elle s'inquiétera. Elle me questionnera. Je ne pourrai lui révéler ça. Surtout pas à Rose-Lyn, qui me trouve en tout admirable», se dit Hélène, qui ne s'y rend pas moins, portée par une pulsion sauvage. Oui. La volonté de briser ce carcan de perfection qui l'étouffe. La fureur de se libérer... L'urgence de se reconquérir, elle Hélène Marquis. Hélène d'avant 1892. Sans masque. Sans déguisement. Le risque est grand. Bob la reconnaîtra-t-il en celle qu'il a épousée deux plus tôt? L'aimera-t-il, cette autre

Hélène ? « Rose-Lyn, je sais qu'elle m'écoutera. Si elle me méprise, je n'irai pas plus loin. Je n'en parlerai pas à Bob. Ce sera le signe. »

— Hélène ! Tu t'es blessée ? s'écrie Rose-Lyn.

— Un peu, oui.

— Viens t'asseoir. Montre-moi ça.

Hélène ouvre son manteau.

— C'est là, montre-t-elle, deux doigts sur le cœur.

— Un malaise cardiaque ! À ton âge, ma petite Hélène !

— La plaie est encore ouverte, Rose-Lyn.

— Sainte bénite ! Qu'est-ce que j'entends ?

— Ça déchire dans tous les sens quand on veut sortir un gros secret. Ça veut tout nous arracher. On...

— ... on pense qu'on va en mourir, je sais.

Rose-Lyn place un cahier et des crayons à colorier sur la table de la cuisine à l'intention d'Edith et de Harry. Quelques carrés de sucre à la crème aussi. Deux verres de lait. Tout pour les garder là pendant une bonne demi-heure.

— Viens, Hélène, dit-elle en l'entraînant vers sa chambre à coucher. Étends-toi un peu.

Assise sur le bord du lit, les mains croisées sur ses cuisses, Rose-Lyn écoute sa bru. Hésitations, pleurs, colères, supplications sont reçus avec la même ouverture, la même aménité.

— Je m'en doutais, Hélène ! Nul secret n'est parfait. Les drames cachés se font toujours une place sur notre pupille. Dans notre poignée de main. Dans nos soupirs... insoumis. Ne cache pas ton visage, ma petite Hélène. Il est encore plus beau qu'avant. Ton courage est beaucoup plus grand que ta honte et ta peine. Il les enfouit sous terre. Décomposées. Ce qu'elles cachaient de bon a pris le dessus. C'est ça que Bob ressent en toi, tu sauras me le dire. Il n'est pas nécessaire de pouvoir expliquer pourquoi on aime une personne. On l'aime pour ce qu'elle est. C'est tout. Lui-même n'est pas né de la Vierge Marie !!!

Un éclat de rire... en duo les lance dans les bras l'une de l'autre.

Un vacarme dans l'entrée. Rose-Lyn et sa bru tendent l'oreille.

— Judy ! Judy ! Judy n'est pas ici ? Où est-elle allée ? Elle est disparue avec son bébé ! crie Irma, ses bottes lancées sur le plancher du portique.

Rose-Lyn accourt.

— Elle savait que tu l'emmenais ici ?

— Oui. J'allais l'aider ...

Harry s'agrippe à son manteau, il a quelque chose d'important à lui dire. Rose-Lyn ferait tout pour l'en empêcher. Tout pour qu'il n'annonce pas tout de suite la présence d'Hélène.

— J'allais finir de préparer sa chambre, mais j'ai eu de la visite...

— Laissez tomber... On ne la reverra pas. Je connais ce comportement. J'en ai tellement vu à Montréal. Judy ne viendra pas. Son pauvre bébé... je ne le reverrai plus.

Dans la même heure, deux femmes en détresse sur les bras de Rose-Lyn.

— Vous avez choisi la même journée...

Irma se ressaisit, fixe le regard de sa tante. Harry se faufile dans cette seconde de silence pour lui dire qu'Hélène est là, dans la chambre de Rose-Lyn.

— Mal en point ? demande Irma, visiblement contrariée.

— Tu pourras en juger par toi-même. Vas-y, lui propose Rose-Lyn en lui désignant la porte entrebâillée.

Un proverbe lui revient à l'esprit : *Ce que l'on fuit nous poursuit*, avait souvent répété son grand-père Zéphirin.

Au tour des deux enfants de bénéficier de l'attention de Rose-Lyn.

❖

La visite des familles de Manhattan chamboule la D^{re} LeVasseur. Ce qu'elle y découvre n'a rien de comparable avec les quartiers moins favorisés de la ville de New York.

À la mi-mars, le soleil, à son zénith, se fait déjà caressant. Irma en aspire les chauds rayons par toutes les cellules de son corps. Quelques sandwichs vite avalés, elle opte pour une marche énergique vers le sud de Manhattan. Dans sa main droite, son chapeau de feutre noir.

Derrière elle, la statue de la Liberté; devant, Ellis Island, une île paradisiaque pour qui n'en connaît pas l'utilisation. Un bateau chargé d'immigrants s'apprête à y accoster. « D'où viennent-ils, ceux-là ? » se demande Irma, ayant appris qu'ils pouvaient émigrer autant des pays arabes que de l'Europe.

Comme nombre d'Américains, Irma ignore qu'avant l'ouverture d'Ellis Island, en 1892, le débarquement des immigrants se faisait à Fort Clinton, à l'extrême sud de Manhattan. La population n'en voulait pas. Pour remédier à la situation, il fut décidé que cette île servirait de gare de triage. On y refoulerait les immigrants indésirables avant qu'ils ne posent véritablement le pied sur le continent. D'ailleurs, les lois de l'immigration interdisaient l'entrée des États-Unis aux porteurs de maladies contagieuses, aux polygames, aux prostituées, aux indigents, aux anarchistes, aux Chinois et aux Japonais. « Je me demande ce que Samuel Ellis dirait aujourd'hui de cette île qui lui appartenait jusqu'en 1770. Je crois qu'il serait attristé d'apprendre ce qu'elle est devenue », pense Irma.

Tracassée par ces arrivées massives d'immigrants, elle tente une rencontre avec un officier de l'immigration, déambulant aux alentours de l'ancien *Battery Park* devenu inadapté. Plus elle s'en approche, plus elle soupçonne, à l'angle de ses arcades sourcilières, que l'accueil sera plutôt froid, rébarbatif, même.

— Dʳᵉ LeVasseur, s'empresse-t-elle d'annoncer, son insigne à l'appui.

L'officier qui promène son regard entre la pièce d'identité et la jeune femme qui la lui tend se montre finalement courtois; il lui consent quelques minutes. « Peut-être se croit-il en face d'une recrue », pense-t-elle, en retenant une réflexion espiègle. Ce que lui apprend cet officier au service de l'immigration depuis dix ans la bouleverse : cette île d'à peine un hectare à l'origine a été agrandie à onze hectares pour répondre à la croissance du centre d'examen des immigrants. En période de pointe, jusqu'à cinq mille personnes peuvent y être examinées par jour : un examen administratif et un examen médical. « Un examen sérieux », conclut-elle après avoir écouté l'officier le lui détailler.

De fait, cet examen commence dès la première marche de l'escalier qui permet d'accéder à la salle principale du bâtiment. D'intimidants médecins militaires en uniforme observent la démarche des candidats, cherchant sur chacun les signes de soixante affections ou défauts physiques et mentaux. Vu le très grand nombre de personnes à examiner chaque jour, le peu de médecins disponibles et les barrières linguistiques, les arrivants sont bousculés. Si un problème est suspecté, le sujet est marqué à la craie et il doit subir un examen beaucoup plus approfondi.

Inquiète de la réaction des petits à de telles investigations, la D^{re} LeVasseur apprend que certains enfants sont atterrés par les pleurs des mamans, effrayés par les attitudes inhumaines des officiers et, leur tour venu, par l'obligation de se faire renverser la paupière à l'aide d'un crochet à boutons.

À cet examen médical s'ajoute une série de questions d'ordre administratif. Les agents examinateurs prennent prétexte de la méconnaissance de l'anglais de ces immigrants pour les humilier. C'est à qui se montrerait le plus intimidant et suspicieux afin de débusquer les menteurs éventuels. Chaque immigrant doit avoir avec lui de quoi payer le voyage jusqu'à sa destination finale et vingt-cinq dollars, l'équivalent d'une semaine de salaire d'un fonctionnaire travaillant sur l'île.

Ces aspirants à l'immigration ne sont pas au bout de leur peine. Les Américains de souche refusent la concurrence des étrangers, même celle des immigrants sous-payés. Ceux-ci se verront offrir des salaires nettement insuffisants pour subvenir à leurs besoins. Un sort semblable est réservé aux détenteurs de compétences spécifiques.

Une observatrice, apparemment dans la jeune soixantaine, s'est approchée et tend l'oreille.

— *What happens to the refused people*? demande Irma.

En cas de refus de l'administration, le retour du candidat se fait autant que possible par le même bateau que l'arrivée, à la charge des différents transporteurs. Les enfants de moins de dix ans qui ont été refusés sont renvoyés accompagnés d'un adulte à la charge du port; ceux qui ont plus de dix ans sont considérés comme aptes à se débrouiller seuls. Si l'un des parents veut le raccompagner, il doit payer un billet de retour pour un adulte.

Cette fois, la dame qui cherchait apparemment à rencontrer un officier s'interpose entre lui et la D^re LeVasseur. Elle venait se plaindre, dans un anglais malmené, du drame qu'elle vivait depuis plus d'un an. Ses deux enfants de douze et treize ans ont été renvoyés en Turquie, soi-disant chez leur grand-mère, mais personne ne les a revus. Elle affirme ne pas être seule à avoir vécu ce drame, elle soutient même que les personnes refusées sont rarement renvoyées dans leur pays d'origine.

L'officier l'éconduit sans ménagement

— *Don't listen to her. She's a stupid woman.*

Avant d'emboîter le pas à la pauvre femme, Irma lance à l'officier un regard foudroyant.

Le tableau que cette dame turque dresse de leur condition d'immigrés tire les larmes. À peine mieux traités que les esclaves noirs, ils sont constamment humiliés, accusés de fomenter des querelles, de voler dans les marchés, de contaminer les enfants américains, et quoi encore.

«Quel non-sens! constate Irma. Le grand New York peut toujours se targuer d'être devenu le centre industriel le plus important du pays, les droits des enfants et des réfugiés ne sont pas pour autant protégés.» Dans ce district de plus d'un million et demi d'habitants, un réseau électrique contribuait à améliorer la qualité de vie de ses habitants. Mais depuis 1882, on a sacrifié cette qualité à des projets immobiliers d'envergure. En 1902, le Flatiron Building, un gratte-ciel haut de près de trois cents pieds, a été construit au carrefour des Vingt-Troisième Rue, Cinquième Avenue et Broadway, face à Madison Square.

— Avec ses vingt-deux étages, cet édifice obscurcit toutes les rues adjacentes, privant les maisons d'air et de soleil, se plaint-elle à Bob et à son épouse à son retour.

— C'est bien connu que les dirigeants de la Ville ferment les yeux sur cet inconvénient majeur et donnent le feu vert aux promoteurs.

— D'où la multiplication d'édifices de ce genre au cœur même de Manhattan, présume Irma.

— Tu vas porter plainte au bureau d'hygiène? lui demande Hélène.

— Il faudrait réclamer un code d'urbanisme qui réglementerait la hauteur des immeubles, suggère Bob.

Le sujet est soumis aux réunions du conseil municipal et une promesse à saveur de bonnes intentions est émise, sans plus. De toute évidence, les intérêts des administrateurs sont tournés vers le développement de la ville, fière de posséder, dans le quartier central de Manhattan, le troisième métro au monde. Depuis déjà cinq ans, la *Interborough Rapid Transit Company* séduit les districts environnants qui réclament sa prolongation dans les quartiers de Bronx, Brooklyn et Queens. Un nouveau chemin de fer, le *Pennsylvania Station*, construit lui aussi au centre de la ville, promet d'être accessible dans quelques mois. «Des millions en circulation! Des miettes pour nos enfants!» déplore Irma, hantée par les disparités qui s'accroissent entre pauvres et riches, par les épidémies qui gagnent les taudis surpeuplés et par le sort des immigrants qui continuent de s'y entasser.

Considérant que le Lower East Side, cinq fois plus peuplé que le reste de la ville, a la densité de population la plus élevée du monde, elle serait tentée de s'y installer pour se consacrer à un travail de «missionnaire de l'hygiène et de la santé». Mais elle a déjà pris de nombreux engagements, et la réforme qui s'impose dans cette ville ne peut se faire sans de gros investissements financiers. «À la fin de mon contrat avec la Ville de New York, peut-être?» envisage-t-elle. D'autre part, la mission dont elle a été chargée en août dernier ne lui permet-elle pas de tirer les ficelles du pouvoir? «Des faits et des chiffres. Il n'existe pas de meilleures pièces à conviction pour les administrateurs et les gens d'affaires. Mais combien me faudra-t-il répertorier de preuves de mortalité infantile due à la pauvreté, à l'ignorance et au manque d'hygiène pour les inciter à investir dans la santé de leurs enfants? Ils autorisent la construction de gratte-ciel qui les privent des seuls biens naturels auxquels ils avaient droit : la lumière et l'espace.»

La D^re LeVasseur doit passer au St. Mark Hospital. Là aussi des décisions doivent être prises. Phédora sort diminuée de cet infarctus, mais elle n'a plus vraiment besoin d'être hospitalisée. « Pourquoi, contrairement aux autres malades, ne manifeste-t-elle aucun empressement à obtenir son congé? » se demande Irma, refusant de n'envisager qu'une seule hypothèse : le désir de la patiente de prolonger sa relation avec son médecin. « Si c'est le cas, il me faut conclure qu'elle ne prévoit pas vivre sa convalescence chez tante Rose-Lyn. Mais où alors? »

L'après-midi agonise doucement. Irma franchit le seuil de St. Mark Hospital, la démarche lourde d'appréhension. Elle ne se plaint pas de devoir longer tout le corridor avant de frapper à la chambre trente-deux. Étrangement, la porte est entrebâillée. Aucune réponse. Irma tend le cou. Le lit est fait. Phédora n'est plus dans sa chambre.

Chapitre IV

Montréal, 18 mars 1909

Ma chère Irma,

Je me fais un cadeau d'anniversaire en t'écrivant les lignes qui suivent. Je vais te sembler très égoïste dans mes propos, mais je sais que tu comprendras et que tu me pardonneras.
Je devrais nager en plein bonheur.
Le printemps est généreux, la neige perd de l'espace de jour en jour et l'arrivée des oiseaux nous confirme que l'hiver est bien enterré. Je me fais des amis en voyage et mon travail est tant apprécié que le Dr Osler sollicite de plus en plus souvent ma participation à ses publications médicales. Quel grand honneur, mais surtout quelle marque de confiance, ne trouves-tu pas? Si je pouvais m'en tenir à cette relation professionnelle... Tu es la seule personne, Irma, à qui je confie la honte et la douleur qui me rongent depuis la première fois que j'ai vu le Dr Osler. Dieu! Que j'ai essayé de me mentir, surtout lorsque j'ai été invitée chez lui, dans sa famille, et que j'ai fait la connaissance de sa charmante épouse. J'ai appris qu'il avait exactement vingt ans de plus que moi. Il pourrait être mon père! Je t'avouerai qu'il

l'est et plus encore. Tu comprends ? Quand je suis revenue de mon séjour à Baltimore, après des semaines de travail sous sa direction, j'avais l'impression d'avoir laissé là une partie de moi-même. Un vide si grand s'est installé en moi que j'en suis tombée malade. À toi, je peux révéler que les raisons qui ont été données pour expliquer mes six mois de congé de maladie n'étaient pas vraies. Oui, j'avais un surplus de travail en revenant à Montréal. Oui, la maladie de ma petite sœur Alice et l'échec de son intervention chirurgicale au cerveau m'ont beaucoup affectée. Au risque de te scandaliser, je te dis que ça n'est en rien comparable à la torture que me fait vivre cet homme, sans le savoir. Quand il est loin, j'inventerais n'importe quel prétexte pour le voir près de moi et quand il est à mes côtés, j'ai du mal à me concentrer sur mon travail tant il réveille en moi des élans... amoureux. M'en distraire ? J'essaie par tous les moyens. Travail, voyage, rencontres amicales... Tu me croiras si je te dis qu'on me pense toujours prête à fêter ? C'est une victoire dont je suis très fière. Par contre, quand je me retrouve seule...
À une amie qui vient d'atteindre ses quarante et un ans, aurais-tu un conseil à donner ?

Maude

— Elle a bien mis du temps à arriver, cette lettre ! s'exclame Irma devant sa mère en visite chez elle. Plus de deux semaines pour venir de Montréal à New York !

— Des nouvelles de la parenté ? demande Phédora, qui l'observait avec une curiosité empreinte d'inquiétude.

— Non, c'est ma meilleure amie, lui apprend-elle, souhaitant ne pas avoir à répondre à d'autres questions à ce sujet.

Phédora, sa patiente identifiée Ann Valley, avait quitté le St. Mark Hospital en ce mémorable vendredi 12 mars. Lors de sa visite, ce jour-là, Irma avait imaginé le pire devant la chambre vide. Elle s'était précipitée au poste de garde pour apprendre que personne n'avait vu passer la patiente de la chambre 32. Estomaquée, elle avait couru vers le hall d'entrée. À peine engagée dans ce long couloir, elle avait aperçu sa mère, avait pressé le pas et s'était réfugiée dans ses bras, ouverts... rien que pour elle. L'étreinte avait pris l'intensité des longues absences, tant la peur de s'être à nouveau perdues était resurgie.

Jamais Irma n'aurait imaginé le stratagème de Phédora : dans le boudoir des visiteurs, sa mère avait surveillé son arrivée, sa valise à la main, prête à la suivre. La D^{re} LeVasseur, si menue et si agile, avait dû entrer en même temps qu'un groupe de visiteurs qui l'avait dérobée aux regards de sa mère. Phédora avait eu le temps de s'inquiéter, elle aussi. Désespérant de la visite de son médecin, vu l'heure tardive, elle s'était résignée à retourner à sa chambre quand toutes deux se sont retrouvées dans le même couloir, allant l'une vers l'autre.

— Vous êtes là, enfin ! s'était écriée la D^{re} LeVasseur, sous les regards intrigués des membres du personnel qui les croisaient.

— J'ai eu si peur qu'il te soit arrivé quelque chose de grave, avait confessé sa patiente, sa valise échouée au beau milieu du couloir.

Irma s'était empressée de l'attraper, offrant son bras à Mrs Ann Valley qui, sans ambages, avait demandé :

— Tu m'emmènerais quelques jours chez toi ? C'est samedi, demain...

Un instant d'hésitation sur les lèvres d'Irma. Un serrement dans la poitrine de Phédora.

— C'est que mon appartement est en désordre...

Phédora avait pincé les lèvres sur un sourire moqueur.

— Tu m'y as habituée très jeune, Irma. Je ne serai pas dépaysée.

Un éclat de rire... en duo. Leur premier depuis leurs retrouvailles. Ni l'une ni l'autre n'avaient oublié ces matins où, l'heure venue de partir pour l'école, Irma cherchait ses cahiers, ses livres et parfois même ses chaussures dans le bric-à-brac de sa chambre. Du coup, sa mère devait se porter à son secours.

— Tu es indomptable, Irma LeVasseur, lui reprochait Phédora, jurant de l'aider pour la dernière fois.

Mais une nouvelle page s'écrivait dans la saga de Phédora Venner et de sa fille.

Irma avait murmuré deux mots, des plus espérés :

— Venez, maman.

Cette fin de semaine avait été plutôt difficile. L'intimité perdue, réinventée en moins de dix semaines, en était à ses balbutiements. Les émotions, si intenses, élevaient un barrage que les paroles ne parvenaient pas à franchir. Que de regards se cherchant, aussitôt pressés de fuir ! Que de gestes avortés ! Que de sourires éloquents aussi...

Le dimanche midi, Phédora avait demandé à être conduite chez sa sœur, là où une chambre lui avait été réservée. « J'aimerais tellement qu'elle vienne vivre sa convalescence chez moi », avait souhaité Rose-Lyn. L'accueil avait été à la mesure de sa générosité. Des plus touchants. Allégresse et appréhension, en chassé-croisé. La présence d'Edith et de Harry, si enjoués à certaines heures, avait éveillé chez Phédora des souvenirs troublants, douloureux. Des enfants que la vie n'avait pas épargnés. « Trop jeunes... trop candides... trop beaux pour être ainsi malmenés. Edith et Harry, par la vie, Paul-Eugène et Irma par nous, leurs parents », s'avoua-t-elle, basculant dans la tourmente d'un passé houleux.

Après quatre semaines de cohabitation chaleureuse avec Rose-Lyn et ses protégés, quatre semaines agrémentées par les visites régulières de sa fille, Phédora est très heureuse des progrès réalisés. Ce samedi 3 avril, elle a ardemment souhaité la visite de sa fille, invitée à partager le repas du samedi midi avec eux. Le goût de se libérer du poids de tant de non-dits l'incite tantôt à vouloir tout raconter sans la moindre réserve, tantôt à livrer ses confidences au compte-gouttes, pour ménager Irma.

Le repas prend les couleurs de la nappe, chaudes et variées. Les bambins sont particulièrement turbulents.

— Ils ont la fièvre du printemps dans le corps, prétend Irma, loin de s'en plaindre.

— Si vous saviez ce que mes élèves de chant m'ont apporté ! dit Phédora, le regard empreint d'une allégresse contagieuse.

Cet élan de joie se perd hélas trop vite dans un ressac de tristesse.

— Sans eux, je me demande si j'aurais survécu, ajoute-t-elle d'une voix éteinte.

L'inciter à poursuivre ? Le moment s'y prête mal. Irma préfère reprendre cette conversation en l'absence d'Edith et de Harry. Leur candeur et leur gaieté n'offrent-elles pas la meilleure des diversions pendant ce repas ? Phédora parvient, elle aussi, à s'en amuser. Les voir dévorer les crêpes de Rose-Lyn à pleines dents vient lui chercher un éclat de rire. Des sons à graver dans l'oreille de sa fille. Une luminosité à garder intacte sous des paupières closes pour immortaliser cet instant. « Ce rire en cascade, je le souhaiterais à toutes les mamans de la terre », pense Irma.

— Ça me rappelle quand tu étais petite, Irma, et que tu engouffrais tes dernières bouchées à toute vitesse pour aller t'asseoir avant ton frère sur le banc du piano. Tu étais si petite que tu n'aurais pu grimper toute seule. Tu voulais tant que je t'enseigne le piano.

Un halo de bonheur se dessine autour des trois femmes.

— Je devais avoir quatre ou cinq ans, je pense.

— À peine ! C'est vrai que tu n'étais pas grande pour ton âge !

— Et ça ne s'est pas amélioré, rétorque Rose-Lyn.

Attentive à la conversation, Edith demande à se mesurer à Irma. Phédora s'empresse de sortir de table et de les placer dos à dos. Tout en délicatesse, sa main s'attarde sur l'épaule de sa fille.

— Il ne t'en manque pas beaucoup, ma belle Edith, dit-elle, rassurante.

— Si tu continues de faire des efforts pour vider ton assiette à chaque repas, tu vas la rattraper plus vite, lui prédit Rose-Lyn.

Une moue sur les lèvres d'Edith, qui réclame d'aller jouer dehors avec son frère. Le temps de dire « Merci ! », les deux enfants ont quitté la table, attrapé un manteau et se sont précipités dans la cour arrière.

Les sœurs Venner savourent ce moment de répit. À Irma, qui semble être aspirée par une pensée ou un souvenir, Rose-Lyn demande, avec une pointe d'humour dans la voix :

— Es-tu encore à New York ou si tu as eu le temps de t'en aller ailleurs ?

— Ah ! Je pensais à Paul-Eugène. Lui aussi adorait le piano.

— Plus maintenant ? s'informe sa mère.

— Je ne l'ai pas entendu jouer ces dernières années. Il n'a plus le cœur à la musique... Avant que je parte pour mes études au Minnesota, il jouait toujours les mêmes pièces. Le moindrement qu'on montrait de l'impatience, il retirait ses doigts du clavier et il boudait, comme un enfant.

— Il n'a pas continué d'apprendre ?

— Oh non, maman ! Il a fait un genre de dépression après votre départ...

Un silence déchirant assaille Irma et sa mère. Contre toute attente, Phédora le rompt.

— Il ne s'en est jamais remis, c'est ça... Par moments, j'ai craint le pire pour lui, avoue-t-elle, avec une énergie et un courage étonnants.

— Moi aussi, se permet Irma.

— Raconte-moi, réclame sa mère. Je veux tout savoir.

— Vous en êtes sûre, maman ? Vous n'entendrez rien de très réjouissant... la prévient-elle.

Phédora réfléchit, hésite puis relance son invitation :

— La réalité ne peut être pire que ce que j'ai imaginé pendant toutes ces années.

— Il ne va pas bien, Paul-Eugène. Vraiment pas bien, maman.

— Il est malade ? Son père s'en occupe ou pas ?

— C'est une maladie difficile à traiter, ajoute Irma, ignorant la dernière question de sa mère.

Phédora voudrait lire dans les yeux de sa fille, sans avoir à lui entendre prononcer des mots qu'elle redoute. Des mots qui envenimeraient la déchirure qu'elle porte en elle depuis plus de trente ans.

— Trop sensible, Paul-Eugène. Il a dû chercher du soulagement dans les médicaments...

— Tant que ce ne sera pas dans l'alcool, soupire Phédora en quête de consolation.

Les paupières baissées, Irma se ferme comme une huître. «Elle en a assez appris pour aujourd'hui, juge-t-elle. Et puis, qui sait si Paul-Eugène n'aurait pas renoncé définitivement à s'enivrer, ces derniers temps ? Quant à papa, il n'en sera question que lorsque je serai seule avec elle. »

Un malaise prolonge le silence. Rose-Lyn le supporte mal.

— À ce que je sache, personne chez les Venner n'a eu de penchant pour la boisson, glisse-t-elle pour chasser tout doute de l'esprit de Phédora.

La réflexion intensifie l'inconfort, prolonge le silence d'Irma et de sa mère. Et pour cause : Phédora a connu cette fuite infernale de la souffrance. Trop de nostalgie à anesthésier. Trop de regrets à étouffer. Trop de déceptions à sublimer.

Les promesses d'une carrière mirobolante aux États-Unis s'étaient dissipées après cinq ans de travail et de succès. L'homme qui, après avoir séduit son élève et l'avoir fortement incitée à faire valoir ses talents de cantatrice à New York, l'avait jugée trop vieille pour persévérer dans cette carrière. Trop vieille pour demeurer sa maîtresse. Ann Valley venait d'entrer dans sa quarantième année. La dérive de ses rêves l'avait projetée dans une dépression où seuls le vide et les regrets lui avaient tenu compagnie. Devant la photo de son père, décédé deux ans plus tôt, devant celle de ses deux enfants, âgés à ce moment de quinze et dix-sept ans, elle n'avait trouvé d'apaisement que dans l'alcool. Dix mois de solitude. Dix mois de clairs-obscurs vite engouffrés dans un couloir ténébreux peuplés de cauchemars. Un de ces soirs où elle avait cherché, en titubant, un comptoir de spiritueux, un groupe d'enfants fredonnant des airs de Noël l'avait distraite. Happée. Subjuguée. À leur voix, elle avait mêlé la sienne. L'envoûtement, de part et d'autre. Un pacte de solidarité, là, dans la neige nouvellement tombée. La fin d'un long calvaire pour Ann Valley qui, se joignant au chœur de chant de sa paroisse, avait vite été invitée à en prendre la direction. Mais un retour au travail ne pouvait se faire que graduellement, la dépression et l'abus d'alcool ayant laissé des séquelles importantes, non seulement sur le plan physique mais aussi sur le plan cérébral. Il fallait du temps et des soins pour les effacer. Deux ans de discipline et de traitements avaient trouvé leur couronnement quand, en septembre 1893, Ann Valley avait été engagée à l'école St. James pour enseigner le chant et la musique. En dépit d'une ferme volonté de relever ce défi, Phédora ne gardait pas moins en elle des cicatrices... ravivées par certains événements.

Dans seize jours, soit le 20 avril, elle célébrera son cinquante-septième anniversaire, entourée, pour la première fois depuis vingt et un ans, de sa fille et de sa sœur préférée. Son vœu le plus cher : le retour à la santé et la permission de rentrer chez elle.

À son médecin qui l'observe, elle en fait la demande. Prise au dépourvu, Irma hésite puis propose :

— Encore deux semaines, peut-être ?

— Laisse-nous le temps de souligner ta fête, au moins, plaide sa sœur.

— Si vous y tenez vraiment, on pourrait le faire le samedi ou le dimanche précédent.

— Tu n'es pas bien avec nous ? s'inquiète Rose-Lyn.

— Aucun reproche à vous faire ! Je suis très gâtée ici. Mais je pense être capable de finir ma convalescence toute seule chez moi. Aussi, je voudrais commencer à préparer mes cours pour septembre prochain.

— Je crains que vous ne vouliez aller trop vite, maman.

※ ※

À l'incommensurable bonheur des retrouvailles, des espoirs se sont ajoutés pour nourrir la passion de la D^{re} LeVasseur. Des découvertes qui vont lui permettre de guérir plus d'enfants, plus de parents. Une revue médicale lui apprend que Paul Ehrlich, le médecin et scientifique allemand qui avait découvert une méthode de coloration du bacille responsable de la tuberculose, a publié ses travaux sur l'immunité, une recherche qui lui a mérité le prix Nobel de médecine l'année précédente. Irma a dévoré ces pages expliquant l'interaction des antigènes et des anticorps. « J'ai toujours pensé que notre corps possédait ses petits soldats; certains seraient ou paresseux, ou contre-carrés dans leur travail d'immunisation. On va pouvoir les mettre à l'œuvre, dorénavant », se dit-elle. Les paupières closes, les mains croisées sur son cœur palpitant, Irma a savouré cette nouvelle. « D'autres victoires sur la maladie, sur la mort. Il me faudra trouver les mots afin de convaincre mes patrons de m'allouer un budget pour l'achat de médicaments à administrer aux patients trop pauvres pour se les procurer », prévoyait-elle.

Ce soir du 23 avril, à Bob et à Hélène, heureux témoins de son allégresse, Irma explique que, de plus, le Dr Ehrlich est en train de mettre au point un traitement de la syphilis, autre cause pernicieuse de mortalité infantile.

— Je suis loin d'être outillée comme ces grands scientifiques mais leurs découvertes vont m'aider à progresser dans mes recherches, ajoute-t-elle en s'adressant à Bob, interlocuteur très enthousiaste.

Hélène n'a pu dissimuler un malaise, qu'Irma ne s'explique pas. Elle se retire dans la cuisine et ne revient s'asseoir au salon que lorsqu'il est question de Phédora.

— Elle continue de faire des progrès ? s'informe-t-elle.

— C'est difficile à juger. Elle voulait tellement retourner à son appartement qu'elle a tout fait pour me convaincre qu'elle avait raison.

— Qu'est-ce qui te permet d'en douter ? s'inquiète Bob.

— Ses signes vitaux...

— Sa pression artérielle ?

— Elle est basse et son pouls un peu faible, révèle Irma.

— On ne peut vous mentir, vous autres, les médecins, rétorque Bob, l'œil taquin.

La boutade est visiblement mal reçue par Hélène, qui les quitte froidement après leur avoir souhaité une bonne nuit. Pour éviter de se retrouver seule en présence de Bob, Irma choisit d'en faire autant.

— Je ne sais pas ce qu'elle a, ma femme, depuis quelque temps, chuchote-t-il dans le portique où il est allé reconduire sa cousine.

— Un petit conseil d'amie : emmène-la quelque part où vous pourrez parler en toute tranquillité. Pas seulement pour quelques heures. Une fin de semaine.

Bob s'inquiète.

— Tu sais quelque chose, toi.

— N'oublie pas que je l'ai connue bien avant toi...

— Ne joue pas sur les mots, Irma.

— Bob, c'est à toi qu'Hélène doit parler, maintenant.

Des signes de la tête, un long soupir, une chaude accolade témoignent de son accord.

— Je viendrai garder mon filleul, promet Irma, un pied sur le perron.

— Je serais bien allé te reconduire, mais...

— Non merci, Bob. Va vite rejoindre ta femme. Elle a tellement besoin de toi.

À peine la voiture d'Irma s'est-elle engagée en direction de son appartement qu'Irma demande à être conduite dans une avenue non loin de l'école St. James. Il est plus de dix heures. Le cocher payé, Irma se rend à pied au logement où elle est venue reconduire sa mère il y a cinq jours.

Phédora avait apprécié la modeste mais chaleureuse célébration de son cinquante-septième anniversaire de naissance, en compagnie de la famille Smith venue les rejoindre. La fête terminée, elle avait regagné son appartement... après quatre mois d'absence. L'émotion l'y avait précédée et ne s'était pas dissipée au moment où elle avait franchi le seuil de la porte. Irma, y mettant les pieds pour la première fois, avait eu du mal à demeurer paisible. L'exiguïté de cet appartement de trois pièces et son aménagement, à l'image de Phédora, délicat et de bon goût, l'avaient émue. Plus encore, les efforts inouïs de sa mère pour emprisonner sous ses paupières les larmes qui avaient fini par se frayer un passage. D'une main, Phédora avait fait signe à sa fille de ne pas la suivre dans sa chambre à coucher... « Le temps de faire disparaître certaines choses », avait pensé Irma, invitée ensuite à visiter ce logement des mieux ordonnés. Sur la petite table de chevet, une photo finement encadrée, probablement prise en 1887, quelques mois avant le départ de Phédora. Irma la voyait pour la première fois. Paul-Eugène y apparaissait blotti contre sa sœur, dans un fauteuil du salon, un bras glissé sur ses épaules, comme il leur arrivait souvent de faire lorsque leur mère répétait ses pièces avant un concert. « Ou maman vient de la placer là, ou elle l'y a laissée exprès... comme un message », avait cru Irma, si troublée qu'elle n'avait pas retenu ce que sa mère avait dit au sujet du mobilier en la faisant entrer dans sa chambre. Ni Phédora, ni sa fille n'avaient trouvé la sérénité pour émettre ensuite la moindre parole. Toutes deux s'étaient rendues dans ce petit boudoir qui n'avait pour ameublement que deux fauteuils, une lampe sur pied et une petite table. Des rideaux de fine dentelle devant l'étroite fenêtre qui donnait sur la rue. Habitée par le sentiment que tel était le désir de sa mère, Irma ne s'était guère attardée.

— Si vous avez besoin de quoi que ce soit, vous pouvez compter sur tante Rose-Lyn et sur votre fille, avait-elle dit en la quittant... sans l'embrasser.

Phédora avait salué Irma... de la cuisine, d'un simple geste de la main.

Irma avait cru qu'elle pleurait.

Ce soir, quelque chose la pousse à se rendre devant l'édifice que sa mère habite.

Une lueur, dans le salon de Phédora. Un profil de femme pelotonnée dans un des deux fauteuils. Une alerte, au cœur d'Irma. Avec mille précautions, elle pousse la porte de l'immeuble, entre au rez-de-chaussée et prête l'oreille. Une plainte, puis le son lointain d'un sanglot. Deux fois.

— Maman ! Ouvrez-moi ! la supplie Irma après avoir frappé trois fois.

Plus un bruit.

— Maman, je vous en prie...

Les minutes s'égrènent lentement.

Irma ne se résigne pas à partir. Un bruissement derrière la porte lui redonne espoir.

— Maman, laissez-moi rien que m'assurer que vous allez bien, balbutie-t-elle, le cœur qui bat la chamade.

Un bruit de clé dans la serrure. Irma attend, croyant que sa mère va lui ouvrir. Mais tout s'arrête là. « Viendrait-elle de verrouiller la porte ? » se demande-t-elle, atterrée.

Irma n'avait pas tenté de l'ouvrir. Elle va le faire.

— Je ne suis pas très montrable, s'excuse Phédora.

Dans les bras l'une de l'autre, leur étreinte, longue comme leur séparation, tendre comme leur amour, se veut hors du temps, libre de tout chagrin, de toute déception, de toute incompréhension.

Phédora tremble. Sa voix feutrée ne se rend pas au bout des mots. Irma la conduit à son lit, la couvre avec le respect voué au sacré et caresse son front lentement, en silence.

Désignant la place libre à ses côtés, observant à la lueur de la flamme vacillante d'une chandelle les moindres réactions de sa fille, Phédora demande :

— Voudrais-tu ? Comme quand tu étais petite...

— Depuis ce temps-là que j'attends, maman... que j'espère... balbutie Irma.

Son manteau jeté sur la chaise berçante, ses chaussures poussées sous le lit, Irma s'allonge près de cette femme, sa mère. Dans ces mains qui enserrent la sienne, elle sent passer cet amour dont elle a quelques fois douté. Dans sa bouche, des murmures de plénitude. Instants délectables qui prennent le temps de se laisser goûter.

— Il te fera du bien de savoir, ma petite Irma, que j'ai maintes et maintes fois espéré t'avoir près de moi. Te préparer une chambre dans ma maison. T'acheter de beaux vêtements. Chanter rien que pour te faire plaisir. Pour te voir sourire. Pour... Oh ! Ma petite chérie ...

Irma avait fait le deuil de ces mots alors qu'elle n'était encore qu'une jeune fille.

Les larmes coulent sans retenue.

« Comment ai-je pu survivre loin de ma mère, loin de cet amour que je ressens dans tous les replis de mon être ? Cet amour qui m'est rendu ce soir, comment ai-je pu en douter ? » se demande Irma. Quand se croisent la privation et l'abondance, la douleur est inévitable. Les cuirasses cèdent sous le choc, laissant la chair à vif, infiniment sensible à la souffrance comme au bonheur. Phédora et sa fille s'y abandonnent comme on se laisse emporter par la vague avec la certitude qu'elle nous déposera sur le rivage. Toutes deux sentent qu'elles s'en approchent.

— J'ai eu si peur que vous soyez déjà... morte, maman.

— Quand j'ai pensé mourir, la première fois au parc, c'est pour toi que j'ai lutté de toutes mes forces. L'espoir de vivre une nuit comme celle-là m'a sauvée. C'est pour te le dire à ma manière que j'ai demandé que tu sois mon médecin, en janvier.

Irma ne dit mot. De peur que cette brèche ouverte sur tant de secrets se referme.

— J'avais besoin de tout ce temps pour me faire à l'idée que je pouvais regagner ma dignité de mère à tes yeux. Avec le temps, les échecs, les reproches puis les silences, j'avais fini par endosser toute la responsabilité du drame que nous avons vécu, toi, ton frère et moi.

Une souffrance vive éteint sa voix.

— Il faudrait vous reposer, maman. Je reste à dormir avec vous. Demain, on continuera à rattraper le temps perdu. Comme cette nuit.

— D'accord. On va essayer. Viens, ma petite, dit Phédora en ouvrant de nouveau ses bras à cette fille qu'elle n'a cessé de chérir.

Chez les Smith aussi la nuit a été écourtée.

— Je sais que tu ne dors pas, Hélène.

Bob n'était parvenu qu'à déverrouiller le coffre aux secrets de son épouse. Avec toute la tendresse et la diplomatie dont il était capable, il avait obtenu son consentement pour une fin de semaine dans un endroit paisible et confortable où ils pourraient prendre tout le temps nécessaire à l'aveu de ce qui la tourmentait. Bob savait maintenant qu'Hélène devait et acceptait de lui révéler des choses très personnelles. Incapable de fermer l'œil, il s'était remémoré les faits connus du passé de son épouse, avait tenté des hypothèses, mais il était resté sans la moindre idée de ce qu'elle allait lui dévoiler. De son amour, il ne doutait aucunement. De sa fidélité non plus. Ne restait possible qu'un drame ou un scandale familial et il était disposé à ne pas leur accorder d'importance. Rien ne pourrait ébranler l'admiration et l'attachement qu'il avait pour Hélène.

Au réveil de leur fils, il s'est précipité hors du lit. Hélène n'a pas bronché. Dormait-elle vraiment? Il le souhaitait. Lorsque, un peu plus tard, elle est apparue dans la cuisine, elle a semblé très sereine. Ses gestes dégageaient une certaine gaieté, même. «Ou elle a une force de caractère admirable, ou elle est portée à dramatiser à certains moments», pensa Bob, surpris par son silence.

Sa réflexion a été interrompue par un appel téléphonique de Rose-Lyn. Une invitation pour le dîner du lendemain.

— Irma est-elle chez vous ? Je la cherche depuis ce matin. J'aurais aimé qu'elle vienne souper avec nous, elle aussi.

— Non. Elle a veillé avec nous hier soir, puis vers les dix heures, elle a pris un taxi pour entrer chez elle, lui apprend Bob.

— Tu me fais peur, là.

— À moins qu'elle soit avec sa mère...

— J'y ai pensé, mais chez Phédora non plus je n'ai pas de réponses. J'ai téléphoné trois fois.

— Elles sont peut-être sorties faire une promenade, il fait si beau.

— À cette heure-là ? Tu oublies que Phédora est en convalescence. Puis, dormeuse comme elle est, je ne pense pas qu'elle serait sortie de chez elle au beau milieu de l'avant-midi. Ça m'inquiète.

— Vous vous en faites pour rien, maman. Vous devriez les connaître, ces deux femmes-là.

— Justement, c'est parce que je les connais bien que ça m'énerve de ne pas savoir où elles sont.

— Le premier qui a de ses nouvelles appelle l'autre, suggère Bob, déterminé à ne permettre à rien ni à personne d'assombrir l'atmosphère de son foyer ce jour-là.

D'une complicité inattendue mais appréciée, Hélène ne questionne pas son mari au sujet de cet appel téléphonique. Plus encore, elle incite Bob à se faire remplacer à la bijouterie pour qu'ils puissent prendre une journée de plein air, à trois.

Bob jubile.

Dans l'appartement de Phédora, deux femmes ont aménagé une oasis rien que pour elles. L'importance du moment justifiait qu'elles ne laissent rien les distraire dans leurs échanges. On a frappé une fois à la porte, le téléphone a sonné à quatre reprises, Irma et sa mère sont restées résolument sourdes.

Le passé a reconquis ses droits. Au déjeuner, même rituel, même menu qu'avant 1887, à l'exception de la nappe, de la vaisselle et du vêtement de nuit de Phédora... plus modeste qu'avant.

— Laisse-moi te servir, ma fille.

Irma s'est prêtée aux moindres souhaits de sa mère. Le bonheur qu'elle y a trouvé est indéfinissable. L'impression de colmater une à une les brèches causées par le départ de sa mère.

Elles ne sont pas pressées de quitter leur robe de chambre. Les échanges amorcés autour de la table se poursuivent dans le petit salon, où elles se sont installées à leur aise, une tasse de thé anglais à la main... comme au temps de Sir William Venner.

— J'ai eu tellement de peine quand grand-papa Venner est mort, confie Irma.

Le regard de Phédora s'assombrit.

— Je n'ai pas été invitée à ses funérailles, révèle-t-elle.

— Vous seriez venue, maman ?

— Probablement. Et je t'aurais ramenée avec moi... ton frère aussi, peut-être.

— Je vous en prie, maman. Racontez-moi ce qui est arrivé.

Phédora dépose sa tasse sur la petite table, replace soigneusement sa chemise de nuit, passe et repasse sa main veinée sur son front déjà ridé et elle répond :

— La vérité... Bonne ou pas toujours bonne à dire ?

— Je ne suis plus une enfant, maman.

— Des choses vont te faire de la peine, veux-tu les entendre quand même ?

— Oui, je veux tout savoir.

— Tu me promets, toi aussi, de répondre franchement à mes questions ?

— Juré !

— Pour que tu comprennes bien, il faut que je commence par le début, annonce Phédora.

Ses coudes posés sur les bras du fauteuil, son menton reposant sur ses doigts croisés, Irma lui donne son approbation mais lui dérobe son regard.

— Je l'ai beaucoup aimé, ton père. Je croyais qu'il m'aimait tout autant le jour où j'ai décidé de l'épouser. Mais je me suis vite rendu compte que je n'avais pas la première place dans son cœur. J'ai cru qu'il travaillait tout le temps comme ça pour respecter la promesse qu'il avait faite à mon père de se consacrer à la réussite de ma carrière. Il me plaçait au programme des concerts du Septuor Haydn, mais ça n'est jamais allé plus loin. Là non plus, je n'avais pas la première place.

— Mais qui l'avait, maman ?

— Lui. Sa popularité. Son amour exagéré du travail. Sa manie de s'éparpiller dans des fonctions non payées. Lui, lui, toujours lui.

Irma se souvient d'avoir déploré qu'il n'eût jamais le temps de jouer avec elle, de s'intéresser à ce qu'elle voulait lui dire. Elle se souvient aussi des doléances de Paul-Eugène à ce chapitre.

— Il n'a pas beaucoup changé, mon père. Mais la vie est en train de l'éprouver dans ce qu'il a de plus cher, murmure Irma.

Lorsqu'elle lève les yeux, elle croise le regard mendiant de sa mère.

— Ses yeux.

— Oh, mon Dieu ! s'exclame Phédora, une main sur la bouche.

— Mais continuez, maman.

Visiblement bouleversée par ce qu'elle vient d'apprendre, Phédora tarde à poursuivre ses révélations.

— Il faut dire que j'avais grandi dans l'amour de mes parents... l'adoration de mon père, surtout. Mes grandes sœurs me dorlotaient tout autant. Tu comprends que je n'en attendais pas moins de mon mari.

Irma se limite à un hochement de la tête.

— Il était rarement à la maison. Quand il y venait, il avait le nez plongé dans ses papiers et il ne fallait pas le déranger. Un soir, j'ai tenté de lui expliquer une fois de plus ce que ressentais ; je me suis vidée le cœur. Je n'aurais jamais dû. Mes reproches l'ont mis dans une telle colère... Puis, il m'a mise au défi de mieux réussir... sans lui. Il venait de me piquer au vif. J'allais lui montrer que je le pouvais. J'estimais qu'il méritait cette leçon, qu'il réfléchirait et qu'il nous restait une petite chance de sauver notre mariage. Par contre, j'avais souvent eu l'impression d'être un poids pour lui. J'en suis venue à déduire qu'il souhaitait peut-être que je sorte de sa vie.

Phédora s'est tue. Irma réprime un sanglot. Sa mère n'y parvient pas.

Irma quitte son fauteuil et, debout derrière celui de sa mère, elle appuie sa tête contre la sienne, les bras noués à son cou. Phédora s'apaise.

— Si on mangeait quelque chose, maman ?

— Des petits biscuits... Comme avant.

Toutes deux ont retrouvé le sourire.

— Pensez-vous, docteure, qu'une marche au soleil, en après-midi, nous ferait du bien ?

— Très recommandé, Mrs Valley, affirme Irma, complice.

— Si tu me le permets, j'irais m'endimancher un peu pendant que tu finis de préparer notre petit goûter.

Connaissant la minutie de sa mère, Irma s'applique à bien disposer le tout sur la table qu'elle a débarrassée du déjeuner. Elle se hâte... inutilement, sa mère se fait attendre. Phédora tarde tant à revenir dans la cuisine qu'Irma va frapper à sa porte de chambre.

— Ça va, maman ?

— J'arrive, parvient-elle à répondre sans que sa voix ne la trahisse trop.

Debout devant son miroir, Phédora prend cruellement conscience des ravages que le chagrin, la maladie et le temps ont causés à son visage et à ses mains. « On pourrait me prendre pour sa grand-mère », se dit-elle en pensant à Irma qu'elle trouve si mignonne. Fard et poudre ne masquent pas le bistre de ses yeux et la tristesse qui s'y est gravée depuis la mort de ses fils.

— Vous avez besoin d'un petit coup de main ? demande Irma, qui ne tient plus en place.

La porte de la chambre s'ouvre, Phédora baisse les bras d'impuissance et de déception.

— Ce n'est pas une femme digne de toi que tu as retrouvée, ma pauvre enfant.

— C'est dans le cœur qu'elle se loge, la dignité, maman, et je suis sûre que plus vous allez m'expliquer ce qui vous est arrivé, plus je vais en trouver en vous. Venez, vous êtes très belle comme ça, dit Irma en replaçant dans ses cheveux gris les deux petits peignes de perles qui les retiennent noués sur sa tête.

De la fenêtre, un faisceau lumineux traverse la cuisine et trace sur la table un trottoir doré. La rose d'un rouge vif peinte sur la théière ressort avec éclat. Ses enjolivures argentées scintillent.

— Je l'ai achetée parce qu'elle me rappelait les beaux jardins que maman entretenait avec tellement de goût.

— Comment était-elle, grand-maman Marie?

— Belle. Et tellement affectueuse. Un peu trop au service de mon père, je dirais. Trop dans son ombre aussi.

— Il aimait les honneurs, grand-père William?

— Disons qu'il tenait à ce que les gens sachent qu'il avait de l'argent, qu'il faisait des affaires en Europe, qu'il voyageait beaucoup. Son bateau, c'était comme la prunelle de ses yeux. J'avais l'impression parfois qu'il y tenait plus qu'à ma mère. Pauvre maman! Elle a porté quatorze enfants et, quand je suis née, elle en avait enterré six ou sept. J'ai bien mal pris que papa se remarie, surtout avec une femme à peine plus vieille que moi. Je lui en ai beaucoup voulu.

Des souvenirs la gardent pensive.

— Tu la fréquentais souvent, Philomène?

— Le moins possible, maman. Entre nous deux, ce n'était pas le grand amour, ajoute Irma, priée de résumer ses trois ans passés sous la gouverne de Philomène.

Certains épisodes sont occultés pour ménager Phédora.

— Je me doutais bien qu'on ne t'avait pas dit la vérité. C'était la seule façon de me consoler de ne jamais recevoir de réponse aux lettres que je vous ai envoyées, à ton frère et à toi.

— Vous m'avez écrit, maman?

Dans le cœur d'Irma, le chagrin de la fillette refait surface, aussi profond qu'il y a vingt ans. Au tour de sa mère de chercher les mots qui apaisent.

— Si tout s'était passé comme je l'avais demandé, nous n'aurions pas été séparées plus que deux ou trois semaines. Mon professeur de chant m'avait promis tant de choses... Comme il connaissait bien New York, il devait me trouver un logement et une place au

Metropolitan Opera en un rien de temps. Sitôt installée, je te faisais venir. J'ai hésité par rapport à ton frère, mais, après y avoir bien réfléchi, j'ai conclu qu'il était mieux pour lui que vous ne soyez pas séparés. De toute façon, je pensais que ton père ne pourrait s'en occuper adéquatement seul et je ne voulais pas que Paul-Eugène soit à la charge des LeVasseur. Ils en avaient assez fait pour nous. Du côté des Venner, je n'ai pas eu les appuis que j'attendais. Papa a été en désaccord avec mes décisions plus d'une fois. D'abord, il n'a jamais accepté que j'épouse Nazaire LeVasseur. Ensuite, quand je l'ai informé de ma décision d'aller m'installer à New York avec mes enfants, il m'a plus que désapprouvée. À son avis, j'étais très naïve de penser que ton père nous aimait assez pour venir nous rejoindre. « Jamais il ne renoncera à ses affaires, affirmait-il. Tu vas les attendre longtemps, tes enfants, c'est moi qui te le dis. Si tu m'avais écoutée, aussi. » Je n'aurais jamais cru vivre un jour quelque chose d'aussi déchirant avec mon père. Des reproches de part et d'autre, puis des menaces de sa part.

— Des menaces ?

— Tu as bien entendu, Irma. J'allais être déshéritée et reniée si je déshonorais la famille Venner.

— Vous êtes sûre de ça, maman ?

Une affirmation... silencieuse. Des larmes vite essuyées sur ses joues creusées.

— Comme pour mon frère Guillaume-Hélie, alias William... Heureusement qu'il vivait encore à New York quand j'y suis arrivée. Celui-là ne me reniera jamais...

— Qu'est-ce qui vous permet d'en être certaine ?

— Il y a trois ou quatre ans, il m'a envoyé une copie de son testament.

À la luminosité de son regard, Irma déduit qu'il lui réserve quelques biens.

— Il me garde une place dans son lot au cimetière de Saint-Roch, en plus de mettre une maison et des meubles à mon nom.

Une telle révélation a de quoi chambouler Irma. Des questions se heurtent sur ses lèvres. Leur réponse risque de décevoir, de peiner aussi. Comme Phédora semble plongée dans ses souvenirs, Irma ose la plus facile :

— Vous n'auriez pas le droit de vous faire enterrer dans le lot de votre père ?

— Non. Ton oncle William non plus.

— Je n'aurais jamais imaginé ça. Je l'admirais tellement, grand-papa Venner. Quand je le questionnais à votre sujet, il se refermait comme une huître, mais il n'a jamais dit la moindre parole malveillante à votre égard.

— Qu'est-ce qu'il te disait ?

— Il me conseillait de ne pas m'inquiéter pour vous. Je m'en souviens, mot à mot : «C'est une grande fille, ta mère, elle savait ce qu'elle faisait quand elle est partie.»

— C'est tout ?

— C'est tout, maman.

— Tu ne veux pas me blesser, c'est ça ?

— Je vous le jure, maman, il n'a jamais voulu répondre à mes questions, soutient Irma, qui espère ne pas avoir à révéler les propos disgracieux de Philomène à son sujet.

— Il avait l'air...

— ... très triste, maman.

— Triste ? Pas fâché ?

— Vraiment triste... Je le revois encore dans la calèche; il m'avait emmenée visiter le quartier riche de Saint-Roch. À un moment donné, j'ai cru qu'il allait pleurer. Je ne voulais tellement pas qu'il pleure ! Il était plus excentrique que grand-papa Zéphirin, mais je les adorais, mes deux grands-pères.

— Je sais qu'au fond, cet homme avait un grand cœur. Dommage qu'il ait été aussi orgueilleux !

— Sur ce point, lui et mon père se ressemblent, vous ne pensez pas ?

La question embarrasse Phédora. Comme si elle n'avait jamais fait un tel constat. Elle hausse les épaules, affiche une moue désabusée et dit :

— Une chose est sûre, mon père ne trouvait pas beaucoup de qualités à Nazaire LeVasseur. La dernière fois que je l'ai vu, avant de partir pour New York, il a fait un geste qui en disait long sur son manque de confiance en lui. En me regardant droit dans les yeux, il m'a présenté un texte qu'il venait d'écrire et m'a dit : « Signe ça. Si tu décides de ne pas partir ou de revenir dans peu de temps, avec de bonnes dispositions, je te le rendrai. »

— C'était quoi, maman ?

— Il exigeait que je lui confie ton éducation, le temps que je serais absente. Dans ma tête, ça ne devait être qu'en attendant que tu viennes me rejoindre avec ton frère. Contrairement à ton père qui pensait que je faisais du chantage, lui me savait capable de passer à l'acte.

— Vous vous écriviez, papa et vous ?

— Pendant dix ans, au moins. Il a répondu à mes premières lettres; je les adressais à ta tante Angèle pour être sûre qu'il ne dise pas qu'il n'avait plus de nouvelles de moi. Il a refusé toutes mes propositions. « Ta place est ici auprès de ton mari et de tes enfants. » C'est tout ce qu'il trouvait à me répondre. Un mois après mon départ, mon professeur est allé à Québec pour vous ramener ici; j'avais espéré que papa intervienne en ma faveur. Ç'a été la plus grande déception de toute ma vie.

Plus un mot. Des larmes incontrôlables.

— Toutes ces années perdues ! Tout ce bonheur qui nous a été volé ! murmure Irma, dévastée.

❧⋅❧

Sur le coup de midi, Phédora et sa fille font leur arrivée chez Rose-Lyn.

— Vous n'êtes pas des plus matinales, mesdames ! s'exclame leur hôte, toujours inquiète.

— Détrompez-vous, ma tante. Notre journée a commencé avant même que l'angélus du matin sonne, rétorque Irma en s'efforçant de ne laisser transpirer que du bien-être.

Phédora, résolument joviale, l'approuve.

Au regard de Bob et de son épouse qui les attendaient pour se mettre à table, Irma et sa mère dégagent une sérénité belle à voir. Tout au long du repas, des signes de compréhension et de complicité encore jamais exprimées entre ces deux femmes. Si ce n'était des amusettes du petit Charles, l'ambiance se feutrerait de solennité. Phédora observe le bambin, habitée par un regret... jamais elle ne sera grand-maman, à moins que sa fille change d'avis. En ce qui concerne Paul-Eugène, les quelques informations livrées par Irma éliminent tout doute : ce garçon est destiné à demeurer célibataire.

— Je ne me suis pourtant jamais crue particulièrement douée pour la maternité, avait confié Phédora en matinée ; mais je les ai aimés, mes petits, dès le premier instant de leur existence. Aimés à en être malade avec eux. À me sentir enterrée avec eux. Au troisième deuil, la révolte en moi a fait feu de tout bois. Tant d'injustice et d'absurdité !

— Ce jour-là, maman, votre révolte est devenue la mienne aussi, lui apprenait Irma.

Cet aveu n'a pas quitté l'esprit de Phédora, qui réclame du temps pour en mesurer toutes les conséquences. Pour comprendre les choix d'Irma. Et même si elle se plaît en la compagnie des autres convives, elle aspire à la solitude. Ou, mieux, à d'autres moments d'intimité avec sa fille. Chaque révélation a généré d'autres questions. Plusieurs ont été retenues, d'autres ont surgi plus tard. Il en est de même pour Irma, sauf qu'elle souhaite regagner son logement tôt en après-midi. Le besoin de laisser décanter ces heures de confidences partagées l'y incite autant que le retard à rattraper dans son travail. Aussi, la tourmente peinte par moments sur le visage d'Hélène la trouble. La promesse de Bob d'aller reconduire Phédora chez elle quand elle le souhaitera facilite son départ. Une accolade plutôt réservée entre la mère et sa fille clôt cette rencontre.

Fidèle à une tradition vieille de plus de dix ans, Irma consacre son dimanche après-midi à sa correspondance et à la lecture de ses revues médicales. Une autre lettre de Nazaire, d'abord parcourue en diagonale, mérite une relecture et une réponse. La plume ne glisse pas sur son papier comme avant... « Comment trouver les bons mots quand on s'adresse à un père qu'on croyait connaître ? se demande-t-elle. Je n'ai que faire des extraits de journaux qu'il m'envoie et qui parlent de quelqu'un d'autre que de Nazaire LeVasseur, de son épouse et de ses deux enfants. Tant d'incompréhension ! Tant de silences destructeurs ! Tant de jugements erronés. Tant d'égarements ! »

25 avril 1909

Mon très cher papa,

Ma lettre sera courte, mais chaque mot et chaque ligne auront été pesés et mûrement réfléchis.

Non, je n'ai pas oublié l'épreuve qui vous afflige ni les recherches que j'ai promis de faire pour vous trouver un spécialiste qui vous rendra vos yeux. Je comprends aussi votre inquiétude et votre indignation au sujet de votre ami le Capitaine Bernier. Pourquoi sommes-nous si enclins à chercher la justice ? Elle n'existe pas sur la Terre. Il faudrait plutôt être surpris et reconnaissants quand elle s'applique.

Je n'ai jamais autant ressenti ce que je vous écris. « Ma vie a été parsemée d'événements injustes. » Je vous défie, papa, de trouver autour de vous vingt personnes qui diraient le contraire. La différence est que certaines décident de faire la lumière sur ces événements et de travailler à réparer les injustices commises. Je suis de celles-là. Et vous, papa ? Si oui, nous aurons l'occasion, dans deux mois, de le faire ensemble, vous et moi.

Vous voudrez bien remettre à mon frère l'enveloppe que j'ai glissée dans la vôtre à son intention. Elle est très importante. Je devrais être avec vous deux à l'heure du midi, le 21 juin, sur le train en provenance de New York.

J'oubliais de vous rassurer : je vais très très bien.

Votre fille affectueuse
Irma

Sur le point de ranger dans un tiroir les articles de journaux reçus de son père, Irma s'attarde à celui que Nazaire a annoté, souligné et commenté.

Le gouvernement de Wilfrid Laurier n'a pas eu le courage de réagir à l'opinion d'un de ses gouverneurs qui prétendait qu'on ne devrait pas donner à un Canadien français la gloire de la conquête du pôle Nord alors que les plus célèbres navigateurs anglais ont échoué dans leurs tentatives. Nombreux sont ceux qui croient que le Capitaine Bernier avait tous les atouts pour accomplir cet exploit mais qu'il a été trahi par la classe politique. Malgré ses tergiversations, le premier ministre a enfin permis à Bernier d'établir la frontière nord du Canada, indépendamment de la Grande-Bretagne. En 1908, le départ de Bernier, aux gouvernes de l'Arctic, a été souligné en grande pompe dans le cadre des festivités du tricentenaire de la ville de Québec et il le méritait bien. Son voyage assurera la souveraineté canadienne dans les îles arctiques et confirmera les qualités de navigateur de Bernier.

Irma comprend l'indignation de Nazaire devant les injustices faites à un homme qu'il admire beaucoup. Elle constate que son père et elle sont touchés par des causes semblables. « Il ne faudrait pas qu'à la suite des révélations de maman, je ne lui voie plus que des défauts », se dit-elle.

À Paul-Eugène, Irma adresse une liste de questions le concernant et elle lui promet des moments de tête-à-tête et des sorties intéressantes...

À la condition que tu te montres fier de ta personne et de ton habillement.

Tu as deux mois pour te pratiquer, mon cher frère.

Je pense rester à Québec pendant deux bonnes semaines. Comme tu ne m'écris presque plus, tu auras beaucoup de choses à me dire, je gage.

Au plaisir de te serrer dans mes bras le 21 juin prochain.

Ta sœur préférée !!!

L'enveloppe adressée et cachetée, Irma reprend la lecture de la dernière lettre de Maude. «J'aurais dû lui répondre tout de suite», se reproche-t-elle en constatant que sa grande amie la lui a adressée il y a plus d'un mois. Mais que répondre sans laisser transpirer pareil tourment en moi, à certains moments?» se demande-t-elle.

Des préambules d'usage, elle passe vite au cœur des attentes de Maude.

J'ai réfléchi longuement avant de décider de t'écrire ce qui suit. Je n'aurais jamais cru que s'ouvrir à quelqu'un pouvait exiger autant de générosité et d'humilité. Plus d'une personne de mon entourage m'en a donné l'exemple, dernièrement. Je t'en reparlerai plus loin. Mais avant, je veux que tu saches que tes souffrances ne me sont pas étrangères, Maude. Pas plus tes difficultés professionnelles que tes épreuves familiales et ton dilemme amoureux.

Les amours impossibles ne sont peut-être pas si rares, mais elles sont plus cruelles qu'on le croit. Tu devines que j'en ai connu la douleur et que je n'en suis pas totalement libérée. Ce genre d'amour peut nous porter au septième ciel puis nous pousser dans un gouffre l'instant d'après, je sais. Que te conseiller de mieux que ce que tu fais déjà, ma chère Maude? Voyager, travailler, te faire des amis et quoi encore? Peut-être pourrais-tu demeurer réceptive à quelqu'un d'autre... Un homme libre qui aurait les qualités du Dr Osler. À moins que tu n'aies, tout comme moi, renoncé à te marier et plus encore à briser le mariage de la personne que tu aimes? Tu m'as déjà parlé d'un confrère qui t'avait beaucoup aidée à ton retour de Baltimore. Le Dr Shepherd, je crois. J'avais cru percevoir une petite flamme dans ton regard dans ces moments-là, me suis-je trompée?

Tu me permets une confidence, Maude? Quand ça fait si mal en dedans que tu te tords dans ton lit et que tu n'as plus de voix à force de crier ta douleur, tu te lèves et tu cherches à qui tu pourrais faire le plus de bien le lendemain. C'est ce que j'ai trouvé de plus efficace jusqu'à présent. Si, un jour, tu as le sentiment que je me prépare à faire un geste soi-disant héroïque, dis-toi qu'il se peut que ce soit parce que cette torture est devenue invivable.

Maude, ma chère Maude, je suis certaine que, malgré ta souffrance, tu n'envies en rien le sort de ta sœur. Pas plus que je n'envie celui de mon frère. Cette pensée ne te console-t-elle pas un peu? Justement, j'ai beaucoup pensé à Alice quand j'ai appris que deux médecins allemands, récipiendaires du prix Nobel, ont fait des recherches sur la diphtérie. Le Dr Emil von Behring, en 1901, et Paul Ehrlich en 1908. Aussi, quatre ans avant que ta sœur n'attrape cette maladie à Vienne, le Dr Roux avait mis au point la sérothérapie, un traitement si efficace que le taux de mortalités dues à cette maladie est passé de quarante pour cent à moins de dix pour cent en Europe. Si tu mets la main sur une de ces études, peut-être pourras-tu suggérer un autre traitement pour ta sœur? Je me demande encore comment elle a pu attraper cette maladie qui s'attaque habituellement aux enfants de moins de quinze ans. Quelle malchance pour vous deux!

Je vais au Québec à la fin de juin. Je me réserve une journée avec toi, si tu le peux. J'aurai une grande nouvelle à t'apprendre. Une belle nouvelle.

D'ici là, mes pensées vont vers toi pour t'apporter tout le réconfort que je te souhaite.

Avec toute mon amitié
Irma

⟡

Deux jours d'intimité avec son mari, le petit Charles confié à sa marraine, tout pour qu'Hélène revienne de cette fin de semaine libérée du poids qui alourdit son existence et risque de compromettre sa relation avec Bob. Aucune recommandation n'est faite à Irma avant son départ tant Hélène est préoccupée par la tournure de ces deux journées. Bob a beau multiplier les égards, son épouse demeure tendue.

— Comptes-tu faire quelques sorties avec Charles ? demande-t-il à Irma.

— Plusieurs sorties, oui. Il fait si beau ! Je prévois aller chercher maman demain et l'emmener avec nous chez tante Rose-Lyn. Les enfants vont s'en donner à cœur joie, surtout si je réussis à convaincre ma mère et ma tante de venir avec nous faire un pique-nique au Central Park.

— Puis aujourd'hui ?

— Un peu de magasinage pour mon petit homme et que des câlins tout le reste de la journée.

— Tu ne le fais pas dormir avec toi, Irma. Tu sais que ce n'est pas une habitude à lui donner, précise Bob.

— Il sait bien que c'est seulement avec moi qu'il peut faire ça, voyons, réplique Irma, espiègle indomptable quand il s'agit de gâter les enfants.

La répartie a fait naître un sourire sur le visage d'Hélène.

Bob et son épouse n'étaient qu'à quelques coins de rue que, déjà, Irma avait installé sur le plancher bâtiments et animaux de ferme dont elle imitait les sons. Quoi de plus amusant pour un bambin de son âge ! « Je pense n'avoir jamais autant ri de toute ma vie », constate-t-elle avec le sentiment de s'être libérée des lourdeurs accumulées depuis décembre. Épuisé, Charles s'est endormi sur son assiettée de légumes à midi. « C'est du bonheur à l'état pur que cet enfant ! » se dit-elle, interpellée par la possibilité qu'il en soit ainsi de tous les enfants qui naissent et grandissent dans l'amour.

En le débarbouillant avec mille précautions pour ne pas le réveiller, elle n'est pas sans penser qu'il aurait pu être le sien... « Toi, mon petit chérubin, tu ne pourras jamais m'empêcher de t'aimer comme une folle. Pour toujours, tu garderas en toi l'empreinte de mes mains brûlantes d'amour sur ton corps. Dans ton oreille, les mots les plus fous pour te dire que je t'adore. Dans ton cœur, tous les vœux de bonheur que je formule pour toi. Un trésor comme toi a besoin, en plus de ses parents, d'une marraine énamourée comme moi. » Une caresse retenue sur ses bouclettes couleur de miel, un baiser qui effleure à peine sa joue, une couverture remontée sous son menton, Irma s'accorde le plaisir de le regarder dormir... encore. « Il me semble impensable que maman n'ait pas éprouvé autant d'amour pour moi que j'en ressens pour cet enfant... que je n'ai pourtant pas porté dans ma chair. Cette affection s'érode-t-elle au fil des événements ? au fil du temps ? Maman pourrait-elle me le dire ? Voudra-t-elle me répondre ? »

Charles a tellement dormi qu'il reste peu de temps pour le magasinage. « Tant mieux ! Je dépenserai moins », se dit Irma en se précipitant vers les deux boutiques de jouets les plus près de la résidence des Smith.

Les félicitations pour « *your little boy* » ne manquent pas, comme à chacune de ses sorties avec Charles. Tant que ce bambin de seize mois ne sera pas en âge de dire que « Mama » n'est pas sa maman, Irma se limite à sourire aux compliments reçus. Devant l'étalage de poupées, Charles tend les bras, en réclame une, plongeant sa marraine dans l'embarras. « Pas une seule habillée en garçon ! » déplore-t-elle. Charles exprime sa préférence pour une toute petite poupée blonde à la tête de porcelaine montée sur un corps et des membres de tissu bourrés de paille. Irma tente de lui présenter un toutou, un petit chien, tout doux, tout mignon. Il le repousse aussitôt. « Tant pis ! » se dit-elle, résignée à respecter le choix de son filleul. Mais voilà que, sa poupée dans les bras, Charles réclame aussi le toutou. Deuxième concession d'Irma. L'enfant s'oppose à hauts cris à l'emballage de ses deux cadeaux. Troisième concession d'Irma.

— *Oh ! The nice little girl* ! s'exclame la première dame qu'elle croise sur le chemin du retour.

Deux autres passantes s'arrêtent pour complimenter... la fillette.

Irma avait bien espéré faire plaisir aux parents en leur annonçant que la poupée l'avait dispensée d'accueillir Charles dans son lit. Or, cette nuit-là, la marraine dormit avec son filleul, sa poupée et le toutou.

Le lendemain midi, reçus avec euphorie par les protégés de Rose-Lyn, Irma, l'enfant et ses deux nouvelles amours prennent la vedette.

— Une poupée ! Tu penses que ses parents vont te féliciter de lui avoir acheté ça ? s'écrie Rose-Lyn.

Irma s'explique mais ne montre aucun repentir.

— Toi, Phédora, qu'est-ce que tu en penses ? demande Rose-Lyn.

— J'aurais fait pareil. J'étais portée à les gâter, mes enfants, moi aussi. Pour garder la paix, j'ai dû m'interdire de les emmener dans les magasins, dit-elle en regrettant aussitôt cette révélation qui a visiblement inquiété sa fille.

— Les jouets ont toujours coûté cher, ajoute Rose-Lyn pour dissiper le malaise. J'ai été chanceuse avec les enfants que je gardais, moi. Des bienfaitrices m'en apportaient des boîtes pleines. Pas neufs mais très propres.

— Ça se fait aussi à New York, déclare Irma. Mais le bonheur qu'on ressent à acheter un jouet à un enfant ! Comment dire ? C'est comme si ce geste nous permettait d'entrer un tout petit peu dans son monde et de partager quelque chose qui lui est très intime...

— ... un petit coin du voile levé sur tant de mystères chez l'enfant, ajoute Phédora.

— Oui ! C'est ça ! Avant qu'il sache parler, surtout, reprend Irma.

— Bien plus longtemps encore, corrige Phédora, du chagrin dans la voix.

Charles, qui ne veut pas prêter sa poupée, revient vers Irma. Phédora s'en approche, glisse sa main sur sa chevelure en tire-bouchon et dit :

— T'as le droit de la garder rien que pour toi, ta petite fille, mon beau gar...

Un sanglot dans la gorge, Phédora tourne la tête, pince les lèvres et se réfugie dans la cuisine. Sa sœur va l'y rejoindre.

— Il faudra prendre des forces, ma chérie.

Le regard interrogateur de Phédora l'incite à s'expliquer.

— À tout moment, notre passé nous rattrape, comme ça. On dirait que ce qu'on a longtemps fui prend sa revanche. Je vis encore ça, moi aussi.

Le rictus de désolation de sa sœur la fait réagir.

— Non, Phédora, il ne faut pas s'en plaindre. C'est le chemin de la guérison. Tu ne vas pas le quitter ! Promets-le-moi.

Phédora baisse les yeux.

— C'est dur, mais on va s'épauler toutes les deux. Je dirais toutes les trois, parce que ta fille aussi est sur ce chemin-là depuis Noël.

De ses grands yeux, comme des fenêtres sur un horizon illimité, Phédora supplie Rose-Lyn de lui en donner le gage.

— On n'est pas de la race des lâcheuses, nous trois, tu devrais le savoir maintenant, lui rappelle-t-elle.

⇒⋅⇐

— *Your ticket, Miss.*

— *Oh! Pardon me!* marmonne Irma, sortie d'un sommeil profond.

Albany, lit-elle sur le fronton de la gare où le train vient de s'arrêter pour laisser monter des passagers. « J'ai dû dormir un bon cinq ou six heures », pense-t-elle, espérant en faire encore autant.

Les semaines ayant précédé son départ pour Québec ont été si exténuantes et ses nuits si écourtées qu'elle s'assoupit dès que deux minutes de tranquillité lui sont accordées. Les rapports d'étude que la Ville de New York exigeait avant d'accepter ses demandes de majoration de salaire et du budget alloué à la santé ont empiété tantôt sur ses minces plages de loisirs, tantôt sur le temps qu'elle souhaitait consacrer à sa mère, à sa tante et aux Smith. Le suivi des familles dans le besoin n'est pas assuré comme elle le voudrait. Parmi elles, des immigrés encore au ban de la société. Des familles démunies, des mamans célibataires, dont Judy et son bébé, retrouvés dans un état lamentable au sous-sol d'une maison de chambres dont la jeune femme devait assurer l'entretien. Rose-Lyn a la garde du bambin, et la mère les rejoindra lorsqu'elle sera sortie de l'hôpital et qu'elle aura trouvé un gagne-pain convenable.

Les recherches de la D^{re} LeVasseur, amorcées en septembre et portant sur les principales causes de la mortalité infantile à New York, sont sur le point d'aboutir à des résultats éloquents. La tournée finale des écoles visitées au cours de l'année s'est avérée consolante, d'une part, mais combien éprouvante, d'autre part, le temps venu pour Irma de dire adieu à ces enfants. Les uns tiraient sur sa jupe pour lui montrer leurs dents bien brossées, d'autres pour l'informer du poids gagné en six mois, la majorité pour la supplier de revenir les revoir en septembre prochain.

Irma n'aurait pas quitté New York sans s'accorder du temps avec sa mère et ses amis Smith. Ses échanges, tant espérés avec Hélène, la chamboulent.

— Je n'aurai pas assez de toute ma vie pour te remercier, Irma, de nous avoir facilité ces moments qui ont changé ma vie, lui confie l'épouse de Bob. J'ai retrouvé en moi la jeune fille qui mordait gloutonnement dans la vie... comme avant le drame que tu connais. Tout, autour de moi, me paraît plus beau maintenant, les gens plus merveilleux, mon fils, irrésistible, et pour mon mari... je ne trouve pas de mots.

Irma l'écoute, partagée entre la joie de les savoir heureux et la douleur du renoncement.

— Tu avais raison, ma bonne amie. Les secrets de ce genre sont un poison...

— ... surtout dans une vie de couple, s'empresse d'ajouter Irma pour se donner bonne conscience.

— Bob a été... bien au-delà de ce que j'aurais pu attendre d'un mari. Pas un instant il n'a douté de ma sincérité. Ce qui m'a le plus touchée, Irma, c'est quand il m'a dit en me serrant dans ses bras : « Loin d'avoir honte, tu devrais être fière de ton courage et de ce que tu es devenue. Tu sais, Hélène, si j'avais su tout ça avant de t'épouser, je l'aurais fait avec encore plus d'amour et de fierté. »

L'émotion à fleur de peau, les deux amies s'accordent quelques instants de silence.

— Quand je pense que c'est grâce à toi, encore une fois. T'en auras apporté, du bonheur, dans la vie des gens, toi ! Les enfants que tu sauves et leurs parents... Les malades que tu guéris. Les orphelins que tu protèges, puis les retrouvailles que tu as organisées entre Bob et sa mère... sans compter bien d'autres choses que j'ignore probablement. Quelle femme merveilleuse tu es, Irma. J'ai peur qu'on ne te l'ait pas assez dit. Je comprends mon mari d'avoir tant d'admiration pour toi.

Les derniers mots sont tombés comme une épée dans le cœur d'Irma. Ce grand amour secret, tant de fois inconsciemment encensé. Instants des plus affligeants pour Irma, contrainte de n'afficher que du contentement pour le bonheur que Bob et Hélène s'apportent.

La poupée de Charles vient fort heureusement servir de diversion.

— Je t'avoue, Irma, que si tu lui avais acheté ça avant ma fin de semaine avec Bob, je ne l'aurais pas vu de la même façon. Je ne crois pas que j'aurais été bien contente...

— Et maintenant ?

— Ces deux jours-là m'ont ouvert les yeux sur plein de choses. Je trouverais ridicule de priver un petit garçon d'une poupée. Comme s'il n'était pas destiné à avoir des enfants, lui aussi. T'as vu que Bob ne te l'aurait jamais reproché. Il se fiche de l'opinion publique et des convenances de ce genre, mon mari. Je l'envie.

— Moi aussi, il me rend jalouse, riposte Irma, sûre que son amie ne considérera cet aveu qu'au premier degré.

« Hélène est distraite ou elle réfléchit ? » se demande-t-elle.

— Il m'arrive de ressentir de la jalousie quand je pense à toutes ces demoiselles qui passent à sa boutique.

— Il ne mérite que ta confiance, tu ne penses pas ?

Cette exhortation clôture le tête-à-tête des deux amies, Bob venant se joindre à elles.

Aux yeux d'Irma, les propos qu'il tient sous-entendent sa ferme intention de resserrer ses liens avec son épouse, quitte à ce que l'amour qu'il éprouve pour sa cousine s'amenuise comme une peau de chagrin. « N'écouter que ma raison, je prierais pour que ses vœux soient exaucés », pense-t-elle, le cœur qui tangue entre son attrait pour cet homme et le bonheur du couple Smith.

Après deux jours de congé chez Phédora et un autre chez Bob, Irma a pris le train, la tête et le cœur plus lourds que ses bagages truffés de cadeaux. Loin de Bob, elle mesure mieux l'incohérence de ses désirs, non moins secrets que récidivants. Lui revient à la mémoire une phrase de Rose-Lyn adressée à Phédora tout récemment : « Il paraît que, tôt ou tard, ce qu'on a longtemps fui prend sa revanche. »

Des derniers échanges avec sa mère, Irma ressort avec un grand contentement : Phédora fait preuve de plus d'ouverture et de sérénité. Par contre, d'autres révélations devront être validées par Nazaire. La chagrinent, des paroles troublantes de sa mère à la gare où elle l'a accompagnée. Phédora tremblait. Irma l'a noté. La température était pourtant des plus clémentes en cette fin d'après-midi du 20 juin. Irma s'en inquiéta :

— Auriez-vous besoin de manger un peu ?

— Oh, non ! J'ai encore mon dîner sur l'estomac.

— Vous n'avez presque rien avalé, pourtant.

Aucune réaction de la part de Phédora. La patience de sa fille eut raison de son hésitation.

— J'ai peur...

— De quoi, donc, maman ?

Phédora avait du mal à nommer cette peur.

— Que je ne revienne pas ? supposa Irma. N'ayez aucune crainte à ce sujet, maman. J'ai pris des engagements et je vais les respecter.

Quelque peu rassurée, Phédora ne cessa pourtant de trembler.

— Votre dossier médical est entre les mains de Florence Sabin, une collègue en qui j'ai parfaitement confiance. Elle va vous téléphoner de temps en temps pendant mon absence.

— Ça devrait aller...

— Maman, dites-moi ce qui vous tracasse comme ça.

— Que tu ne sois plus pareille avec moi quand tu vas revenir de Québec, avouait-elle enfin.

Irma l'avait serrée dans ses bras avec toute l'ardeur du souhait qui les habitait.

Dans la solitude que lui offre ce long voyage en train, Irma LeVasseur ne peut se sauver d'elle-même. Impossible aussi de nier l'inquiétude qui la ronge à la pensée d'affronter son père... Et que lui réserve Paul-Eugène ? Elle l'entend encore lui dire :

— Je parlerai seulement quand je serai sûr de ce que j'avance. Moi aussi je suis capable de garder un secret.

Pour Irma, la perspective de cette visite dans sa famille n'a rien de comparable à celle des dix dernières années, où elle ne redoutait que le moment du départ. N'a-t-elle pas écrit à son amie la D^re Abbott, avec qui elle prévoit passer quelques jours dans sa maison ancestrale de Vaudreuil : *Maude, ma chère Maude! Saurai-je soigner tes plaies sans rouvrir les miennes?*

À la gare Saint-Roch, personne ne réclame Irma LeVasseur, ce lundi 21 juin 1909. Fait exceptionnel! De mauvais augure, craint-elle. D'un coup d'œil à sa montre, elle constate que le train est entré en gare une dizaine de minutes plus tôt que prévu. Dans la cohue des passagers qui se précipitent vers l'extérieur, Irma se sent ballottée. Un rappel lointain, très lointain. D'avant l'heure première. Comme en pleine mer. Réminiscence fœtale. «Dans le sein de Phédora, portée par une vague. Celle de ses admirateurs après un concert. Phédora, heureuse. Phédora, amoureuse. Suave symbiose. »

La mer ondule vers le large. Irma ouvre les yeux... sur une plage d'indifférence. Ou d'oubli. Ou d'ombre. «À moins que papa... » Du souci pour son père, jamais Irma ne s'en est fait. Du chagrin, oui. Ce midi, la crainte qu'un malheur lui soit arrivé l'effleure. Un dernier tour d'horizon à l'intérieur et à l'extérieur de la gare la pousse vers une des dernières voitures disponibles.

Au domicile de Nazaire, la clenche cède sous la pression du mentonnet. Personne. Sur la table de la cuisine, des restes du déjeuner. «Comme s'il lui avait fallu partir vite », en déduit Irma. La porte de la chambre de Paul-Eugène est verrouillée.

— Paul-Eugène! Paul-Eugène! C'est Irma! Ouvre-moi.

Aucun bruit. Aucune réponse.

Un deuxième et un troisième essais tombent dans le vide.

Des pas devant la porte. C'est Nazaire, la tête basse, visiblement accablé. Irma va au-devant.

— Que tu m'as fait peur, toi! s'écrie-t-il, tardant à ouvrir les bras à sa fille.

— Vous ne m'attendiez pas ?

— Je savais que c'était aujourd'hui, mais... mais je le cherche depuis ce matin.

— Vous êtes sûr, papa, qu'il ne s'est pas enfermé dans sa chambre ?

— J'ai vérifié par l'échelle. Quand je suis entré hier soir, il était tard ; j'ai cru qu'il était couché.

— Il se lève tôt d'habitude...

— Justement. Cherche donc depuis quand il est parti. Et où il est.

Irma suggérerait bien d'aller voir dans quelques tavernes du coin, mais elle craint d'offenser son père.

— Comment était-il ces derniers jours ?

— Bizarre ! Bien bizarre ! On dirait même qu'il perd la carte par moments, précise Nazaire.

— Des trous de mémoire ?

— Des comportements anormaux.

— Comme quoi ?

— Il me fuit comme s'il avait quelque chose à cacher. Un regard d'animal traqué, ma foi.

— Oh ! Mon Dieu !

Irma a peine à retenir ses larmes.

— Mine de rien, je suis allé voir chez ta tante Angèle. Ensuite, je me suis résigné à faire le tour des endroits où il va de temps en temps. Rien, dit Nazaire, tourmenté.

— La police ?

— Ce sera mon dernier recours, Irma.

— Il est peut-être mal pris, papa. Blessé. Malmené. Je sais pas. Faut demander l'aide de la police.

— J'en arrache assez comme ça sans alimenter les commérages.

— Ces gens-là sont capables de rester discrets, voyons !

Nazaire ne s'y résigne pas.

— Si on se donnait la chance qu'il revienne, d'ici la noirceur ? suggère-t-il.

— Si vous voulez rester ici à attendre, c'est votre choix, papa. Moi, je prends votre calèche et je vais le chercher, mon frère.

— Je suis à bout de nerfs, Irma.

— Reposez-vous un peu en attendant...

— Tu t'en vas où ?

— Là où mon intuition va me guider, papa.

Dans les rues que Paul-Eugène empruntait à Saint-Roch, aux abords du port de Québec, dans les parcs qu'il affectionnait, aucune trace de Paul-Eugène. Irma ne veut pas céder à la panique. L'idée lui vient de remonter la côte de la Montagne, de s'engager dans la rue des Remparts et d'emprunter la côte du Palais. L'attelage attaché à un poteau désigné, Irma saute de la calèche et se retient pour ne pas courir. À la réception de l'Hôtel-Dieu de Québec, l'information obtenue, bien que floue, inspire un peu d'espoir. Dans le corridor des services d'urgence, sur les civières alignées le long du mur, des malades accompagnés de leurs proches, d'autres, non. Une tête à la chevelure hirsute et d'une propreté douteuse, à la fin de la rangée. C'est Paul-Eugène LeVasseur. Il est là, étendu sur le dos, immobile, un drap remonté sous le menton, ses longs bras squelettiques flanqués de chaque côté de son corps, le visage exsangue, les paupières closes. Près de son oreiller, un petit carton : *Patient 3 Confus*.

— Je connais cet homme, annonce Irma à la première religieuse rencontrée. C'est Paul-Eugène LeVasseur, dit-elle en lui présentant le papier. J'aimerais voir son dossier, s'il vous plaît.

— Vous êtes une parente ?

— Oui. C'est mon frère, avoue-t-elle, affligée.

D'une main rassurante posée sur son bras, sœur Sainte-Gertrude l'entraîne à l'écart pour lui apprendre que l'inconnu a été amené par la police avant l'aube, qu'il n'a aucune pièce d'identité sur lui, qu'il ne répond pas aux questions posées et qu'il semble plongé dans un profond délire.

— Il est blessé ?

— Aux jambes et dans le dos. Comme s'il avait déboulé... Son pouls était meilleur quand je l'ai pris, tantôt. J'allais charger un infirmier de lui faire sa toilette. Le médecin l'examinera après, explique la religieuse.

— Où était-il ?

— Suivez-moi à l'accueil. Les policiers ont dû y laisser une note.

De fait, sœur Sainte-Gertrude n'hésite pas à la présenter à Irma, dont la main tremble sur le papier.

Homme dans la quarantaine trouvé en bas de la falaise, près du quai de la place Royale. Blessé et confus.

— Je vais aller le retrouver en attendant... dit Irma, tirant son insigne de son sac à main avant de l'épingler à son chemisier.

— Oh, pardon! Je ne vous avais pas reconnue. Vous êtes la petite dame médecin... Oui, oui! D^re LeVasseur. Ça ne tardera pas, docteure. Un infirmier va s'occuper de votre frère, promet sœur Sainte-Gertrude sur un ton compatissant.

Croisant une infirmière laïque, Irma demande la permission de prendre un bassin d'eau tiède, du savon et une serviette.

— Pour le visage et les mains du patient 3, précise-t-elle.

Avant de replacer le carton près de son oreiller, Irma y inscrit le nom de son frère.

De son cœur jusqu'au bout de ses doigts, une affection teintée de mansuétude guide ses gestes. La débarbouillette tiède glisse doucement sur le front empoussiéré du patient à qui on donnerait quarante ans alors qu'il n'en a que trente-quatre; elle descend sur ses joues éma-ciées et sur son cou, sans susciter la moindre réaction. Pas plus au lavage qu'au rinçage. La troisième fois, un mouvement de la tête.

— Paul-Eugène, je suis avec toi, susurre-t-elle.

Ses paupières se tendent dans un effort suprême, puis, plus rien.

— Je suis arrivée, Paul-Eugène.

Irma obtient un grognement. De nouveau, elle s'approche de son visage et murmure :

— C'est Irma. Je suis venue te chercher. On va rentrer à la maison, Paul-Eugène.

Enfin, ses paupières entrouvertes dévoilent des yeux hagards, puis stupéfaits.

— Tu me reconnais, Paul-Eugène?

Un serrement de la main aussitôt relâché la laisse perplexe.

— Dis-moi où t'as mal.

Une grimace puis un signe.

— À la tête ? C'est ça ?

Un gémissement suit au moment où il tente de se tourner vers Irma.

— Ne bouge pas, Paul-Eugène. Attends que le médecin vienne...

Phrase interrompue par un sursaut de lucidité dans le regard de Paul-Eugène.

— Irma ! articule-t-il, péniblement, d'une voix rauque, son bras levé pour l'enlacer.

— Tu m'attendais ?

— Où est-ce que tu m'as emmené, tite sœur ? Je me reconnais pas.

— C'est rien que le temps de nettoyer tes éraflures...

— Je comprends pas...

L'infirmier s'approche, annonce que c'est l'heure de la toilette, et tout en poussant la civière, il ordonne à Irma de se retirer.

— Non. Reste avec moi ! réclame Paul-Eugène avant qu'une porte ne se ferme derrière lui.

— Je vais t'attendre ici, lui promet-elle, pressée de trouver un téléphone.

Les quelques nouvelles données à Nazaire se veulent d'abord rassurantes.

Il veut savoir ce qui est arrivé.

— Je n'en sais pas plus, papa, il vient de se réveiller. Ce n'est pas la peine de vous déplacer. Je compte bien le ramener à la maison d'ici quelques heures.

— Il a bu ?

— Peut-être, mais peut-être pas. Ne vous inquiétez pas, papa, je m'en occupe, dit-elle, pressée de retourner vers son frère.

Une longue attente dans le corridor a raison de la patience d'Irma.

— Qu'est-ce qui se passe avec mon frère ? demande-t-elle à sœur Sainte-Gertrude, qu'elle intercepte sur son passage.

— Donnez-moi une minute... je vais voir.

L'information ne tarde pas à arriver :

— M. LeVasseur est agité. Il refuse...

— Je sais comment le calmer, ma sœur. Vous permettez ?

Sans attendre la réponse, Irma a poussé la porte de la petite salle où quelques patients sont à recevoir les premiers soins. Paul-Eugène ne l'a pas vue.

— Y en est pas question ! Gang de voleurs ! crie-t-il à l'infirmier exaspéré.

Irma s'approche, quêtant du regard la permission d'intervenir.

— Il faut que tu te laisses laver puis examiner, Paul-Eugène, si tu veux qu'on te soigne, lui dit-elle, d'une voix à désamorcer les plus agressifs.

— Je leur ai rien demandé, moi. Qu'ils me laissent tranquilles. Je veux sortir d'ici. Avec toi, tite sœur.

D'un signe de la tête, il lui fait signe de s'approcher :

— J'ai un secret. Dans une poche de mon pantalon. C'est pour ça qu'ils ne me le feront jamais enlever, lui chuchote-t-il.

Il est difficile pour Irma de savoir s'il divague encore ou s'il a retrouvé tout son bon sens. S'il a toute sa tête, que peut-il bien cacher de si précieux dans sa poche ? Irma s'apprête à le lui demander quand elle est interrompue par le diagnostic de l'infirmier, qui a tout entendu :

— Du délire de paranoïaque.

— Vous permettez que je vérifie la souplesse de ses membres ? lui demande Irma en pointant son index sur son badge.

— Allez ! Allez ! s'exclame-t-il, visiblement contrarié.

Irma lui tourne le dos et adresse à son frère un sourire bienveillant. Au terme d'auscultations élémentaires, elle le fait asseoir sur le bord de la civière. Sur son dos dénudé, elle découvre une lacération importante.

— Il va falloir nettoyer ça, Paul-Eugène. Je vais vous aider, monsieur, offre-t-elle à l'infirmier qui, sans ambages, va chercher un autre bassin d'eau.

Aussitôt a-t-il quitté la salle qu'Irma interroge son frère.

— Veux-tu bien me dire où tu t'es fait ça ?

— Je lui défends de me toucher, lui, répète Paul-Eugène sourd à la question posée.

— Qu'est-ce que tu faisais près du quai de la place Royale cette nuit, Paul-Eugène?

— Près du quai? Place Royale? Je suis pas allé là, moi.

— Essaie de te rappeler.

— Au port... place Royale...

Son regard se fige, sa voix s'éteint, à peine respire-t-il. Paul-Eugène semble troublé, ému, chagriné.

— Tu ne m'as pas attendu, Irma?

— Où ça?

— Là...

Plus un son, l'infirmier est revenu. Paul-Eugène fait la carpe, même quand la douleur le ferait gémir. Stoïque, il le demeurera tant qu'il ne sera pas seul avec sa sœur. Pour l'examen de ses jambes, il accepte tout au plus qu'on roule le bas de son pantalon. Là encore, des écorchures, sans plus. Irma propose de s'occuper de son frère tant que le médecin de l'Hôtel-Dieu ne l'aura pas examiné. L'infirmier ne s'y oppose pas.

— Tu m'attendais où, Paul-Eugène? relance-t-elle.

— Au bateau.

— Tu ne savais pas que je prenais le train?

— Maman était partie en bateau, puis elle devait revenir nous chercher, toi et moi, en bateau, non?

Des propos qui tiennent à la fois du délire et d'une intuition... surhumaine. Irma se souvient de l'avoir quitté le 27 juillet dernier sur des échanges nébuleux concernant Phédora. «C'est comme ça qu'on va finir par la trouver, notre mère. Toi, par là-bas, moi, par ici», avait-il chuchoté. L'annonce de son séjour à Québec avait-elle pu lui laisser croire qu'elle revenait avec Phédora?

— Qu'est-ce que t'as bu hier soir, Paul-Eugène?

— Avec les matelots, tu sais jamais. Mais c'est du bon stock.

— Pas si bon que tu le penses, à en voir l'effet, rétorque Irma.

La porte s'ouvre de nouveau. Le Dr Dubé, récemment diplômé, se présente, Irma lui cède la place, malgré les protestations de Paul-Eugène.

En moins de quinze minutes, le jeune médecin la rejoint dans le corridor. Son diagnostic est clair : sur le plan physique, aucun doute, le patient peut aller guérir chez lui. Il en est tout autrement de sa santé mentale. Des investigations sont suggérées.

Avant que le Dr Dubé n'aille plus loin dans ses recommandations, Irma l'interrompt :

— J'apprécie votre rigueur professionnelle, mais vous comprendrez que, connaissant mon frère, je préfère prendre personnellement soin de cet aspect de sa santé. Nous pouvons partir ?

Le docteur hoche la tête et, sans plus, il se dirige vers d'autres patients.

Irma s'inquiète du retour à la maison. L'état de son frère, la réaction de son père...

— On s'en va où ? lui demande Paul-Eugène quand elle retourne auprès de lui.

— À la maison.

— Je veux pas.

— Mais où penses-tu que tu peux aller, Paul-Eugène ?

Préoccupé, il tire de sous la civière un sac dans lequel le personnel hospitalier a placé ses chaussures, sa chemise et d'autres biens personnels. Il le fouille avec une nervosité inquiétante. Par trois fois, il vérifie le contenu de ses poches : sa chemise, son veston, son pantalon. Il s'affole. Il hurle :

— Ils me l'ont pris, les sacrements ! Non ! Non ! Non !

Écrasé sur le plancher, la tête abandonnée sur ses genoux, il sanglote comme un enfant. Inconsolable.

— Mais de quoi parles-tu ? Qu'est-ce qu'ils t'ont volé ?

Il n'est aucune voix, pas même celle de sa sœur, qui pourrait le rejoindre au creux de sa détresse.

— Relève-toi, Paul-Eugène. On va aller dans la calèche. Seuls, tous les deux.

Alerté par les cris et les pleurs, des membres du personnel accourent. Humiliée, Irma les prie gentiment de retourner à leurs occupations.

— Il vient d'apprendre une mauvaise nouvelle, explique-t-elle. Nous allions partir...

L'un perplexe, l'autre inquiet, un troisième un tantinet dédaigneux, tous sortent de la salle d'examen.

— Fais vite, Paul-Eugène, avant que les magasins ferment...

— Les magasins! C'est là que tu m'emmènes?

— Chez Paquet. Ils ont tellement de beaux vêtements pour les hommes.

Paul-Eugène est gagné. Habillé, chaussé, son maigre sac de papier brun à la main, il emboîte le pas à sa sœur jusqu'à la calèche dans laquelle il monte avec empressement. Pour ne pas troubler ces précieux moments de sérénité, Irma tait les questions qui se bousculent sur ses lèvres. La plus brûlante : qu'est-ce que son frère portait de si précieux sur lui?

Il ne reste qu'une demi-heure avant la fermeture des magasins lorsque l'attelage des LeVasseur s'arrête devant le magasin Paquet.

— Un beau costume pour de belles sorties, réclame Paul-Eugène.

— Ton cadeau de fête à l'avance, ajoute Irma.

Nul besoin de chercher longtemps le rayon des vêtements pour hommes. Paul-Eugène s'y précipite et opte instantanément pour un complet noir et une chemise blanche.

— Du chic comme ça? s'étonne sa sœur.

— Pour de belles sorties, comme quand maman chantait avec le Septuor Haydn.

— As-tu tant d'occasions que ça de porter ce genre de complet?

— Ces dernières années, non, mais à l'avenir, par exemple!

«Qu'est-ce qu'il peut bien avoir dans la tête?» se demande Irma, bousculée par le temps.

De la cabine d'essayage, Paul-Eugène ressort avec un large sourire sur les lèvres.

— C'est parfait, hein?

— Très très bien, lui confirme sa sœur. Va vite te changer avant qu'on nous mette dehors.

— Je les garde.

— Il faut aller les payer avant, Paul-Eugène.

— Non. Je les garde. C'est mon père qui va être content de me voir habillé de même.

— Va chercher tes guenilles et viens me rejoindre à la caisse, lui ordonne Irma, désarmée.

« Le temps de glisser deux mots à la vendeuse, qui comprendra... » se propose-t-elle.

Mais Paul-Eugène tarde. La caissière regarde sa montre et trépigne d'impatience. Encore cinq minutes avant de mettre la clé dans la porte. Irma la comprend.

— Je vais aller voir... décide-t-elle, navrée.

Dans le rayon des chaussures, Paul-Eugène s'est trouvé une paire de souliers.

— On avait oublié ça, dit-il, tout fier de son geste.

Malgré son envie folle de le disputer, Irma s'en tient à un grognement.

Les rênes en main, elle le regarde venir vers la calèche, le port altier malgré la douleur que ses lacérations lui causent à une jambe.

— Tu es prêt à rentrer à la maison, maintenant ?

— Pas tout de suite. Je suis trop bien habillé...

— On va faire un petit tour à l'église, suggère-t-elle.

— J'aimerais mieux aller au cimetière. Revoir la pierre tombale de grand-père Venner.

— Tu veux dire le mausolée...

— Oui, oui.

Dans l'allée où ils s'engagent tous deux, échangeant à mi-voix au gré des noms inscrits sur les stèles, Irma s'arrête brusquement. Sur l'une d'elles, apparaissent les noms et dates de naissance de William Venner, de Marie Langlais, sa seconde épouse, de Mary Venner, fille issue de son premier mariage et, tout au bas de la stèle, le nom de Héloïse-Marie-Anne-Phédora Venner.

Sa stupéfaction n'a pas échappé à l'observation de Paul-Eugène qui, inquiet, est venu la rejoindre.

— Qu'est-ce que t'as, Irma ? Qu'est-ce qui est écrit ? demande-t-il tout en parcourant le libellé jusqu'à la dernière ligne.

La découverte les paralyse sur place.

— Ça veut dire que j'avais raison, balbutie Paul-Eugène. Si maman n'est pas encore revenue, ça ne devrait pas tarder. Elle le disait aussi dans sa lettre...

— Quelle lettre, Paul-Eugène ?

— Celle que les bandits de matelots m'ont volée, avec tout mon argent... puis la photo de maman.

— Une lettre de maman ?

— Oui. Je l'ai trouvée dans les affaires de papa, déclare-t-il, honteux.

Chapitre V

C e matin du 22 juin, Nazaire LeVasseur a déjeuné seul avec sa fille. Un réconfort souhaité pour cet homme qui n'a que sa fille vers qui se tourner pour se consoler des déceptions que lui fait vivre Paul-Eugène. Aussi, depuis qu'elle a manifesté son désir de devenir médecin, il ne peut lire les revues et quotidiens sans penser à elle.

— J'ai gardé ces articles pour toi, Irma. C'est encourageant de voir que tu n'es plus seule à penser qu'il faut des hôpitaux spécialisés pour nos enfants, dit Nazaire au lendemain d'une soirée houleuse avec Paul-Eugène.

Dans un des journaux, plusieurs paragraphes ont annoncé avec pompe, à l'automne 1908, l'érection de l'hôpital Saint-Luc à l'angle des rues Saint-Denis et du boulevard Dorchester. Nazaire a souligné : *avec dispensaire de quartier pour enfants.* Une page complète pour annoncer l'inauguration du Forum de Montréal, rue Sainte-Catherine, le 8 novembre de cette même année. Le plus petit des papiers prévenait les Montréalais du déménagement, en mars 1909, du Montreal Children's Hospital sur l'avenue Cedar.

Irma fait mine de ne pas en être plus touchée que par les autres chroniques. « C'est donc à cette adresse que je pourrai rencontrer le Dr Forbes », pense-t-elle.

Ce matin, Nazaire ne saurait se plaindre de l'absence de Paul-Eugène qui « flâne intentionnellement dans son lit », prétend-il.

— C'est si bon de causer sans être interrompu ! s'exclame-t-il. J'ai bien envie de prendre encore une demi-heure avec toi, dit-il à sa fille.

— Il n'est pas encore huit heures et vous parlez déjà de partir travailler ?

— Je n'ai pas le choix. Mes problèmes de vision affectent beaucoup mon rendement. Pour bien m'acquitter de toutes mes responsabilités, je dois travailler deux fois plus qu'avant.

— Vous en avez encore combien, de ces responsabilités ?

— Hum... quatre.

— Qu'est-ce que vous attendez pour en laisser tomber ?

— Je ne saurais pas lesquelles sacrifier. J'ai besoin de mon poste d'inspecteur au gouvernement pour vivre. Puis mes activités en musique me donnent tellement de satisfaction, même si elles ne me rapportent pas un sou. Je ne me vois pas abandonner ma présidence à la Société musicale Sainte-Cécile, pas plus que mon rôle de contre-bassiste à la Société symphonique de Québec. C'est comme mon poste de Consul des républiques sud-africaines. Les belles rencontres que j'y fais ! C'est aussi enrichissant que mon travail à l'agence Henri Meunier. J'y apprends beaucoup sur la propriété foncière ; ce n'est pas très payant mais passionnant. Oh ! J'oubliais la Société de géographie de Québec. Je ne la laisserai pas, elle non plus. C'est le moyen par excellence pour faire valoir les mérites de mon ami le capitaine Bernier.

— Vous rendez-vous compte, papa ? Vous avez soixante et un ans et vous travaillez comme si vous en aviez trente.

Les coudes posés sur la table, Nazaire abandonne sa tête entre ses longues mains veineuses et confesse :

— C'est le travail qui donne un sens à ma vie, Irma.

— C'est nouveau ?

— Bof, non ! Mais encore plus en vieillissant.

— Vous en êtes sûr ?

Nazaire lève la tête. Le regard de sa fille le pousse dans les derniers retranchements de sa sincérité.

— J'admets que j'ai toujours aimé le travail, mais il me semble que, quand j'étais dans la vingtaine, je... j'aimais plein d'autres choses.

— Comme...

— Comme...

Ses doigts lissent les quelques mèches qui perdurent sur son crâne dénudé.

— Ouais! À bien y penser, avoue-t-il, presque tout tournait autour du travail.

— Et la famille, elle? Les amis?

La réponse se fait attendre.

— Mes amis ont toujours eu une belle place dans ma vie. Ma famille... c'est une autre histoire.

— Pensez-vous que ça se répare?

— Qu'est-ce que tu veux dire, Irma?

— Vous le savez, papa.

— Par rapport à lui? présume-t-il en pointant son index vers la chambre de Paul-Eugène.

— Pas rien que lui. Maman aussi en a souffert.

— Par sa faute, s'écrie Nazaire. Jamais satisfaite!

Les lèvres cousues, sa fille le dévisage.

— Pourquoi tu m'arrives avec ça, ce matin, toi?

Irma ne bronche pas, son regard toujours braqué sur le sien.

— Bon! Un autre règlement de comptes en perspective! dit-il en quittant la table.

Un coup d'œil dans le miroir du salon, son image le rassure.

— Il faut que j'y aille, moi. L'exemple de la ponctualité est très important quand on travaille au gouvernement. Qu'est-ce que t'as prévu faire aujourd'hui?

— M'occuper de mon frère et aller faire un tour chez tante Angèle. Demain, je me rends à Montréal. Pour une couple de jours. À mon retour, j'aimerais qu'on se trouve un endroit discret pour reprendre notre conversation.

— Si tu y tiens ! concède-t-il en l'embrassant.

Nazaire n'a pas fait dix pas hors de la maison que Paul-Eugène surgit dans la cuisine, vêtu de son complet neuf. Irma désapprouve cette initiative :

— On n'avait pas convenu que tu ne le porterais que dans les grandes occasions ? lui rappelle-t-elle.

— Y en aura pas aujourd'hui ?

— Un autre jour, Paul-Eugène.

— Quand ?

— Quand tu te seras fait une vraie toilette et que tu seras allé chez le barbier.

Paul-Eugène déchante. Sur la chaise que son père a quittée, il prend place, juste en face de sa sœur.

— Tu ne peux pas savoir comme je le déteste, lui.

Irma écarquille les yeux.

— T'as vu, hier soir ? Pas un seul compliment sur mes beaux vêtements. Que des remontrances. Tout ce qu'il trouve à me dire, c'est que je suis un bon à rien. Que je n'ai pas d'allure. Que je lui fais honte.

« Il n'a pas vraiment tort » pourrait lui répondre sa sœur, mais elle préfère le laisser se vider le cœur.

— Tu ne m'as jamais dit des affaires de même, toi, Irma.

Un sourire de gratitude, un retour aux événements de la veille et le voilà engagé dans un autre palabre :

— Je suis bien content que tu lui aies pas parlé de ce qu'on a vu hier au cimetière. Bien bon pour lui ! On garde ça pour nous deux, hein Irma ?

— Tu gardes toujours espoir de revoir maman ?

— Je sais que je la reverrai. Elle va revenir nous chercher. On va repartir avec elle. On va le laisser tout seul ici, lui. Il va voir qu'est-ce que ça fait de...

Paul-Eugène ne trouve pas les mots. Sa sœur les lui soufflerait bien, mais elle juge préférable de lui laisser du temps. À la mélancolie qu'il dégage, elle comprend qu'il est replongé dans ses idées noires.

— T'es-tu déjà demandé si maman serait plus fière de toi que papa ne l'est si elle te revoyait ?

— Je ne serais pas pareil avec elle.

— Tu penses ?

— Je suis sûr, parce qu'elle n'est pas comme notre père.

— Qu'est-ce que tu en sais, Paul-Eugène ?

— Elle ne l'a jamais été.

« Que répondre à ça ? » se demande Irma, désarmée.

— Je te laisse la journée pour te mettre en beauté et réfléchir à ce que papa t'a demandé hier soir.

— C'est assez pour que je fasse des bêtises si je repense à ça. Je ne suis pas capable et je ne veux pas faire des jobs comme il voudrait. Distribuer des journaux, travailler à la voirie, nettoyer les écuries, voir si c'est du travail pour moi, tout ça ! Je suis un musicien, moi.

— Mais tu gagnes combien par mois avec ta musique ? Pas une cenne.

Paul-Eugène se renfrogne.

— Je ne peux pas croire, petite sœur, que tu vas te mettre à me traiter comme mon père...

— Excuse-moi. Je te laisse déjeuner en paix.

— Pourquoi tu ne m'attends pas pour aller chez tante Angèle ?

— Parce que je veux être toute seule avec elle et que toi, t'as plein de choses à faire.

— Rien que des affaires plates, maugrée-t-il.

Irma refrène un fou rire. « Un enfant ! Mais si attachant ! » se dit-elle, non moins déterminée à le faire cheminer. « Mais dans quelle mesure le peut-il ? Comment doser nos exigences ? »

❧

— J'aimerais bien le savoir ! Chaque fois que j'ai cru aller dans le bon sens avec lui, je n'ai qu'empiré son cas, lui apprend Angèle à qui elle est venue se confier.

— Je ne vous crois pas, ma tante.

— Tu veux un exemple ? Ton frère m'est arrivé ici, le Samedi saint au soir, à moitié saoul, la barbe longue, répugnant comme tu ne peux pas t'imaginer. Il voulait de l'argent pour aller récompenser ceux qui le faisaient boire. Ses copains du port, entre autres. Je lui ai laissé croire que j'embarquais dans son jeu : je te donnerai de l'argent quand tu te seras lavé et endimanché, que je lui ai dit. Il est retourné chez lui, m'est revenu deux heures plus tard, bien présentable mais encore plus cinglé.

— Qu'est-ce qui vous a fait penser ça ?

— Son discours. Il s'était imaginé que ta mère était sur le point de revenir par bateau... en même temps que toi, et qu'il allait repartir avec vous deux. Mais comme il veut faire honneur à sa mère, il n'accepterait pas qu'elle doive payer pour lui. Il aurait trouvé un moyen de voyager par mer sans que ça ne lui coûte un sou.

— Comment ? demande Irma, vivement intéressée.

— Comme il gaspille tout son argent à boire, il veut aller traîner avec les matelots pour s'en faire des amis qui le feront monter à bord n'importe quand pour n'importe quelle direction.

Irma l'a écoutée sans broncher. Aucune réaction. Qu'une réflexion profonde.

— Tu es bien étrange ce matin, Irma, note-t-elle.

— J'ai des choses importantes à vous apprendre...

— Au sujet de ton frère ?

— Indirectement, oui. Ce serait mieux qu'on ne reste pas ici. Il est capable de rebondir d'une minute à l'autre.

— On pourrait aller sur les Plaines. Il fait si beau.

En un rien de temps, les deux femmes ont préparé de quoi pique-niquer. Les propos d'Angèle sont légers : les fleurs à planter, le grand ménage à faire, les cadeaux d'anniversaires à préparer, la musique à l'église de Saint-Roch dont elle est toujours l'organiste attitrée.

Sur une grande couverture, à l'ombre d'un magnifique saule, face au fleuve, Irma et sa tante s'installent. Le paysage est magnifique en cette journée où le ciel étale un bleu immaculé. Les deux femmes prennent le temps de le contempler et d'apprécier la quiétude des lieux.

— Comme ça, tu as des nouvelles à m'apprendre ? Des bonnes, anticipe Angèle à voir la mine épanouie de sa nièce.

— Comment vous dire ? Je n'appellerais pas ça des nouvelles. C'est bien plus important que ça, corrige Irma, devenue songeuse.

— Tu m'inquiètes, là, Irma. Parle !

— Je veux vous dire d'abord que Paul-Eugène n'est pas si mélangé que vous le pensez.

Angèle, tendue, laisse tomber la marguerite qu'elle s'apprêtait à effeuiller. Elle quête un indice dans le regard d'Irma.

— Je sais qu'il a des problèmes, surtout sur le plan affectif, mais plus ça va, plus je pense qu'il a développé un sixième sens dont on devrait se méfier.

— Je ne te suis pas, Irma. Parle pour que je comprenne.

— Une intuition beaucoup plus développée que la moyenne.

— Ta mère ?

Irma se réfugie dans ses bras, abandonnée à la vague d'émotions qui les emporte de confidence en confidence. Des aveux d'Angèle confirment les révélations de Phédora. Oui, pendant des années, de nombreuses enveloppes adressées à Angèle LeVasseur en recelaient une autre à l'intention de Nazaire.

— Je les lui ai toutes remises.

— Il réagissait comment ?

— Une carpe.

— Elle vous écrivait en même temps ?

— Rarement. Elle se limitait à des souhaits d'anniversaire ou à des vœux de bonne année.

— Maman ne vous donnait pas de ses nouvelles ?

— Elle ne m'en demandait pas non plus. Mais je savais au moins qu'elle était encore vivante et qu'elle pouvait écrire.

— Pendant combien d'années, à peu près ?

— Plus souvent avant le décès de son père. Après, ses lettres ont commencé à s'espacer. J'en ai reçu pendant au moins six ans. Je ne sais pas si elle les envoyait ailleurs après.

— Pourquoi m'avoir caché ça ? s'indigne Irma.

— Ton grand-père Zéphirin et moi, on obéissait à un ordre de ton père. Au fait, est-il au courant de tout ça ?

— Pas encore. Je dois décider ce que je fais avec Paul-Eugène, avant.

— Oh, mon Dieu ! Il va bien chavirer pour de bon !

— Ne dites pas des choses comme ça, ma tante. Ça me fait tellement de peine. Je suis d'accord qu'il va être très bouleversé, mais...

— ... le paquet de problèmes que tu vas te mettre sur le dos, ma pauvre petite fille, si tu lui apprends que tu as retrouvé sa mère. Ton père n'approuverait sûrement pas ça.

— Je m'en doute bien mais, d'un autre côté, je ne trouve pas ça juste.

Les deux femmes pèsent en silence le pour et le contre d'une telle révélation sur l'équilibre de Paul-Eugène.

— Il voudra que je le ramène avec moi à New York, c'est à prévoir. Pour l'instant, maman manifeste peu d'intérêt pour lui... aucun désir de le revoir. Le fera-t-elle un jour ?

— Si tu refuses de l'emmener auprès de sa mère, il risque de tomber dans une profonde dépression nerveuse ou de faire des bêtises...

— Il me met tellement dans l'embarras avec ses allusions à maman, avoue Irma, forcée d'informer Angèle des fouilles de son frère et de ses trouvailles.

Outrée d'une telle inconduite, Angèle jure d'être plus vigilante et plus sévère à l'égard de « cet être sans respect ». Irma regrette cet aveu. « Je savais que ma tante était d'une discrétion absolue. Mais je la pensais capable de plus d'indulgence envers mon frère. »

— C'est devenu une obsession pour lui que de retrouver maman, plaide-t-elle.

— Belle excuse ! Aurais-tu fait ça, toi ? Paul-Eugène LeVasseur n'est pas le seul au monde à avoir été privé de sa mère. Il devrait se considérer comme chanceux de l'avoir eue jusqu'à l'âge de douze ans, presque treize.

— Admettez que c'est plus facile quand on est sûr que la personne qui nous manque est décédée. Y a rien de pire que le doute pour ronger l'intérieur...

— Irma, tu aurais eu autant de raisons que lui de rester là à t'apitoyer sur ton sort.

— Ça ne se compare pas, ma tante, vous le savez très bien. Il était désavantagé avant même que maman parte. Mais qu'est-ce que vous avez contre lui aujourd'hui ?

— Ce n'est pas d'aujourd'hui. Je n'en peux plus de le voir traîner sa carcasse alors que ton père met les bouchées doubles pour arriver.

— Papa travaille d'abord par plaisir. On en a parlé ce matin.

— Il n'y a pas que ça. Quand je calcule tout l'argent que je lui ai donné pour de menus services et que je découvre qu'il le gaspille dans les tavernes, ça me met hors de moi-même.

— Une existence ratée, diriez-vous ?

— Pour le moins misérable et déprimante.

— Je conviens qu'il a une part de responsabilité mais il ne faut pas oublier qu'il est né avec des problèmes... un genre de maladie dont nous avons été épargnés. Y avez-vous pensé ?

Angèle refuse de répondre. Son dépit l'emporte sur cet appel à la mansuétude.

— Cette sorte de maladie est des plus mal connues, mal jugées. Je vous comprends d'être en rogne contre lui. J'ai une formation médicale et je lis tout ce qui se publie sur le sujet et il m'arrive encore d'avoir envie de le malmener.

— Sans compter que tu vis loin de lui, fait remarquer Angèle. Bon, le sujet est clos. Reparle-moi de ta mère... Je l'aimais comme si elle avait été ma sœur.

— Grand-papa Zéphirin aussi l'aimait.

— Oh, ça, oui ! Je peux en témoigner.

Irma l'informe des intentions manifestes qu'avait eues Phédora de prendre ses enfants avec elle aussitôt qu'elle aurait été installée à New York et des refus répétés de la part des Venner comme de Nazaire. Elle lui parle avec exubérance du travail de sa mère et de leurs retrouvailles. Mais combien de confidences de Phédora ne sortiront jamais de sa bouche !

D'autres questions courent sur les lèvres de la quinquagénaire troublée par ce qu'elle apprend. « Aurai-je le bonheur de la revoir avant de mourir ? J'aurai bientôt soixante ans et je me sens comme si j'en avais quinze de plus. A-t-elle gardé de bons sentiments pour moi ? Se souvient-elle des joies que nous avons partagées après ses concerts ? à la naissance de chacun de ses enfants ? Se souvient-elle... »

— Je sais qu'elle a beaucoup apprécié les services que les LeVasseur ont rendus à notre famille. Elle me l'a dit, affirme Irma.

Angèle ouvre les bras grand comme l'océan d'amour qui l'habite. Irma s'y réfugie avec le bonheur de retrouver cette tendresse, cette compréhension et cette confiance qui ont marqué leur relation depuis sa petite enfance. « Papa avait vu juste quand il m'a confié que sa sœur semblait perdre sa joie de vivre. Je crains que mon frère y soit pour quelque chose. Mais comment la décharger de cette responsabilité qui ne lui appartient pas ? »

— Si jamais maman souhaite rencontrer Paul-Eugène, je ferai un voyage exprès pour venir le chercher.

Angèle n'a pas à verbaliser son soulagement.

— À moins que...

Mais elle hésite, les lèvres closes sur des propos qu'elle ne veut pas regretter d'avoir exprimés.

— Vous aimeriez la revoir, vous aussi ? croit deviner Irma.

— Il ne faut pas brûler les étapes, recommande sa tante avec une prudence qui l'a toujours caractérisée.

L'ambiance se prête maintenant à la dégustation, au plaisir de se retrouver et de contempler le panorama qu'Irma voudrait graver dans sa mémoire pour les jours de nostalgie.

Les deux femmes sont sur le point d'emprunter la rue Fleury en direction des plaines d'Abraham, quand Irma s'écrie :

— J'ai une idée, tante Angèle. Comme mon frère s'attend à ce que maman revienne à Québec d'un jour à l'autre, je vais lui proposer quelque chose qui pourrait... le fouetter. J'espère trouver le temps de tout mettre en place avant de repartir.

— Tu penses que je pourrais t'aider ? suggère Angèle, un tantinet enthousiaste.

— Peut-être bien. Je vous ferai signe...

— Quinze ans d'amitié, ça se fête, s'exclame Maude, toute de blanc vêtue, en accueillant Irma à la gare Viger.

— Qu'est-ce que t'as bien pu mijoter? demande Irma, au fait de la jovialité proverbiale de la D^re Abbott.

Maude attendait impatiemment son arrivée pour l'emmener à sa résidence de St. Andrew d'Argenteuil. Deux jours de repos avec elle, sa sœur Alice et Mlle Funcheon, la servante d'Alice, qu'elle avait planifié.

L'allégresse des deux jeunes femmes est contagieuse, leur amitié, indéfectible. La similitude de leurs combats professionnels et de leur saga familiale les a incitées à l'entraide et à une grande confiance mutuelle.

— Elle est aussi belle de l'intérieur que de l'extérieur, cette gare, s'exclame Irma après avoir pris place dans le train qui les emmènera à Argenteuil.

— C'est notre Château Frontenac en plus modeste, lui retourne Maude.

— C'est un génie, cet architecte!

— Tu parles de...

— ... de Bruce Price. C'est lui qui a dessiné les plans de ces deux édifices, lui apprend Irma.

— Tu es une encyclopédie ambulante, ma belle Irma.

— C'est facile quand on aime son pays.

— Je pense que tu vas aimer mon petit coin d'Argenteuil aussi.

— C'est là que tu es née?

— Non, mais je l'ai depuis 1891. Je me suis offert ce cadeau pour mes vingt-trois ans...

Irma écarquille les yeux d'étonnement.

— La vérité, précise Maude, rieuse, c'est que c'était surtout pour les vingt-cinq de ma sœur. On a pu s'installer dans notre vrai chez-nous, les petites Abbott.

— Tu as dû t'en féliciter quand ta sœur est tombée malade?

Sept ans après l'acquisition de cette maison située dans le village de St. Andrew, Maude y ramenait Alice, en proie à des troubles mentaux sérieux à la suite d'une attaque de diphtérie.

— D'une part, oui. Mais ce n'était pas prévu dans mon budget... les hospitalisations, les opérations, les médicaments, puis le salaire de notre précieuse Mlle Funcheon. Mais je ne regrette rien quand même.

Aucune réaction de la part de sa compagne dont elle note l'air soudain préoccupé. Maude craint que d'avoir fait allusion aux hospitalisations d'Alice l'a ramenée aux tristes souvenirs de l'hôpital Sainte-Justine.

— As-tu l'impression de parvenir à te détacher de ton hôpital de Montréal ? lui demande-t-elle.

Irma penche la tête, soupire et avoue d'une voix feutrée :

— D'autres que nous deux pourraient nous dire si on peut se détacher un jour de son enfant... surtout quand il nous est enlevé prématurément.

— Est-ce que ça t'aiderait de savoir qu'il grandit bien ?

Irma acquiesce d'un signe de la tête.

— Les dames que tu connais organisent une kermesse au parc Sohmer. Elles l'annoncent dans tous les journaux. Elles s'attendent à récolter de trois à quatre mille dollars.

— Je le leur souhaite.

— Ah, oui ! Imagine-toi donc qu'elles ont mis en place une forme de souscription pour le moins originale.

L'intérêt d'Irma est manifeste.

— Chaque enfant qui fait un don de vingt-cinq sous devient un enfant souscripteur.

Irma n'émet aucun commentaire sur ce fait, qu'elle ressent comme une exploitation des enfants. Maude s'en inquiète. Quelques minutes de silence et la conversation est relancée. Par Irma, cette fois.

— Puisqu'on parle d'hôpitaux, je suis contente pour le Dr Forbes.

— Ses initiatives sont récompensées, lui. Tu n'en méritais pas moins, Irma.

— Bah! Je bénis le ciel d'avoir tendance à regarder davantage en avant qu'en arrière...

À mi-chemin entre Montréal et St. Andrew, d'un côté la nappe bleue du lac des Deux Montagnes et de l'autre une immense forêt de pins et d'épinettes. Une région qu'Irma est ravie de découvrir.

— Mais c'est donc bien beau, par ici! Où est-ce qu'on est rendues, là? demande Irma.

— À la Mission du lac des Deux Montagnes. À Oka, pour être plus précise.

— Pourquoi la Mission?

— On m'a raconté que, dans ses débuts, les Amérindiens ont été emmenés de nuit sur ce territoire.

— Comment?

— Par le lac des Deux Montagnes. C'est le Roi qui aurait chargé les Sulpiciens et les sœurs de la Congrégation Notre-Dame de les protéger contre les ennemis, mais surtout de les évangéliser. En retour, ils ont hérité de ce domaine. Par la suite, vers les années 1881-1882, les commerçants se sont plaints de la longueur de ce nom. Ils ont suggéré de le remplacer par Oka.

— Quel drôle de nom pour une municipalité!

— C'est en hommage à un vieil Algonquin mort dans les quatre-vingt-dix ans.

— Tu connais la signification de ce mot?

— Je ne pourrais pas dire, avoue Maude.

Assis face aux deux femmes, un passager visiblement intéressé par leur conversation s'était jusque-là limité à des battements de cils et à des sourires.

— «Poisson doré», c'est ça que ça veut dire, Oka, mes petites dames, ose-t-il sur un ton courtois. Vous avez remarqué cette belle étendue de conifères? leur demande-t-il. Eh bien, sachez qu'on la doit aux Amérindiens et aux Blancs qui ont planté ensemble plus de cent mille pins et épinettes dans les années 1880-1890. C'est la forêt la plus ancienne plantée en Amérique du Nord, puis la plus grande pinède au Canada, affirme-t-il avec une fierté belle à voir.

— On s'est croisés plus d'une fois sur ce train, lui rappelle Maude. Votre nom déjà?

— Jules Brisebois.

— Oui, oui! Ça me revient.

La zone forestière s'efface graduellement pour faire place au village. L'abbaye des Trappistes ne manque pas d'attirer l'attention d'Irma.

— Ça fait longtemps qu'il existe, ce monastère?

— Une vingtaine d'années, je te dirais. C'est le deuxième. Le feu a détruit le premier. Tu vois le calvaire, là-bas, avec ses sept petits bâtiments?

— Ça s'appelle des édicules, reprend M. Brisebois. Tout ça existe depuis le milieu du dix-huitième siècle. C'est le calvaire le plus vieux de toute l'Amérique.

— Vous en savez bien des choses sur Oka, vous monsieur, s'exclame Irma.

— J'ai plusieurs amis ici, vous savez. Quand je voyage, j'en profite pour me faire instruire. J'aime bien connaître l'histoire de tous ces petits coins de notre pays. Ça donne de l'attachement.

— Vous êtes admirable, M. Brisebois, réplique Maude.

— Ah! J'aimerais bien avoir la chance de voyager partout dans le monde comme vous, docteure Abbott. Mais quand on vient au monde à Saint-Henri et qu'on a douze frères et sœurs, on dirait que la pauvreté ne veut plus nous lâcher.

«Brisebois... de Saint-Henri.» Irma en a le souffle coupé. «Bébé Brisebois, sa maman, sa sœur Lucia et ses deux autres petits frères. Les connaîtrait-il?»

— J'ai déjà eu de jeunes patients qui portaient votre nom de famille, monsieur, ose-t-elle.

Maude intervient:

— Je vous avais mentionné, M. Brisebois, que mon amie Irma est médecin, elle aussi.

— Oui, oui. Irma qui, déjà?

— LeVasseur.

— LeVasseur. Ça me dit quelque chose... marmonne-t-il.

Maude vient à la rescousse de sa mémoire.

— L'hôpital Sainte-Justine... ?

— C'est ça, je pense.

— C'est là que je l'ai soigné, le petit Joseph-Rolland, lance Irma, tout émue.

Maude précise :

— C'est elle qui l'a démarré, cet hôpital-là.

En silence, Jules Brisebois fait appel à ses souvenirs. Irma ne veut pas l'en distraire.

— Ouais, ouais, ouais. Ça me revient, là. Pauvre petite Lucia !

— Il lui est arrivé un malheur ? s'écrie Irma.

— Toute une épreuve ! De la voir, jeune de même, obligée d'arrêter l'école pour aider sa mère et prendre soin de ses petits frères, ça crève le cœur. Ma femme va bien leur donner un coup de main de temps en temps, mais ça prendrait une grande personne à plein temps.

— Une bonne, suggère Maude.

— La petite femme n'a pas d'argent pour payer une bonne. Ça prendrait une parente...

— Ou une autre Euphrosine Rolland, murmure Irma.

— Ah ! Je vous le dis, moi, tant que l'argent restera dans les poches des politiciens puis des bourgeois, on n'a pas fini d'en enterrer, des enfants.

— Des enfants ? relance Irma.

— Oui, des enfants. Comment voulez-vous qu'ils restent en santé, tous ces enfants qui ont froid à longueur d'hiver ? qui ont faim à longueur d'année ? Puis j'en passe ! On a beau blâmer le père de famille, mais il finit par se décourager, lui aussi. C'est ça qui est arrivé au père de la petite Lucia. Il est tombé dans l'ivrognerie, puis après ça il s'est jeté dans le canal Lachine.

Un serrement dans la poitrine de la D^{re} LeVasseur. « J'ai l'impression d'être partie hier de Montréal, tant j'entends les mêmes discours qu'il y a deux ans. Il y aurait tant à faire ici, pour les miens. Qu'est-ce que j'ai pensé de m'en aller à New York ? Comme si j'avais ignoré les besoins criants de nos familles du Québec... » se reproche-t-elle. Une vague de tristesse veut l'emporter loin de Maude, loin de la fête annoncée. «J'ai réfléchi, pourtant. Guérir ma blessure, tenter de retrouver ma mère, cesser de ramer à contre-courant», doit-elle se remémorer.

Maude et M. Brisebois sont engagés dans une polémique sur l'usage de la langue anglaise à Montréal. Irma n'est pas invitée à donner son opinion et elle en est fort aise. Elle n'a d'arguments valables, croit-elle, que pour la lutte contre la pauvreté, la maladie et la mortalité infantile. Depuis son enfance, elle utilise les deux langues, tout comme son amie Maude, et elle fréquente francophones et anglophones, sans distinction. Une allégation de M. Brisebois la heurte :

— Les banquiers ? Presque tous des Anglais... tous des voleurs ! Rien qu'à voir leur train de vie, ça saute aux yeux. Les belles toilettes. Les grosses maisons. Les grands voyages.

Choquée par ces jugements qui, elle est seule à le savoir, égratignent la réputation de son grand-père Venner, plus Britannique dans l'âme que Canadien, Irma sort de son mutisme. Sur un ton qu'elle souhaite convivial, dans l'esprit de cette rencontre, elle rétorque :

— Heureusement qu'il y a des exceptions, n'est-ce pas, M. Brisebois ?

— À qui le dites-vous ! En passant, je me permets de vous dire que vous êtes deux sacrées belles femmes, vous et Mme Abbott ! Avec du cran comme ça se peut pas !

Amusée et touchée par ces compliments, la D^re Abbott sert à M. Brisebois un exposé élogieux sur le parcours de son amie depuis le début de ses études en médecine. L'intérêt suscité est tel qu'arrivé à St. Andrew, M. Brisebois se plaint de devoir se séparer de «jeunes femmes aussi admirables».

Une demi-douzaine de calèches sont alignées à proximité de la gare. Maude connaît plusieurs cochers.

— *Home*, dit-elle à M. Bourque, son préféré.

— C'est loin d'ici, ta maison ? s'informe Irma.

— À moins de dix minutes.

Devant la maison toute de brique rouge, aux larges fenêtres et à l'architecture très originale, Irma est fascinée.

— Vous, M. Bourque, n'oubliez pas de revenir nous prendre dimanche matin.

— À dix heures tapant, je serai ici, mes belles dames! promet-il, les bagages de ses voyageuses déposés sur la véranda de la coquette maison des sœurs Abbott.

Maude frappe à la porte avant d'insérer la clé dans la serrure.

Une dame dans la cinquantaine, un petit tablier festonné à la taille, un sourire radieux sur les lèvres, une chevelure argentée ramassée en chignon sur la tête, les accueille à bras ouverts. Sitôt les présentations faites, Maude quitte le portique et s'avance à la rencontre de sa sœur.

— Alice est retournée dans sa chambre quand elle a découvert que tu n'étais pas seule. Elle est un brin intimidée, dit Mlle Funcheon.

— Je vais aller lui parler, convient Maude, habituée à de telles précautions avec Alice.

Mlle Funcheon se charge de conduire Irma à la chambre qui lui a été réservée après lui avoir fait visiter la maison. Un grand hall d'entrée aboutit à un corridor spacieux; sur la gauche, un salon richement meublé, puis un imposant foyer qui introduit dans une pièce débouchant sur une verrière.

— C'est à couper le souffle! s'exclame Irma devant les murs couverts de bibliothèques.

Comment ne pas s'épater devant la table Georges IV encadrée de fauteuils du même style?

— Sentez-vous bien à l'aise de vous rafraîchir si vous le souhaitez, lui offre Mlle Funcheon en lui désignant le bassin d'eau placé sur une petite table avec tous les accessoires nécessaires.

Irma croit qu'il est de mise de le faire maintenant. «Les trois habituées de la maison aimeront pouvoir disposer de quelques minutes ensemble», juge-t-elle. Le temps que Maude prend à venir la chercher lui donne raison.

L'attente se prolonge, Irma se questionne. Des pas vers sa chambre la rassurent.

— Alice croyait que j'avais amené un médecin ici pour l'examiner, dit Maude. J'ai dû prendre le temps de lui reparler de toi et de notre amitié.

— Elle va bien aujourd'hui?

— Depuis le début de juin, c'est mieux. On dirait que le retour de l'été apporte plus de lumière dans sa tête. Elle va venir souper avec nous, le temps de se familiariser avec ta voix...

Mlle Funcheon, deux verres de limonade et de petits biscuits disposés sur un plateau qu'elle porte gracieusement, les rejoint près de la fenêtre d'où elles admirent le jardin.

— Si on allait déguster ça dehors ? propose Maude.

La fragrance des lilas incite à la confidence. La bonne nouvelle dont faisait mention Irma dans une de ses lettres n'a cessé de piquer la curiosité de Maude. Jugeant le moment des mieux choisis pour l'entendre, elle risque une entrée en matière :

— Il y a quelque chose de différent chez toi, Irma. Dans tes yeux surtout. Du pétillant... du bonheur, je dirais. Je me trompe ?

— Non, Maude. Un grand bonheur m'est arrivé...

— Tu es en amour, je gage.

— Tu brûles.

— Tu as fait une découverte médicale importante.

— Une découverte, oui. Mais pas médicale.

— Ta mère !

Le couronnement d'une des plus précieuses quêtes d'Irma. Les deux jeunes femmes savourent cette incommensurable joie.

— Après plus de vingt ans de séparation ! Mais quelle victoire ! s'écrie Maude, qui ne peut retenir ses larmes. Raconte-moi !

Toutes deux rapprochent leurs sièges et, genoux contre genoux, elles s'accordent des instants de vive émotion. Chaque étape des retrouvailles de la mère et de sa fille touche Maude, lui inspire des questions, suggère des commentaires et des aveux.

— À ta place, j'aurais eu l'impression de vivre un conte de fées par moments. À d'autres, un cauchemar...

— C'est exactement ce que j'ai ressenti, Maude. Aujourd'hui, je peux te dire que la joie l'emporte drôlement sur la peine. Je n'ai pas encore trouvé les bons mots pour traduire ce que j'ai ressenti quand j'ai su que c'était elle... encore moins pour décrire l'instant où je l'ai revue pour la première fois.

— Dis, Irma. Dis !

Irma n'est pas plus habituée à donner libre cours à ses émotions qu'à les exprimer. Les grands yeux de Maude l'y convient.

— C'est comme si je devais rétablir le contact avec ma mère pour devenir une vraie femme. Pour le sentir dans toute ma personne.

Maude reste bouche bée. Une confidence aussi personnelle la met très mal à l'aise. Comme tout propos concernant la féminité. Plus encore sur la sienne, qu'elle a toujours refusé de questionner. Dans son champ d'introspection, elle n'a fait de place que pour sa supériorité intellectuelle, sa jovialité naturelle et son amour pour le Dr Osler. La mise à nu d'Irma touche une zone secrète qu'elle fuira... à nouveau.

— Dirais-tu que c'est ce qu'elle t'a appris ou si c'est son attitude envers toi qui t'a le plus bouleversée?

— Les deux. Apprendre la vérité sur son exode à New York a refait son image à mes yeux. L'affection passait mieux après entre nous deux. Mon amour pour elle est redevenu comme avant 1887.

— Tu es sûre qu'elle t'a dit la vérité?

— Je le crois, oui. Mais je le saurai bientôt. Je dois affronter mon père dans les prochains jours.

Une invitation à se mettre à table leur est faite avec la courtoisie proverbiale de Mlle Funcheon. Maude en est fort contrariée. Malgré sa curiosité piquée à vif, elle devra patienter jusqu'à ce que l'opportunité leur soit donnée de reprendre cette conversation là où elles ont été forcées de l'interrompre.

— Excuse-moi, Irma. Mlle Funcheon met tellement de soins à nous préparer de bons petits plats qu'elle ne mérite pas qu'on la fasse attendre.

Alice occupe sa place habituelle, à droite de sa protectrice.

La gaieté se prête fort bien au décor de la table, aux mets présentés et à l'annonce de bonnes nouvelles.

— Je vais à Ottawa dans deux semaines... Un voyage qui me donne énormément d'espoir, dit Maude, frétillante.

La D^{re} Abbott aura enfin une complice en la personne d'Alice Evelynn Wilson, une Ontarienne affectée à la Commission géologique du Canada, à titre de commis à la section de la Paléontologie des invertébrés.

— Elle m'a dit être la première géologue au pays.

— Géologue! Mais c'est un travail très exigeant sur le plan physique!

— Je le sais! Tu devines comme elle a dû se battre pour être admise puis reconnue dans cette profession?

— Ça n'a sûrement pas été plus facile qu'en médecine, au Québec.

— Oh, non! D'autant plus que Mme Wilson n'a pas une aussi bonne santé que nous. Comme la plupart des femmes qui empruntent de nouveaux sentiers, elle y pensait déjà alors qu'elle n'était qu'au cours primaire. Elle m'écrivait qu'enfant déjà, elle passait ses étés à chercher des pierres et des fossiles en compagnie de ses deux frères. Ce qui ne lui a pas facilité la tâche, c'est son entêtement à devenir géologue de terrain. Si les hommes ne voulaient pas de nous comme docteures, imagine leur opposition à ce qu'une femme se retrouve avec eux dans un campement, en milieu éloigné. Ils ne l'ont pas ménagée, Alice Wilson. Des travaux sur le terrain dans les basses terres de l'Outaouais et du Saint-Laurent, elle en a fait!

— Tu l'as découverte comment? demande Mlle Funcheon.

— C'est elle qui avait entendu parler de mes travaux de catalogage. Elle veut faire la même chose pour la collection de l'Édifice commémoratif Victoria à Ottawa. Je vais aller lui donner un coup de main pour démarrer sa classification.

— Je comprends ton enthousiasme. C'est tellement enrichissant de partager des intérêts communs et de se sentir épaulé dans ses combats.

— Je veux te la présenter un jour... pour une raison bien particulière.

Maude adore piquer la curiosité des gens.

— Tu ne devines pas, Irma?

— Allez, Maude! la supplie Mlle Funcheon.

— Son amour pour les enfants. Un de ses grands rêves est d'écrire un manuel de géologie à leur portée.

Une question brûle les lèvres d'Irma.

— Elle a quel âge?

— Un peu plus jeune que toi: vingt-huit ans, je pense.

— Puis...

— Mariée? Pas mariée? C'est ça que tu veux savoir, en plus?
Irma sourit.

— Comme nous autres. Pour l'instant, en tout cas.

— Vous avez encore le temps de vous trouver un mari, vous deux,
considère Mlle Funcheon. Je vous le souhaite. D'expérience, je vous
avoue que parfois c'est long... parfois, hélas, il ne se présente jamais.

La révélation étonne Maude. À Irma, elle parle de regrets. Aussi,
Maude s'empresse-t-elle de revenir à Mlle Wilson. La distance qui les
sépare et les obligations d'Irma ne leur permettent pas d'espérer cette
rencontre à trois avant l'an 1910.

— À moins que toi et Mlle Wilson veniez me rendre visite à
New York, lance Irma, suscitant un chapelet de projections aussi fan-
taisistes les unes que les autres.

Jusque-là, Alice a assisté, sereine et joyeuse, aux échanges des
trois femmes. Aucune d'elles ne se formalise de la voir accorder toute
son attention à Irma; il en est ainsi avec toutes les personnes qu'elle
voit pour la première fois. Mais voilà que la conversation est soudainement interrompue. Alice vient de fondre en larmes. Est-ce la
perspective d'un voyage de Maude auquel elle ne se sent pas invitée
qui en est la cause?

Mots et caresses ne font qu'envenimer le chagrin de la malade.
Son assiette repoussée violemment au milieu de la table, Alice quitte
sa chaise et se précipite vers Irma, se lance à son cou, la suppliant de
l'emmener avec elle. Catastrophée, Mlle Funcheon s'épuise à essayer
de la ramener à sa chambre. Maude a compris qu'une fois de plus,
la crise ne pourra se dénouer sans l'intervention de Maria, la grosse
femme du village, la seule qui ait une emprise infaillible sur «la folle
Abbott», comme la surnomment les gens de la place. Un battement
de cils suffit pour que la servante coure chercher la dame aux pouvoirs
exceptionnels.

Le lendemain matin, avant d'ouvrir les yeux, Irma prête l'oreille.
Aucun bruit, si ce n'est le glissement des pantoufles de Mlle Funcheon
sur le plancher de bois. Une demi-heure plus tard, le tintement de

couverts posés sur la table de la salle à manger, une odeur de crêpes, un arôme de thé, un bref chuchotement la rejoignent dans sa chambre. Un jet aux couleurs de l'arc-en-ciel s'est frayé un chemin entre les deux tentures pour s'étaler sur la courtepointe. À sa luminosité, Irma juge qu'il doit être tout près de neuf heures. Elle n'a pas à regarder sa montre pour comprendre qu'il est assez tard. Le quotidien du voisinage se fait entendre : le cri d'un charretier, des hennissements de chevaux, le claquement de portes des bâtiments, des rires d'enfants. Ceux-là tirent Irma de son lit. Ces échos cristallins lui manquaient depuis son départ de New York. Des tentures de la fenêtre qui donne sur le jardin, elle tente d'en apercevoir quelques-uns; elle y découvre son amie Maude, campée dans une chaise qui fait dos à la fenêtre, penchée... sur un livre, croit-elle. Sur le point de se reprocher d'avoir tant tardé à se lever, Irma se rappelle le temps qu'elle a mis à s'endormir et le sommeil agité qui a suivi. Un brin de toilette, la jupe marron et le corsage écru qu'elle avait glissés dans ses bagages lui semblent convenir. Après une salutation gracieuse à Mlle Funcheon, les pas feutrés, elle file dans le jardin. Maude n'a pas de livre sur ses genoux mais un petit papier dans sa main. À première vue, une photo qu'elle s'empresse d'enfouir dans la poche de sa jupe.

« Je ne voulais surtout pas te déranger », pensait dire Irma, mais elle juge plus pertinent de prendre des nouvelles de sa nuit. La réponse ne lui cause aucune surprise. Les yeux cernés de bistre, Maude s'inquiète aussitôt du bien-être de son invitée.

— Ne t'en fais pas pour moi, Maude. Tu vois l'heure qu'il est ? Je me suis suffisamment rattrapée.

— Elle est tellement imprévisible, ma chère Alice ! Je ne peux plus me permettre de recevoir certaines gens ici, tu comprends ? Mais toi, c'est différent...

— Mon frère aussi me cause ce genre de souci.

— Il est traité ?

— Plus ou moins. Justement, comme tu as fait beaucoup plus de démarches que moi auprès des spécialistes en santé mentale, tu pourras me conseiller.

— J'ai prévu une balade juste pour nous deux cet après-midi, le long du lac des Deux Montagnes. Je connais un sentier... beau à couper le souffle.

— On pourra jaser à notre aise, projette Irma.

Alice n'est sortie de sa chambre ni pour le déjeuner, ni pour le dîner. Mlle Funcheon veille sur elle tout en s'acquittant de ses autres tâches.

— Elle est épuisée, comme après chaque crise, explique Maude, sur le point de s'engager sur le sentier de plus de deux milles... d'échanges amicaux.

— Ce n'est la faute de personne si elle est comme ça, ta sœur.

— Je crains que l'hérédité y soit pour beaucoup. Son attaque de diphtérie pourrait n'avoir été qu'un déclencheur. Les Babin... Je ne connais pas grand-chose sur leur famille, mais la sœur de papa... tu sais laquelle ?

Les deux femmes marchent en silence, cueillant tantôt une jeune pousse de fougère, tantôt une feuille d'érable d'un vert flamboyant. Maude pousse de longs soupirs. Une lassitude qu'Irma peut comprendre. Une culpabilité qu'elle n'éprouve ni n'approuve.

— Je ne regrette pas de l'avoir emmenée vivre ces trois ans avec moi en Europe, mais je me sens égoïste de la laisser ici à longueur de semaine, même si elle a les meilleurs soins que je puisse lui payer. Le plus impardonnable, c'est le soulagement que je ressens quand je mets le pied en dehors de la maison. À toi, Irma, je peux dire que s'il fallait que je m'en occupe, je deviendrais folle... Mlle Funcheon a toute mon admiration.

— Tu as toute la mienne, Maude. Ça prend beaucoup de courage et une honnêteté exceptionnelle pour admettre des sentiments comme ceux-là.

— Tu me fais du bien, Irma.

— Je t'avouerai que même si le cas de mon frère est beaucoup moins lourd que celui de ta sœur, je me demande comment mon père fait pour l'endurer dans sa maison à flâner toute la journée... sans parler du reste. Je ne devrais plus lui reprocher de ne pas s'en occuper davantage.

— Tu avais une question à me poser à son sujet, lui rappelle Maude.

— Penses-tu qu'il y a encore quelque chose à faire pour un homme de trente-quatre ans qui a encore un raisonnement d'enfant?

Maude réfléchit, effeuille sa branche de fougère et dit, retenant un sourire :

— Même s'il revoyait sa mère, elle ne pourrait quand même plus le bercer.

— Elle l'a tellement fait! Même après qu'il a eu dix ans!

L'expérience de Maude, les appréhensions d'Irma, l'opinion de sa tante Angèle allaient toutes dans le même sens. La raison et le cœur? Non.

— Je n'ai qu'à m'imaginer un instant que les rôles sont inversés : mon frère me cache sa découverte à la suite de sa fouille dans les papiers de papa, j'apprends plus tard qu'il est en contact avec notre mère et qu'il ne m'en a pas parlé. Je ne répondrais pas de mes actes, Maude.

Le crissement des cailloux sur leur passage porte leurs réflexions.

— Je pense savoir ce qui serait mon choix si j'étais Irma LeVasseur, annonce Maude. Je dirais toute la vérité... pas à Paul-Eugène, mais à sa mère. Et je lui laisserais prendre la décision; c'est à elle que ça revient. C'est elle qui est partie. En attendant, je garderais mon secret bien au chaud.

— Tu n'en parlerais même pas à ton père?

— Moi? Non! À toi de voir si c'est important de mettre à l'épreuve la version de ta mère.

Irma ne s'attendait pas à remettre en question la pertinence d'affronter Nazaire. Le goût ne lui vient pas plus d'en discuter avec Maude. Sa dernière lettre à son père, cousue de sous-entendus, lui offre l'opportunité de faire diversion sur d'autres sujets.

— Tu penses revoir le Dr Osler avant longtemps?

La question saisit Maude, encore habitée par les inquiétudes de son amie.

Des troncs d'arbres tombés le long du sentier semblaient attendre les deux jeunes femmes. Elles en choisissent un pour s'y asseoir, le temps d'une pause, mais plus encore pour échanger dans cette oasis, loin de toute oreille indiscrète, ce que Maude ose à peine s'avouer à elle-même. La main plongée dans la poche de sa jupe, elle en ressort un petit étui de cuir qu'elle ouvre délicatement et sur lequel elle pose son regard.

— Le temps n'arrange rien. Je traîne encore sa photo avec moi. Ça fait onze ans. Je ne passe pas une journée sans la regarder... en cachette, bien sûr, murmure-t-elle.

Puis, elle tend à son amie le portrait du Dr Osler.

— Regarde ses yeux. On dirait qu'ils sont toujours dirigés sur moi. On y trouve toute la bonté qu'il porte en lui. Son front, tu le vois ? On ne peut pas douter de la supériorité de son intelligence quand on connaît un peu la physiologie.

Et, replaçant la photo dans l'étui qu'elle garde ouvert devant elle, Maude confesse :

— Dommage qu'elle n'émette aucun son. Tu croulerais au timbre de sa voix. Une musique, ma chère ! La plus belle que j'ai jamais entendue. Même à Vienne.

Le regard d'Irma se promène entre ces deux visages aux traits les plus opposés : ceux de Maude, francs et virils. Ceux du Dr Osler, une dentelle.

— Je crois t'avoir dit dans ma lettre que cet homme-là... me chavire. Un génie ! Il excelle en tout, la médecine, la recherche, la conservation des archives. Au-delà de cette admiration inconditionnelle que j'ai pour l'homme de science, il y a l'homme, tout court. Celui qui... qui m'a mise au monde, dans le sens qu'il a su découvrir le meilleur de moi-même et m'aider à l'exploiter. Un père, oui, sur ce plan-là, mais... Il est plus encore. Comment dire ? Quand je laisse aller mon imagination, je sais que le paradis sur terre existerait pour moi si...

— Si tu étais avec lui ?

— À la condition que nos sentiments soient réciproques.

— Tu penses qu'il en éprouve pour toi ?

— Malheureusement, je ne suis pas la personne qui pourrait te donner la vraie réponse. J'interprète ce qui fait mon affaire... Ce qui nourrit mon espoir. Je repense souvent à ce souper pris chez lui; il m'avait fait cadeau de plusieurs exemplaires des livres qu'il avait écrits. Je l'entends encore me parler de la chance que j'avais de travailler au musée de McGill. Déjà, il était sûr que je ferais de grandes choses avec ce musée. Cette confiance qu'il a en moi ! Venant d'un homme de son rang et de sa compétence, c'est un privilège extraordinaire, dit Maude dont la voix trahit une vive émotion.

Irma l'écoute sans intervenir. Son sourire et son regard témoignent de sa réceptivité.

— Que de belles choses il a écrites à mon sujet, reprend Maude. Tu te souviens de mon article sur les maladies cardiaques des nouveaux-nés ? J'ai copié cette phase derrière sa photo, regarde.

Toutes deux lisent l'hommage : *La meilleure chose écrite sur le sujet en anglais, peut-être même dans toutes les langues.*

— Quand je regarde nos deux chemins de vie, je me prends à croire qu'ils auraient pu se croiser, un jour, qu'ils le pourraient encore sans que je fasse de mal à personne.

Irma fronce les sourcils. Maude lui résume leurs parcours :

— Beaucoup de points communs entre nous deux : étudiants et employés de l'Université McGill, intérêt pour la pathologie, perfectionnement en Europe, passion pour la recherche et la classification, sans parler de certains de nos traits de caractère...

— Tu es prête à l'attendre longtemps ?

— Il aura soixante ans le 12 juillet. Il est encore jeune.

Une pensée... plutôt morbide traverse l'esprit d'Irma.

— Je sais à quoi tu penses, balbutie Maude. Je sais. On n'a pas le droit de souhaiter ça, mais s'il devenait veuf,ce serait un signe peut-être...

La désapprobation se lit sur le visage d'Irma. Maude veut en connaître les raisons.

— À mon avis, tu te fais du mal, Maude. C'est comme si tu t'anes-thésiais le cœur au cas où ton rêve se réaliserait. Si tu as vraiment le goût de vivre une vie de couple, il serait grand temps que tu t'ouvres à d'autres possibilités...

— La vie de couple ne m'intéresse pas comme telle. C'est lui qui m'intéresse.

Irma se lève et toutes deux reprennent le sentier vers la maison.

— Comme tu vois, Maude, je suis loin d'être une spécialiste en la matière. Je me suis embourbée plus d'une fois dans une histoire semblable, mais, je te le disais dans ma lettre, j'ai trouvé ma façon d'assumer un amour impossible sans trop de douleur. Je pense sin-cèrement qu'il revient à chacun de trouver la sienne.

Après un demi-mille de silence, Maude s'esclaffe.

— Deux spécialistes de la recherche qui ne trouvent pas de formule pour être vraiment heureuses ! s'exclame-t-elle, désarmant sa compagne.

＊＊

Ce séjour à Oka avait largement dépassé les attentes d'Irma. Les échanges avec son amie Maude en avaient donné le ton. Fait inopiné, mais combien apaisant, juste avant son départ, cette dernière lui avait suggéré d'écrire un mot à la petite Lucia Brisebois; Maude avait promis de le lui faire parvenir.

> *La D^re LeVasseur pense souvent à toi, Lucia, à ton petit frère Joseph et à toute ta famille. Elle souhaite que tu restes toujours aussi courageuse et confiante en l'avenir.*

Autre objectif atteint, avant de reprendre le train pour Québec, la D^re LeVasseur avait rendu une courte visite au Dr Forbes, à Montréal. Leur entretien avait tout de suite emprunté le chemin de l'intimité.

— Ce serait ma fille qui viendrait m'apprendre qu'elle a retrouvé sa mère que je n'en serais pas plus heureux, lui avait-il dit.

Rencontrée à son domicile, Euphrosine avait été fidèle à elle-même : affectueuse, généreuse et discrète, se limitant à donner des nouvelles de l'hôpital. Par contre, elle avait un message pour elle de la part du Dr Séverin Lachapelle, ancien surintendant de la crèche de la Miséricorde avec qui Irma avait beaucoup échangé jusqu'à son départ de Montréal. Un message de compassion pour l'épreuve vécue au sein de l'équipe fondatrice de l'hôpital. C'était maintenant au tour du Dr Lachapelle de subir le manque de compréhension et de collaboration de ses collègues. Pour nombre d'entre eux, l'œuvre de la Goutte de lait se limitait à distribuer du lait pur et à tenir les livres, alors que pour le Dr Lachapelle l'éducation à l'hygiène et la prévention s'avéraient essentielles...

— Elle me manque beaucoup, confiait-il à Mlle Rolland qui lui donnait des nouvelles d'Irma. J'aurais tellement aimé poursuivre avec elle le travail d'information et de formation que nous avions commencé auprès des jeunes mamans.

Profondément touchée, Irma avait demandé à sa bonne amie de transmettre cette réponse au Dr Lachapelle :

— De l'autre côté de la frontière américaine, je fais un travail considérable auprès des écoliers et des familles pour améliorer les conditions d'hygiène, de soins et d'alimentation des enfants et de leurs parents. Je le fais avec l'espoir qu'un jour, cette semence porte des fruits non seulement à New York mais jusqu'au Québec.

Fière de « sa petite docteure Irma », Euphrosine avait ajouté, l'œil coquin :

— À l'hôpital, plusieurs chuchotent que tu as dû te résigner à ouvrir un bureau de consultation dans ta ville natale... Quand je les entends, je ne me gêne pas pour leur fermer le bec : « Détrompez-vous. Notre D[re] LeVasseur a été engagée par la Ville de New York, rien de moins », que je leur dis avant de filer mon chemin.

Entre les deux femmes, la promesse de demeurer en contact a été renouvelée avec un enthousiasme décuplé.

Forte de tous ces bonheurs, Irma rentre à Saint-Roch, déterminée à actualiser un plan. Pour ce faire, la complicité de sa tante lui est nécessaire.

— Je cuisinerai une de mes meilleures fricassées de bœuf et j'irai la déguster avec Paul-Eugène pendant que ton père et toi discuterez en paix dans l'ancien boudoir de papa, avait proposé Angèle pour faciliter l'entretien prévu par Irma.

Tôt après son travail au gouvernement, Nazaire allait rejoindre sa fille, déjà installée dans le fauteuil de son grand-père LeVasseur.

Sous la vitre qui protège une table du boudoir, des photos et quelques fragments de journaux. Sur l'un d'eux, une phrase saisissante qu'Irma lit à haute voix :

— *Que St-Roch était beau alors !*

— Qu'est-ce que c'est ? demande Nazaire.

— Un article publié dans *Le Journal de St-Roch*, le 14 décembre 1874.

— Lis-moi la suite, la prie-t-il.

Irma se penche sur le texte et déclame, comme au temps de ses études secondaires :

« Vous vous êtes rappelé les beaux jours où la construction des navires atteignait à l'apogée du succès. Que St-Roch était beau alors ! Comme cela faisait du bien à l'âme de voir, à midi sonnant, passer, dans nos rues, ces longues files de travailleurs, la brassée de copeaux sur l'épaule, contents et heureux d'apporter à l'âtre des heures de paix et de douce prospérité. »

Nazaire prend le temps de laisser l'émotion filer avant de commenter ce texte si nostalgique.

— Je soupçonne Angèle d'avoir trouvé ce papier dans les affaires de ton grand-père. Ça s'est bien dégradé dans les années qui ont suivi. Je m'en souviens. J'avais vingt-six ans.

— Marié depuis deux ans... murmure Irma.

— Notre petit Jules-Henri-Gustave était né au début d'avril. Un beau garçon costaud. Quand je pense qu'il avait à peine quatre ans quand il est parti.

Un long soupir, le temps de revenir aux évocations de cette chronique.

— En ces années-là, on était dans le creux de la vague. Dix ans plus tôt, la moitié de la population vivait encore de la construction navale. On mettait soixante-quinze navires à l'eau par année. Le déclin a été tellement brutal qu'au début des années quatre-vingt, on en mettait à peine cinq. C'est ici pourtant que s'est construit le premier bateau à vapeur qui a traversé l'Atlantique. Le *Royal William*! Qu'il était magnifique! Je le vois encore. Élancé avec ses trois grands mâts, il a été mis à la mer en avril 1831 par Lord et Lady Aylmer. Il a fait un bon nombre de traversées entre Québec et les colonies atlantiques, cette année-là.

— Qu'est-ce qu'il est devenu?

— L'année suivante, il était mis en quarantaine à cause d'une épidémie de choléra. Tu imagines les pertes pour les propriétaires!

— Grand-père Zéphirin avait toujours la gorge serrée quand il me parlait de cette épidémie.

— Y avait de quoi! Saint-Roch a vu mourir vingt pour cent de sa population. À partir de là, les malheurs se sont multipliés : des incendies, des pertes d'emploi, la pauvreté de la moitié de nos familles. C'est l'industrie manufacturière qui nous a sauvés. On a cessé de regarder vers Montréal qui nous avait volé notre port international puis on s'est tournés vers l'Est. Pauvre papa! Il en a passé, des années difficiles.

— Vous aussi... Je suis venue ici pour qu'on s'en parle, tous les deux.

Nazaire est nerveux. Ses mains s'agitent sur les revers de son veston.

— Je ne sais jamais à quoi m'attendre avec toi. Ça fait des mois que je sens que tu trames quelque chose, mais quoi, cette fois?

— Vous semblez avoir oublié les indices que je vous ai donnés dans mes lettres. C'est une très bonne nouvelle, papa.

— Bonne pour toi ne veut pas dire bonne pour moi, lui fait-il remarquer.

En apprenant qu'Irma a retrouvé sa mère, Nazaire a frôlé l'éva-nouissement. Une bourrasque sur son cœur, une onde de choc dans sa tête.

Allongé sur le sofa, il refuse quelque apaisement venant de sa fille, et pour cause : il présume qu'elle le criblera de questions, qu'elle exigera la vérité. « La vérité sur Phédora, je la réclamerai avant de me soumettre à son interrogatoire », se promet-il. Ce dessein le tire du sofa et le ramène vers sa fille. Avant qu'il n'ait eu le temps d'ouvrir la bouche, une question lui est adressée :

— Vous auriez préféré qu'on ne se revoie jamais, maman et moi?

— J'aurais tellement aimé trouver les arguments pour la dissuader de partir...

— Oui, je le sais, mais après, papa? Après? La souffrance que vous nous avez fait vivre, à mon frère et à moi... parvient-elle à émettre d'une voix étranglée par le chagrin vécu.

Nazaire, debout devant sa fille, les mains posées sur les hanches, le regard incendiaire, prend son père à témoin de chacune des paroles qu'il va prononcer.

— Quand tu as mis vingt ans à essayer d'oublier ta descente aux enfers, tu n'as pas envie d'y retourner. Mais je le ferai, pour toi. Ce sera la dernière fois.

— Je ne savais pas que ç'avait été si dur pour vous.

— Mets-toi à ma place deux minutes, Irma. Comment peux-tu croire qu'un homme qui se retrouve tout seul avec ses deux enfants sans raisons valables ne soit pas détruit? Ta mère t'a peut-être dit que je l'avais mise au défi de faire mieux sans moi, mais ce n'était que pour la faire réfléchir. Pour qu'elle se rende compte qu'elle était trop exigeante... Elle a tout pris au pied de la lettre et elle est partie comme ça, sans me prévenir. Elle a poussé l'odieux jusqu'à penser que j'aurais le goût d'aller la rejoindre à New York! Un fou, moi! Pour les caprices de madame, j'aurais abandonné tout ce que j'avais bâti ici pour recommencer au bas de l'échelle dans une ville comme New York? Non merci! En plus, elle s'imaginait que je vous enverrais vivre avec elle, là-bas! Le beurre et l'argent du beurre pour madame... comme toujours : un mari qui la dorlote à la maison mais qui lui apporte quand même beaucoup d'argent; un mari qui ne travaille que pour elle : sa carrière, ses costumes, son confort.

Irma l'a écouté, s'interdisant, à plus d'une reprise, de l'interrompre. Les révélations de sa mère l'avaient chamboulée, celles de son père la troublent tout autant.

Nazaire lui a tourné le dos et vient s'appuyer à la fenêtre qui donne sur le jardin, sur le cerisier que Phédora chérissait. Des images qu'il était parvenu à repousser au prix d'efforts inouïs resurgissent. Des images qui lui trituraient le cœur. Tant de bonheurs perdus, gaspillés, irrécupérables! Tant de souffrances imposées à ses enfants. Des souffrances mal jaugées, minimisées, occultées. La rançon d'une quête de bonheur inassouvie... celle de Nazaire, celle de Phédora.

Lorsqu'il se retourne vers Irma, il la trouve sanglotante, comme quand, à dix ans, onze ans et plus encore, elle suppliait son père de l'emmener voir Phédora. Comme lorsqu'elle sombrait dans le désespoir, persuadée que Nazaire aurait pu le faire s'il avait voulu. À cet instant même, il la sait aux confins d'un univers de plus de vingt ans de désarroi, d'angoisse et d'amours bafoués.

— Je sais que j'ai mal fait de te cacher...

— ... les photos de maman... ses lettres, adressées à moi, vous n'aviez pas le droit, papa, de me les voler, lance-t-elle à travers ses pleurs.

— Tu avais assez de peine sans ça. Je voulais te ménager...

— Vous n'avez pas idée du mal que vous m'avez fait. Maman partie, il ne me restait plus qu'un fantôme de père. C'est auprès de ma mère qu'elle était, ma place.

— Je croyais tellement qu'elle reviendrait vite, quand...

Le mot lui a échappé. Nazaire cache son visage derrière ses longues mains laiteuses.

— Quand quoi, papa?

Nazaire se ressaisit.

— Quand elle aurait vu par elle-même qu'elle s'était trompée.

— Trompée sur quoi?

— Sur ses chances de faire une carrière à son goût à New York.

— Y a pas que ça, papa, vous le savez bien. Pourquoi encore me cacher des choses ? J'ai trente-deux ans, j'ai le droit d'entendre la vérité.

Où sont les mots que ce journaliste-écrivain manipulait avec tant d'aisance ? Il n'en trouve pas pour rendre avec justesse les circonstances de cette tragédie familiale... blindée de silence pour l'honneur et la survie.

— Elle a eu tort de penser que je consentirais à vous envoyer vivre avec elle, là-bas, sans savoir...

— ... sans savoir quoi, papa ?

— Combien de temps... ça durerait.

Nazaire retient une autre confidence, Irma le sent.

— Vous avez pensé que maman aimait l'autre, c'est ça ?

— Il avait pris toute la place dans sa vie. Mes conseils et mes efforts pour faire évoluer sa carrière, tout ça ne valait plus rien aux yeux de ta mère.

— Toute la place ? Même dans son cœur ?

Nazaire secoue la tête. Il s'était juré de ne rien dire à ce sujet... trop épineux et trop nébuleux.

— Ta mère semble t'avoir révélé plein de choses. Elle ne t'a pas parlé de l'homme qui l'avait convaincue de le suivre ?

— De son professeur de chant, oui. Mais elle n'a jamais fait allusion à une relation amoureuse entre eux. Vous ne vous seriez pas imaginé ça, papa ?

— C'est d'elle que tu es en droit de recevoir une réponse, Irma. Pas de moi, rétorque-t-il avec une fermeté à ne pas défier.

Irma sent que la porte vient de se refermer. Les gestes de Nazaire, ses lèvres serrées, son regard évasif, ses mains jointes, son port de tête altier le lui confirment. « On dirait un être très blessé dans sa dignité par une épouse infidèle », pense Irma.

— Si maman jurait qu'elle ne vous a pas trompé, est-ce que ça changerait quelque chose pour vous ?

La question le replonge dans la douleur des échanges épistolaires où, un jour, il redisait tout son amour à Phédora en la suppliant de revenir. Quelques semaines plus tard, ses attentes demeurant insatisfaites, il jetait à la poste des mots brûlants de colère.

Au terme d'une laborieuse réflexion, il conclut :

— Il me semble lui avoir donné assez d'occasions de me le prouver...

Qui devrait-elle plaindre, Nazaire ou Phédora ? Irma ne le sait plus. Deux êtres tapis chacun dans leur terrier d'incompréhension, de dissentiments et de souffrances. Des parents à réconforter de son amour et de son pardon... tandis qu'il en est encore temps.

— Jamais plus vous ne m'entendrez vous faire des reproches à ce sujet, papa. Je vous le promets.

Une autre question l'obsède :

— Et Paul-Eugène, lui ?

Le nom à peine prononcé, Nazaire rétorque :

— Pas un mot, Irma. Il me cause assez de problèmes sans ça.

— Quels problèmes ?

— Pour te dire la vérité, Irma, il me fait peur parfois. Aussitôt qu'il me voit, il sort ses griffes comme un animal enragé.

— Tante Angèle ne m'a pas parlé de ça.

— Je pense qu'il ne fait ça qu'avec moi. Si je le pouvais, je lui paierais une chambre dans une pension, quelque part...

Cet aveu traduit une lassitude à la limite de l'épuisement. La mise à nu d'une situation complexe qui place Irma au cœur d'un dilemme qu'elle ne peut résoudre.

Irma sort dans le jardin pour mieux réfléchir. À la vue du cerisier préféré de Phédora, resurgit une autre idée qui pourrait être salvatrice. Il ne reste qu'à trouver le bon moment pour la soumettre à Paul-Eugène.

Pour ne pas clore cet entretien sur une note négative, Irma retourne vers son père pour discuter d'un traitement pour ses yeux.

— J'aurais tellement préféré que vos problèmes de vision soient causés par des cataractes, confie-t-elle.

— Pourquoi ?

— Cette maladie est traitée avec succès depuis au moins cent cinquante ans : on vous enlève votre cristallin et on en insère un parfait.

— Le spécialiste m'a parlé de petites lésions... ou d'une forme d'usure.

— C'est ce que j'ai rapporté au Dr Brown. Il soupçonne soit une dégénérescence maculaire, soit du glaucome.

— Si tu me l'expliquais avec des mots que je puisse comprendre...

— Dans le premier cas, c'est la rétine qui est attaquée.

— Comment ? Par quoi ?

— Le fond de notre œil est tapissé d'un tissu sensible à la lumière, la macula. C'est elle qui assure la vision centrale et la perception de détails précis qui nous permet de reconnaître un visage, de lire, d'écrire et de bien distinguer les couleurs.

— Puis, dans l'autre cas ?

— Le glaucome est une autre maladie pernicieuse, sans douleur. C'est un problème d'équilibre de la pression du liquide dans l'œil. Votre champ visuel se rétrécit, comme vous me le décriviez.

— Les deux maladies se traitent ?

— Les recherches vont bon train, répond Irma, forcée de taire ses appréhensions.

— Il ne faudrait pas que ça retarde trop. J'ai le sentiment de regarder par le goulot d'une bouteille qui rapetisse de plus en plus.

— Il ne faut pas vous laisser gagner par la panique, papa. Surtout pas ça ! Dès mon retour à New York, j'entre en contact avec le spécialiste. S'il le faut, je vous ferai venir au St. Mark Hospital.

« Aller à New York pour retrouver la vue. Cacher cette destination à Paul-Eugène. Séjourner dans cette ville sans être tenté de voir Phédora... à son insu », un imbroglio de possibilités qui font jaillir des sentiments... étranges. Nazaire tremble de la tête aux pieds. Cet homme de six pieds n'offre pas plus de résistance à la fébrilité qu'une feuille au vent.

— Ça ne te décevrait pas trop de rentrer seule ? J'irais dormir dans la chambre de papa, annonce-t-il d'une voix faussement gaillarde.

Irma n'aurait pu souhaiter meilleure décision. Avec un peu de chance, elle trouvera son frère à la maison, l'attendant impatiemment. La compagnie d'Angèle l'incitant à un minimum de dignité, il se sera interdit de s'enivrer. Irma pourra atteindre le dernier but de sa visite à Québec et devancer ainsi son retour à New York... pour sauver son père de la cécité totale ; pour causer avec sa mère ; pour revoir ceux de là-bas, qu'elle aime aussi.

✦✦

— Je n'ai pas vu Paul-Eugène de la soirée, dit Angèle en accueillant sa nièce. Quand il a su que tu étais partie quelque part avec ton père, il est sorti de la maison comme un oiseau de sa cage. Pas moyen de savoir où il allait. Moi qui pensais que mon dessert aux fraises la garderait à table pour une bonne heure ! Ma marmite est restée sur le poêle sans que j'en soulève le couvercle. Quand il est dans cet état, ton frère, j'en perds l'appétit.

— On vous en demande trop, tante Angèle. Allez vous reposer.

— Tu penses que c'est possible ?

— Oui. Laissez-moi m'occuper de mon frère ; je pense savoir où il est. Je goûte à votre fricassée avec vous et je m'en vais le rejoindre.

— Sers-toi. Moi, je n'ai pas faim.

Angèle est abasourdie par le cran d'Irma. Jamais elle ne se serait aventurée aux abords des tavernes que Paul-Eugène fréquente.

— Sois prudente, ma petite, lui recommande-t-elle, apeurée.

Ses pas traînant vers le portique où sa nièce va l'embrasser, Angèle laisse tomber dans un long soupir :

— Mon Dieu ! Que la vie est compliquée par bouts !

Irma lui emboîte le pas mais bifurque vers l'écurie. En un rien de temps, la jument, équipée de son harnais, est attelée à la calèche et dirigée vers la taverne où Paul-Eugène, en mal de plaisir, devrait s'être réfugié. L'apparition de cette petite femme sur la scène des mâles que l'ivresse a libérés de toute inhibition lui attire ce qu'ils retenaient de plus trivial et de plus avilissant. Certains la veulent à leur table. D'autres, moins éméchés, l'abreuvent de quolibets. À travers l'épaisse fumée aux odeurs de tabac à pipe hétéroclites, elle ne retrouve pas son frère. Le tavernier lui offre son aide.

— Paul-Eugène LeVasseur ? Ça fait un bout de temps qu'on l'a pas vu, ma petite dame, l'informe-t-il avec une courtoisie inattendue.

D'autres sarcasmes teintés de grivoiserie accompagnent sa sortie de la taverne. « Des malades, se dit-elle. Des cœurs d'enfant en détresse dans de grands corps d'homme. Des assoiffés d'amour. Des gens que la misère a dépouillés de leur dignité. Paul-Eugène n'est pas de ceux-là. Il n'a pas raison de se réfugier dans l'alcool. À moins que quelque chose n'ait pas été fait. Que quelque chose doive être fait. Mais quoi ? »

Des voix montent du bas de la falaise. Il est difficile de reconnaître une silhouette précise dans le peloton grouillant qui se dirige vers un bâtiment du port. Un regain de courage, un coup de rênes sur le dos de la jument, et voilà que les cailloux crissent au passage de la voiture qui roule lentement vers le port. Une tête émerge, un homme brise le cercle et se précipite vers la calèche.

— T'es une vraie sorcière, tite sœur ! Tu me trouves tout le temps ! Viens que je te présente à mes amis.

État d'exaltation ou d'ébriété ? Refuser ou foncer ? Dans un cas comme dans l'autre, les risques sont grands. Lequel serait moins pire ?

— Pas longtemps, il est déjà tard, trouve-t-elle à répondre.

Avec une galanterie digne de Nazaire, son bras tendu, sa main large ouverte, Paul-Eugène aide sa sœur à descendre. Une trentaine de pas et les voilà face à un petit groupe de barbus crasseux aux regards enflammés, aux sourires exaltés.

— Heille, les gars ! C'est ma tite sœur. Une docteure, mes amis, une vraie ! clame-t-il avec fierté en s'approchant d'eux, la démarche si maîtrisée qu'on le croirait sobre.

— Une riche ! s'écrie l'un d'eux. Tu nous avais caché ça, Paul-Eugène.

Irma regrette son incursion. « Ce n'est pas mon frère qui serait capable de me défendre contre sept ou huit de ces gaillards », pense-t-elle en tirant sur la manche de Paul-Eugène pour le ramener vite vers l'attelage.

— On n'a pas d'affaire à bummer. Que j'en voie pas un l'approcher, lance un autre pour protéger la petite sœur de Paul-Eugène.

De toute évidence, certains clochards avaient l'intention de lui voler son sac à main.

— Wo! Wo! Là! crie Paul-Eugène. Son argent, c'est son argent. On avait rien qu'à faire comme elle : étudier pis travailler. On en aurait du pognon, nous autres itou.

Un autre gueux, d'apparence plus âgée, se distance du peloton.

— T'as raison, P.-E. On fera pas mal à ta tite sœur. Dis-lui qu'on est tes amis. Même qu'on essaie de t'aider.

— Ouais, ouais, ajoutent trois ou quatre autres vagabonds.

— On va finir par mettre la main au collet du vaurien qui lui a tout pris, promet le petit vieux.

Paul-Eugène se retourne vers sa sœur; il juge nécessaire de lui rappeler, à mi-voix, qu'il s'agit de son portefeuille et de la lettre de Phédora. Tout près de lui, un compagnon demeuré muet exhibe, en garantie, sa machette. Irma frissonne.

— Si c'est celui qu'on pense, on n'aura pas besoin de s'en servir, prétend Paul-Eugène. C'est le pire des chie-en-culotte.

— Un couillon, ajoute le petit vieux. Voleur mais couillon.

— Viens, Paul-Eugène. Vous autres, vous avez assez travaillé pour aujourd'hui, dit Irma.

— Travailler! On nous fera pas remplir les poches des gros riches, nous autres, s'esclaffe l'un d'eux, aussitôt appuyé de grommellements approbatifs.

Paul-Eugène n'ose prendre position et consent enfin à suivre sa sœur.

Sur la banquette de la calèche, entre Irma et son frère, un gros malaise prend place. Le silence les couvre jusqu'à la maison. Dans l'esprit d'Irma, le mot dégradation la heurte, la harcèle, lui donne la nausée. Dans sa cohorte, des mots apparentés : réputation, humiliation, trahison, infraction... Un dernier, qu'elle chasse violemment de sa pensée : pendaison. Revient à sa mémoire l'hilarité avec laquelle Paul-Eugène l'a présentée à ses compagnons du port. « Le bonheur aurait-il donc tant de visages? La fraternité, tout autant? » se demande Irma.

La jument dans son enclos, les deux LeVasseur entrent à la maison, l'allure et l'intention soumises à la tergiversation. Paul-Eugène, à mi-chemin vers le sofa, a rebroussé chemin et vient prendre place au piano. Sa sœur s'en approche... discrètement.

— Je sais que tu as eu honte de moi tantôt, Irma, dit-il, les yeux rivés au clavier dont il frôle une note au hasard.

Aucune réaction ne vient de sa sœur.

— Faut que je t'explique. Quand je suis avec eux autres, je me sens comme quand je viens m'asseoir à ce piano, enchaîne-t-il d'une voix chancelante.

— Qu'est-ce que tu veux dire?

— Une sorte de bien-être... qui me fait complètement oublier... ma misère. Comme si je n'étais plus un vaurien.

Les mains à plat sur ses cuisses, le front en chute au-dessus du clavier, Paul-Eugène s'est tu.

— Peux-tu m'expliquer un peu plus? le prie Irma après un silence complice.

— Pour ces gars-là, je suis pas n'importe qui. J'ai, auprès d'eux, une place, une vraie, ma place. Ils me considèrent... Je sais pas pourquoi mais c'est nécessaire. Je peux tout le temps compter sur eux autres.

— Tu en es sûr?

— Pas mal.

— Le piano aussi te fait du bien?

Paul-Eugène est très embarrassé. Ses dents se promènent sur le bout de ses doigts, à la recherche d'un ongle à ronger.

— Tu vas penser que je deviens fou si je te dis la vérité.

— Toi, fou! Jamais, Paul-Eugène. Raconte-moi. Ça se pourrait que je te comprenne, tu sais.

Son regard envoûté posé sur le meuble d'ébène, ses mains caressant les touches noires du clavier, Paul-Eugène sourit... comme un enfant.

— C'est mon meilleur ami, murmure-t-il. Il m'écoute. Je l'écoute. Il sait si bien me parler. Il lui arrive de me faire pleurer, mais c'est jamais par méchanceté. Surtout que je le laisse guider mes doigts...

sans penser. Ce qu'il me joue dans ce temps-là, c'est digne du ciel, tellement c'est beau.

— Tu pourrais rejouer ces mélodies-là ?

— Non. Je peux pas m'en souvenir. C'est comme si quelqu'un d'autre empruntait mes mains pour les jouer, juste pour ce temps-là.

— Ça te prendrait un phonographe. Je t'en aurai un, lui promet Irma.

— Qu'est-ce que c'est, ça ?

— C'est un appareil comparable à une mémoire. Il enregistre les sons. Mais il faudrait que quelqu'un vienne tourner la manivelle le temps que tu joues.

Paul-Eugène secoue la tête et proteste :

— Ça marcherait pas, Irma. C'est seulement quand je suis tout seul à la maison que je suis capable de les laisser aller, mes doigts...

— Tu devrais essayer quand je suis là. Je pense que tu y arriverais quand même.

Un océan d'espoir dans les yeux de cet homme. Tout autant dans le cœur d'Irma. Dans son esprit, un échafaudage de petits miracles : la valorisation de Paul-Eugène, sa transfiguration ; la révélation pour Phédora, l'immense contentement pour les membres de la famille LeVasseur.

— Allons dormir là-dessus, Paul-Eugène, d'accord ? Demain, j'aurai quelque chose... d'intéressant à te proposer.

— Il faut attendre à demain ?

— Il est deux heures du matin. Je suis à bout de forces, lui confesse Irma.

— Tu viens frapper à ma porte si tu te réveilles avant moi, lui fait-il promettre.

Tirée d'un profond sommeil par des cris de panique, Irma n'a bénéficié que de six heures de repos. Debout aussitôt l'aube apparue, Paul-Eugène vient de noter que les souliers de Nazaire ne sont pas sur le petit tapis de l'entrée, que sa porte de chambre est verrouillée, comme il le fait depuis cinq ou six mois, qu'il ne répond pas à son appel. Chamboulé par le dénouement de sa soirée, Paul-Eugène n'avait pas remarqué l'absence de son père. Après l'avoir rassuré, Irma le supplie de la laisser dormir encore quelques heures.

Nazaire n'est pas venu déjeuner chez lui. Tous ses proches savent qu'il aime arriver le premier au bureau, autour de huit heures. «Il s'y est rendu directement en partant de chez tante Angèle», conclut Irma, pressée de retourner dormir.

Avec des gestes de velours, Paul-Eugène ferme les portes du salon et s'installe au piano. Même rituel que lorsqu'il est seul : effleurement des touches noires en de nombreux allers-retours, une main à la fois. Moments initiatiques. État second. Voie libre. Envolée de notes. Fluidité. Harmonie. Plénitude.

Tout à coup, le pianiste redresse la tête. Il a senti une présence derrière la porte aux carreaux vitrés. Nul besoin de se retourner pour s'en assurer. Il attend. Il espère. Un glissement de charnières, de pas aussi. Elle est là, Irma.

— C'était digne des anges, chuchote-t-elle.

Paul-Eugène va chercher sa main et la place sur son cœur.

La main gauche du pianiste va, effleurant le clavier de la première à la dernière touche. Un concert à guichets fermés qu'Irma aurait voulu... sans fin.

Attablée en silence, elle tartine une tranche de pain. Son frère vient placer un verre de lait devant son assiette.

— Je vais faire ma toilette, en attendant que tu finisses de manger, annonce-t-il.

— Ça tombe bien. Je prévoyais retourner magasiner avec toi aujourd'hui, lui apprend-elle en feuilletant le catalogue de la Compagnie Paquet.

Sur la page couverture, une femme pose, coiffée d'un magnifique chapeau garni d'une fourrure identique à celles de son écharpe et de son manchon. «La fourrure! Quelle bonne idée! C'est là qu'on voit l'importance d'avoir des descendants capables de faire progresser une entreprise familiale», reconnaît Irma en notant le nom d'Arthur Paquet, un des fils de Zéphirin Paquet, maintenant directeur de la division du marché en gros. « Je comprends la déception de mes grands-pères... »

— Pour toi ou pour moi ? demande Paul-Eugène, la tirant de ses réflexions.

— Tu verras.

Paul-Eugène adore les surprises de ce genre, surtout quand elles viennent de sa sœur. Certains plaisirs semblent éveiller son cerveau et susciter des questions intelligentes. Cette matinée en témoigne. À peine engagés dans la rue Fleury, son regard balaie l'horizon à la recherche de...

— Je me demande bien pourquoi on a appelé cette rue-là Fleury. Elle est loin de bien porter son nom...

Irma s'esclaffe.

— Grand-père Zéphirin ne te l'a jamais expliqué ?

— Je ne lui ai peut-être pas demandé, réplique Paul-Eugène, le ton un brin sarcastique.

— C'est en l'honneur d'une femme... mariée à un riche marchand.

— Un Anglais, je te gage !

— Un Écossais.

— C'était qui, finalement ?

— Catherine Fleury Deschambault, qui a épousé en secondes noces William Grant. Un mariage qui a bien fait jaser...

— Raconte, Irma, la presse Paul-Eugène, friand de ces histoires auxquelles ses amis des tavernes et du port de Québec l'ont habitué.

— Elle était la veuve du baron Charles Le Moyne de Longueuil. Grand-père me disait qu'ils avaient été mariés une première fois, en cachette, par le supérieur des Jésuites, avec une dispense spéciale du gouverneur. Un secret qui courait sur toutes les lèvres.

— Pourquoi se marier en cachette ? Il me semble qu'un mariage, ça se fête avec beaucoup de monde.

— Probablement parce que William Grant était de religion anglicane et elle, catholique. D'ailleurs, ils seraient allés se remarier plus tard dans une église anglicane de Montréal.

— Ça fait longtemps ?

— Là, tu m'embêtes. Je te dirais, plus de cent ans.

À dix minutes de l'ouverture du magasin, l'attelage des LeVasseur est noué à un poteau près de l'église Saint-Roch, face au magasin.

— On va aller faire une petite prière en attendant que les portes soient déverrouillées chez Paquet.

— Pourquoi viens-tu toujours acheter ici ? lui demande Paul-Eugène. Y en a d'autres, des beaux magasins, ailleurs. On pourrait aller au Syndicat ou à la Maison Napoléon Jacques ; on n'y vend que des vêtements pour hommes.

— Pour trois raisons, cher frère. D'abord parce que celui qui l'a fondé s'appelait Zéphirin, comme grand-père LeVasseur. Deuxièmement, c'était un vrai Canadien français, un exemple de réussite. Mais, pour moi, la raison la plus importante...

— ... c'est les rabais annoncés dans son catalogue, suppose Paul-Eugène.

— Non. C'est une autre raison, pas très connue... qui ne te touchera peut-être pas.

— Si ça te touche, ça va me toucher, moi aussi, petite sœur.

— On va aller prier, puis en traversant chez Paquet, je vais te raconter cette belle histoire.

— Je pensais pas que tu priais encore, toi...

— Je prie à cœur de jour, Paul-Eugène. Chut !

Après avoir trempé le bout des doigts dans l'eau bénite, fait un signe de la croix, une génuflexion, Irma et son frère s'agenouillent et, les mains jointes, prient en silence. Comme la vingtaine de personnes qui les ont précédés. Paul-Eugène est rapide, là, exceptionnellement. Il se gratte la gorge pour signifier à sa sœur qui a gardé les yeux fermés qu'il est prêt à sortir.

— Mgr Gauvreau s'en vient. Sortons ! chuchote Paul-Eugène.

Irma n'en saisit pas le mobile, mais elle ne fait pas attendre son frère. Il n'a pas quitté le parvis qu'il réclame le récit promis.

— Ce magasin a le même âge que notre mère, à un an près.

L'attention et l'intérêt de Paul-Eugène lui sont acquis.

— Au début, il était situé rue Saint-Vallier et ce n'est pas M. Zéphirin qui y tenait commerce. C'est sa femme, Marie-Louise.

Lui, il était laitier. Elle avait ouvert une petite boutique au rez-de-chaussée. Comme elle était très habile de ses mains, elle confectionnait elle-même les chapeaux et les capelines qu'elle y vendait.

— Ah! C'était un magasin rien que pour les femmes, dit Paul-Eugène sur un ton désabusé.

— Principalement, oui. Mais elle vendait toutes sortes de vêtements, des couvertures de laine et tout ce qui s'appelle mercerie.

— C'est ce que je te disais... des affaires de femmes.

— Un peu plus, dans les débuts, mais tu vois ce qu'est devenue la Compagnie Paquet Limitée, dit-elle en désignant le lettrage sur la façade de l'édifice. On y trouve même des produits manufacturés en Europe, maintenant.

— Ç'a de l'importance pour toi que ton manteau, par exemple, ait été fabriqué en Europe? rétorque Paul-Eugène, une moue aux lèvres.

— Ça me rappelle de bons souvenirs... Puis c'est parfois plus raffiné que ce qu'on fabrique ici.

Paul-Eugène fait fi de la réponse, inquiet de voir sa sœur filer vers le département des hommes.

— Tu cherches quelque chose pour le père?

— Non. Pour toi.

— Tu viens de m'en acheter...

— Ça te prendrait un deuxième complet, puis quelques chemises et des pantalons plus ordinaires. J'allais oublier un manteau d'hiver. Le tien est bon à jeter tant il est usé et...

Irma a retenu sa langue juste à temps. Des mots comme crasseux et guenilloux mettent son frère en colère.

— Pourquoi tant de vêtements neufs?

— Pour ce qui pourrait arriver...

Paul-Eugène s'arrête, se tourne vers sa sœur, un éclair d'espoir dans les yeux.

— Maman? Tu t'attends, toi aussi, à ce qu'elle nous revienne avant longtemps... C'est ça, hein?

— On ne sait jamais! C'est important que tu sois toujours bien mis...

— ... pour pas lui faire honte quand elle arrivera. Je comprends!

Paul-Eugène se prête aux essayages avec une souplesse exemplaire. Le moment venu de passer à la caisse, une crainte l'assaille :

— Attends, Irma. Tu y avais pas pensé, mais je peux pas me tenir avec mes amis habillé comme ça! Je serai plus de leur gang.

— Tu leur diras que c'est des cadeaux que je t'ai faits.

— Ça va me nuire, Irma. Je te le dis.

— Énerve-toi pas avec ça. Je te connais. Tu trouveras bien une solution...

Des sacs plein le siège arrière de la calèche, Irma et son frère s'amusent à turluter des airs d'autrefois. L'atmosphère ne pourrait mieux se prêter à une autre percée dans le devenir de Paul-Eugène. Une percée non moins délicate et non moins déterminante.

— Il y a une autre chose qui pourrait bien t'arriver, mon cher frère, si...

Irma souhaite entendre la suite de la bouche de Paul-Eugène. Les minutes coulent, pas un mot...

— Je fais allusion à ta musique, précise-t-elle du bout des lèvres.

Paul-Eugène la dévisage, ébahi.

— Si on arrivait à enregistrer tes petits chefs-d'œuvre de ce matin.

— Comme les autres que t'as jamais entendus...

Irma échappe les rênes.

— Pas une des boissons que tu as prises à t'en saouler ne pourrait m'apporter de plus belle ivresse, Paul-Eugène.

Chapitre VI

Dans l'agenda de la D^re Irma LeVasseur, les pages tournent trop vite. Juillet s'est effeuillé sans crier gare et voilà que le mois d'août a entamé se deuxième semaine au même rythme. Irma veut comprendre. Pendant que Bob se demande où sont passées ses économies, pendant que Phédora investit toutes ses énergies à préparer ses cours pour la rentrée scolaire, pendant que Rose-Lyn allonge sa liste de jeunes protégés, la fille de Nazaire remonte le cours du temps depuis son retour de Québec.

Le rideau de fine mousseline voltige au-dessus de sa table de cuisine. À chaque envolée, il fraie le passage à une bouffée d'air chaud et humide... à la limite du confort. Irma a repoussé son bol à soupe et son assiette à dessert en attendant de les confier à l'évier. Au menu de ce souper, elle avait mis une soupe de légumes consistante et une tartine à la confiture de framboise. Vite préparées. Vite avalées. Devant elle, son agenda et un papier brouillon. À la main, un crayon bien aiguisé qui dessinera ce fil d'Ariane qui lui a échappé.

Constat à la fois étonnant et lénitif, depuis son retour à New York, c'est à Paul-Eugène et à Nazaire qu'Irma a consacré le plus de temps. La solitude dans le train qui l'y ramenait le 8 août 1909 a favorisé sa réflexion. La décision de ne pas attendre à Noël pour offrir à son frère le phonographe promis a grugé son horaire de la première semaine :

d'abord, de multiples démarches pour trouver la plus récente version de cet appareil mis au point par Thomas Edison, un Américain fils de parents canadiens ; aussi, que de précautions pour l'expédier par train à la gare de Saint-Roch. Mais, pour Irma, les soucis ne sont qu'un grain de sable en regard des résultats escomptés. Dans la lettre d'accompagnement, elle écrivait à Paul-Eugène :

> *Traite ce phonographe comme un bijou. Non. Traite-le comme tu traiterais ton meilleur ami. Comme tu prendrais soin de ta mère si elle te revenait.*
>
> *Lis bien mes instructions. Demande de l'aide si tu n'es pas sûr de bien comprendre. Pour les enregistrements, je suis certaine que tu vas trouver quelqu'un avec qui tu seras aussi à l'aise qu'avec moi et qui pourra tourner la manivelle pendant que tu vas laisser tes doigts courir sur le clavier. Quand tu auras enregistré cinq ou six pièces, tu m'enverras la bobine. C'est pour ça que je t'en ai envoyé quatre. Tu pourras continuer sur les autres.*
>
> *Je t'en prie, grand frère, fais l'impossible pour que ça fonctionne. Ce serait le plus beau des cadeaux que j'aurai reçus de ma vie ! Il viendra de toi, en plus.*

Depuis, le silence de Paul-Eugène perdure et inquiète Irma. Elle le relancerait si ce n'était la crainte de le bousculer et de le voir ensuite tourner le dos au projet... définitivement. Les doutes se multiplient : « Ou le colis ne s'est pas rendu, ou il a été abîmé en cours de route, ou papa, que j'ai oublié de prévenir, a ouvert la boîte et a mal réagi à mon initiative. Dans ce cas, les conséquences pourraient être redoutables, tante Angèle ! » Une fois de plus, c'est vers elle qu'Irma se tourne. Ses réponses sont rapides, sa collaboration, assurée, sa franchise aussi. Un préambule vibrant d'affection, quelques nouvelles sur la vie à New York et vivement un mot sur l'urgente mission d'enquêter sur le sort du phonographe, soit auprès de Paul-Eugène, soit auprès de son père.

Selon votre intuition. Informez-moi vite des résultats. Je vous récompenserai, précieuse complice.

Irma comprendrait que son père ne soit pas d'humeur tolérante ou empathique. Inquiété par ses troubles visuels et par le rapport qu'elle pourrait faire de leur entretien à Phédora, Nazaire aura peut-être jugé futile le don à Paul-Eugène de cet appareil. « J'aurais dû lui écrire bien avant aujourd'hui. Mais pour lui dire quoi ? Lui répéter que les recherches médicales touchant les troubles visuels n'ont pas avancé depuis un an ? Lui avouer que je n'ai pas encore questionné maman au sujet des allégations d'infidélité qu'il a laissées planer à son sujet ? » Irma connaît son père. « Dans les circonstances, lui écrire uniquement pour lui redire que je l'aime et que je suis toujours préoccupée de sa santé ne ferait qu'ajouter à ses déceptions. » À la mission déjà confiée à sa tante, elle ajoute celle d'informer Nazaire qu'une lettre lui sera adressée dès que de nouveaux développements s'annonceront.

Du temps a dû être réservé à la famille Smith. À son retour, vivement souhaité, Charles a comblé sa marraine de caresses et de mots d'amour fervents. « Il n'y a que les enfants pour nous apporter des joies aussi pures. Les adultes laissent tous sur leur passage une traînée d'ombre », constate Irma. À preuve, il arrive encore à Hélène de parler à mots couverts lorsqu'elle la croise en présence de son mari. Ses insinuations cachent des tracas. Bob ponctue le récit de leurs activités de juillet d'un constat redondant : « Que ça coûte cher, des vacances en famille ! » Évocation de tristes souvenirs d'enfance pour Irma. Résurgence de scènes accablantes à l'issue desquelles Phédora, en larmes, allait s'enfermer dans sa chambre. Alors que Bob ne reproche rien à son épouse, Nazaire, cet homme aux multiples fonctions sous-payées, excellait en jérémiades. Des traces indélébiles dans la mémoire et le cœur de sa fille. Les disputes du couple LeVasseur-Venner l'affligeaient au point de lui faire regretter d'être née… dans cette famille. Vingt ans plus tard, il lui semble que Bob et son épouse vivent dans une harmonie enviable.

— Mon mari s'offre à garder Charles dimanche, lui avait annoncé Hélène à la mi-juillet.

— À te voir les yeux, c'est tout un cadeau ! Je suis curieuse de savoir ce que tu as l'intention de faire de cette journée.

— La passer avec toi, Irma. Ailleurs qu'à New York. Dans une ville que j'aimerais tellement revoir !

— Où donc ?

— À Boston. J'y suis allée une fois, mais je n'étais pas en état de l'apprécier... J'étais plutôt malheureuse.

— Boston... ce n'est pas à la porte.

La surprise et un certain agacement étaient apparus sur le visage d'Irma. Hélène s'était empressée de s'expliquer :

— Dans la vie, l'amitié n'est pas moins importante que l'amour, tu ne penses pas ?

— Oui, oui.

— Puis, si on ne l'entretient pas, on risque de la perdre.

Hélène avait baissé les yeux et espéré une réaction de son amie.

— Je pense que je ne me consolerais pas de te perdre, avait-elle murmuré, de plus en plus mystérieuse.

Comme si elle eut redouté la brisure de ce lien tissé de plus de dix ans de confidences et de complicité.

— Tu aurais dû m'en parler un peu plus tôt ; je ne suis pas sûre de pouvoir me libérer ce dimanche-ci.

— On peut prévoir un autre dimanche, Irma.

Cette nuance l'avait rassurée.

— J'avais prévu prendre congé la dernière fin de semaine d'août, juste avant la rentrée scolaire...

— Je n'ai demandé qu'une journée à mon mari, mais peut-être qu'il me laisserait partir un peu plus longtemps. Surtout avec toi.

Bob n'avait présenté aucune objection mais, à la fois blagueur et subtil, il avait lancé :

— À la condition que vous en profitiez pour vous amuser. Pour visiter Boston dans ce qu'il a de plus beau, deux jours, c'est bien peu !

Cette recommandation, d'apparence banale, dissimulait une certaine appréhension chez Bob. La même qui avait surgi dans son esprit à l'annonce de cette rencontre privilégiée entre son épouse et sa meilleure amie : « Hélène demeure-t-elle aussi certaine d'être la seule femme à habiter le cœur de son mari ? » Irma s'était posé la même question.

Si le doute est commun aux deux descendants Venner, dans leur cœur, un vœu ardent lui livre bataille : que jamais Hélène ne détecte leur combat le plus intime, le plus secret.

Encore une douzaine de jours pour préparer cette aventure dans les rues grouillantes de Boston. Les divertissements ne manquent pas dans cette ville. Hélène compte sur Irma pour les planifier. En trouver le temps sans négliger ni son travail ni ses proches relève du tour de force.

Phédora, à qui elle s'était hâtée de rendre visite dès son retour à New York, en avait été non moins consciente que ravie.

— Avec tout ce que tu as à faire, tu donnes la première place à ta vieille mère ! Je n'aurais jamais espéré un tel privilège ! Je viens tout juste de faire une bonne limonade. Viens, on va s'asseoir près de la fenêtre. Le coucher de soleil est si beau d'ici.

« Si belle, vous aussi ! » aurait aimé lui dire Irma. Mais un sentiment étrange soudait ses lèvres. « Une certaine pudeur, peut-être. Mais il y a plus », s'était-elle dit, ne prêtant qu'une oreille distraite aux propos de sa mère sur l'exceptionnelle beauté de ce mois de juillet 1909. « C'est ça. Oui, c'est la peur. La peur que ce compliment ne provoque une avalanche d'émotions... qui nous mettrait le cœur en charpie. » Tout n'avait pas été dit entre elles. Irma doutait même qu'il soit bénéfique de tout révéler.

Deux verres de limonade en main, Phédora était revenue vers elle, l'air tourmenté.

— Ton absence a été difficile pour moi, Irma. C'est incroyable comme on s'habitue vite à...

Les mots ne lui venaient pas. Son regard noyé de tendresse et ses lèvres frémissantes avaient parlé pour elle. Irma lui confia :

— Plus je vieillis, maman, plus je crois qu'on est fait pour le bonheur. Sinon, pourquoi on n'arrête pas de courir après ?

— Et pourtant, autour de nous, on voit si peu de gens heureux ! Exemple, ton père et ton frère ... Je doute fort qu'ils le soient. Je doute même qu'ils le deviennent un jour.

Irma avait hésité. L'impression d'avancer sur un lac à la glace friable l'avait incitée à peser chacune de ses paroles.

— Je n'ai rien d'une voyante, mais je ne serais pas surprise qu'un jour Paul-Eugène dépasse papa sur ce point-là.

Une onde de choc pour Phédora ! Assise sur le bord de son fauteuil, les yeux écarquillés d'étonnement, elle avait mendié des éclaircissements. Des preuves tangibles.

— Il prend soin de son apparence, il s'est fait des amis et... et il s'occupe.

— Il travaille ?

— Sa musique, surtout. Aussi, il se rend utile auprès de tante Angèle.

Phédora était demeurée pensive et ne l'avait plus interrogée au sujet de son fils. Irma en cherchait encore la raison.

Avant que sa fille ne la quitte, elle lui avait demandé :

— J'aimerais que tu me réserves ton dimanche 22 août, s'il n'est pas trop tard.

— Pour...

— ... une vraie journée de congé avant que l'école recommence.

Phédora avait projeté de se rendre avec sa fille à l'église St. Patrick pour la célébration eucharistique. Ensuite, elles iraient dîner dans un petit café, et elles prendraient le reste de l'après-midi pour se balader toutes deux au gré de leur fantaisie.

— Pour apprécier la liberté que nous donne la santé, avait-elle précisé.

⋆⋆

À l'apparition des deux clochers de la plus grande cathédrale des États-Unis, la fille de Phédora Venner ne peut cacher son émoi. Il n'est pas encore neuf heures que plus de mille personnes sont déjà entassées dans cet édifice néogothique pour assister à la célébration de la messe dominicale. Il n'en faut pas plus pour replonger Irma dans le souvenir de la visite qu'elle y avait faite en décembre 1902 en compagnie d'Hélène. Comment oublier l'agréable présence de cette grande amie et l'apparition soudaine de Bob qui, ce jour-là, avait entrepris de faire la cour à *M^iss^ LeVasseur*? «Bientôt sept ans de cela! Tant de changements depuis! Sauf mes sentiments pour lui, qui résistent au temps et aux circonstances», reconnaît-elle.

Phédora saisit le bras de sa fille. Elle tremble. Irma s'empresse de la diriger vers une allée latérale où des bancs sont encore libres.

— Vous ne vous sentez pas bien? lui chuchote-t-elle à l'oreille.

— C'est l'émotion... On est venus chanter quelques fois dans cette église.

Médusée, Irma acquiesce d'un signe de tête, comme si elle le savait déjà. Il lui semble partager les sentiments de sa mère au rappel de ces moments empreints de magnificence, celle des lieux, celle des voix. L'impression d'un au-delà... édénique. Suit l'évocation du deuil, avec son cortège d'adieux et de déchirements. Phédora efface du revers de sa main les quelques larmes qui coulaient sur sa joue. Irma retient les siennes. «Elle a parlé à la troisième personne. Pas à la première. Avec qui était-elle venue chanter dans cette église? Quand?» se demande-t-elle, espérant que la journée soit propice à d'autres confidences.

L'orgue émet ses premiers accords. Les notes s'élèvent jusqu'à la voûte avant de redescendre sur l'assemblée comme une fine pluie, tiède et caressante. La chorale vient magnifier l'ambiance. Phédora ferme les yeux. Rien ne pourra la distraire. Elle a relevé la tête, redressé les épaules, comme lorsqu'elle apparaissait sur la scène, prête à envoûter l'auditoire. La détente se lit sur ses mains ouvertes, abandonnées sur ses cuisses. L'allégresse illumine son visage. Irma l'observe. «On ne lui donnerait pas plus que quarante-cinq ans. Comme j'aimerais que tout son vécu à New York m'apparaisse dans un livre dont je pourrais tourner les pages à mon gré! Un livre dans lequel serait relaté ce qu'elle ressentait pendant les applaudissements. Que ses proches ont dû lui manquer! À moins que...» Les allusions de Nazaire quant à la présence d'un amoureux dans sa vie resurgissent. «J'espère qu'il l'a traitée comme l'aurait fait le meilleur des amants.» La possibilité que sa mère ait eu un amoureux ne fait pas qu'effleurer l'esprit d'Irma. Elle est devenue un souhait. De penser qu'en ces années d'exode Phédora ait pu jouir de la présence d'un homme attentif à ses côtés l'apaise.

La messe terminée, les dames Venner ne se pressent pas vers la sortie. Il y a tant de chefs-d'œuvre à admirer dans cette église ! Toutes deux s'attardent devant la statue d'Elizabeth Ann Seton.

— Tu sais qui est cette femme ? s'informe Phédora.

— Je l'ai déjà su, mais je ne m'en souviens plus.

— C'est la fondatrice des sœurs de la Charité, une communauté pour qui j'ai enseigné la musique et le chant.

— Ah oui ?

— Je connais tout de la vie de cette femme, tant les religieuses m'ont fait lire de textes à son sujet. Elles m'ont même invitée à regarder un petit film. Elles en sont tellement fières.

— Qu'est-ce qu'elle a accompli de si admirable ?

Phédora se tourne vers sa fille, un sourire intrigant sur les lèvres.

— C'était une femme qui avait connu la vie avant de se faire bonne sœur.

— Oh ! Ça m'intéresse.

— Pour commencer, il faut que je te dise que cette Elizabeth était anglicane, qu'elle a épousé un riche commerçant maritime protestant, et qu'elle lui a donné quatre ou cinq enfants.

— Puis ? Elle n'est quand même pas allée jusqu'à les quitter pour se faire bonne sœur ? proteste Irma.

N'eût été le regard si droit et si enjoué d'Irma, Phédora aurait été blessée de l'allusion.

— Sortons ! Je vais t'expliquer, suggère-t-elle, gênée de parler ainsi dans l'église.

Une dizaine de touristes se promènent dans les allées, explorent et chuchotent leurs commentaires. Quelques fidèles sont demeurés pour prier. Personne dans cette église n'a reconnu la D^{re} LeVasseur. Elle s'en réjouit. Tel pourrait bien être le souhait de Phédora qui, la tête basse, file à petits pas pressés vers les grandes portes de bronze, ornées, tout comme les colonnes, de sculptures de saints.

— Son bonheur fut de courte durée, à cette pauvre Elizabeth Ann Seton. Ça ne faisait même pas dix ans qu'elle était mariée que son mari, si riche pourtant, a fait faillite. On dit qu'il est mort pas longtemps après... de la tuberculose. Mais va donc savoir !

Irma préfère ne pas relever ce doute.

— Je ne vois pas le lien avec les sœurs.

— Je t'expliquerai dehors.

Un peu en retrait des autres fidèles sortis de l'église, Phédora ralentit le pas. Sa fille fait de même. Ayant perçu une baisse d'intérêt chez Irma, elle croit l'attiser en annonçant :

— Mme Seton et maman avaient plus d'une chose en commun.

L'effet de surprise immobilise Irma.

— Elizabeth Seton s'est convertie au catholicisme après le décès de son mari, alors que maman s'est convertie sept ou huit ans après son mariage. En même temps que papa.

Irma, qui l'ignorait, se montre intriguée.

— Tu pourrais vérifier : ils ont été baptisés à l'église de Saint-Roch. Ce qui est triste dans le cas de Mme Seton, c'est que toute sa parenté et ses amis lui ont tourné le dos parce qu'elle avait changé de religion. Elle a dû ouvrir une école pour gagner sa vie et s'assurer de l'éducation de ses enfants.

— Puis sa communauté ?

— Elle a commencé par fonder une institution qui donnait des services gratuits. Comme tu l'as fait à Montréal pour les enfants malades.

— Une clinique ?

— Non. Une école catholique pour les filles, exclusivement.

— Où est-elle cette école ? demande Irma, curieuse de savoir si elle fait partie de la liste de celles qu'elle doit visiter cette année.

— La communauté a été fondée à Emmitsburg, au Maryland, il y a une centaine d'années, mais depuis ces religieuses sont partout où il y a des orphelins. J'ai tellement pensé à toi, Irma, en relisant la biographie de leur fondatrice, au début de l'été.

Irma s'est arrêtée. Son silence se mesure au temps que Phédora met à réfléchir aux propos qu'elle va tenir.

— Dans les débuts, elle a obtenu l'aide d'un prêtre et de plusieurs femmes riches pour ouvrir son école. Mais elle s'est vite rendu compte que la charité avait besoin d'être organisée.

— Qu'est-ce que vous voulez dire, maman?

— Sinon, elle peut s'éloigner des objectifs premiers. Tu en as fait l'expérience à ton hôpital de Montréal, non?

Estomaquée, Irma ne sait que répondre.

— Rose-Lyn m'a raconté... explique Phédora.

— Ah, bon!

« Pourquoi ne dit-elle pas ce qu'elle en pense? » se demande Irma, n'osant poser la question. Pendant une dizaine de minutes, le martèlement de leurs talons marque le rythme sans la moindre interférence. Dans la *Madison Avenue*, Phédora hésite un peu devant la vitrine d'un petit café, puis s'arrête :

— Ici, ce serait bien. Pas trop de monde, juste assez. Puis ça me paraît propre. Tu le connais, ce café, Irma?

— Un peu. J'y suis venue une fois, dit-elle, une main déjà sur la poignée de la porte.

Quelques tables sont libres, dont une près de la fenêtre où Irma avait mangé avec Hélène et Bob Smith, sept ans plus tôt. Phédora la choisit. « C'était à prévoir, pense sa fille. Une coïncidence de plus! Combien l'après-midi nous en réserve-t-il encore? »

Phédora a l'esprit ludique. Ses remarques amusantes sur certains clients déclenchent les rires d'Irma, et ses simagrées amusent les bambins et leurs parents. Le repas terminé, elle ne quitterait pas sa table si ce n'était des clients qui attendent et de sa fille qui commence à trépigner d'impatience. En direction de la rivière Hudson, elle se met à fredonner des airs modernes, d'autres... d'avant le drame. Un peu plus et son pas se prêterait à la danse. De quoi étonner Irma, la faire sourire mais l'intriguer aussi. « On dirait une jeune fille qui étrenne sa liberté », note-t-elle. Le moment est mal venu de verser dans le sérieux, d'aborder la question de son retour au travail, jugé prématuré par la D^{re} LeVasseur. Phédora semble n'avoir qu'une idée en tête : s'amuser en compagnie de sa fille. Ne pas perdre la moindre pépite de ces moments en or dont elle a rêvé tant de fois. Quand la détresse voulait occuper tout l'espace, le bonnet de bébé d'Irma serré dans sa main, Phédora fermait les yeux pour mieux retrouver la voix de sa fille, ses mots d'amour, ses rires. Elle parvenait à réentendre les éclats de joie de son enfant à un an, deux ans, sept ans, dix ans. Après, elle ne les avait plus entendus. Même qu'elle avait craint que plus personne ne les entendît... après son départ. Que son absence ait creusé dans le cœur de cette fillette le même vide qui avait failli la faire renoncer à survivre.

En attendant l'arrivée d'Irma, Phédora avait compté le nombre de jours pendant lesquels elle avait espéré ce qu'il lui était donné de vivre depuis janvier. Plus de huit mille matins à se demander si elle se rendrait à la brunante. La brunante venue, plus de huit mille soirées à se battre contre le désespoir. Mais, depuis les retrouvailles, son quotidien lui apporte un bonheur qui lui donne à croire qu'il pourrait exister une certaine justice sur terre. Qu'elle pourrait n'en être qu'aux balbutiements. Le retour de sa fille dans sa vie lui apportera peut-être une excellente santé et, par conséquent, de nombreuses années à vivre, entourée de musique et d'enfants.

❧

— Enfin! Des nouvelles de Québec! s'écrie Irma en sortant du bureau de poste.

Les autres enveloppes enfouies dans son sac à main, elle s'adosse au mur de l'édifice, éventre l'enveloppe reçue de sa tante Angèle et en retire les feuillets avec fébrilité. Ses yeux courent sur les lignes. Des mots lui coupent le souffle. Elle doit revenir en arrière. À ne pas s'en rassasier, elle relit certains paragraphes, s'esclaffe en s'imaginant la scène.

« Il faut que je raconte ça à... à ma mère? Mais non! À qui donc? Bob? Hélène? Non! »

Sans perdre un instant, elle file chez Rose-Lyn. « Arriver à l'heure du souper au milieu de sa petite marmaille affamée, ça ne se fait presque pas, admet-elle. Mais tant pis! Je l'aiderai. »

— Tante Rose-Lyn! C'est moi, crie-t-elle de l'escalier extérieur.

— Sainte bénite ! Tu rebondis quand on s'y attend le moins, rétorque Rose-Lyn en courant tirer le crochet qui verrouillait la porte moustiquaire.

Ce vendredi de la mi-octobre, chaud plus qu'à l'ordinaire, a fait rouvrir les carreaux. Autour de la table, il ne reste plus que deux bambins, les quatre autres se sont précipités sur « tante Irma ». Edith et Harry réclament la première caresse. Rose-Lyn doit attendre la fin de leurs épanchements pour embrasser sa nièce et connaître la cause de son exaltation :

— Des nouvelles de mon frère !

— Mais qu'est-ce qui lui arrive de si réjouissant ?

— On va finir de faire manger les enfants et je vais vous raconter...

— Il s'est trouvé du travail, je gage !

— Oui et non.

— Ça m'aurait surprise ! avoue Rose-Lyn.

Irma lui retourne une moue de déception.

— Toujours la méfiance ! C'est l'erreur qu'on fait tous avec ces gens-là...

— Qu'est-ce que tu veux dire ?

— À force de ne voir que leurs limites, on les emprisonne dedans. Avec Paul-Eugène, c'est fini, ça, décrète Irma, triomphante.

Les enfants sont turbulents, les deux adultes non moins surexcitées. Le repas terminé, Edith est chargée de surveiller les petits dans la cour tandis qu'Irma et sa tante préparent les deux plus jeunes à aller au lit.

— Le moins qu'on puisse dire, c'est que, pour une rare fois dans sa vie, ton frère t'aura causé une grande joie, lance Rose-Lyn pour se racheter.

Irma sourit, penchée sur le poupon qu'elle berce le temps qu'il ait vidé son biberon.

— Ça ne fait que commencer. Je vous avais dit que je tenterais quelque chose avec lui, vous vous souvenez ? Les enregistrements... Eh bien, c'est réussi.

— Tu ne m'avais pas parlé d'enregistrements, Irma.

— Je lui ai acheté un phonographe et il l'a bien reçu.

— Il a su comment s'en servir ? s'étonne Rose-Lyn.

— Avec l'aide de tante Angèle et d'un de ses amis.

— Qu'est-ce qu'il enregistrait, pour l'amour du bon Dieu ?

— Sa musique, ma tante. Ses propres compositions.

Les bébés se sont endormis dans leurs bras. Les rires des autres enfants qui jouent dans la cour les rassurent. Avec une émotion peu commune, Irma partage avec sa tante la découverte qui, à son passage à Québec, l'a incitée à acheter ce phonographe pour Paul-Eugène.

— Tu es sûre qu'il n'est pas sous l'effet d'un médicament quelconque quand il joue comme ça ? ose formuler Rose-Lyn.

Sur le point de s'offusquer, Irma se ressaisit et lui sert des arguments persuasifs. Du moins l'espère-t-elle. La confiance de sa tante à demi gagnée, elle raconte, hilarante :

— Il me semble les voir, lui et son ami Elzéar, installés dans le grand salon de grand-père Zéphirin, les portes verrouillées au cas où papa rebondirait. Paul-Eugène savait bien qu'avec son allure de clochard, Elzéar serait vite mis à la porte s'il osait se présenter à la maison.

— Qu'est-ce qu'il fait, cet Elzéar ?

— Il tourne la manivelle pendant que Paul-Eugène joue. C'est la seule personne, à part moi, à qui mon frère fait assez confiance pour se laisser aller à jouer... ses créations, précise Irma, un tantinet inquiète de la réaction de Rose-Lyn : son front soucieux, son silence, une moue qu'elle n'a pu dissiper...

— Je vous comprends de vous questionner. Je ne vous ai pas dit le principal.

Rose-Lyn écarquille les yeux.

— Cette musique-là, je veux la faire entendre à... à maman.

Les berçantes se sont immobilisées. Deux regards limpides et éloquents se croisent. Rose-Lyn a compris.

— Tu...

— ... non, ma tante. Je ne lui dirai pas que c'est Paul-Eugène qui joue ça. Seulement si je prévois que ça pourrait être bon pour elle.

Rose-Lyn dodeline de la tête.

— Peut-être qu'elle le sentira quelque part... dans son ventre, croit-elle. Ces choses-là ne s'expliquent pas. Elles se vivent.

Irma acquiesce sans ouvrir la bouche.

À pas feutrés, les deux femmes vont déposer les bambins endormis dans leur couchette. Leur silence est meublé d'échanges qui n'ont besoin que d'un geste, d'un sourire ou d'un battement de cils pour être entendus. Un calme souvent souhaité envahit la maison. Les enfants, appelés à venir se débarbouiller et à se mettre au lit, l'ont-ils ressenti ou sont-ils saoulés de jeux à en être épuisés ?

Les border l'un après l'autre procure à Irma un bonheur à la mesure de celui qu'elle leur apporte.

— Je vous donne un coup de main pour ranger la cuisine, puis je file écrire à tante Angèle, propose-t-elle à Rose-Lyn.

— Tu peux partir tout de suite, Irma. Tu as déjà assez à faire.

— Pas plus que vous, tante Rose-Lyn.

— Ce n'est pas demain que tu dois aller visiter Boston avec Hélène ?

— Non, finalement. C'est la troisième fois qu'on remet ce voyage. Chaque fois, Charles tombe malade, comme s'il le pressentait... J'ai l'impression qu'Hélène va y renoncer pour cette année.

— Peut-être que le petit aimerait ça faire ce voyage avec sa mère et son père, rétorque Rose-Lyn, un tantinet ironique.

— Je pense que, de son côté, Hélène aurait besoin d'un petit répit...

Rose-Lyn la corrige :

— Besoin de se confier, surtout. Je sais qu'elle a un peu peur de perdre sa grande amie.

Irma lui retourne un regard inquisiteur.

— Elle m'en a soufflé un mot. Si tu lui accordais plus de petits rendez-vous en tête-à-tête ici, à New York, précise Rose-Lyn.

— Vous pensez que Boston n'est qu'un prétexte ?

— Je te laisse y réfléchir.

Rose-Lyn et sa nièce se quittent, des questions plein la tête. « J'ai deux tantes en or, considère Irma. Puis maintenant, j'ai ma mère, en plus. » Aussitôt admis, ce constat l'interpelle. « Avec mes tantes Angèle et Rose-Lyn, je me sens encore comme la petite qui a besoin de se faire prendre la main de temps à autre. Mais avec maman, rien de semblable. Elle est plutôt comme un trésor à la fois si longtemps cherché et si fragile... fugitif, même. Insaisissable, parfois. Suis-je sa fille ou sa mère ? L'une et l'autre, selon les jours. Mais je veux surtout demeurer sa fille. Reprendre ce temps où son absence m'a tellement privée de sa tendresse maternelle, de son désir de me rendre heureuse, de ses multiples attentions qui me donnaient confiance en moi. Tant d'encouragements de sa part m'ont manqué. Des félicitations, des consolations, une complicité aussi. Je n'accepte d'inverser les rôles que le temps qu'elle retrouve la santé, qu'elle reprenne son travail. »

À son agenda de la fin de semaine, Irma vient d'ajouter deux visites urgentes : l'une à Phédora et l'autre à Hélène.

« Tante Rose-Lyn avait raison. Et Hélène aussi », reconnaît Irma, au souvenir de cette question posée par l'épouse de Bob à son retour de Québec : « Dans la vie, l'amitié n'est pas moins importante que l'amour, tu ne penses pas ? » Tôt ce samedi 16 octobre, elle se permet d'appeler chez son amie. Charles étant très matinal, elle ne craint pas de la sortir du lit.

Étonnamment, c'est la voix de Bob qui l'accueille.

— Hélène se repose ce matin. Elle s'est endormie très tard, chuchote-t-il.

— Charles ne va pas bien ?

— Charles est en pleine forme. C'est qu'Hélène et moi avons jasé une partie de la nuit.

Irma reste sans voix. Présumer d'un problème ou d'échanges idylliques ? Que répliquer sans risquer de commettre un impair ?

— Je lui demande de t'appeler, reprend Bob. Non, attends.

Il allait raccrocher quand il a entendu le grincement de la porte de leur chambre et le froufrou du peignoir de son épouse. La chevelure hirsute mais l'œil clair, Hélène prend juste le temps de donner un gros câlin à son fils.

— La voilà ! Bonne journée, Irma !

— ... demain ? Tu me recevrais à manger chez toi, Irma ? Un dîner entre femmes ? Je pense bien que oui, avance-t-elle, mendiant du regard le consentement de son mari.

D'un geste de la main, Bob le lui accorde. Puis, reprenant le combiné, il ajoute, gaillard :

— Pendant ce temps-là, Charles et moi allons nous amuser entre hommes.

La joie d'Hélène est manifeste.

Le temps de se poudrer le bout du nez, d'étendre un peu de fard sur ses joues, de se crêper le chignon et de revêtir un tailleur aux couleurs automnales, Irma file ensuite à l'appartement de Phédora.

Le zéphyr matinal, une caresse sur son visage. Les effluves de fruits mûrs émanant des jardins, une jouissance pour ses narines. La promesse d'un retour de l'été, si illusoire soit-elle, transporte Irma d'allégresse. Une allégresse qu'elle prend le temps de savourer en parcourant les rues bordées d'arbres qui font un pied de nez à l'automne en attendant que les premières gelées les assaillent.

Les tentures du salon n'ont pas encore été tirées. Irma regarde sa montre. « Neuf heures trente ! Maman se paie la grasse matinée, ce matin », suppose-t-elle.

— *Miss Valley ! It's Irma*, annonce-t-elle après avoir frappé trois fois à la porte.

Du bruit à l'intérieur la rassure.

— *Who is it ?*

— C'est Irma !

— *Oh ! My God !* J'arrive ! J'arrive !

Irma n'attendait que le déverrouillage de la porte pour se précipiter vers sa mère qui, avec gestes nerveux, noue son peignoir et replace sa chevelure. Sur la table de la cuisine, un échafaudage de cahiers et de partitions.

— J'ai voulu donner un grand coup hier soir, explique Phédora.

Son visage flétri et son regard fuyant la trahissent.

— C'est trop pour vous, maman. Trop de classes, trop d'élèves. Et vous avez recommencé trop vite.

— La santé devrait toujours suivre le même chemin que le cœur, riposte-t-elle en tentant de dégager un espace sur la table.

Irma lui ouvre les bras. Phédora s'y blottit. Elle a rendu les armes.

— Venez vous étendre sur le sofa. Je vais écouter votre cœur.

Les paupières closes, Phédora appelle la sérénité.

— Votre médecin vous prescrirait un autre mois de repos, Mrs Valley. Mais votre fille sait à quel point vous en seriez contrariée.

Phédora ouvre les yeux et sourit.

— J'ai un marché à vous proposer : je vous laisse libre de continuer le reste du mois d'octobre, à l'essai, mais à deux conditions : vous répondez franchement aux questions de votre médecin et vous acceptez l'aide votre fille.

— C'est promis, répond Phédora sans la moindre hésitation.

À l'interrogatoire concernant son sommeil et son appétit, Phédora se soumet avec honnêteté. Par contre, elle se montre diplomate quant à l'état d'épuisement contre lequel elle lutte.

— Je vais venir vous voir tous les deux jours, déclare Irma.

Phédora parvient mal à dissimuler sa désapprobation et sa fille la comprend.

— Nous en sommes au deuxième point, lui annonce-t-elle. Chaque samedi, je vais venir vous donner un coup de main. J'aimerais qu'avant d'aller faire votre toilette, vous veniez m'expliquer votre travail. Des corrections à faire ?

— Une tonne de corrections !

Des devoirs de solfège et de petites créations musicales replongent Irma dans le plaisir. Du connu que ce monde de la musique dans lequel elle aurait pu exceller si tel avait été son choix.

Les heures fuient, la pile de cahiers fond pendant que Phédora et sa fille annotent les devoirs de création musicale.

— Une journée de congé comme je les aime ! s'écrie-t-elle, voyant la brunante couvrir les fenêtres.

— Vous ne faites plus jamais ce travail de fin de semaine sans moi, maman ! Je viendrai tous les samedis.

— Comment voudrais-tu que je me prive d'un tel plaisir! Je me serais crue avec ma meilleure amie de la terre, déclare Phédora, transfigurée.

— Votre meilleure amie de la terre?

— Si j'en avais une comme...

— ... comme Irma LeVasseur, maman? Pourquoi pas? Nous avons tellement de choses en commun!

Phédora fond en larmes.

— Dis-moi que je ne rêve pas, Irma. Dis-moi que tu le penses pour vrai.

La journée se termine comme elle avait commencé : par une longue étreinte.

Rentrée chez elle tôt après le souper, Irma attaque ses propres dossiers avec une énergie bouillonnante. D'abord, une lecture en diagonale des journaux accumulés; c'est plus expéditif. Une chronique retient toutefois son intérêt de la première à la dernière ligne : la traversée de la Manche, de Calais à Douvres, en juillet, par l'aviateur français Louis Blériot, âgé de trente-sept ans. Le journal britannique *Daily Mail* lui aurait offert une récompense de mille livres. «Un bon montant, admet Irma. Mais je suis sûre que la satisfaction personnelle l'a emporté sur l'argent reçu.» Dans le *New York Times*, quelques paragraphes évoquent les débats parlementaires menés à Québec au sujet de la peine de mort. La proposition de Paul Meunier lui semble la plus équitable : substituer les travaux forcés à perpétuité à la peine de mort. «Au cas où le premier jugement aurait été inéquitable», considère-t-elle. Sur le plan fédéral, le premier ministre MacKenzie King poursuit sa lutte contre la drogue. Irma s'étonne qu'il soit soupçonné d'imputer ce fléau aux Chinois. Des journalistes l'accusent de subterfuge pour chasser du Canada ces éléments indésirables de la main-d'œuvre. De quoi soulever l'indignation d'Irma.

En quête de stimulation, elle met de côté les papiers afférant aux affaires canadiennes et entreprend la lecture des revues médicales. L'une d'elles fait état de la mise au point de certains appareils dont le sphygmotensiomètre, qui permettra de mesurer la pression artérielle.

Une autre revue annonce la découverte du rôle de l'hémoglobine dans la respiration. Cette trouvaille la stimule dans ses recherches. «Un pas de plus pour apporter une meilleure qualité de vie aux enfants et à leur parents», pense-t-elle.

Irma sort encouragée de sa séance de lecture. Les statistiques publiées dans nombre de revues et ses six semaines d'investigation dans les écoles d'un quartier plus nanti de New York prouvent bien qu'un lien direct existe entre l'aisance financière et la santé. Rien de comparable à ce qu'elle a observé dans les *tenement houses* destinées aux couches populaires. La propreté des lieux et la qualité de l'alimentation sont manifestes. Seul élément en leur défaveur : le tabac, dont les enfants aspirent la fumée malgré eux. Les fumeurs refusent d'admettre qu'ils causent du tort à leurs proches, à leurs bambins, surtout. L'effet d'entraînement n'est pas à négliger ; à preuve, de jeunes femmes ont été aperçues, la cigarette à la bouche. «Ces femmes ont-elles jamais pensé à la santé des enfants qu'elles porteront et mettront au monde ? Comment les protéger ?» se demande Irma. Une idée lui vient. «Mon arme, ce sera la publication dans différents journaux d'un article qui, dans un vocabulaire simple, informera la population des méfaits du tabac. D'autant plus qu'on ne se gêne pas pour faire de la publicité sur la cigarette. Les revues et les vitrines des magasins en sont garnies.» L'heure avancée et la fatigue ne sauraient arrêter sa plume. Des mots qui viennent du cœur. Des arguments d'ordre médical solides. L'appel d'une femme à toutes les autres pour mener ce combat, par amour pour tous les enfants de New York.

Irma peut aller dormir.

※⟶⟵※

— Hélène ! Mais qu'est-ce que tu fais dans ma chambre ? Comment...

— J'ai frappé, mais comme il est déjà onze heures, j'ai pensé que tu avais déverrouillé ta porte exprès pour moi.

Irma est confuse.

— Je me suis couchée vers trois heures ce matin. Jamais je n'aurais cru dormir si tard, explique-t-elle en se tirant de sous ses draps.

Devant la mine dépitée d'Hélène, elle ajoute :

— Mais ne t'en fais pas. J'ai tout prévu hier. On va déguster de bons petits plats... comme quand tu venais du Minnesota pour me voir.

Le rappel de ces moments forts de leur amitié atteint le but visé. Délestée de son rôle de mère et d'épouse, Hélène a retrouvé ce petit air frivole qui la caractérisait avant sa rencontre avec Bob. Irma sourit en l'entendant fredonner des succès du palmarès américain de la fin des années 1890. De sa chambre, elle joint doucement sa voix à la sienne. Des éclats de rire. Le goût de se laisser aller à quelques pas de danse, comme dans le temps. Puis, à l'unisson, *À la claire fontaine* les entraîne dans une farandole débridée où seule la spontanéité dicte la chorégraphie.

Il y a de tout, dans cette rencontre, sauf ce qu'Irma en avait anticipé. Au rappel d'heureux souvenirs se mêlent taquineries et aveux anodins.

— Ce sera bientôt l'anniversaire de Charles. Tu as des suggestions de cadeaux ? demande Irma avant que son amie ne la quitte.

— C'est vrai ! Il ne faut pas que je l'oublie, celui-là non plus.

Irma la fait répéter, croyant avoir mal saisi.

— Ce n'est pourtant pas ton habitude d'oublier les anniversaires, Hélène. Surtout pas celui de ton fils.

— De mon plus jeune...

Remarque si inopinée qu'Irma en reste bouche bée.

— Il me manque tellement. Plus encore depuis que Charles est né. Comment t'expliquer ?

La réceptivité d'Irma l'incite à poursuivre.

— Ce doit être comparable à ce que Rose-Lyn a vécu par rapport à Bob. Toi par rapport à ta mère. Peut-être même que la présence d'un amoureux dans ta vie te manque plus depuis que tu l'as retrouvée. Comme si le fait de goûter à un nouveau bonheur nous faisait ressentir ceux qui nous manquent. C'est comme ça pour moi, en tout cas.

Irma ne sait où poser son regard. Le silence la protège-t-elle de toute révélation ? Elle en doute tant qu'elle tente de faire diversion en offrant quelque chose à boire à Hélène. Peine perdue, les aveux s'enchaînent.

— Tu m'as déjà poussée à tout dire à mon mari, tu te souviens ?

Un hochement de tête de la part d'Irma.

— J'ai suivi tes conseils. Dernièrement, je lui ai même parlé de... de mon grand garçon.

Irma bondit.

— Tu l'as revu ?

— J'aimerais le retrouver.

— Qu'est-ce qu'il en dit, Bob ?

— Il me demande de bien y réfléchir... Ma situation est plus complexe que ne l'était celle de Rose-Lyn et de son fils, je le sais.

— Il n'a pas raison ?

— Oui, mais...

Hélène essuie quelques larmes.

— Ça me blesse de voir à quel point il me juge... fragile. Il craint que ce ne soit qu'une source de problèmes, pour moi et pour notre petite famille.

Telle est aussi la perception d'Irma, mais elle la tait.

— Il a quel âge, maintenant ?

— Seize ans, Irma. Seize ans. Tu imagines de quoi il a l'air ? Je suis sûre qu'il est beau, avance-t-elle, le regard suspendu à une projection enivrante.

Puis ses traits se rembrunissent.

— Que de questions il doit se poser ! C'est ce qui me tourmente le plus.

Un long silence, puis Irma pousse la réflexion de son amie :

— Es-tu certaine qu'il est au courant... ?

— Non, mais je saurais à qui m'adresser pour avoir de ses nouvelles.

— Pas au père, j'espère ! Un dépravé semblable ne mérite d'être approché ni de loin ni de près, s'écrie Irma, indignée.

Hélène a baissé les yeux et serré les lèvres. La déception se lit sur son visage. Les propos d'Irma la blessent profondément. « Comment peut-elle ignorer que, pour retrouver un être cher, aucune démarche n'est trop odieuse ? Est-ce à dire qu'elle aurait renoncé à sa quête plutôt que de se voir humiliée ? Comment a-t-elle pu oublier cette espèce de raz-de-marée insidieux et déchirant qui nous ramène toujours vers cette partie de soi dont on a été amputé ? »

Hélène a repris son sac à main et se dirige vers la sortie.

— Ne pars pas comme ça, Hélène. Explique-toi, la prie Irma.

Sa main reste tendue, vide.

⋙⋘

Dans une longue lettre adressée à son amie Maude le 2 janvier 1910, Irma écrit, rature et reprend :

Une blessure d'amitié. Comment les éviter ? On dirait que la vie prend plaisir à nous meurtrir çà et là. Est-ce nécessaire pour ne pas oublier que nous ne sommes que de passage ? Qui serait tenté de s'installer dans cette existence terrestre où l'incertitude, l'impondérable et l'impuissance deviennent notre pain quotidien ? Les grands bonheurs ? Un hors-d'œuvre d'exception. La vie est un combat, ai-je toujours entendu ; mais je croyais que les trêves étaient indissociables des guerres. On m'avait dit que, si l'on a mangé son pain noir dans la première partie de sa vie, on a droit au pain blanc par la suite. Faut-il croire que je mourrai vieille et que je ne suis pas encore au mitan de ma vie ?

Ce paragraphe conçu à la faveur de l'insomnie, Irma hésite à l'envoyer à son amie Maude sans lui en fournir l'explication. Rattraper la mi-octobre et laisser les événements reprendre forme dans sa mémoire, sur son papier, lui apparaît pourtant bénéfique. Irma reprend sa plume et confie au lendemain le soin de détruire cette lettre ou de la glisser dans l'enveloppe déjà préparée.

J'ai bien peur d'avoir perdu ma grande amie d'ici. On se connaît depuis mon arrivée aux États-Unis, tu imagines le vide ? Je suis la marraine de son fils, en plus. Le pire est de ne pas savoir au juste pourquoi elle est fâchée et de la voir se comporter avec moi comme avec une étrangère qu'on respecte, tout simplement. À son mari, elle a bien dû révéler laquelle de mes paroles avait pu la blesser à ce point, mais il refuse de m'en parler. Il a raison. C'est à Hélène de s'expliquer avec moi. J'en multiplie les occasions, mais elle les fuit encore. Faut-il te dire que la célébration du deuxième anniversaire de mon filleul n'avait rien de comparable aux précédentes ? Tout comme au souper de Noël, nos rires sonnaient faux.

Mais je n'ai pas vécu que des tracas depuis ma dernière lettre. J'ai reçu deux très grands cadeaux, il y a une dizaine de jours. Ma chère Maude, tu seras surprise d'apprendre qu'ils me sont venus de maman et de mon frère Paul-Eugène. Ce genre de joie qui te réchauffe tout l'intérieur. Une joie si intime et profonde qu'elle ne pourra pas ne pas durer. Crois-le ou non, mon frère a enregistré ses compositions musicales et m'a envoyé une bobine. Je l'ai écoutée cent fois au moins avant de la prêter à maman. Il doit bien exister un moyen de la copier, mais les gens que j'ai questionnés l'ignorent. Tu devines que j'ai offert un phonographe à maman pour Noël; sur la bobine de Paul-Eugène, attribuée à un auteur inconnu, j'ai ajouté trois enregistrements de concerts présentés au Metropolitan Opera de New York et rediffusés à la radio. Maman a passé sa semaine à l'écouter. Elle m'a dit hier qu'elle vivait les plus belles vacances de Noël de sa vie. Et quand je lui ai demandé lequel des quatre enregistrements elle préférait, elle m'a répondu sans la moindre hésitation : celui de l'auteur inconnu.

Je vais lui cuisiner un bon souper pour la fête des Rois et je vais essayer de lui faire dire ce qu'elle ressent en écoutant cette musique. Si elle savait qui l'a créée !

Depuis la mi-octobre, je passe mes samedis avec maman; je l'aide à corriger les travaux de ses élèves, pour qu'elle ne s'épuise pas trop. Elle devrait être encore au repos, mais elle aime tellement enseigner le piano et le chant ! Le samedi est mon plus beau jour de la semaine.

Autre bonheur indescriptible : Bob et Hélène acceptent, malgré notre froid, que j'aille chercher le petit Charles et que je l'emmène jouer ici avec moi, aussi souvent que j'en ai envie. Il n'a qu'à être ce qu'il est pour me ramener à cette joie de vivre de ma petite enfance. Il y a du mystère dans cette magie à la fois si simple et si puissante.

À ces moments suaves passés en présence de ma mère et de mon filleul, s'ajoutent mon travail dans les écoles et les familles, mes recherches en laboratoire et mes visites régulières à mes deux petits protégés confiés à tante Rose-Lyn. Vingt-quatre heures dans une journée, c'est trop court !

À bien y penser, Maude, je devrais supprimer mon premier paragraphe. C'est la blessure d'Hélène qui assombrit mon ciel comme ça. De t'en avoir parlé m'a permis de constater que je lui accorde trop d'importance, que je devrais laisser le temps agir tout en incitant ma belle Hélène à s'expliquer. Je constate aussi que l'amitié prend une énorme place dans mon cœur. En est-il ainsi pour toi ? Serait-ce dû au fait que nous ne pouvons vivre nos amours secrètes ?

Où en es-tu sur ce plan, ma chère Maude ? Ressens-tu encore autant le mal de lui ? Je constate que sa réputation de médecin exemplaire s'étend non seulement au Canada et aux États-Unis mais aussi en Angleterre. Les trois peuples le revendiquent comme l'un des leurs, mais il n'en reste pas moins que c'est chez nous, au Canada, qu'il est né, William Osler. Je crains qu'il se plaise tellement comme professeur à Oxford qu'il soit tenté de ne pas revenir au Canada ou aux États-Unis. Te paierais-tu un voyage en Angleterre pour le revoir ou si tu t'exerces encore et encore au détachement ?

Parlant de détachement, je t'avouerai que l'attitude d'Hélène espace mes visites chez Bob et me fait ressentir davantage ce que j'ai tant travaillé à extirper de ma chair depuis plus de neuf ans. C'est une autre des causes de la grisaille de mon premier paragraphe.

Tu as revu Alice Wilson ?
Je te relirai avec grand bonheur, ma très chère Maude.

Ton amie fidèle,
Irma

Avec non moins de transparence et de cordialité, elle rédige des paragraphes de remerciements et de mots affectueux à l'intention de sa tante Angèle.

Pour prendre des nouvelles de mon train de vie, vous pouvez vous adresser à papa. Je lui en parle à souhait dans ma lettre d'avant Noël.

Devant l'urgence de signifier sa gratitude et son admiration à son frère, Irma entame l'écriture d'une troisième lettre. Dans l'enveloppe adressée à Paul-Eugène LeVasseur, elle glisse un chèque; de quoi le faire monter au septième ciel. « Il ne mérite rien de moins que cent dollars », considère-t-elle. Comme il lui est difficile de ne pouvoir lui révéler que Phédora écoute sa musique, qu'elle en est totalement subjuguée. « Il pourrait en mourir d'ivresse, s'il le savait ! Quel dilemme ! Quelle déchirure ! Combien de temps pourrai-je supporter de ne pas partager avec lui cet immense bonheur ? N'y a-t-il pas le même droit que moi ? Pourquoi la vie est-elle aussi compliquée ? »

« *Il fait très froid en novembre, planté là à l'attendre sur le quai de la place Royale* », lui écrivait Paul-Eugène, témoignant ainsi de son assiduité à venir au-devant de sa mère « *au cas où ce serait le bon jour* ». Irma donnerait sa vie pour que cesse cette injustice; mais une seule personne en possède le pouvoir. « Maman finira-t-elle un jour par lui ouvrir les bras ? » Tant d'impuissance incite Irma à la prière. « Grand-père LeVasseur et vous, surtout, grand-père William, vous devez bien être au pays des bienheureux. Le bon Dieu vous accorde sûrement un peu de pouvoir. Prouvez-moi que c'est vrai que si l'on demande on est exaucé. Faites quelque chose pour mon frère. S'il est préférable de s'adresser à la Vierge Marie ou à son fils, faites-le pour moi, je vous en supplie. »

Sur les quelques lignes vierges de la lettre qu'elle était à écrire à son frère, Irma ajoute :

> *Tu vas te rendre malade, Paul-Eugène, à attendre sur le quai par des froids pareils. Tu sais bien que maman ne ferait la traversée qu'entre mai et novembre. Laisse passer l'hiver. Profite plutôt de ces longs mois de froid pour travailler ta musique. Tes compositions sont si belles ! Je pense qu'un petit prodige dormait en toi. Un jour, tu seras récompensé. On dit que la justice n'est pas de ce monde, mais qui sait, Paul-Eugène ? Il doit bien y en avoir un peu quand même ! Moi, je m'entête à le croire. Si tu doutes, je m'engage à croire pour nous deux.*

Irma ferme les yeux et prie pour que sa foi soit récompensée. « Au nom de mon frère aussi », précise-t-elle dans son invocation. L'idée lui vient d'ajouter une autre requête : « J'aimerais fêter mes trente-trois ans toute seule avec maman. Pour qu'elle me raconte ma naissance une autre fois, avec la même lumière dans ses yeux, avec la même émotion dans la voix que lorsque j'étais petite. »

Le 19 janvier venu, personne ne répond au téléphone chez Phédora, avec qui elle a l'intention de souper. La veille au soir, elle a travaillé tard à préparer de délicieux petits plats pour son repas d'anniversaire. Irma y tient d'autant plus que Rose-Lyn et les Smith semblent souffrir d'amnésie cette année. Aucune invitation de leur part. Pas une seule carte de souhaits. « Ce n'est pas normal », juge-t-elle.

Trois coups de klaxon devant sa porte. Irma entrouvre les rideaux... reconnaît la voiture de Bob.

Il est venu la chercher pour l'emmener chez Rose-Lyn où Phédora, Hélène et Charles l'attendent. La déception se lit sur le visage d'Irma.

— Tu n'aimes pas les surprises-parties ? soupçonne Bob.

— C'est gentil d'y avoir pensé, mais...

— Tu ne te sens pas bien ?

— C'est que j'avais une préférence pour mes trente-trois ans.

— Je comprends. Tu aurais aimé être seule avec ta mère...

— C'est ça.

— J'aurais dû y penser, confesse Bob.

Cet aveu touche Irma.

— Ne t'en fais pas. Je me reprendrai demain ou un autre jour avec maman.

La maisonnée de Rose-Lyn vibre d'un enthousiasme délirant. Les enfants en âge de dessiner ont préparé des cartes d'anniversaire pour Irma. Les adultes ont écrit des souhaits. Phédora a enveloppé un cadeau... fragile. Irma le développe avec une fébrilité... contagieuse. C'est un cadre. La photo d'Irma vers l'âge de six mois.

Mère et fille se jettent dans les bras l'une de l'autre devant tous ces témoins de leur émoi. Harry et Edith se disputent le privilège de voir en premier la photo de leur protectrice tant aimée. Que de questions cette photo les amène à poser tantôt à Phédora, tantôt à sa fille. Celle qu'Irma avait par-dessus tout souhaitée vient sur les lèvres d'Edith :

— C'était votre premier bébé-fille ?

— Ma première fille. Ma seule, répond Phédora, relatant avec une joie à la limite de l'exubérance cette naissance tant souhaitée.

On ne peut plus heureuse, Irma ajoute ses propres questions, comme si elle ne connaissait pas déjà les réponses, rien que pour le plaisir d'entendre sa mère lui redire son attachement et sa fierté.

❦

Un mois, jour pour jour, après le retour des élèves à l'école, Phédora s'est écroulée devant la chorale qu'elle dirigeait. Ce 10 février 1910 s'était présenté en rugissant. Malgré les rafales et la poudrerie, Mrs Valley était parvenue à se rendre à l'école. Elle avait cru en mourir tant le froid et le vent l'avaient malmenée. Toute la matinée, elle avait eu l'impression de n'être pas sortie de cette tempête. Une ennemie ! Une assaillante qui prenait son oxygène et l'accablait de vertige. Quelques minutes avant que la cloche annonce l'heure du dîner, Phédora avait rendu les armes. Une ambulance l'avait ramenée au St. Mark Hospital moins d'un an après son congé. Irma n'avait pu être jointe que dans la soirée. Au chevet de sa mère inconsciente, elle avait côtoyé le désespoir avant que la révolte bouille dans ses veines. Elle défiait la Vie de lui prouver qu'elle avait eu raison de croire qu'il existait une certaine justice sur terre. « Redonnez-lui ses esprits, ne serait-ce que dix jours, sept, trois. Le temps de dire ce qu'elle a retenu. Le temps de reprendre contact avec moi, avec la musique de son fils. »

Après trois semaines d'affrontement avec la mort, Phédora avait retrouvé de bons moments de lucidité. Même si ses yeux et ses mains devaient parler pour elle, l'espoir était permis; Irma s'y accrochait sauvagement, aveuglément, malgré le jugement des médecins chargés du dossier de Mrs Valley. Recréer autour de sa mère un peu de son univers quotidien l'aiderait, croyait-elle en dépit du scepticisme de ses collègues traitants.

Le mercredi 16 mars 1910, avec l'aide de Bob, Irma avait récupéré le phonographe de sa mère et l'avait installé dans sa chambre d'hôpital. Aux premières mesures d'un récital d'opéra, Phédora avait protesté d'un signe de la tête jusqu'à ce qu'on lui fasse entendre la musique de l'auteur inconnu. L'effet avait été instantané. La luminosité de ses yeux, de son sourire, sa main qui serrait celle de sa fille témoignaient de l'efficacité de cette initiative. Toutefois, un autre pas devrait être franchi, avant longtemps. Avant qu'il ne soit trop tard. Un défi qu'Irma se sentait incapable de relever seule. À Phédora incombait le pouvoir d'en faire un événement heureux ou affligeant. « Dans un cas comme dans l'autre, l'émotion sera si grande que j'ai besoin de la main de quelqu'un pour la vivre sans en être terrassée », s'avouait Irma. Des noms défilaient dans sa tête. Un seul se rendait jusqu'à son cœur. « Vendredi soir prochain, j'irai le voir », décidait-elle.

— J'ai pensé que ma visite, dix minutes avant la fermeture de la boutique, ne te dérangerait pas trop, dit Irma, armée de courage et d'humilité.

— Au contraire! Ça me fait plaisir de te recevoir... cousine. Un bijou ou une causerie pour toi, ce soir? demande Bob, simulant le confort.

— Un privilège, répond Irma, sans louvoyer, pour ne pas perdre de sa bravoure.

Bob lui réclame cinq minutes. Le temps de fermer la caisse et de verrouiller la porte de sa bijouterie.

— Tu peux m'attendre dans mon bureau, lui offre-t-il.

L'ambiance de cette minuscule pièce où Irma a été reçue la première fois à l'automne 1900 n'a pas changé. Les murs semblent empreints de vibrations qui n'ont rien à voir avec le monde des affaires. Irma s'y sent emmaillotée de tendresse, de confiance. Elle en fait provision en attendant Bob.

— Ta mère? s'informe-t-il après avoir pris le temps d'embrasser sa « cousine ».

— Elle est omniprésente dans ma vie ces jours-ci.

— Son état est toujours très critique alors, traduit-il en prenant place dans son fauteuil.

— Le mien aussi l'est devenu...

Bob est secoué.

— Tu es malade, Irma?

— Non, mais j'ai besoin de ton aide, Bob. Je voudrais que tu viennes avec moi dans la chambre de maman.

— Le moment des adieux est proche, quoi? murmure-t-il, chagriné.

— Peut-être... J'ai quelque chose de très important à lui apprendre.

Bob s'inquiète.

Pressée de s'expliquer, Irma lui dévoile ses intentions.

— Quand?

— Ce soir, après le souper, si tu le peux, Bob.

— C'est à mon tour de te prendre par la main, Irma. Tu le mérites tant!

Une accolade exprime les non-dits de l'un et de l'autre.

À la sortie de la *DIAMOND EVELYN*, ils prennent chacun une direction opposée mais pour quelques heures seulement. Du temps de réflexion et de préparation est requis avant la démarche projetée.

— Je mangerai à l'hôpital, promet Irma à son bienveillant cousin.

Le temps d'avaler un sandwich et un grand verre d'eau, elle file vers la chambre de sa mère. Le teint, aussi livide que son oreiller et ses draps, Phédora semble dormir paisiblement. Sa respiration est courte mais régulière. Irma retient le câlin qu'elle allait lui faire pour ne pas la réveiller. Des flocons d'éternité à cueillir : la sérénité sur son visage finement ciselé, l'esquisse d'un sourire en attente d'un grand bonheur, une chevelure ondulée comme sa voix, avant... Irma s'en abreuve, insatiable.

— Maman, maman, chuchote-t-elle pour se gaver de ce que ce mot lui a procuré depuis quatorze mois.

Mot qui se prête à l'amour, à la joie et aux retrouvailles, comme à la détresse, aux départs et aux adieux. Parole magique qui, à elle seule, évoque les attentes et les enfantements, les aurores et les crépuscules, les abnégations et les accomplissements. « S'il est une plénitude sur terre, c'est celle-là », pense Irma, de nouveau confrontée à son choix de vie. Est-ce pure coïncidence que Bob se présente dans la chambre de Phédora à cet instant même ? Irma en est bouleversée. « Si Hélène était ici, elle me répéterait que le hasard n'existe pas », se dit-elle.

Bob a déposé son veston sur une chaise et s'avance lentement vers Irma. Dans ses longs bras qui l'invitent, elle s'abandonne, le temps d'entendre les battements de son cœur sur sa joue, de ressentir l'affection dont il la comble, sans la moindre attente, du moins le croit-elle.

— Ça va aller, Irma. Aie confiance, lui susurre Bob.

Leurs regards prêts à se poser sur Phédora, ils rencontrent celui de la malade, non moins limpide que bouleversant. Sidérée, Irma paierait cher pour savoir ce que sa mère a pensé en la voyant dans les bras de Bob. « La parole lui fait défaut, mais certains gestes pourraient bien suppléer », pense-t-elle, déterminée à les scruter à la loupe.

Tous deux s'approchent du lit. Bob prend la main de Phédora avec la délicatesse vouée à une pièce de cristal, l'effleure de ses lèvres et murmure :

— Vous n'êtes plus seule, ma tante. Vous ne le serez plus jamais.

Des larmes glissent, abondantes, sur l'oreiller de la malade. Des sanglots traversent sa poitrine.

Une onde de bonheur et de tristesse confondus passe sur Irma. Une caresse sur le front de sa mère, sur ses cheveux, une promesse empruntant les mots de Bob, un baume sur les blessures des deux femmes.

La conversation amorcée entre Bob et sa cousine s'épuise vite. Phédora l'a suivie les paupières closes. Le silence semble l'incommoder. Elle ouvre les yeux et pointe son index vers le phonographe.

— Un récital de...

Irma n'a pas terminé sa phrase que Phédora grimace.

— Le piano ? suggère-t-elle.

D'un battement de cils, Phédora le réclame.

Irma et son cousin échangent un regard furtif, concerté. Dès les premières mesures, le visage de la malade s'illumine. Elle referme les yeux.

— On la croirait au bord de l'extase, chuchote Bob, profondément touché, et par la beauté de cette musique, et par la transfiguration de Phédora.

— Une minute ou deux... encore, lui suggère Irma.

Avant que la première pièce finisse, Bob demande d'une voix assez forte pour être entendue de sa tante :

— Tu sais, Irma, qui a composé cette musique ?

— Oui, Bob.

Phédora a ouvert les yeux et les tient rivés sur sa fille, qui lui a toujours affirmé le contraire.

— Un compositeur d'ici ?

— Un musicien du Québec... trop peu connu, déplore Irma.

L'extase a quitté le visage de Phédora, balayée par le désir de savoir. Irma saisit la main de sa mère, la porte à son cœur... Elle reste sans voix.

Une question dans les yeux de Phédora, l'ombre d'un mot sur ses lèvres frémissantes, un soubresaut de sa poitrine.

— C'est lui, maman. C'est votre fils.

Phédora tourne sa tête vers le mur, serre les paupières sur des larmes qui ont vite raison de sa résistance. Plus une parole dans cette chambre. Toute la place pour Paul-Eugène. Pour ses créations. Pour le chemin que sa mère fait... à rebours, jusqu'à lui.

Encore quelques secondes et le piano de Paul-Eugène se taira. Phédora le sait pour l'avoir tant écouté depuis trois mois. Elle s'agite, voudrait dire quelque chose, réclamer ... Non, elle ne veut pas réentendre l'enregistrement. Elle ne veut pas que ses visiteurs quittent sa chambre. Elle veut...

— Voir Paul-Eugène ?

C'est ça ! Le serrer dans ses bras, leur fait-elle comprendre. Allez le chercher tout de suite, souhaite-t-elle.

— Va ! Va vite ! croit entendre Irma.

— Je vous le ramènerai, maman. Le plus vite possible, lui promet-elle, avant de l'embrasser et de la remettre entre les mains du personnel de l'hôpital.

Irma ne rentre pas chez elle. Bob l'en a persuadée.

— On ne te laissera pas vivre ça toute seule. On est tes amis, Hélène et moi...

Une inquiétude a traversé l'esprit d'Irma. Bob l'a perçue.

— Hélène t'attend. Je l'ai mise au courant.

L'accueil a été fidèle à la promesse de Bob. Du temps est pris pour informer Hélène des derniers développements et partager avec elle l'émoi suscité. Le désir de Phédora présente plus d'une embûche. Il faut prévenir Paul-Eugène avec doigté. Ne rien précipiter. Organiser son voyage, trouver quelqu'un pour l'accompagner. Impossible de le faire venir par bateau. Il est trop tôt, à la mi-mars, pour que les navires parviennent à remonter le Saint-Laurent.

— Je ne vois personne d'autre que ma tante pour faire tout ça correctement, conclut Irma.

Hélène et Bob l'aident à rédiger le télégramme qui sera expédié à Angèle LeVasseur tôt le lendemain matin.

— Tu devrais dormir ici, lui conseille Hélène. Ça va te faire du bien aussi de revoir ton filleul.

Résister à l'invitation pour s'assurer des bons sentiments d'Hélène lui semble de mise.

— Ne t'en va pas, la supplie Bob.

— T'as toujours été avec nous dans les moments importants de notre vie. C'est à notre tour. On te le doit. Puis ça nous tient à cœur, dit Hélène, accompagnant ses paroles d'une chaleureuse accolade.

Les échanges se poursuivent jusqu'aux petites heures du matin. Irma essaiera de dormir.

⋇⋇

Lorsque Bob a quitté la maison, tôt le lendemain matin, personne n'était encore sorti du lit. Après avoir laissé une note sur la table à l'intention d'Irma, il a emporté avec lui le texte à télégraphier.

La matinée lui semble interminable. À plus d'une reprise, il a mis la main sur le téléphone et composé le numéro de son domicile. «Vaut mieux ne pas les déranger. Elles vont m'appeler si elles ont besoin de moi», s'est-il répété.

Réveillée par les rires de son filleul, passé huit heures, Irma avait bondi de son lit. «Par chance que je m'étais allongée tout habillée», se dit-elle en se souvenant du rapport de laboratoire qu'elle doit rédiger ce samedi 19 mars et corriger le lendemain pour le soumettre aux autorités de la ville lundi matin. Que Bob se soit chargé du télégramme la soulage. Que Charles la distraie de ses problèmes familiaux, elle s'y prête de bon gré, jusqu'à ce que ses préoccupations la rejoignent, moins d'une demi-heure après qu'elle s'est installée dans la salle de jeu, entourée de peluches qu'elle animait tour à tour selon les désirs de l'enfant.

⋇⋇

— Je l'emmène chez moi, annonce Angèle en sommant Paul-Eugène de la suivre.

— Bonne sainte Anne! Quelle mouche t'a piquée ce matin? rétorque Nazaire sans lever les yeux de son journal.

— Je t'en parlerai une autre fois. Grouille, Paul-Eugène.

— Faut que je me change... pour aller avec vous. Qu'est-ce que je dois mettre?

— Ce que t'as de plus présentable. Bouge-toi.

Paul-Eugène sort de sa chambre vêtu du dernier complet qu'Irma lui a payé. Angèle se réjouit du peu d'attention que Nazaire leur prête. «On peut filer en douce sans qu'il ne pose d'autres questions.» D'un signe de la main, elle presse son neveu de finir de s'habiller et de sortir de la maison.

— J'ai même pas eu le temps d'attacher mes lacets, fait-il remarquer avant de s'engager dans la rue Fleury.

— Plus loin. Attention de ne pas t'enfarger.

Paul-Eugène fait preuve d'une docilité exceptionnelle. De grandes enjambées, pour ne pas marcher sur les lacets de ses bottes, un dernier ajustement à sa ceinture de pantalon, à son veston qu'il n'avait pas boutonné, à son manteau qu'il prend soin de fermer.

— Où est-ce qu'on s'en va, ma tante?

— Chez moi, pour commencer.

— Puis après?

— Je vais tout t'expliquer quand on sera à la maison.

Nul besoin de rappeler à l'homme qui aura trente-cinq ans en septembre prochain qu'il faut se hâter. La curiosité l'y pousse.

— Pas dans la cuisine. Ici, dans le bureau de ton grand-père, lui indique Angèle, qui implore Zéphirin de l'inspirer depuis que le télégramme de New York lui a été livré.

Paul-Eugène manifeste un premier signe de nervosité.

— Triste, ce que vous avez à m'apprendre, tante Angèle?

— Beaucoup plus réjouissant que triste, mon garçon.

Ces paroles le ramènent à la sérénité.

— T'as bien fait de t'habiller beau de même, Paul-Eugène.

— Vous m'emmenez à un endroit chic?

— Du jamais-vu pour toi. On va prendre le train tous les deux demain midi.

— Le train! Pour aller où?

— Voir quelqu'un...

Paul-Eugène se fige, puis hausse les épaules tant l'émotion force sa poitrine. Ses yeux se mouillent.

— Elle nous attend... C'est ça, tante Angèle?

— Oui, mon garçon. À New York.

— Irma le sait ? s'inquiète-t-il.

— Oui. C'est elle qui nous l'annonce, répond Angèle en se gardant bien de lui divulguer le contenu du télégramme.

« J'aurai assez des vingt heures de trajet dans le train pour le préparer à voir sa mère dans l'état où elle est », juge-t-elle.

Paul-Eugène couvre son visage de ses larges mains laiteuses. Des sanglots montent en cascade dans sa poitrine. Des hochements de tête parlent de son ébahissement, des doutes qui le flagellent et de l'euphorie qui les chasse sans merci. Ses larmes épongées avec le mouchoir de poche qui parait son veston, il retrouve son sourire.

— Elle me l'avait promis, ma petite sœur. Elle l'a trouvée avant moi, notre maman, balbutie-t-il devant sa tante qui, médusée, le suit du mieux qu'elle peut. J'aurais aimé ça être à la place d'Irma.

— Tu n'as qu'une chose à retenir, mon garçon : ta mère veut te revoir.

— D'accord, ma tante. D'accord !

Sur ce, Paul-Eugène quitte le boudoir de son grand-père et se précipite dans le salon double. Courbé sur le clavier, il effleure les touches noires, se redresse et pose ses mains sur le clavier. Les notes déferlent à un rythme endiablé, reviennent en ressac puis agonisent pour rebondir plus haut, plus loin. Angèle, qui s'apprêtait à quitter le salon pour aller informer Nazaire du voyage de son fils, lance son manteau sur une chaise, court placer deux bobines sur le phonographe et s'active sur la manivelle. « On n'aura pas tout perdu », se félicite-t-elle, non moins ravie d'y être parvenue sans distraire le créateur.

Paul-Eugène ne libère le clavier qu'au bout de sueurs intenses, exténué, vidé. Sur ses bras croisés sur la tête du piano, il pose son front ; ses tremblements sont tels qu'Angèle craint une crise...

— Ça va aller, Paul-Eugène ? s'enquiert-elle en couvrant son dos de lentes et longues caresses.

— Oui, oui, râle-t-il.

— Tu devrais t'allonger un peu, le temps que je nous prépare un bon souper.

Phrase inachevée dans l'esprit de Paul-Eugène, qui n'a retenu que les premiers mots avant de s'affaler sur le sofa. « De bonne heure demain matin, je traverserai chez Nazaire pour l'informer de ce qui arrive et prendre d'autres vêtements pour Paul-Eugène », se propose Angèle.

Elle n'est nullement surprise de devoir réveiller son neveu à l'heure de manger. Il est doté de ce pouvoir, ou affublé de cette faiblesse, de dormir quand il est perturbé. Les accès de violence se font plus rares depuis qu'il a accepté de reprendre sa médication.

La soirée est empreinte de sérénité. Paul-Eugène la passe à monologuer tout haut dans sa chaise berçante :

— Je le savais que j'allais la revoir un jour. On est chanceux qu'elle ne soit pas devenue folle à force de s'ennuyer de ses deux enfants ! Je suis sûr qu'elle est aussi belle qu'avant. Qu'elle chante aussi bien qu'avant.

Soudain, plus un mot. Il cherche quelque chose... tente de compter sur ses doigts, se décourage.

— Ça lui fait quel âge, à maman ? demande-t-il.

— Cinquante-neuf dans un mois. J'ai deux ans de plus qu'elle.

— Hé ! Elle est si vieille que ça ?

— Tu oublies que tu vas avoir trente-cinq ans...

— Je me sens pas de même, tante Angèle. Vingt ans, au plus. Surtout depuis que je sais...

Angèle se questionne : « Ne devrais-je pas profiter de cette ouverture pour lui annoncer que Phédora est très malade ? Paul-Eugène savoure tellement ces retrouvailles ! Non. Je ne lui volerai pas ces précieux moments. J'avais prévu attendre qu'on soit dans le train, je vais m'en tenir à ça », décrète-t-elle.

Paul-Eugène a recommencé à se bercer avec vigueur.

— Ça me fait rien qu'elle ait cet âge-là, maman. Elle va être restée belle, quand même. Je ne la laisserai pas se fatiguer. Je vais l'aider à déménager par ici... Faire son ménage. Ses commissions. Son jardin. Tout ! Je vais tout faire pour elle. Elle va être contente.

Une autre pause s'annonce.

— Tante Angèle ! Vous avez une grande photo de maman ici ?

— Oh ! Il faudrait que je fouille dans les caisses de ton grand-père Zéphirin. Il avait le portrait de mariage de tes parents. Je regarderai demain matin...

— Pourquoi pas tout suite ? Je vais vous aider.

Angèle proteste. Elle juge prioritaire de préparer les bagages dès ce soir compte tenu de la visite qu'elle doit faire à Nazaire le lendemain en matinée, de retourner le télégramme à New York pour préciser le moment de leur arrivée et de voir à la maison...

— Dites-moi où aller chercher. Je suis bon pour trouver vite, rétorque Paul-Eugène.

Sur le point de s'impatienter, Angèle cède, mais elle interdit à son neveu de la suivre. « Il n'est pas question qu'il mette le nez dans cette valise-là, fouineur comme il est ! »

En moins de cinq minutes, elle revient avec une superbe photographie de Phédora prise lors d'un de ses derniers concerts à Québec. « Elle devait avoir autour de trente-cinq ans », estime-elle.

En la voyant sortir de la chambre de son grand-père, Paul-Eugène s'est précipité vers elle, tout son être tendu vers ce petit cadre au contour doré. Ses yeux ne sont pas assez grands pour s'approprier cette image. Son cœur s'emballe. Des rires et des pleurs d'enfant sortent de sa bouche. Angèle l'observe, déconcertée.

— Je peux dormir ici sur le sofa ? avec elle ? l'implore-t-il, la photo de sa mère collée à sa poitrine.

Exaucé, Paul-Eugène emprunte une couverture et un oreiller et s'installe sans tarder. Angèle peut respirer à l'aise.

— Ne t'inquiète pas si tu ne me trouves pas dans la maison quand tu vas te réveiller demain matin, le prévient-elle. Tu sais que j'ai plein de choses à régler avant de partir pour New York. Tu en profiteras pour faire ta toilette.

Paul-Eugène et sa tante ont mal dormi. Tous deux se sont croisés à quelques reprises, l'un pour grignoter, faute de sommeiller, l'autre pour mettre à la vue des articles à ajouter dans les bagages ou pour dresser la liste de responsabilités à confier à Nazaire.

Au petit matin, sur la pointe des pieds, Angèle quitte la maison, déterminée à exécuter son programme en un temps record.

En son absence, le claquement du marteau sur la porte d'entrée tire abruptement de son sommeil l'homme qui dormait encore, passé neuf heures trente. Paul-Eugène chancelle, se rassoit, se relève, enfile son pantalon et tangue encore un peu avant d'atteindre le loquet. «Qui est ce monsieur? Je ne devrais peut-être pas lui ouvrir... Mais il doit bien m'avoir vu à travers la vitre de la porte. Le rideau est si transparent. Trop tard! Je suis coincé», considère-t-il en voyant l'inconnu se coller le nez à la vitre et relancer le heurtoir. La porte entrebâillée la largeur d'une carte à jouer, Paul-Eugène demande de sa voix la plus virile :

— Qu'est-ce que vous voulez?

— Un télégramme pour Mme Angèle LeVasseur.

— Oh, pardon! C'est bien ici. Mais elle est partie juste pour quelques minutes, dit-il, la main tendue.

— Vous êtes...

— ... son fils, croit-il préférable d'annoncer.

Le messager lui laisse le télégramme. Paul-Eugène se félicite de son ingéniosité. «Drôle de lettre! Pas d'enveloppe. Moitié anglais, moitié français», se dit-il, incapable à première vue d'en saisir le sens. Accoudé à la table, il l'examine plus attentivement. Un frisson le traverse à la reconnaissance de deux noms : *Phédora Venner*, au cœur du texte, et *Irma LeVasseur*, accolé à une autre signature à la fin : *B. Smith*. Paul-Eugène est tenté de courir au-devant de sa tante. Il a déjà revêtu son manteau quand il se ressaisit. «S'il fallait qu'elle soit encore avec papa... Ce serait mieux que j'aille pas. Je vais l'attendre ici», décide-t-il en se souvenant de la consigne d'Angèle. «Il faut que je fasse ma toilette, que je sois prêt à partir pour la gare quand elle va revenir. Tout en beauté pour revoir maman.»

Paul-Eugène chantonne.

Lavé, rasé et vêtu de son plus beau complet, il attend le retour de sa tante, le nez collé à la fenêtre du salon. Il piétine sur place. «Quand est-ce qu'elle va arriver donc? Ce doit-être la faute à mon père», imagine-t-il. Pour tromper son impatience, il se penche de nouveau sur le billet qu'il tient en main. Le message commence par : *Don't.* «De l'anglais ou du chinois», conclut-il, frustré de n'en pouvoir saisir le sens. «Ce qu'il y a de sûr, c'est que maman et Irma sont ensemble et m'attendent. Peut-être ont-elles décidé d'un autre lieu de rencontre. C'est bien qu'on le sache avant de prendre le train.»

Concentré sur le mystérieux message, Paul-Eugène n'a pas vu arriver sa tante. Les grincements de la porte le font sursauter. Il traverse le salon avec l'enthousiasme que lui insuffle le papier qu'il a reçu et qu'il présente à sa tante.

— Où t'as pris ça ? s'écrie-t-elle avant même d'en prendre connaissance.

— Un monsieur vient de l'apporter, marmonne-t-il, vexé.

Angèle s'excuse. Elle a cru qu'il s'agissait du télégramme reçu la veille. Elle se dirige vers la cuisine, Paul-Eugène sur ses talons.

Les trois premiers mots la foudroient. Elle ferme les yeux, presse le papier sur sa poitrine, en quête de calme et de courage.

— Qu'est-ce que ça veut dire, en français ? demande son neveu.

— Laisse-moi le temps de traduire... tranquille, le supplie-t-elle, avant d'aller s'enfermer dans sa chambre.

Elle tarde à revenir. L'assurance de Paul-Eugène commence à s'effriter.

De nouveau, des pas dans l'escalier extérieur. Quelqu'un entre, tout endimanché.

— Papa ! Y est bien trop de bonne heure !

Aucune riposte de la part de Nazaire, qui s'avance, silencieux. Ses bras s'ouvrent vers son fils, qui hésite à s'y jeter. Paul-Eugène ne comprend plus. L'attitude particulièrement affectueuse de son père vainc sa réticence. Le silence ne quitte pas les deux hommes. Angèle les rejoint. L'arrivée prématurée de son frère la réconforte... le temps de s'interroger sur le motif.

— Je sais, lui annonce-t-il dans un chuchotement à peine audible.

«Que sais-tu ?» n'ose-t-elle formuler.

Libéré de l'accolade de son père, Paul-Eugène pose sur lui et sur sa tante un regard égaré.

— Viens avec nous dans le salon, lui dit Nazaire, une main dans son dos.

Paul-Eugène tremble.

— Tu ne peux savoir comme je suis content que ta mère ait été retrouvée, lui déclare-t-il avec une sincérité évidente.

— Demain, à cette heure-ci, je serai avec elle, reprend Paul-Eugène avec un enthousiasme d'enfant.

— Y a de bonnes chances...

Paul-Eugène se frotte les mains de contentement. Angèle proteste d'un signe de la tête. Un battement de cils et Nazaire enchaîne :

— On a appris, ta tante et moi, que ta mère n'est pas très bien.

— Je vais l'aider à guérir, réplique-t-il.

— Il y a de très bons médecins à New York, tu sais.

— On va aller leur parler, dit-il à l'intention de sa tante.

— Reste à souhaiter qu'on n'arrive pas trop tard, nuance Nazaire.

Paul-Eugène se redresse, ébahi par ce qu'il croit saisir.

— Vous venez à New York, vous aussi ?

Nazaire sort de sa poche de veston la preuve irréfutable : son billet acheté à la gare juste avant de venir chez sa sœur. « Il chavire », pense Angèle. Un autre papier, sorti de sa poche, tombe sur le plancher : un télégramme reçu en matinée. Angèle en déduit que son frère a été informé du décès de Phédora et qu'il veut assister à ses funérailles. « Mais quel micmac ! » se dit-elle, éberluée.

— Il faudrait qu'on se parle, Nazaire. Viens dans la chambre de papa. Toi, Paul-Eugène, attends-nous ici. Ce ne sera pas long.

Le temps presse. Il faut prendre une décision... la bonne. Dire ou ne pas dire la vérité à Paul-Eugène avant de prendre le train ? La réponse est évidente. La réaction de Paul-Eugène, si imprévisible, pourrait entraîner l'annulation du voyage.

Nazaire et sa sœur reviennent au salon, le regard endeuillé. La mine renfrognée, Paul-Eugène les a attendus, recroquevillé dans un coin du sofa. Nazaire s'assoit devant lui, Angèle tout près, sur le divan.

— On va la voir, ta mère, mon garçon, ça c'est sûr, lui annonce Nazaire.

Son fils reprend un peu d'aisance.

— Si on avait su... on serait partis bien avant aujourd'hui, ajoute-t-il, incapable de supporter ce regard qui le taraude.

Paul-Eugène se tourne vers sa tante, qui n'a pu retenir ses larmes.

— Dans son cercueil? marmonne-t-il. Pas dans son cercueil! Je voulais qu'elle me regarde, maman. Qu'elle me parle. Qu'elle me dise qu'elle me trouve... beau, habillé comme ça. Qu'elle me prenne dans ses bras. Qu'on danse de joie ensemble, tous les deux.

Paul-Eugène sanglote, la tête retombée sur ses genoux.

— Elle t'aurait dit comme elle a aimé ta musique, lui murmure sa tante pour le consoler.

— Ma musique! Maman a écouté ma musique! Vous le saviez que...? Vous m'avez tout caché!

Paul-Eugène bondit, la rage au cœur, au visage, dans les mains.

— Vous méritez que je vous étrangle, crie-t-il, les mains crispées.

Mais il fait demi-tour. Il s'approche du phonographe, tire la nappe qui le recouvrait, le lance violemment sur le plancher et le piétine avec acharnement, rugissant, blasphémant, crachant sa colère et son désarroi.

«Attendre qu'il s'apaise risque d'être long. Tenter d'intervenir? Comment? Quoi lui dire?» cherche Angèle. Elle se lève, prend son manteau et revient au salon se poster devant son neveu en crise. Paul-Eugène en reste statufié. Puis, elle réclame de Nazaire qu'il lui rende son billet pour New York.

— On n'ira pas, décrète-t-elle sur un ton à ne pas défier.

Tout en sueur, la chevelure retombée sur son visage, Paul-Eugène se rebiffe :

— Donnez-moi ça, tante Angèle. Donnez-moi ça. On va y aller voir maman, papa et moi. Hein, papa? On y va tous les deux, à New York.

— On y va, Paul-Eugène.

La promesse de son père l'apaise; le silence et le temps aussi. Jugeant le moment venu, Nazaire lui dit :

— J'aimerais bien que ta tante vienne aussi. Elle l'aimait comme sa sœur...

— Comme sa sœur. Comme sa sœur, répète Paul-Eugène d'un ton dément en reprenant sa place sur le sofa.

Angèle ne sait plus. Elle voudrait fuir, les laisser à eux-mêmes. «Irma! Mon Dieu! Mais qu'est-ce qu'elle va faire, cette pauvre petite, avec ces deux hommes-là sur les bras? Souhaite-t-elle le voir près du cercueil de Phédora? Son télégramme nous indique le contraire. Elle a bien écrit : *Don't come to New York. Phédora is dead.* Si nous prenons le train dans une heure, tel que nous l'avons prévu, nous n'avons pas le temps de l'en avertir. Puis...»

— On ne sait pas si Phédora sera enterrée par là, fait-elle remarquer à son frère.

Nazaire se lisse la moustache, forcé d'avouer qu'il n'y avait pas songé.

— Peu importe, rétorque-t-il. Elle va sûrement être exposée à New York ces jours-ci. On n'a plus une minute à perdre. Paul-Eugène, va te peigner et te rafraîchir le visage, pendant que ta tante et moi allons ramasser tes dégâts.

Angèle souhaitait cette absence de son neveu pour apostropher Nazaire :

— Es-tu en train de perdre la tête, Nazaire LeVasseur? Montre-moi le télégramme que tu as reçu.

— C'est le même que toi...

— Et alors? Tu sais lire l'anglais aussi bien que moi. Tu n'as pas vu que ta fille a écrit *Don't come to New York*?

— Ni Irma ni personne d'autre ne m'empêcheront d'emmener mon fils aux funérailles de sa mère. Il a été assez éprouvé dans sa vie, je ne le priverai pas de ce qu'il souhaite le plus au monde.

— Mais elle morte, Phédora. Comprends-tu ça?

— À plus forte raison. C'est sa dernière chance de voir sa mère. Tu viens ou tu ne viens pas?

Angèle ne dit mot, réfléchit, prend les bobines sur lesquelles ont été enregistrées les dernières pièces de Paul-Eugène, puis retourne vers sa valise pour les y glisser. Il l'a vue.

— Pour ma petite sœur, susurre Paul-Eugène.

— Oui, pour Irma. Pour la récompenser un peu...

꙰

Autour du cercueil de Phédora Venner, des regards lourds de réso-
lutions avortées et de promesses trahies. Des gestes d'indulgence,
des accolades qui prennent leur temps, des murmures admiratifs.
Sur le cercueil de la défunte, le portrait encadré que son fils a
apporté avec lui.

Paul-Eugène, une main posée sur celles de sa mère, laisse sa peine
couler doucement. Irma l'y a préparé la veille au soir.

— Moi aussi, j'en prends, un cachet comme celui-là, lui a-t-elle
dit pour le rassurer.

Insatiable, ses yeux fixés sur le visage serein de la défunte, Paul-
Eugène a bâti une alcôve juste pour sa mère et lui et s'y est enfermé...
hors de toute atteinte. Efforts stériles que ceux de son père et de ses
tantes pour l'en sortir.

— Viens avec moi, Paul-Eugène. Maman aurait besoin de se
reposer un peu, lui chuchote Irma, le moment venu de fermer le
cercueil.

— Se reposer ?

— Oui. Regarde, tous les gens sont sortis. Ils sont tous d'accord...

Un matin tiède, celui du 26 mars 1910.

Un long défilé en marche vers l'église : des élèves de Phédora,
accompagnés de parents et d'enseignants. Des collègues d'Irma. Des
connaissances de Bob et de Rose-Lyn. Un harmonium qui tremble
ses premiers accords. Une chorale d'enfants qui entonnent le *Dies
irae dies illa*. Des sanglots étouffés dans des mouchoirs de poche.

Derrière la dépouille mortelle, Irma et son frère, bas dessus, bras
dessous, avancent au rythme des porteurs. Les suit, un veuf qui, son
bras accroché à celui d'Angèle, regrette sa présence aux funérailles.
Les précèdent, le célébrant et ses servants de messe.

Un effluve de chandelles fumantes et d'encens invite au recueillement. Dans le cœur d'Irma, sa peine, mais aussi celle de son frère
qui assiste à la cérémonie avec une dignité et un calme empruntés
aux médicaments. Dans tout son être, une détresse née d'un sentiment de profonde solitude. La nostalgie de l'alcôve utérine qu'elle tente

de recréer... pour s'y lover. Pour ne plus jamais la quitter. Loin de tous, mais avec elle. Avec Phédora, pour toujours.

Deuxième partie

Chapitre VII

— Trente-sept ans demain ! À cet âge, maman habitait New York depuis plus d'un an, dit Irma après avoir soufflé les bougies que Bob a placées sur son gâteau en ce 19 janvier 1914.

Depuis la mort de Phédora, les anniversaires de naissance d'Irma sont empreints de nostalgie. « Il me semble, se dit-elle, que ce n'était pas trop demander au ciel que ma mère célèbre plus d'un anniversaire avec moi. À mes trente-deux ans, elle était là, mais si malade ! Une seule fois nous avons pu ensemble évoquer ce jour où elle avait jubilé en apercevant son bébé naissant, sa fille tant désirée. Vingt-deux anniversaires sans elle ! Seulement deux où j'ai pu l'embrasser et la remercier pour son amour, même s'il fut éprouvé... »

Le jeune Charles qui, le mois précédent, célébrait son sixième anniversaire de naissance, non sans un grand vide au cœur, la tire de ses souvenirs.

— Pourquoi rien que dix chandelles au lieu de trente-sept ? demande-t-il à son père.

— Tu penses que j'aurais pu en mettre autant sur ce petit gâteau ? Réfléchis un peu, Charles, tu es capable de trouver pourquoi j'en ai mis dix.

— Facile ! Trois plus sept...

Bob a aperçu Irma qui lui facilitait la réponse avec ses doigts.

— Par chance que tu l'as, cette marraine, hein fiston ?

— Elle m'a aidé rien qu'un petit peu, riposte Charles.

— Et c'est parce qu'il aide souvent sa marraine, plaide Irma, coquine comme l'enfant le souhaite.

Au domicile des Smith, on a peu fêté depuis mars 1913. En l'absence d'Hélène, ni Bob ni son fils n'en ont eu l'envie. Irma non plus. Dix-huit mois, c'est peu pour guérir d'un si grand deuil. Qu'Hélène ait perdu la vie en voulant sauver sa voisine âgée qui allait mourir dans son logis en feu apporte une certaine consolation au mari, mais pas encore à l'enfant. Irma portait, avec son chagrin, le poids d'une réconciliation avec son amie qui datait de trop peu. Hélène avait été blessée de ne pas recevoir d'elle la compréhension et l'assistance espérées pour retrouver son fils naturel. Depuis cette grande déception, Hélène s'était montrée respectueuse avec Irma, sans plus.

— C'est de ma meilleure amie que j'attendais du soutien pour réaliser un rêve aussi intime et aussi précieux, avait-elle avoué à Irma qui la priait de s'expliquer, un mois avant son décès.

Ce soir, autour de cette table où tous les gestes et toutes les paroles semblent empreints du respect de sa mémoire, Charles en témoigne.

— Ma maman fête tout le temps, maintenant. Ça se passe comme ça au ciel. Ma maman y est parce qu'elle a fait comme Jésus. C'est grand-mère Rose-Lyn qui me l'a dit.

— C'est vrai, confirme Bob. Ta maman a donné sa vie pour sauver notre voisine.

Tout sur ce petit visage au teint rosé lui rappelle Hélène, sa chevelure rousse, ses grands yeux verts, ce sourire généreux...

— Marraine, grand-mère Rose-Lyn m'a dit aussi que nos deux mamans étaient ensemble. Tu le savais ?

— Oui, mon petit homme. Est-ce qu'elle t'a dit aussi que nos deux mamans n'auront plus jamais mal au ventre, ni au cœur, ni...

— ... ni aux mains, ni aux pieds ? s'inquiète l'enfant, qui a compris que le corps d'Hélène, trop brûlé de la tête aux pieds, ne pouvait guérir.

— Elle n'aura plus jamais mal nulle part, lui jure Irma.

— Plus besoin de docteur! s'exclame Charles. Quand on va tous être au ciel, tu n'auras plus de travail à faire, marraine. Tu vas pouvoir jouer plus longtemps avec moi.

Bob se réjouit du ton que prend la soirée.

La présence d'Irma dans la maison est devenue vitale, et pour lui et pour son fils. Depuis le décès d'Hélène, leur amie est venue préparer son filleul au sommeil chaque soir après le souper. Avec lui, elle a passé tous ses samedis, sans compter les visites faites à Rose-Lyn, chez qui l'enfant se rend après ses heures de classe en attendant la fermeture de la *DIAMOND EVELYN*. N'était-il pas plus commode pour Irma d'occuper la troisième chambre et d'utiliser l'ancienne pièce de débarras pour en faire son bureau? À la logique s'ajoutait un motif qui l'a fait céder : son filleul. Mais les supplications de Charles et les requêtes de son père n'ont été exaucées que la veille du jour de l'An. Lasse d'intercéder sans succès, et ignorant les sentiments amoureux de sa nièce pour Bob, Rose-Lyn, de qui Bob avait souhaité l'intervention, avait baissé les bras vers la fin de novembre.

Après dix-sept jours de cohabitation, Irma cherche encore comment, tout en accordant à l'enfant la présence qu'il réclame, échapper à l'envoûtement que Bob exerce sur elle. «N'arriver qu'après le souper, prendre un peu de temps avec lui et son fils et me retirer dans mon bureau pour n'en sortir qu'au moment d'aller dormir, maintenir un samedi sur deux chez les Smith mais vivre tous mes dimanches chez tante Rose-Lyn.» Irma est déterminée à s'astreindre à ce programme. Le travail ne manque pas et elle se plaît toujours à l'accomplir. Bien sûr, le décès d'Hélène a repoussé la date choisie pour rentrer à Québec et y ouvrir un hôpital pour enfants. «Charles a besoin de moi pour quelques années encore. Mes deux protégés aussi», convient Irma. Qu'en est-il de Paul-Eugène qui, d'après ce que Nazaire lui a appris, serait retourné vivre en bohème avec ses amis du port?

Il lui arrive souvent de passer des semaines sans rentrer dormir à la maison. De temps en temps, j'engage une femme de ménage pour remettre sa chambre en ordre et laver ses vêtements, lui a-t-il écrit.

Angèle lui a confirmé que depuis la mort de Phédora, Paul-Eugène a rarement touché le clavier. Irma déplore amèrement que son frère soit retombé dans la dépravation. « Qu'adviendra-t-il de lui ? » s'inquiète-t-elle en réécoutant ses créations musicales. Irma voudrait lui donner une autre chance. « Mais comment le sortir de cet avilissement ? Qu'est-ce qui le motiverait à reprendre sa musique, ses petites tâches chez Angèle et le soin de sa personne ? Qui, à Québec, pourrait l'y amener ? Tante Angèle n'en a plus l'énergie. Papa ? Non. Il n'a manifesté d'admiration pour son fils et de confiance en lui qu'à l'occasion du décès de maman. »

Au fait des problèmes de santé de Nazaire et de sa peur de devenir aveugle, Irma ne saurait lui faire quelque reproche que ce soit. À la différence de Paul-Eugène, il s'accroche à sa bouée de sauvetage dans la mer sombre qu'il traverse. Malgré une acuité visuelle qui décline, il maintient son poste d'inspecteur au gouvernement, ses responsabilités à l'agence Henri Menier, ses tâches de consul pour quatre républiques, la présidence de la Société musicale Sainte-Cécile, et ses chroniques dans le bulletin de la société de géographie de Québec. Dans l'une d'elles, postée à Irma, il faisait l'éloge d'un homme devenu son modèle :

À l'âge de soixante-douze ans, l'explorateur forestier et carto-graphe Joseph Bureau court la forêt comme un grand cerf. Elle n'a plus de secrets pour lui. Il est peu de gens au pays qui aient parcouru en tous sens et dans tous ses coins et recoins la province de Québec comme Bureau. Il a invariablement dressé des cartes de ses expéditions; on peut les consulter au ministère des Terres de la Couronne, à Québec; elles sont couvertes d'indications très précieuses touchant la nature des sols, les essences forestières, les cours, la profondeur et l'étendue des lacs et rivières, les cascades et les chutes utilisables pour la génération de la force motrice, les minéraux, les sentes à percer et les routes à ouvrir.

Nazaire trouve un peu de lui-même chez cet homme de haute taille, robuste et conteur toujours enclin à l'humour. Complice du curé Labelle, M. Bureau avait mené ses explorations tant dans la région de l'Abitibi et du lac Saint-Jean qu'au Témiscamingue, en plus d'être reconnu comme l'instigateur de nombre de voies ferrées et de ponts un peu partout au Québec.

Dans le cœur de Nazaire, cette reconnaissance vient compenser un peu les accusations qui pèsent contre un autre de ses héros, le capitaine Bernier. Lors de sa plus récente expédition, le capitaine-entrepreneur a obtenu une concession de neuf cent soixante acres à Pond Inlet, y a fait construire une maison baptisée *Berniera* et, qui plus est, a obtenu d'autres installations et des entrepôts sur cette même île ainsi que sur l'île Bylot.

« *Objet de scandale pour les jaloux. N'empêche que le capitaine Bernier a été le premier propriétaire canadien dans l'Arctique* », plaide Nazaire dans une de ses lettres à Irma. De plus, des membres de son équipage l'accusent de s'être servi d'effets appartenant au gouvernement pour faire la traite des pelleteries avec les Esquimaux. Ces dénonciations se sont rendues sur les bureaux de trois ministres : celui de l'Intérieur, celui de la Justice et celui de la Marine. Accusé d'avoir rapporté des fourrures pour une valeur de 25 000 $, Joseph-Elzéar Bernier est suspendu de ses fonctions et doit répondre de ses actes devant les enquêteurs. D'autre part, on lui reproche de ne pas avoir tout mis en œuvre pour tenter le passage du Nord-Ouest et d'avoir prétexté le manque de provisions. Le capitaine Bernier est accusé aussi d'avoir apporté aux autochtones des maladies que leur système immunitaire ne pouvait combattre. Le 11 avril 1912, le gouvernement fédéral annonçait la tenue d'une enquête sur l'affaire Bernier. Mais le naufrage du *Titanic*, survenu quelques jours plus tard au large des côtes de Terre-Neuve, en a minimisé la portée, et l'enquête est passée presque inaperçue.

Mesquineries des membres de l'équipage majoritairement anglophones, règlements de comptes de certains d'entre eux, soupçonnait Nazaire, peiné pour ce grand explorateur qu'il n'admirait pas moins. À sa fille, il transmettait fidèlement l'unique commentaire du capitaine Bernier :

I am indeed sorry that three of my men took upon themselves
the responsibilities of accusing me so that I could not finish my
work North. But I am able to prove what I have done was for
the best.

« Mais qu'est-ce qui se passe au Québec ? » se demande Irma en
lisant une lettre de Mlle Rolland. Les doléances de Nazaire et de son
idole auraient trouvé un écho dans le cœur d'Euphrosine qui dénonce
l'injustice flagrante dont a été victime Marie Gérin-Lajoie, la sœur
de Justine Lacoste :

Première Canadienne française à obtenir un baccalauréat ès
arts, Marie a eu les meilleurs résultats de sa promotion, ce qui
aurait dû lui rapporter le prix Colin et celui du prince de Galles
en plus d'une bourse d'études universitaires. Or, les membres
du jury ont refusé de les lui décerner, sous prétexte que les jeunes
filles n'étaient pas admises à l'université. Qu'est-ce qu'on attend
pour leur en ouvrir les portes ? Les religieuses de la Congréga-
tion Notre-Dame, où Marie a poursuivi ses études, ont juste-
ment ouvert un collège d'enseignement supérieur pour que les
jeunes filles soient préparées à l'université. Vous, ma chère Irma,
vous pourriez peut-être convaincre les haut placés... Pourquoi
ne pas revenir au Canada ? Il y a tant de travail à faire ici. Puis,
vous seriez très heureuse de voir qu'il existe maintenant des
« Gouttes de lait » paroissiales. Le Dispensaire de l'Enfant-Jésus,
de la paroisse du même nom, a ouvert sa clinique de puéricul-
ture et il est devenu un modèle pour le Montreal Founding and
Baby Hospital et pour le Well baby Clinic.

Bien que réconfortée d'apprendre qu'enfin les Gouttes de lait
s'installent dans les mœurs médico-sociales des Québécois, Irma ne
se sent pas prête à quitter New York. Tant de causes l'y retiennent !
Euphrosine a ajouté à son texte des coupures de journaux montréalais fournissant d'autres détails au sujet de ces cliniques, à savoir
que depuis quatre ans déjà, de petits groupes composés de prêtres,

de médecins et de femmes ont mis en place une vingtaine de centres de distribution de lait principalement dans les quartiers ouvriers. Mais ces centres mériteraient d'être mieux encadrés, mieux subventionnés et affiliés à un bureau médical qui serait composé du médecin en chef du Bureau d'hygiène de la ville et de spécialistes en puériculture.

Tu y trouverais ta place, Irma. À la tête de ce bureau médical, il y aurait un anglophone et un francophone, a précisé Mlle Rolland.

Irma sait bien que, sans l'intervention de tous les paliers de gouvernement, ces cliniques ne pourront pas tenir le coup. Elle espère que la tenue d'un premier congrès des Gouttes de lait, tenu au début de mai, aura sensibilisé les instances gouvernementales aux besoins de la population si bien exprimés par le Dr Décarie. Une autre chronique rapporte qu'au nom des soixante médecins qui assistaient à ce congrès, le Dr Décarie a réclamé une intervention municipale accrue :

— Quand il s'agit de mortalité infantile, quand nous avons répété et qu'il est connu à l'étranger que cette mortalité est plus élevée chez nous qu'ailleurs, je me demande s'il ne vaudrait pas mieux que toutes les Gouttes de lait soient sous un contrôle qui donnerait une direction unique.

Une remarque du Dr de Grandpré a clôturé dans l'harmonie ce débat houleux entre les médecins de pratique privée et les autres :

— Il est sans doute possible de sauver les bébés sans faire mourir les médecins.

Dans la même semaine, Irma recevait du courrier de son amie Maude. « Enfin, je saurai peut-être ce qui s'est passé en Angleterre », souhaitait-elle. En mars 1911, Maude s'était rendue en Europe et, le matin même de son arrivée à Londres, elle avait développé une phlébite aiguë qui lui avait valu trois semaines de convalescence à Oxford, au domicile même du Dr Osler. De quoi piquer sa curiosité.

20 février 1914

Ma très chère Irma,

Ma lettre devrait avoir un ton funèbre : mon père est décédé un mois avant Noël. Mon demi-frère Harry m'en a appris la

nouvelle dans une lettre fort sympathique que je garde pré-
cieusement. Mon père déambulait dans la Main Street à Cin-
cinnati. Il aurait traversé la Fifth Street sans se rendre compte
qu'une voiture venait. Il aurait été heurté violemment. Il avait
soixante-seize ans. Que Dieu ait son âme et qu'il lui pardonne
tout le mal qu'il a fait... même si les tribunaux l'ont innocenté. J'espère que mon indifférence ne te scandalise pas
trop. On ne peut éprouver d'attachement pour un père absent
et si peu admirable, tu me comprends?

Je me régale de tes lettres, Irma. Elles rallument mon espoir de
voir les femmes prendre leur place dans tous les domaines.

Il y a deux ans, tu me parlais de la manifestation des 1 000 femmes
grévistes de Lawrence, au Massachusetts qui demandaient du
pain et des roses. Savais-tu que bien avant, dans la région de
Montréal, des ouvrières des secteurs du textile ont fait une
douzaine de grèves entre 1880 et 1900? Le gouvernement a pris
dix ans à voter une loi qui ramenait la semaine de travail de
soixante à cinquante-huit heures. Des miettes, me diras-tu,
mais c'est le signe qu'on peut améliorer notre sort.

Ici, à l'Université McGill, les femmes font de petits gains à force
de patience et d'audace. Je pourrais bien m'asseoir sur le fait
qu'on m'a accordé, il y a deux ans, le titre honorifique de docteur
en médecine et celui de maître de conférences en pathologie,
mais je ne suis pas ce genre de femme et tu le sais, toi aussi.

Je vois bien qu'encore aujourd'hui les femmes qui veulent se
tailler une place dans le domaine scientifique n'ont pas la vie
facile. C'est le cas d'une de mes amies, Carrie Derick, une généti-
cienne, née dans les Cantons-de-l'Est, à Clarenceville. Il me
semble t'en avoir déjà parlé. C'est une femme d'une intelligence
exceptionnelle; à quinze ans, elle enseignait déjà. Elle a gagné
la médaille d'or du prince de Galles pour ses performances à
l'École normale de Montréal. Elle est entrée ici, à McGill, en
sciences naturelles en 1887. Encore là, elle a gagné une médaille
d'or pour avoir obtenu la plus haute moyenne de sa promotion.
Tu penses que les autorités ont couru lui offrir quelque poste

*enviable? Pas du tout. Elle aura l'occasion de te raconter tout
ça si tu peux la recevoir une journée au deux au cours de l'été
prochain; elle doit se rendre à la station biologique de Woods
Hole, à Falmouth. Vous vous ressemblez toutes les deux, en
ce sens que vous débordez de vos spécialités pour vous engager
socialement.*

*À propos d'amies, Alice Wilson a commencé à publier une série
d'articles sur les fossiles trouvés dans les vallées de l'Outaouais
et du Saint-Laurent. D'ailleurs, elle se propose d'aller à Long
Island, tout près de chez toi, pour étudier les végétaux et les
animaux de l'océan. Je serais bien tentée de l'accompagner si tu
n'es pas revenue au bercail à ce moment-là. Ça fait si longtemps
que je ne t'ai pas vue! Je comprends que la mort de ta mère
et celle de ton amie Hélène ont chambardé ta vie. Comment
va le jeune veuf? Et ton filleul? Je crains que tu ne t'installes
à New York pour de bon. Qu'une raison quelconque ne te fasse
renoncer à ton projet d'ouvrir un autre hôpital dans ta ville
natale, cette fois. Ce serait dommage. On a tant besoin de défri-
cheuses comme toi au Canada français. Jure-moi, Irma, que
tu nous reviendras avant longtemps.*

*Tu m'as souvent posé des questions au sujet de mes sentiments
pour le Dr Osler et de ma convalescence chez lui, à Oxford. Je
préfère t'en parler de vive voix.*

Tu me manques, Irma.
Maude

꧁꧂

Irma est chagrine en ce début de semaine sainte.

— On n'a pu célébrer l'anniversaire de maman qu'une seule
fois, se plaint-elle à Rose-Lyn, avec qui elle est venue passer la
journée.

Ce 20 avril 1914, Phédora aurait fêté ses soixante-deux ans.

— Plus j'avance en âge, plus je réalise qu'elle est morte jeune, maman.

— C'est bien connu que le chagrin et les remords usent beaucoup plus vite que le travail...

Irma fait fi de cette observation, plutôt déplaisante.

— Maman ne méritait pas cette vie-là, fait-elle remarquer à sa tante.

— Il y a des erreurs qui se réparent mieux que d'autres, amène Rose-Lyn.

— Comment pouvez-vous juger qu'elle s'est trompée en venant vivre ici ? riposte Irma, vexée.

— C'est sa façon de le faire que je n'ai pas approuvée.

Sur ce, Irma ne saurait la contester. Qui plus est, une similitude entre certaines attitudes de sa mère et les siennes lui vient à l'esprit : « L'empressement de maman à quitter le foyer conjugal pourrait-il se comparer à celui avec lequel j'ai quitté mon hôpital de Montréal ? » Questionnée, Rose-Lyn répond :

— C'est aussi l'opinion de ton père. On en a parlé à l'occasion des funérailles. Il maintient que si Phédora l'avait vraiment aimé, elle aurait pris le temps de s'expliquer et de le convaincre de la suivre à New York, avec vous, les enfants.

— Jamais je ne lui donnerai raison sur ce point-là. Maman m'a dit avoir essayé autant comme autant.

— Peut-être pas assez... compte tenu des conséquences de son geste. À moins que des raisons qu'elle seule connaissait l'aient justifiée d'abandonner ses enfants.

Irma se fâche.

— Maman ne nous a pas abandonnés. C'est papa qui a refusé de nous laisser aller avec elle. Je ne lui ai pas encore pardonné d'avoir caché les lettres que maman nous envoyait.

— C'était pour vous protéger...

— Il a outrepassé ses droits. Il a agi en égoïste.

— Toi qui aimes tant les enfants, tu aurais fait autrement à la place de ton père ?

Irma sourcille, baisse la tête et, dans un long soupir, elle marmonne :

— Quel gâchis, quand même !

— C'est vrai, Irma. Quand je pense à ces deux personnes bourrées de talent et de bonne volonté qu'étaient ton père et ta mère, je ne m'explique pas ce gâchis, comme tu dis.

— Il y a ce genre de drame et il y en a d'autres aussi : les mariages qui vont bien et que la mort prématurée d'un des deux conjoints vient briser, par exemple.

— Pauvre Hélène ! Elle était sur le point de faire la connaissance de son fils aîné, dit Rose-Lyn, la seule qui approuvait cette décision et qui avait accompagné sa bru dans ses recherches.

— Pauvre Bob et pauvre Charles, aussi ! réplique Irma. Ils vont souffrir longtemps de sa mort tandis que, si l'on en croit la religion catholique, Hélène est heureuse, elle.

— Et toi, Irma ?

— Moi ? Moins on m'accordera d'attention, mieux ce sera.

Son regard fuit celui de Rose-Lyn. Irma énumère ses tâches avec force détails. « Elle est trop pressée d'évoquer sa course contre l'horloge pour ne pas éveiller quelques soupçons dans mon esprit. Une douleur secrète », soupçonne sa tante, curieuse d'en connaître la cause.

— Le manque de temps n'a rien à faire avec les émotions, à ce que je sache. Quand on s'ennuie de quelqu'un, on s'ennuie. Je me souviens quand je suis retournée à Saint-Roch : lorsque j'étais très occupée, j'avais l'impression de moins souffrir de l'absence de mon fils, mais aussitôt que je m'arrêtais, on aurait dit que ma peine revenait deux fois plus forte. C'est comme une peine d'amour. Plus on la fuit, plus elle nous poursuit.

Irma s'est dirigée vers la fenêtre d'où elle peut regarder jouer les enfants. Edith, sur le point d'avoir ses treize ans, affectueuse et rayonnante, se conduit comme une vraie petite maman. Harry a pris de l'assurance depuis qu'Irma lui apporte de l'aide pour ses devoirs et ses leçons tous les dimanches.

— J'ai mis de l'argent de côté pour les faire instruire, mes deux protégés. S'il fallait qu'un jour il m'arrive quelque chose ou que je sois loin d'eux, je veux que vous sachiez, tante Rose-Lyn, que cet argent est dans le coffre-fort de Bob, dans une petite boîte de métal gris avec une étiquette à leur nom dessus.

— Je n'aime pas ça quand tu parles comme ça, Irma. Je me demande toujours ce que tu mijotes. Retourner au Québec, peut-être?

— Ça, c'est sûr. Quand les enfants n'auront plus besoin de moi ici.

— Ton filleul compris?

— Évidemment!

— Tu prévois combien d'années?

— C'est difficile à dire. Ça pourrait durer longtemps... Charles est si attaché à moi.

— Jusqu'au jour où...

Rose-Lyn s'arrête. Une appréhension fige les mots sur ses lèvres.

— Qu'est-ce que vous alliez dire, ma tante?

— Bob pourrait bien refaire sa vie avec une femme qui plairait à Charles...

Éventualité qui chamboule Irma. « Je ne m'exposerai pas à le voir amoureux une autre fois », se dit-elle, pressée de fuir auprès des enfants qui s'amusent dans la cour. Les câlins d'Edith et de Harry, encore plus fervents que ceux des quatre autres enfants, la plongent dans un monde limpide comme une eau de source.

— On va apprendre un nouveau jeu, leur propose-t-elle.

Postés à six endroits différents de la cour, les enfants doivent attraper du premier coup le ballon qu'Irma leur lance à l'improviste. S'ils le ratent, ils doivent sortir du jeu pendant les trois tours suivants. À celui qui les réussira tous, elle promet une récompense.

Fascinée, Rose-Lyn vient les rejoindre. La fête est complète. La plus grande joie des enfants est de voir Rose-Lyn échapper le ballon et se retirer au fond de la cour en affectant une moue qu'ils croient réelle. Les rires cessent abruptement lorsque Irma tombe après avoir tenté de lancer le ballon le plus loin possible.

— J'ai peur de m'être foulé la cheville, dit-elle en gémissant, incapable de s'appuyer sur son pied gauche.

Accrochée au bras de sa tante, elle parvient à se rendre à la maison. Harry pleure.

— C'est rien qu'un petit bobo. Dans quelques jours, je ne le sentirai plus, le rassure Irma, des compresses froides sur sa cheville.

— Je ne veux pas qu'ils t'emmènent...

Irma saisit que le garçonnet, encore affecté par le décès de sa Granny, survenu en janvier 1905, craint que l'ambulance ne vienne chercher Irma et qu'il ne la revoie plus jamais.

Rose-Lyn rejoint Bob au téléphone et lui demande de venir récupérer la blessée. « Pourquoi ne pas me garder ici quelques jours avec vous ? » la supplierait bien Irma si elle ne craignait que sa présence n'ajoute à ses tâches ou ne la gêne. Tant d'appréhensions l'assaillent à la seule pensée d'être cloîtrée au domicile de Bob jour et nuit, le temps que sa cheville lui permette de se déplacer en béquilles. Les égards et les bons soins de cet homme pourraient anéantir des années d'efforts. « Si Rose-Lyn savait, elle m'aurait offert de demeurer chez elle en attendant que je puisse retourner travailler », se dit Irma, sur qui le secret commence à peser trop lourd. « À qui me confier ? Tante Angèle sait que j'ai vécu un grand amour pour Bob. Peut-être croitelle que j'en suis guérie. Pourquoi l'accabler de mes confidences alors qu'elle vit, dans la désolation et l'impuissance, la déchéance de mon frère et l'indifférence de mon père ? Maude pourrait me comprendre... m'aider, peut-être. Que de fois, en tentant de la réconforter, j'ai insinué avoir vécu une expérience amoureuse aussi éprouvante que la sienne ! Elle sait que je vis chez Bob depuis janvier ; elle ignore notre passé amoureux, mais je pense qu'elle s'en doute. Sinon, pourquoi a-t-elle écrit :

Je crains que tu ne t'installes à New York pour de bon. Qu'une raison quelconque te fasse renoncer à ton projet d'ouvrir un autre hôpital, à Québec, cette fois.

L'arrivée de Bob et de son fils la tire de ses réflexions. Le temps que Charles se lance dans ses bras lui permet de se bâtir une coquille et de s'y enfermer... jusqu'à la fin de sa convalescence, souhaite-t-elle.

— On rentre tous à la maison, s'écrie Bob en s'adressant à Irma, à qui il présente son bras.

Charles lui prête sa main.

— Ça ne fera plus mal, rendue chez nous, dit-il à sa marraine. Hein, papa?

— On va tellement bien la soigner tous les deux, lui promet son père.

— Par chance que je suis en congé cette semaine! Je vais rester avec elle à la maison pendant que tu vas travailler, papa.

Bob fait la moue.

— Je vais lui apporter tout ce qu'elle va me demander. Je vais la laisser travailler tranquille, papa.

Bob et Irma échangent un regard interrogatif.

— On va essayer, puis on verra, suggère Irma.

— Je suis capable, riposte Charles, qui tient à lui rappeler que tout le monde croit qu'il a déjà sept ans.

— Je n'en doute pas. Mais tu risques de trouver les journées longues, mon petit homme. Je vais avoir souvent le nez dans mes papiers.

— Je ne te dérangerai pas, ma petite marraine. Je m'assoirai à côté de toi avec mes livres puis mes casse-tête.

Charles a si bien plaidé sa cause que Bob conclut:

— Un petit congé pour grand-maman, dans ce cas-là.

— Un docteur pour ma petite marraine, enchaîne le garçonnet.

Rose-Lyn, venue chercher ses câlins, s'attarde à regarder le trio s'éloigner: Irma, tenant la main de Charles, a accroché son bras à celui de Bob pour éviter de mettre du poids sur sa jambe. Un spectacle beau à voir. «On dirait une vraie famille», pense-t-elle, loin de soupçonner qu'Irma n'en pense pas moins. «Mon mari, mon fils... si j'avais voulu. Pourquoi les événements s'acharnent-ils à me le rappeler? Pourvu que Bob ne ressente plus pour moi qu'une grande amitié.»

Sitôt retournée à sa chambre, Irma, alléguant le besoin de dormir, réclame d'être laissée seule. Près de son lit, Charles a rapproché sa trousse de médecin. Elle y trouve un analgésique qu'elle avale avec

empressement. Sur sa table de chevet, Bob a déposé un plateau contenant un verre de lait et des biscuits, et sur sa cheville, des compresses
froides. Avant de quitter la chambre en traînant les pieds, Charles
jette un regard dépité sur sa marraine.

— Tu vas m'appeler quand tu vas te réveiller ? la prie-t-il.

Le large sourire d'Irma le rassure.

Les pas des deux hommes de sa vie se feutrent. Recroquevillée sur
ses déchirures, Irma laisse couler toutes les larmes retenues depuis
des mois. L'analgésique engourdit sa douleur. Un engourdissement
qui présage d'un sommeil imminent. Irma s'y abandonne. Des scènes
tantôt burlesques, tantôt idylliques, tantôt érotiques meublent ses
rêves... encore tous présents à sa mémoire à son réveil. À cheval dans
un long sentier équestre, elle coince son pied gauche dans l'étrier.
Deux secondes plus tard, portée dans les bras de Bob, elle fait une
entrée solennelle à la cathédrale St. Patrick. Le rêve dont elle vient de
sortir brutalement la montrait croulant sous les caresses et les baisers
de Bob, exposée à tous les regards.

De la fenêtre aux tentures entrouvertes filtre une lueur de crépuscule. De la cuisine, des cliquetis de vaisselle. Irma comprend qu'elle
a beaucoup dormi. Que les deux Smith ont succombé à la faim
avant qu'elle se réveille. La tentation est forte de troquer ses vêtements de jour contre sa robe de nuit et de se glisser sous ses couvertures... incognito. Elle hésite. « Ils sont bien capables de s'inquiéter
et d'entrer... Puis je sens le besoin de manger un peu. »

— Charles ! Mon beau Charles ! crie-t-elle, fidèle à sa promesse.

Le temps de le dire, la porte s'entrouvre. Derrière l'enfant, son père.

— On peut faire de la lumière ? questionne Bob.

— Tirez les tentures, ce sera moins aveuglant.

— Ça fait encore mal, marraine ?

— Pas trop ! Mais quelle heure peut-il bien être ?

— Trop tard pour souper avec nous, annonce Charles d'un petit
air théâtral.

— On a mis ton plat au four, corrige Bob en offrant son bras à
la blessée.

Charles a présenté son épaule, fier d'y sentir la main d'Irma.

— Je vais m'occuper de te trouver des béquilles demain, propose Bob.

« Tant qu'il se concentrera sur ma blessure, ça ira », croit Irma, se prêtant aux petits soins des deux Smith qui rivalisent d'égards.

La soirée ne s'étire pas, Irma s'en réjouit. « Demain, Charles à l'école, Bob au travail, je retrouverai ma solitude, prévoit-elle, résolue à faire l'apprentissage des béquilles dès qu'elle les aura. Je me ferai conduire à l'école et au laboratoire en fiacre dès que la douleur deviendra supportable », décrète-t-elle.

Mais la nuit a été de courte durée, et le réveil, amèrement décevant. L'œdème est monté jusqu'au genou et la douleur est vive. Pire encore si la jambe est en position verticale. La blessure risque d'être plus sévère qu'Irma ne l'a cru, la guérison, plus longue. Resurgit la tentation de demander asile à Rose-Lyn. « Les Smith comprendront qu'il n'est pas prudent que je reste seule à la maison. Une chute pourrait survenir et aggraver mon état », se prépare-t-elle à exposer à sa tante.

Après le départ de Bob, Irma la joint au téléphone. Rose-Lyn se montre si empressée de lui annoncer l'arrivée de nouvelles protégées, qu'Irma renonce à lui imposer le but de son appel.

— Hier soir, on m'a emmené deux orphelines. Des jumelles de quatre ans. J'ai hâte que tu les voies. Impossible de les distinguer ; Heureusement, l'une d'elles a perdu une dent.

— Vous leur avez trouvé une place ?

— Ça se corde bien, des enfants. Mais je t'avoue que je pense à me prendre un logement plus grand.

— Vous allez devoir vous prendre de l'aide, aussi.

— Je vais essayer toute seule. Je peux quand même compter sur Edith en dehors des heures de classe. C'est une petite perle, cette enfant-là.

« Il y a au moins ça de consolant », se dit Irma après avoir raccroché le combiné.

Ses déplacements dans la maison sont pénibles. L'épuisement vient vite. Faire sa toilette et s'habiller a brûlé toute son énergie. Irma ne trouve de soulagement qu'allongée sur son lit, des oreillers sous sa cheville blessée. Sa déception est profonde, ses appréhensions, tenaces. « Dormir pour ne plus rien ressentir. Pour ne pas penser », souhaite-t-elle. Son bras s'étire jusqu'à sa trousse pour en tirer un flacon... qui roule sous le lit. Irma pleurerait comme une enfant. Elle serre les poings, comme lorsqu'elle ne voulait pas laisser voir sa peine, sort du lit et s'accroupit sur le plancher dans l'espoir de récupérer la fiole de sédatifs. Peine perdue, le flacon a roulé trop loin. Irma se relève péniblement, parvient à se rendre dans la cuisine en poussant une chaise quand une clé tourne dans la serrure de la porte extérieure. L'étonnement est partagé. Bob, qui s'était empressé de trouver des béquilles, ne comprend pas ce qu'Irma fait avec un balai dans sa main gauche, la droite crispée sur le dossier d'une chaise. Balbutiements et tentatives de camouflage échouent. Irma doit en venir aux faits réels.

— Pourquoi es-tu si sévère avec toi, Irma ? demande Bob, désemparé.

— Je ne comprends pas ce que tu veux dire.

— Il n'y a pas que les autres qui ont le droit d'avoir besoin d'aide. Ce n'est pas un crime, Irma.

Aucune riposte ! Qu'un rictus, que Bob ne se hasarde pas à traduire.

— J'ai bien fait de t'apporter tes béquilles tout de suite, reprend-il pour dissiper le malaise.

— Pour le moment, je ne peux pas me déplacer autrement qu'en posant mon genou sur la chaise...

— Tu devrais peut-être consulter un collègue.

— Je préfère me soigner toute seule.

Bob hoche la tête. Il ne cache pas son désarroi :

— Toute seule ! Toujours toute seule ! Pourquoi te mettre en cage comme ça ? Tu me fuis comme si j'étais un ennemi, alors que je ne te veux que tu bien.

Irma a relevé la tête et plonge son regard dans celui de cet homme qui ne mérite pas ses offenses.

— Tu ne veux vraiment que mon bonheur, Bob ?

— Comment peux-tu en douter ?

— Alors, laisse-moi partir d'ici.

— Qu'est-ce qu'on a fait de mal ? Je t'en prie, Irma, dis-le-moi.

— Rien. Rien du tout, jure-t-elle, les yeux rivés au plancher.

— Pourquoi vouloir t'en aller, alors? Tu es trop à l'étroit? On te dérange? Parle, Irma. Tout peut s'arranger.

— Je n'ai aucun reproche à vous faire. C'est moi qui...

Bob voit trembler ses mains. Elle voudrait pousser la chaise jusque dans sa chambre, mais l'énergie lui fait défaut; elle doit s'asseoir là, au beau milieu de la cuisine, exposée à la perspicacité de Bob. Accroupi sur ses talons, les mains posées sur les genoux d'Irma, il cherche le courage de dire tout haut ce qu'il croit deviner :

— On n'y est pas arrivés... Ni toi ni moi. C'est ça, hein?

Les paupières serrées sur des larmes récalcitrantes, Irma pince les lèvres sur un aveu... indécent.

Son silence et ses joues soudainement empourprées la dispensent de mots. Bob ose une avancée timide sur le sentier où ils se sont déjà aventurés. Une caresse sur la chevelure d'Irma. Des doigts de velours sur ses joues ruisselantes. Un souffle brûlant effleure sa bouche... la retient. Vertige. Deux cœurs s'y laissent emporter. Avalanche de mots retenus, de baisers interdits. Rupture des amarres. Irma est portée à son lit dans les bras de celui qui saura attendre sa guérison pour s'offrir à elle sans réserve. Impossible pour Bob de quitter son premier amour sans prendre le temps d'apprivoiser et de s'approprier ces moments convoités du plus profond de son être. La présence d'un commis à la bijouterie et le peu d'achalandage des débuts de semaine le lui permettent. Là, tout près de cette petite femme tant admirée, il a le sentiment de rendre au destin ce qu'il lui avait dérobé en épousant Hélène. Non pas qu'il n'ait éprouvé aucun sentiment amoureux pour celle qui lui a donné un fils, mais, sans trop le rationaliser, il lui avait offert d'occuper le vide créé par le refus d'Irma.

— Hélène dirait peut-être que c'était écrit dans notre ciel... susurre-t-il.

Un large sourire se dessine sur les lèvres d'Irma.

— Tu crois qu'elle ne nous en veut pas?

— Je crois même qu'elle l'a toujours su, avoue Bob.

— J'ai aussi cette impression, dit-elle, un filet mélancolique dans la voix.

— Tu ne regrettes quand même pas ce qui vient d'arriver, Irma?

— Je regrette seulement qu'on ne puisse se débarrasser de certains sentiments comme on extrait une dent.

— On a bien essayé pourtant! s'exclame Bob.

Son regard s'attarde à des souvenirs qu'Irma imagine sans peine.

— Peut-être que le seul fait de se l'être avoué va nous aider à...

— ... tu souhaites encore ne plus m'aimer, Irma? s'inquiète Bob.

Il y a tant de tristesse dans sa voix et dans ses yeux!

— Je ne sais plus, Bob. Le temps...

La fatigue et la douleur ont tiré les traits de la malade.

— Je t'apporte des compresses froides et je te laisse tranquille.

— Tu retournes à la bijouterie?

— Peut-être.

❧

New York, 23 mai 1914

Maude, ma chère Maude!

À toi qu'on a surnommée « La tornade bienfaisante », je dois dire que je me sens emportée par une tornade pas vraiment bienfaisante. À toi qui demeures des plus discrètes sur ses amours... même avec sa meilleure amie, je révélerai des choses que tu n'aurais pu soupçonner. Quand j'irai au Québec l'été prochain, j'ajouterai des détails si tu me mets au parfum de tes tribulations amoureuses.

Comment te dire? Le passé est revenu dans ma vie comme un ressac, Maude, et ce, sur plusieurs plans. Le premier est d'ordre surtout professionnel, mais un peu personnel aussi. Je t'ai déjà parlé du Dr Canac-Marquis, chez qui j'allais souvent pendant mes études à l'Université Saint-Paul au Minnesota. Imagine donc que je suis tombée sur son nom dans une revue médicale du Massachusetts; il y traite des différentes méthodes d'opération et des précautions post-opératoires. Ça fait plus de *dix ans que je ne l'ai pas vu. Si j'avais fait cette découverte avant la mort d'Hélène, j'en serais moins émue. Cet homme, un peu apparenté à mon amie Hélène, avait offert à ses parents de la sortir du Canada et de l'emmener chez lui pour la cacher pendant sa grossesse. Il savait par qui son fils avait été adopté. Ça n'a pas été facile pour Hélène de retrouver son adresse dans tout San Francisco. C'est grâce à lui que, juste avant son décès, elle savait où rencontrer son garçon de dix-neuf ans nommé Étienne Mailloux.*

Le deuxième élément de ma rafale n'est ni facile à écrire ni facile à vivre. Le mari d'Hélène... et moi. J'ai beau me dire qu'il est veuf depuis presque deux ans, qu'il a été mon premier amou-reux, que nos sentiments sont réciproques, je n'arrive pas à vivre pleinement cet amour. Comme si je nageais en eaux troubles. Je ressens des blocages indéfinissables. J'insiste pour que notre amour demeure secret, je ne sais pour combien de temps. Bob est prêt à patienter, mais s'il fallait que j'en reste là, il serait très déçu.

Malgré tout le bonheur que cet amour m'apporte, je suis tour-mentée, Maude. Puis, il y a mon filleul Charles qui s'habitue à ma présence sous leur toit. J'ai peur qu'il ne devine plus de choses que je ne le voudrais. À six ans et demi, on a déjà perdu un peu de naïveté. Parfois, j'ai l'impression de m'être lancée dans la gueule du loup. J'essaie alors de prendre des distances, mais je succombe rien qu'à entendre la voix virile et chaude de cet homme. Imagine quand il est près de moi! J'ai trente-sept ans, Maude. Je me conduis comme si j'en avais dix-sept.

Qu'en penses-tu, toi qui me devances de neuf ans et qui as peut-être vécu des expériences semblables? Je me souviens de t'avoir déjà suggéré des façons de soulager le mal d'amour; je les ai expérimentées. Elles ne me suffisent plus.

Je t'en prie, ne reporte pas ta réponse au mois d'août.

Ton amie,
Irma

Cette lettre déposée à la poste depuis deux jours, un télégramme parvient à la D^re LeVasseur de la part de la D^re Abbott. Carrie Derick sera à New York du 29 juin au 2 juillet.

Possible de l'accueillir à la gare en milieu p.m. ?

L'enthousiasme d'Irma, quant à cette visite de Mme Derick, s'est amenuisé depuis janvier dernier. Des douleurs à sa cheville après deux ou trois heures de travail mais plus encore celles causées par sa situation avec Bob en sont la cause. Avant que ce dernier ne parte pour la bijouterie et que son fils ne sorte de son lit, Irma aborde le sujet avec un malaise évident. Bob ne voit aucun problème à ce que cette dame soit accueillie sous son toit.

— Ne t'inquiète pas, Irma. Charles ne demande qu'à te voir dormir dans sa chambre. Ou, mieux encore, tu peux venir passer la nuit dans notre petit nid douillet...

— Bob ! Aurais-tu oublié...

— ... que ça doit rester secret. Je sais, je sais, Irma. Mais je pensais qu'on en avait assez de se cacher.

Aveu cinglant. Irma est sans voix. Dans sa tête, sur le bord de ses lèvres, des propos avortés. Une tourmente intérieure. Un affrontement entre son amour passionné et sa volonté. « Bob a raison. Ses attentes sont justifiées. J'ai beau me le répéter, je n'arrive pas à... à prendre le train. Je reste sur le quai de la gare et je l'y confine aussi. »

— Laisse-moi encore un peu de temps, le supplie-t-elle. Je devrais arriver à me comprendre.

— Je t'accapare trop ?

— Tu sais bien que non, Bob.

— Alors, qu'est-ce qui te retient comme ça ?

— Je vais chercher, Bob. Peut-être que mon petit voyage à Québec, l'été prochain, va m'aider à trouver la cause de mes réticences.

— C'est vrai qu'on réfléchit mieux avec un peu de recul. Je t'attendrai, Irma. Tu le mérites bien. Puis je t'aime comme un fou, ajoute-t-il, soulignant son aveu de baisers fiévreux.

Bob et Irma sont encore enlacés quand Charles ouvre la porte de sa chambre.

— Papa ! C'est ta fiancée ! s'écrie-t-il, les yeux comme des soucoupes.

— Ta marraine a mal dans le dos. Je lui ai fait un petit massage, trouve-t-il à répondre.

Fuyant le regard de son filleul, Irma enchaîne :

— Ton déjeuner est prêt, jeune homme. Va manger. Moi, je vais aller me préparer.

« Bob a raison. Il commence à être temps que je prenne position », constate-t-elle.

Ce jeudi 29 juin 1914, à la gare de New York, un vent de panique flotte. Les hommes qui y flânent quotidiennement échangent des propos alarmants.

— Assassinat...

— La Serbie a attaqué...

— La Russie serait de son côté...

Irma tremble. Elle n'a pas eu le temps de feuilleter les journaux avant de venir accueillir Carrie Derick.

— Les Autrichiens contre les... entend-elle.

Un frisson dans son dos. Un serrement dans sa gorge.

Apparaît une voyageuse à la silhouette filiforme, une abondante chevelure foncée nouée en chignon, un nez proéminent, un regard perçant. Son élégance porte à croire qu'il s'agit bien de Mme Derick, la seule femme nommée dans *American Men of Science*.

Dès leur poignée de main, Irma comprend que l'autre est informée des drames survenus en Europe.

— D^{re} LeVasseur ? Désolée de vous arriver dans un tel état de nervosité, mais les nouvelles venues d'Europe sont si bouleversantes, dit Carrie, alarmée.

Interrogée, elle apprend à Irma que l'archiduc François-Ferdinand, héritier du trône d'Autriche-Hongrie, a été assassiné par un étudiant serbe, la veille dans la capitale de la Bosnie-Herzégovine, un territoire revendiqué par la Serbie.

— Les chroniqueurs politiques y voient une menace de guerre imminente. Il semble qu'entre ces pays les rivalités se multiplient depuis longtemps et qu'un conflit est imminent.

Il est bien connu que dans nombre d'États européens, une course aux armements est encouragée depuis plus d'un an. À preuve, l'Allemagne a augmenté ses effectifs terrestres l'été précédent et, du côté de la France, un renforcement des forces navales s'ajoute à une loi votée en août 1913, laquelle impose un service militaire de trois ans à tous ses citoyens de plus de vingt ans. En Europe, une paix armée est maintenue depuis des décennies.

Irma ne se sent pas outillée pour rassurer sa visiteuse.

— Si on allait prendre un remontant dans un petit café, pas loin d'ici? lui propose-t-elle.

Un acquiescement vient d'un signe de tête de la botaniste, qui continue à deviser de son désarroi.

— Quand on a étudié en Angleterre et en Allemagne, comme vous et moi, on ne peut se résigner à ce que ces pays soient ravagés par une guerre. Tant de richesses et d'histoire dont l'humanité serait privée!

— J'ai l'impression que pour nous, les femmes, il n'y a pas de répit. Même si nous habitons un pays en paix, nous sommes toujours en train de nous battre.

Une affinité et une aisance presque spontanée incitent les deux scientifiques à passer du vouvoiement au tutoiement sans même s'en rendre compte.

— Tu me fais constater que je me bats depuis ma sortie de la petite école.

Carrie relate l'injustice essuyée à la fin de ses études à la faculté des arts de l'Université McGill.

— Mais quel acharnement, chez nous, à ne pas reconnaître les capacités intellectuelles des femmes! Marie Gérin-Lajoie et combien d'autres Canadiennes ont subi pareille injustice, lui apprend Irma, indignée.

— Je ne comprends pas que notre amie Maude chérisse autant cette université qui méprise les femmes, leur intelligence, leur capacité d'assumer des responsabilités, leur droit d'accéder aux mêmes études que les hommes. Après ma maîtrise, déclare-t-elle, toujours très oppressée, même si mon chef de département avait recommandé que je sois promue maître de conférences, la direction voulait m'assujettir à des travaux pratiques à temps plein.

— Je n'en suis pas surprise, affirme Irma en désignant de la main le petit café visé, la table choisie et la chaise la plus confortable.

— J'ai refusé catégoriquement. On a fini par me donner mon titre en même temps que celui de professeure adjointe.

Une serveuse les interrompt, le temps de prendre leur commande.

— Ce n'est pas tout, enchaîne Carrie. Il y a quatre ans, mon professeur David Penhallow, directeur du département de botanique, est tombé malade. On me demande d'assurer son intérim. J'en suis très touchée. Je mène ce remplacement avec une grande rigueur, pendant plus de deux ans, avec l'espoir qu'on m'accorde le poste de façon permanente. Illusion. Je n'ai même pas été reçue en entrevue. On a engagé à ma place un botaniste américain qu'on n'a même pas interviewé. La direction de l'Université croit encore que les femmes n'ont pas assez de talent pour diriger un département. M. le directeur a su ma façon de penser.

— Tu n'as pas craint de perdre tes tâches d'enseignante ?

— C'est plutôt l'inverse. Il a eu peur de me perdre.

— Il t'a accordé une promotion ?

Carrie sourit... pour la première fois. Plus détendue, ses traits se sont enjolivés.

— Il a d'abord tenté un tour de passe-passe ridicule. Imagine donc que le Conseil me nommait professeure de botanique... morphologique. Une farce !

— Comment ?

— Pas un sou d'augmentation, en plus de me charger d'une matière dans laquelle je n'ai pas de compétence. Tu devines que je l'ai refusée et que j'ai tempêté devant les autorités pour obtenir la charge de professeure de morphologie et de génétiques comparatives. J'ai gagné.

« Mon Dieu qu'elle me fait penser à Maude. Une vraie tornade, elle aussi », se dit Irma, plutôt satisfaite de n'avoir pas à faire la conversation. L'allure fière, Carrie reprend :

— Je pouvais enfin ouvrir des sentiers nouveaux. Mon cours, intitulé *Évolution et génétique*, a été le premier du genre à se donner à McGill.

— Ce devait être passionnant. Deux domaines tellement peu connus mais si fascinants!

Distraite, Carrie fixe la pointe de tarte qu'on vient de lui servir.

— Ça ressemble à nos tartes au sirop d'érable.

— Je souhaite qu'elle soit aussi délicieuse qu'elle en a l'air.

— Maude m'a dit que tu reviendrais au Québec sous peu...

— Sous peu? Je ne saurais dire! Il y a tellement de choses à considérer...

— Elle m'a parlé de ton souci d'aider les mères de famille. On aimerait bien t'avoir avec nous au *Montreal Council of Women*. Nous avons déjà réalisé plusieurs réformes, mais il nous en reste beaucoup à faire.

Au tour d'Irma d'afficher son inquiétude.

— S'il fallait qu'une guerre éclate en Europe, tu imagines le sort des pauvres enfants de ces pays? Bien pire que celui des nôtres.

— J'ai regretté d'être venue ici quand j'ai appris ça dans les journaux qui circulaient dans le train.

— Pourquoi?

— On ne sait jamais, les États-Unis pourraient bien s'en mêler, avance Carrie.

Irma l'observe, ébahie. «J'espère qu'elle se trompe», pense-t-elle.

— On ne peut pas se fier aux intérêts des politiciens, reprend la botaniste. L'argent et le pouvoir les tiennent en otages.

Peu intéressée à la politique et ne pouvant contester ni infirmer ce jugement, Irma propose de quitter le café et de gagner le domicile des Smith.

— Tu sais que j'habite chez mon cousin Bob depuis que son épouse est décédée, dit-elle, croyant nécessaire de la prévenir.

— C'est ton cousin! Je l'ignorais, avoue Carrie, songeuse.

«Qu'est-ce que Maude a bien pu lui dire?» se demande Irma, fort ennuyée.

À leur arrivée, les présentations sont d'autant plus brèves que c'est Charles qui les entreprend, fier de révéler qu'Irma est sa marraine. Carrie a vite fait de l'intéresser, de l'impressionner, même. Qu'elle connaisse le nom de toutes les herbes qui poussent dans le jardin le fascine.

— Il n'y a pas de plus beau chef-d'œuvre qu'un enfant! s'exclame Carrie.

Puis, se tournant vers Irma, elle chuchote :

— À la condition d'avoir été désiré. Ce garçonnet l'a été, ça se voit au premier coup d'œil.

Le sourire d'Irma le lui confirme.

— Si l'on permettait le contrôle des naissances, on aurait beaucoup moins d'enfants malades et malheureux, tu ne penses pas?

La question chamboule Irma.

— C'est toujours illégal au Canada?

— Hélas, oui! répond Carrie qui, membre du *Montreal Council of Women*, dit avoir fait la leçon à Sir Jean-Lomer Gouin, le premier ministre du Québec, à ce sujet.

Cette révélation trouble Irma. L'audace de Carie attise son admiration.

La préparation du repas terminée, Bob est arrivé dans le jardin juste à temps pour entendre cette prouesse de Carie

— Vous n'avez pas froid aux yeux, Mme Derick! s'exclame-t-il, élogieux.

— À force de se battre, on devient un bon soldat, riposte-t-elle.

L'allusion ramène l'attentat de Sarajevo dans la conversation. Bob l'apprend avec stupéfaction. Sur son fils, il pose un regard tourmenté.

— J'espère que ce ne sera pas un prétexte pour les grandes puissances européennes de tenter de gagner d'autres colonies. Ça fait presque dix ans qu'on sent monter la crise. Les rivalités économiques et coloniales ont pris une telle importance en Europe qu'une simple étincelle pourrait conduire à l'embrasement général. La Russie et l'Allemagne me font vraiment peur.

— Je me méfie encore plus du Japon, dit Carrie.

— Qu'est-ce qui se passe, papa ? demande Charles, pour qui le mot « peur » dans la bouche de son père évoque la mort tragique de sa mère.

— De la chicane entre des peuples... Mais ils sont très loin d'ici. Venez manger, ordonne Bob sur un ton qui invite à fermer la parenthèse sur cette triste actualité.

Par égard pour l'enfant, il n'en est pas question pendant le repas, ni avant qu'il soit endormi.

En son absence, le rappel des menaces qui pèsent sur l'Europe et qui risquent de compromettre d'autres pays ramène les trois adultes à des considérations humanitaires.

— Pensez-vous, M. Smith, que vous seriez appelé à joindre les rangs de l'armée américaine ? lui demande Carrie.

— Aucun pays ne devrait avoir le droit de briser les familles. Surtout pas au nom de la guerre, rétorque Bob, visiblement inquiet.

Le ton se fait plus intimiste. Irma le sent et veut y échapper.

— Si on allait se reposer, suggère-t-elle.

Carrie l'approuve, non sans une petite réserve.

— J'ai prévu repartir pour Woods Hole demain après-midi. Je ne voudrais pas vous quitter sans avoir pris de vos nouvelles, Irma. J'ai tellement parlé de mes affaires... Je m'en excuse. Quand je suis nerveuse, je deviens une machine à paroles. Cette histoire d'attentat m'a tellement bouleversée.

— Comment pourrait-elle nous laisser indifférents ! reprend Irma avec une sincérité indubitable.

— J'ai confiance en notre président, enchaîne Bob. M. Wilson est un homme sage. Il va s'en tenir à la neutralité, même si l'Europe en arrivait à demander des alliés en Amérique. Reposez-vous bien, mesdames.

Irma dirige son invitée vers sa chambre et file dans celle de Charles sans revenir vers Bob. Offusqué, celui-ci se hasarde jusqu'à la chambre de son fils, entrouvre la porte doucement et chuchote :

— Tu ne vas pas me laisser comme ça, Irma. Tu as l'air si tourmentée. Je veux savoir...

— ... une gaucherie de ma part. Je suis allée dire à Carrie que j'habitais chez mon cousin.

— Je ne vois pas où est la gaucherie.

— Sa réaction me laisse croire que Maude lui aurait dit des choses à notre sujet...

— Suis-moi dans ma chambre. On pourra parler plus à l'aise.

Irma grimace.

— Mme Derick ne s'en apercevra pas. Viens !

Lovée dans les bras de Bob, Irma s'abandonne. Les émotions et les aveux qu'elle fait troublent l'homme qui l'enlace amoureusement. Bob ressent la passion que lui voue Irma mais il ne parvient pas à saisir les causes de son inconfort.

— On reprendra cette conversation demain, suggère-t-il.

Plus forts que tous les tiraillements, leurs désirs languissants les transportent dans une ivresse à nulle autre comparable. Un vertige libérateur. Une fontaine de jouvence.

Irma est retournée à la chambre de Charles avant qu'il ne se réveille. Carrie a dormi plus longtemps qu'elle ne l'avait souhaité. Bob a pris congé de la bijouterie et, en début d'après-midi, il est allé conduire Mme Derick au bateau qui doit l'emmener tout près de Cape Cod. Un dénouement sur mesure pour Irma.

Bien que pendant cette matinée Carrie se soit montrée très attentionnée envers ses hôtes, sa façon de les observer a importuné Irma. Il lui tarde de questionner Maude. En quête de temps et d'intimité pour lui écrire, elle s'est juré de jeter la lettre à la poste dès le lundi matin en se rendant au travail, quitte à n'avoir la réponse qu'à l'occasion de sa visite.

※

Le mois de juillet n'a ressemblé en rien à tous ceux qu'Irma a vécus aux États-Unis. Un climat de tension s'est propagé dans toute l'Amérique. La vente des journaux connaît un essor inégalé. Il ne se passe pas une journée sans que des nouvelles de la crise européenne ne viennent ébranler la quiétude des dirigeants et des concitoyens. Au début de ce mois, l'Allemagne a promis son appui à l'Autriche-Hongrie s'il advenait que la Russie intervienne. Deux semaines plus tard, l'Autriche-Hongrie décidait d'enquêter en Serbie en dépit de son opposition. Le lendemain, la Russie ordonnait la mobilisation générale pour quatre de ses légions militaires et pour les flottes de la Baltique et de la mer Noire. Vingt-quatre heures plus tard, la Serbie aussi ordonnait la mobilisation générale. Au même moment, l'Autriche mettait fin à ses relations diplomatiques avec la Serbie et la Russie. Le 28 juillet, l'Autriche déclarait la guerre à la Serbie. Le lendemain, la Russie ordonnait secrètement la mobilisation générale contre l'Allemagne, qui répliquait par une proclamation de «l'état de danger de guerre».

Au Canada, il n'y a pas que Nazaire qui redoute le pire en lisant les journaux.

— J'ai bien peur que ce ne soit que le début d'une longue guerre, dit-il à Irma, descendue chez lui en arrivant à Saint-Roch.

À soixante-dix ans, éprouvé par une cécité croissante, Nazaire s'est trouvé dans l'obligation d'abandonner la présidence de la Société musicale de Sainte-Cécile, ses responsabilités à l'agence Henri Menier et ses fonctions de consul.

— Il ne me reste que mon travail d'inspecteur du gaz et de l'électricité au gouvernement, le moins intéressant, annonce-t-il sur un ton à la couleur du ciel européen.

— Ça me fait tellement de peine de vous voir comme ça, papa.

— Je suis quand même chanceux d'avoir ce travail. Il m'assure un revenu stable. Ça fait trente-quatre ans que je suis là! Je n'arrive pas à le croire.

— J'avais trois ans...

— ... et tu avais déjà des raisonnements de grande fille.

Irma lui sourit et s'approche de lui, ses mains enveloppant les siennes.

— J'ai toujours été très fier de toi, Irma. Je regrette de ne pas te l'avoir dit plus souvent.

— Il y a bien des façons de dire ces choses-là. Je n'ai jamais douté de votre amour pour moi, vous pouvez me croire.

— Dommage que je n'en aie pas éprouvé autant pour ton frère.

— Où est-il aujourd'hui, Paul-Eugène?

Nazaire se prend la tête à deux mains.

— Les tracas qu'il me cause depuis un mois, c'est inimaginable. Je ne sais pas qui lui a fait croire qu'il pourrait être forcé de s'enrôler pour défendre l'un ou l'autre des peuples en guerre.

— Quand l'avez-vous vu la dernière fois?

— Ça fait deux semaines. Il est venu pour souper. Il paraissait très nerveux. Après s'être empiffré, il est passé dans sa chambre, a rempli deux poches de vêtements et d'effets personnels, puis il m'a annoncé qu'il partait se cacher avec des copains. Je ne l'ai pas revu depuis.

— Il a dû abandonner ses médicaments. J'aime mieux ne pas penser à ce qu'il pourrait devenir. Il faudrait avertir la police, souhaite Irma.

Nazaire n'est pas d'accord.

— Selon l'état dans lequel les policiers le trouveraient, ils seraient bien capables de l'emmener à l'asile.

— C'est vrai. Demain, je vais aller voir ses amis du port. Ils savent peut-être quelque chose...

— Ça m'étonnerait que tu les localises. Ils doivent tous être partis ensemble. Mais où?

Leurs questionnements conduisent infailliblement à un cul-de-sac. Nazaire s'en lasse, sa fille aussi. Le repas terminé, elle se risque à entrouvrir la porte de la chambre de Paul-Eugène. Stupéfaction.

— J'ai payé une dame pour faire le grand ménage, explique Nazaire.

— Mais il ne reste que ses meubles! Où sont ses objets personnels?

— J'en ai jeté beaucoup. Le reste est dans le débarras.

— Mais pourquoi?

— Après tout ce qu'il m'a fait vivre depuis la mort de ta mère, je veux qu'il comprenne que sa place n'est plus ici.

Saisir la situation de son père ne suffit pas à Irma. Une angoisse la tenaille à la pensée de l'hiver, des risques de blessures auxquels il est exposé, de son état mental, des hommes qu'il fréquente. Tente-t-elle d'amener son père à y réfléchir qu'il répond :

— Il a eu suffisamment de chances de prendre le droit chemin. S'il a choisi le vagabondage, il trouvera les moyens de sauver sa peau. Ce n'est plus un enfant, il s'en va sur trente-neuf ans !

— C'est un enfant, papa.

Irma va cacher son chagrin et sa déception dans la chambre de son frère, où elle passera la nuit. « S'il se présentait, par hasard, je serais là pour l'accueillir », se dit-elle.

Entreprise tôt le lendemain matin, la visite des tavernes et du port a été stérile. Des clochards interrogés, Irma n'a reçu que des allusions sur les chanceux qui ont réussi à prendre le bateau pour le sud. Paul-Eugène serait-il de ceux-là ? Aucune confirmation ! Une grande détresse dans le cœur d'Irma. Son refuge ? Tante Angèle.

— C'est toujours vous qui savez le mieux me consoler, lui répète-t-elle, en larmes.

— Viens t'asseoir dans le jardin, sous l'arbre préféré de ta mère. Tu verras comme c'est réconfortant d'être là... depuis qu'elle est heureuse, surtout.

Irma s'arrête, interloquée.

— Vous disiez quoi, tante Angèle ?

Mêmes paroles, même conviction, même sérénité.

— Vous croyez qu'elle a du pouvoir sur nous ?

— J'en suis convaincue. Depuis que je suis revenue des funérailles, je l'ai sentie autour de moi... dans la maison, dans le jardin. Comme un léger courant d'air, à tout moment. Je l'aurais vue de mes yeux que je ne serais pas plus certaine de ses visites ici. J'ai compris qu'elle voulait me récompenser pour ce que j'avais fait pour toi et pour ton frère. Elle m'accorde toutes les faveurs que je lui demande, lui révèle-t-elle, resplendissante.

— Vous l'avez priée pour Paul-Eugène ?

— Dans un sens, oui. Tu sais qu'on ne peut aller contre la destinée des humains. Alors j'ai demandé qu'il apprenne de ce qu'il a choisi de vivre. La même chose pour toi, Irma.

Le regard d'Angèle est lourd de non-dits.

Comme on récite une oraison, Irma répète :

— Que j'apprenne de ce que j'ai choisi de vivre...

Une nuance s'impose.

— Que j'apprenne de ce que le destin met sur mon chemin, n'est-ce pas plus exact, tante Angèle ?

— N'es-tu pas libre de le contourner comme de l'emprunter, ce chemin ?

Irma penche la tête, cueille une brindille, la scrute en silence.

— Je ne sais pas où on s'en va, Bob et moi, balbutie-t-elle.

— Ta mère a peut-être vécu une chose semblable... Elle pourrait t'aider.

La suggestion demande réflexion.

Irma constate que sa tante a pris du recul quant aux problèmes des membres de sa famille. Comment, d'une part, ne pas l'en féliciter ? Mais, pour Irma, un autre deuil est à faire et elle en est meurtrie. «Elle était ma meilleure confidente.» Le silence cache sa déception. Angèle ne l'enfreint pas. Elle sait d'expérience que sa nièce possède la force et l'intelligence qui font défaut à Paul-Eugène.

— Elle est venue ? dit Irma, troublée par la soudaine sensation que sa mère lui a ouvert les bras.

Phédora l'enveloppe d'une aura de sérénité perceptible au regard d'Angèle.

❦

À Montréal, le 5 août 1914, la fébrilité court au-devant des piétons, des automobilistes, des commerçants et de tous ceux qui prennent le temps de mettre le nez dans les journaux. «Bob avait raison de craindre la Russie», reconnaît Irma devant la une des journaux empilés dans le hall de la gare Viger. L'Allemagne a déclaré la guerre à la Russie le 1er août et a obtenu l'alliance de l'empire ottoman contre ce pays. Le 3 août, elle dirigeait ses attaques contre la Belgique et la France.

— C'est tellement triste d'apprendre que notre mère patrie risque d'être mise à feu et à sang ! J'avais prévu nos retrouvailles dans une tout autre atmosphère, dit Maude, navrée.

La désolation se lit sur les visages de ceux et celles qui ont voyagé le moindrement du côté de l'Europe.

À l'appartement de la D^re Abbott, un amoncellement de journaux et de documents comme Irma n'en a jamais vu.

— Tu excuseras mon désordre, la prie Maude. En plus de mes tâches habituelles, je dois rédiger le *Journal de l'Association médicale canadienne* et préparer une conférence que je devrai donner au Harvard Historical Club.

— À Boston ! Au Harvard Historical Club ! Mais quel honneur ! Comment cette offre t'est-elle venue ?

— J'ai été acceptée pour faire des recherches à la Harvard Medical School l'été prochain.

— Sur quoi portera ta conférence ?

— Tu ne pourras jamais deviner la coïncidence... Sur l'Anglaise Florence Nightingale. Tu en as entendu parler ?

— Un peu. Je sais entre autres qu'en 1894, quand je suis arrivée à l'université Saint-Paul, les États-Unis avaient adopté le Système Nightingale pour la formation des infirmières.

— Ce que j'ai découvert de cette femme est renversant.

Maude a vivement piqué la curiosité de son amie.

— Mais avant de te raconter ma belle aventure, je vais mettre mes plats au four. Tu aimes le poulet rôti ?

— Beaucoup, affirme Irma, qui lui emboîte le pas vers la cuisine.

Les légumes pelés iront rejoindre la viande dans une heure. Le temps pour Maude de raconter le « fabuleux » parcours de Florence Nightingale.

— Une bonne limonade, à la fraîche, dans mon petit jardin, suggère-t-elle.

Assise devant l'opulente Maude, Irma ne pèse pas lourd.

— Tu as bien maigri... Faut dire que deux grands deuils en quatre ans, ça doit couper l'appétit.

— Le surcroît de travail...

— ... chez Bob ?

— Partout.

— Par contre, tu as quelque chose de changé... qui t'avantage.

Irma ne peut donc rien cacher à cette femme à l'œil de lynx.

— Bob m'a offert des soins de beauté chez Elizabeth Arden.

— Je ne connais pas cette femme, mais rien qu'à voir l'éclat de ta peau, je suis prête à lui accorder ma confiance. Elle habite...

— ... à Washington, mais elle a ouvert une boutique à New York.

— Je t'envie, Irma... mais pas sur toute la ligne.

— Ah, non ?

— Des tourments amoureux, je ne veux plus en vivre, explique Maude, fière d'annoncer qu'elle est presque arrivée à un détachement complet à l'égard du Dr Osler.

— Ç'a été difficile ?

— Les déceptions vécues lors de mon séjour chez lui l'ont été dix fois plus.

Maude ne peut retenir ses larmes. Après l'avoir généreusement et cordialement invitée à vivre sa convalescence sous son toit, William Osler s'était absenté pendant quinze jours... pour des recherches, ce dont Maude doutait fortement. À son retour, il n'était rentré chez lui que pour y dormir une nuit et il était reparti tôt le lendemain matin. William n'avait honoré Maude de sa présence que lors de la première et de la dernière journée de son séjour.

— C'est évident qu'il me fuyait.

— Ça ne pourrait pas être un simple concours de circonstances ?

— Je ne pense pas, Irma. J'en ai eu la preuve quand il est venu seul me conduire à la gare, le jour de mon départ. Je me suis écroulée dans ses bras au moment des adieux.

Un chagrin encore présent étrangle Maude. Irma serre les paupières.

— Une blessure à l'intérieur qui s'envenimait chaque jour me disait que mon flair était bon. Il me l'a démontré une fois de plus quand il m'a suggéré de prendre deux autres jours de repos avant de m'embarquer pour le Canada. Tu sais où ? Dans une chambre d'hôtel, ma chère.

— C'est ce qui t'a aidée à te détacher ?

— Au début, oui. Je le vivais dans la révolte. Mais depuis que j'ai découvert une femme qui a mené des combats semblables aux miens et aux tiens, je l'envisage comme un beau défi à relever.

— Je la connais, cette femme ?

— Oui. C'est Florence Nightingale. Celle de qui je dois parler dans ma conférence. Une infirmière pas ordinaire. Elle a eu des amours tourmentées, elle aussi. Comme toi et moi. Elle a choisi un métier que personne n'approuvait. Comme toi et moi.

— Elle vit encore ? demande Irma, des plus captivées par les propos de Maude.

— Hélas, non ! Elle est décédée il y a quatre ans.

— Seulement quatre ans ? J'aurais pu la connaître de son vivant.

— Et moi, donc ! Elle a passé presque toute sa vie en Grande-Bretagne.

— Si elle intéresse le Harvard Historical Club, c'est donc qu'elle a mené une carrière exceptionnelle, déduit Irma.

— Quand je te dis qu'elle est exemplaire, c'est sur tous les plans. Son enfance me fait penser un peu à la tienne.

Irma s'en étonne et la supplie de tout lui raconter.

— Son père était un génie et Fanny, sa mère, avait grandi dans un milieu de fêtes perpétuelles sans autre souci que son plaisir et ses aises. En bas âge, elle se considérait déjà comme différente des autres et elle dit avoir refusé très tôt les rôles que ses parents voulaient lui voir jouer. Sa mère souhaitait pour elle une vie mondaine et un mariage idéal ! Par contre, son père lui avait donné le goût d'une vie où la curiosité intellectuelle primait.

Irma boit ses paroles.

— Sous d'autres aspects, Florence me rappelle des périodes de ma jeunesse, lui confie Maude, visiblement intimidée. Elle aurait eu beaucoup de mal à accepter l'image de la féminité qui régnait dans son milieu. Elle aurait même connu une grande déception amoureuse avec une cousine qu'elle adorait. Elle écrit dans son journal personnel qu'en devenant infirmière, elle s'est inventé une nouvelle manière d'être femme. Là où elle diffère de nous deux, c'est qu'elle disait entendre des voix et souffrir d'épisodes de rêves éveillés qui la laissaient dans un état d'épuisement complet. Il lui a été très difficile de ne pas perdre contact avec la réalité.

— Elle y est arrivée quand même ?

— Avec l'aide d'une confidente, sa tante Mai. Dans son journal intime, elle raconte avoir entendu, à dix-sept ans, un appel de Dieu pour la vocation d'infirmière.

— L'âge que j'avais quand je suis entrée à l'université Saint-Paul pour faire ma médecine, constate Irma.

— Elle a dit que « ses voix » lui avaient parlé quatre fois. La première fois, c'était le 7 février 1837, date à laquelle elle s'est sentie appelée ; ensuite en 1853, lorsqu'elle a pris la direction de l'institution charitable de *Harley Street* ; la troisième fois, avant son départ pour la Crimée en 1854 et une dernière fois en 1861, après la mort de son ami et collaborateur Sidney Herbert.

Irma semble troublée. Les va-et-vient de sa main droite sur le bras de chaise la trahissent. Maude est sur le point de lui en demander la cause lorsque Irma la questionne sur les combats auxquels elle a fait allusion précédemment.

— Florence a dû se battre plus que nous encore pour faire les études qu'elle souhaitait. D'abord contre sa famille, qui s'opposait fermement à ses choix, sa mère, surtout. Il faut dire qu'autour des années 1845-1850, le métier d'infirmière était encore très mal vu. Les femmes qui l'exerçaient étaient plutôt pauvres et elles étaient perçues comme des parasites à la remorque des armées. Florence a mis huit ans avant de pouvoir réaliser son rêve de devenir infirmière. Ses parents avaient honte de la voir soigner les pauvres des alentours. La plus grosse insulte que Florence a faite à sa mère a été son refus d'épouser un chic prétendant, le poète Richard Molckton Miles. Grande, svelte, avec des yeux gris pétillants et une magnifique chevelure blond châtain, elle avait tout pour attirer un homme public qui l'aurait emmenée sur le chemin de la gloire et de la fortune, comme le souhaitait sa mère.

— Elle est restée célibataire ?

— Oui. Elle était convaincue que le mariage nuirait à sa vocation d'infirmière.

Irma relève les sourcils, manifestement touchée.

— Florence et moi avons vécu une autre épreuve semblable. Pas tout à fait pour la même raison, précise Maude, qui a connu elle aussi un épisode de dépression nerveuse en revenant des États-Unis après sa première formation auprès du Dr Osler.

— Les conflits avec sa famille à cause de son refus d'épouser un homme en vue? suppose Irma.

— Ça, entre autres.

Irma craint semblable chute, advenant qu'elle mette fin à sa relation amoureuse avec Bob.

Les deux femmes s'accordent le temps de réfléchir en silence. Maude va jeter un coup d'œil à ses plats. Irma est intriguée par le fait que Florence soit allée en Crimée en 1854 alors que ce pays était en guerre. De son amie Maude, elle apprend que c'est grâce aux révélations d'un correspondant de guerre du *Times* que Florence avait été informée des conditions alarmantes des blessés et du manque effarant de personnel soignant. La nouvelle l'avait interpellée sérieusement. Sans perdre de temps, Florence avait travaillé à recruter et à former des infirmières désireuses de partir avec elle. La tâche avait été d'autant plus difficile qu'à cette époque, les *nurses* avaient peu de formation et souffraient de l'indifférence des officiers. Les réserves de médicaments étaient limitées, l'hygiène négligée, et les infections de masse courantes, la plupart d'entre elles étant fatales. Il n'y avait non plus aucun équipement pour préparer la nourriture des patients.

Florence Nightingale avait engagé quatorze infirmières laïques et vingt-quatre autres appartenant à des communautés religieuses de confessions différentes. Avec ce groupe de trente-huit infirmières volontaires qu'elle avait formées, elle avait été envoyée en Turquie où était basé le camp britannique, tout près de Balaclava, en Crimée. L'intervention de Sidney Herbert, un homme politique brillant avec qui elle entretenait une relation privilégiée depuis sept ans, avait facilité leur départ. Dans une lettre qu'il lui adressait en avril, il rendait hommage à Florence :

Vos aptitudes personnelles, votre expérience, votre sens de l'administration, ainsi que votre rang et votre situation dans la société vous désignent pour cette mission plus que toute autre au monde, et nous aurons détruit un préjugé et créé un précédent dont les bienfaits ne feront que s'amplifier avec le temps...

Six mois plus tard, M^iss Nightingale était nommée Directrice générale du Corps d'infirmières et des hôpitaux généraux militaires en Turquie. Pour la première fois, ses parents ressentirent une grande fierté à l'égard de leur fille, qu'ils décidèrent d'accompagner en Crimée.

— Inimaginable ! s'écrie Irma, visiblement bouleversée.

⋙⋘

Irma est retournée à Québec avant de regagner New York.

— Tu ne repars pas demain ! proteste Nazaire. Tu ne m'as presque pas parlé de toi !

— J'ai tellement de travail en retard, prétexte Irma, prise d'assaut par un urgent besoin de solitude, quelque part sur la Côte-Est américaine, avant de rentrer chez Bob.

— Puisque c'est comme ça, on va aller pique-niquer sur les Plaines, décrète Nazaire. Par une chaleur pareille, rien ne pourrait nous faire autant de bien que le zéphyr qui nous vient du Saint-Laurent.

Irma sourit.

— Vous êtes toujours amoureux... des beaux mots, papa.

Nazaire n'est pas moins friand d'humour. À sa fille, il avoue déplorer d'avoir peu d'occasions d'y recourir, à part dans certains écrits où les boutades sont de mise. À son âge, il a déjà perdu beaucoup d'amis et ceux qu'il côtoie sont majoritairement mal en point.

— Je ne peux pas me résigner à mourir avant d'avoir voyagé outremer. Quand j'ouvre les journaux, que je promène ma loupe sur chaque colonne, je deviens tellement révolté.

— Par ce qui se passe en Europe ?

— Plus encore de devoir renoncer à un rêve qui ne m'a pas encore quitté...

— Vous m'en avez déjà parlé ?

— Je ne pense pas. Être correspondant de guerre. Je partirais demain matin si j'avais une bonne vue. Tu sais que depuis le 3 août, comme l'Australie, l'Inde, la Nouvelle-Zélande et l'Afrique du Sud, le Canada est en guerre contre l'Allemagne. Tu as vu hier dans les journaux ? L'Autriche-Hongrie s'est jointe aux Allemands pour déclarer la guerre à la Russie et à la Serbie.

— La Serbie. Un si petit pays ! Vous imaginez, papa, le sort réservé aux enfants et à leur mère en l'absence du père, qu'ils ne reverront peut-être jamais ?

— Tu serais peut-être venue avec moi, Irma, si...

Nazaire sait qu'il n'a pas à tout dire, sa fille le comprend au-delà des mots.

La réponse tarde. Même si la question demeure hypothétique, Irma la considère sous tous ses angles. Que de sacrifices ! Que de deuils ! Que de périls !

— J'y réfléchirais sérieusement, lui confie-t-elle.

Nazaire s'informe de Rose-Lyn et de son fils, qualifiant ce dernier d'homme le plus affable qu'il ait jamais rencontré. Prise au dépourvu, Irma ne peut cacher le malaise qui la bâillonne.

— J'avais l'intention de passer ma dernière soirée chez tante Angèle. On y va ensemble ? propose-t-elle pour faire diversion.

— Avec plaisir. D'autant plus que je l'ai négligée, elle aussi, depuis le début de l'été. Elle ne mérite pourtant pas ça !

— Un ange, cette femme ! clame Irma.

La soirée n'est pas pour autant facile. Le rappel des funérailles de Phédora, les interrogations quant aux circonstances du décès d'Hélène, la tristesse ressentie à la pensée du jeune Charles et de son père bouleversent Irma. Les émotions à leur acmé, elle évoque la fatigue pour quitter le domicile d'Angèle avant la brunante.

❧

Lorsque la D^re LeVasseur rentre à New York, le 15 août 1914, la Russie et le Japon sont devenues des ennemis; ainsi en est-il pour la France et l'Autriche-Hongrie. D'autre part, le torchon brûle entre le Japon et l'Allemagne. Aussi bien dire que toute l'Europe est sur le pied de guerre. Cette tension qui affecte les dirigeants des pays occidentaux s'infiltre jusque dans la plus modeste demeure. Chez Bob Smith plus que chez Rose-Lyn Venner qui, de toute évidence, en saisit moins les enjeux politiques et commerciaux. L'Allemagne et l'Autriche détiennent la supériorité dans les airs, sur terre et sur l'eau. De quoi laisser croire que cette guerre sera de courte durée. Ceux qui prétendent le contraire sont taxés d'ignorance ou de pessimisme. Les accusations pleuvent sur les principaux pays jugés responsables d'avoir amorcé cette guerre : la négligence, les erreurs de jugement, l'appât du gain, les désirs de vengeance, la soif de pouvoir, un nationalisme démesuré, autant de fautes imputées aux belligérants. Dans les rues et les édifices publics de l'Amérique du Nord, les uns, à l'instar de Bob Smith, prêchent la solidarité et la neutralité, les autres l'entraide humanitaire.

Habitée par l'exemple de Florence Nightingale, mais non moins attachée aux êtres qui lui sont chers, Irma LeVasseur rumine. Elle vient de consacrer sept ans au service des familles et des enfants de New York. L'information a été apportée à la majorité des familles new-yorkaises, il ne leur reste plus qu'à maintenir les bonnes habitudes inculquées. Les études en laboratoire ont prouvé aux dirigeants, au personnel médical et à des milliers de parents que le manque d'hygiène, la mauvaise alimentation et la pauvreté sont les principales sources de maladies et de mortalité infantile. Irma a le sentiment de se trouver à la croisée de chemins... encore mal définis. Le goût d'encadrer de jeunes médecins dans les hôpitaux est présent. Ne serait-ce de la guerre, elle entreprendrait un voyage de trois ou quatre mois en Europe, pour visiter des cliniques de pédiatrie.

Elle en fait part à Bob à son retour. Inquiété par son périple en solitaire, soulagé de la revoir après vingt jours d'absence, Bob Smith a eu le temps de repenser à leur avenir.

— Pourquoi ne réduirais-tu pas tes heures de travail ? lui suggère-t-il, le soir du 23 août, alors que tous deux se retrouvent en tête-à-tête, Charles étant parti chez sa grand-maman Rose-Lyn pour la fin de semaine.

— Je pensais justement à ne pas renouveler mon contrat avec la ville et les écoles.

— Tu ferais enfin un travail plus à la mesure de tes compétences et beaucoup mieux payé.

— Tu parles de quel travail, Bob ?

— Enseigner la médecine. Il est grand temps que tu changes les mentalités.

Irma l'écoute, ébahie.

— Que tu formes des médecins qui vont comprendre la santé autant que la maladie, enchaîne-t-il.

— Mais on jurerait que tu as fait ta médecine, Bob.

— Je t'ai assez écoutée parler pour savoir ce que tu as dans les tripes. L'idée de la prévention, tu l'as semée dans les écoles et les familles. Il te reste maintenant à la semer dans la tête des futurs médecins...

— ... et des infirmières.

Bob, ravi de la réception d'Irma, expose davantage son plan :

— Tu travaillerais aux mêmes heures que moi, pas plus de cinq jours par semaine. On pourrait s'organiser une vraie vie de famille.

— Mais on n'est pas une vraie famille, Bob !

— On peut le devenir, Irma.

Dans le regard de Bob, un océan d'amour et de désirs. Sur les lèvres d'Irma, un tremblement. Bob ouvre les bras. Sur son cœur qui mendie un assentiment, il pose la tête de sa bien-aimée.

— Pourquoi tant se laisser languir quand on sait que le destin nous a liés l'un à l'autre depuis longtemps ? murmure-t-il, confiant.

Une résistance chez Irma. Bob la ressent, relâche son étreinte et attend un éclaircissement qui tarde. Dans la bouche d'Irma, les mots restent prisonniers.

— Tu hésites encore à cause de notre parenté ?

Irma nie d'un signe de la tête.

— Plus rien alors ne nous empêche de nous unir... devant un avocat, conclut Bob, de nouveau déconcerté par le silence d'Irma. Aurais-tu oublié que je suis prêt à aller vivre au Québec, si tu le souhaites?

Irma prend sa main et l'entraîne dans le salon où elle prend place sur le sofa, à ses côtés. Blottie tout contre lui, son regard fuyant celui de l'homme qui lui offre un amour... sans réserve, elle prie Phédora de mettre les bons mots sur ses lèvres.

— Tu as parlé de destin, Bob. Moi aussi, j'y crois.

— Tu te rends compte, toi aussi, qu'il a tout mis en place pour que nous puissions vivre notre amour? Après tant de sacrifices...

— ... tant de sacrifices, oui. Derrière nous et devant nous, Bob.

— Tant que tu seras à mes côtés, Irma, rien ne méritera de s'appeler sacrifice.

— Je ne pourrai pas rester à tes côtés, Bob, parvient-elle à dire avant que sa voix chancelle... et s'éteigne.

Bob s'affole, espère avoir mal saisi, mais ne trouve pas le courage de la faire répéter. Ses mains vont chercher le visage tourmenté d'Irma. Il croit avoir trouvé la réponse dans ses yeux mouillés.

— Tu aimes un autre homme, balbutie-t-il. Qui est-ce?

— Ce n'est pas ça, Bob. Tu es le seul homme qui occupe une place dans mon cœur.

À demi consolé, Bob veut comprendre.

— Je dois partir, lui annonce-t-elle.

— Je vais te suivre, Irma.

— Tu ne le pourras pas.

— Tu me fais peur, Irma. Tu ne vas pas mourir?

— On ne sait jamais, mais j'espère que non.

— Ouf! Tu me soulages. J'ai eu peur que tu ne m'annonces une maladie grave.

— On pourrait dire que c'est un genre de maladie.

Bob la presse de parler clairement, enfin.

— Malade d'aller secourir les plus souffrants de notre planète...

— Pas ceux des pays en guerre, Irma! Tu n'y penses pas! La misère, la famine, la maladie!

— C'est pour tout ça que je dois être là. Puis ça ne veut pas dire que je n'en reviendrai pas. Ce ne sont pas tous les soldats qui meurent à la guerre, riposte-t-elle.

— Je le sais, Irma, mais je ne me résignerai jamais à voir la femme que j'aime le plus au monde prendre le risque de ne jamais me revenir.

— Bob, oui le destin nous a jetés dans les bras l'un de l'autre. Notre amour a été plus fort que tous les obstacles placés sur notre route. À l'homme qui m'a fait connaître de si grands bonheurs, qui m'a permis de n'être dans ses bras qu'une femme, sans devoir, sans rôle à jouer, sans barrières, je n'aurai pas assez de toute ma vie pour dire ma reconnaissance. C'est toi, Bob, qui a mis au monde la femme en moi. La femme que je ne voulais pas devenir... pour ne pas ressembler à ma mère... avant que je la retrouve. Briser des vies autour de moi, je ne voulais pas vivre ça. J'aurais souhaité être un homme. Oui, j'ai tenté de nier ma féminité. De l'emprisonner loin de mon quotidien. Tu m'es apparu, un soir que je n'oublierai jamais, au *Metropolitan Opera*. Tu as éveillé en moi des sensations encore jamais éprouvées. Un fabuleux jardin que j'avais cru à jamais stérile. Tu m'as rendue à moi-même, Bob. Tu as comblé mes failles. Tu as fait de moi une femme entière... prête à donner le meilleur d'elle-même aux plus affligés.

Les paupières closes, des larmes ruisselantes sur ses joues, Bob l'a écoutée sans ouvrir la bouche. Pour ne rien perdre des paroles, des soupirs, des caresses de sa bien-aimée.

Une étreinte qu'ils voudraient éternelle les livre à leur amour incendiaire... « Peut-être pour la dernière fois », craint Bob.

— Irma, mon amour ! Ma toute belle. Ma grande Irma. Tu es la femme que j'aurai le plus admirée dans ma vie. Que j'aurai le plus désirée. Qui m'aura le plus enivré de ses caresses. Si tu savais la mémoire de tes mains sur ma peau. L'odeur de ton corps sur le mien. Ton parfum dans mon cou. Tes lèvres de feu sur les miennes. Irma, mon grand amour, aime-moi encore... une autre fois.

Aucune résistance. Que le débordement de la passion la plus fiévreuse dans le cœur d'Irma.

Après un long silence, Bob ouvre les yeux, cherche le regard d'Irma pour lui dire :

— Tu es plus grande que nature, Irma. C'est pour ça que tu es appelée à accomplir des choses héroïques. C'est pour ça que, malgré la déchirure que je ressens déjà dans ma poitrine, je n'oserai jamais te faire dévier de ta voie. La guerre finie, si tu survis, n'oublie pas que ta place est toujours libre...

— Bob, je m'en voudrais tellement de te priver d'un bonheur qui te revient. Moi non plus, je ne veux pas te faire dévier de ta voie. Pourquoi ne pas s'abandonner à la Vie ? Ou à notre destin, si tu préfères.

— Ce serait terriblement difficile pour moi. J'aime mieux croire que tu me reviendras. Ton absence sera plus supportable comme ça.

Bob et Irma s'enlacent de nouveau avant que le sommeil les emporte.

Le lendemain midi, tous deux se rendent chez Rose-Lyn pour en ramener Charles. Comme d'habitude, l'enfant réclame de rester jouer encore un peu. La faveur lui est accordée le temps qu'Irma donne des nouvelles de Québec. Pas un mot sur ses projets d'avenir. Une grande réserve de la part de Bob.

Tôt après le souper, le trio prend place dans le salon. Charles se blottit contre Irma, dont il dit s'être ennuyé depuis deux jours.

— Charles, ta marraine a des choses importantes à te dire, lui annonce son père.

L'enfant allait s'en réjouir, mais le regard d'Irma l'inquiète.

— Tu es malade, marraine ? Ta cheville ?

— Non, Charles, moi, je vais très bien. Mais savais-tu qu'il y a tout plein de petits enfants qui sont blessés, qui ont très faim et qu'il n'y a personne pour s'en occuper ?

— Tu veux aller les soigner, marraine ? On y va avec toi, papa et moi. C'est loin ?

— Si loin que je ne pourrai pas t'emmener. Et puis c'est très dangereux. Partout, il y a des soldats avec des fusils...

— Je vais me cacher derrière papa, dit Charles, cherchant l'approbation de son père.

— Les petits enfants n'ont pas le droit d'aller là, dit Bob.

— Mais il y en a tout plein, que marraine a dit.

Bob lui explique la situation des enfants et des mamans en pays de guerre. L'absence des papas...

Charles en saisit davantage. Il se lance au cou d'Irma en la suppliant de ne pas aller dans ces pays.

— Je ne veux pas que tu meures toi aussi, marraine. Si tu pars, je vais m'ennuyer de mes deux mamans. Papa, dis-lui de rester avec nous.

— Je vais revenir, Charles. Je te jure que je vais revenir. Puis, je ne pars pas tout de suite. Pas avant ton anniversaire. Pas avant Noël. Seulement quand l'hiver sera fini et que les bateaux pourront m'emmener là-bas sans danger.

— Si elle finit avant, la guerre ?

— Ce sera merveilleux, Charles. Merveilleux pour toute la terre.

— Puis toi, marraine, tu resteras avec nous pour toujours. Maintenant, on joue ! propose-t-il, optant dans sa candeur pour le meilleur.

Prenant Irma à part, Bob lui chuchote à l'oreille :

— Tu ne l'informes pas de ton déménagement prochain ?

— Non. J'hésite... à vous quitter tout de suite. J'attendrai plutôt après les fêtes, si tu n'y vois pas d'inconvénient.

— Tu fais ça pour moi ou pour toi ?

— Pour nous trois, Bob. Pour que nous prenions tout ce qui peut se présenter de bon dans notre vie en attendant les grands sacrifices.

— Tu me fais vraiment plaisir, Irma.

— C'est Charles qui m'a fait changer d'idée. Si jamais la guerre était finie en avril prochain ?

Troisième partie

Chapitre VIII

S ur le quai de New York, en ce matin du 6 mai 1915, une femme, sa trousse de médecin à la main, deux valises à ses pieds, scrute l'avenir. Un fort vent oblige Irma LeVasseur à troquer sa tenue légère contre le manteau et le chapeau d'hiver rangés dans ses bagages. Les cheminées du *S.S. Metagama* se dessinent très clairement au-dessus de la nappe d'eau encore frémissante du long hiver précédent. Arrivé de Montréal, ce navire transporte non seulement des volontaires de tout acabit, mais du ravitaillement, des chevaux et, qui plus est, deux hôpitaux, dont le premier de tout l'empire britannique : l'Hôpital général canadien n° 3, créé et équipé par l'Université McGill. Cette initiative du Dr Stanley Birkett, doyen de la faculté de médecine, n'aurait vu le jour sans l'intervention du Dr William Osler auprès du *War Office* de Londres.

Avec une fierté patriotique, la D^{re} LeVasseur regarde venir le *S.S. Metagama* arborant à son mât le drapeau du *GOUVERNEMENT CANADIEN DE LA MARINE MARCHANDE*. C'est lui qui l'emmènera jusqu'à Liverpool, d'où elle prendra la direction de la Serbie, là où la souffrance est omniprésente, innommable, aspirante.

Il est trop tôt pour que parents et amis soient au rendez-vous des adieux. Trop tôt pour que d'autres passagers occupent le quai. Rien que pour Irma, un silence que seul le mugissement du bateau parvient à lézarder. Un silence qui porte ses prières. «Maman, mes petits frères, mes grands-papas, Florence Nightingale, je vous emmène tous avec moi. À votre tour, vous me ramènerez... avec toute ma tête et tous mes membres, je vous en conjure. Hélène, je te charge de protéger ton fils et...» Une supplique pour Bob avorte dans sa gorge. Impertinente, peut-être, même pour les bienheureux. «Grand-maman Valley, veillez sur votre petit-fils. Aimez-le autant que je l'aime. Et si je n'ai pas à revenir dans sa vie, placez sur sa route la femme qu'il mérite, avant mon retour autant que possible.»

Les nouvelles venues de la Serbie au cours des neuf derniers mois ne prêtent à aucune illusion. Aux infirmières et médecins volontaires, on recommande d'emporter dans leurs bagages des réserves de courage et de totale abnégation. Irma a prévu aussi des mantras, des proverbes et des souvenirs de scènes bienfaisantes pour les moments difficiles. Les bouddhistes et les hindouistes parviennent à neutraliser la douleur par des sons; Irma en a appris. En plus, dans sa mémoire, deux citations resteront présentes : l'une de Dostoïevski : «La pire des souffrances est celle de ne plus pouvoir aimer.» L'autre, un proverbe berbère : «Si tu as de nombreuses richesses, donne de ton bien; si tu possèdes peu, donne de ton cœur.» Pour les moments où elle pourrait se sentir crouler sous le poids de la solitude et de l'éloignement, Irma se lovera dans les souvenirs que lui ont laissés sa complicité avec son grand-père LeVasseur et les moments d'intense bonheur auprès de sa mère. L'exemple de Florence Nightingale lui redonnera confiance quand plus une lueur n'apparaîtra au bout du tunnel.

Ainsi blindée contre l'adversité, Irma entreprend la réalisation d'un de ses plus grands rêves : sauver des milliers de vie, vaincre la maladie, rendre des enfants à leur mère, des maris à leur épouse.

Le *S.S. Metagama* pousse les replis de la mer de plus en plus près du rivage. Sa taille n'a rien à envier aux plus gros transatlantiques européens. Propriété de la *Canadian Pacific Railway Company*, ce transatlantique fait plus de cinq cents pieds de long, soixante-quatre de large, avec une capacité de 12 420 tonneaux de jauge brute. Ses cheminées fissurent le ciel d'épais rubans noirs. Le sifflement des sirènes, d'abord grave et menaçant, s'effrite dans l'air avant d'agoniser dans l'océan.

Derrière Irma, des ronronnements de moteurs, des bribes de conversation, des pas fermes. Ces hommes en uniforme viennent vraisemblablement se joindre à l'équipage. Aucun d'eux ne pourrait filer son chemin sans poser un regard inquisiteur sur la petite dame au menton réfugié dans son col de fourrure. Certains osent des mots flatteurs : « *Chic and swell, lady!* » « *Nice baby!* » lance un malotru.

— *Do you have your ticket* ? demande un monsieur dont l'uniforme porte quatre ou cinq insignes honorifiques.

D'un signe de la tête, elle le rassure. « S'il savait que je l'ai depuis presque deux mois, il ne s'inquiéterait pas », pense-t-elle.

Son amie Maude, au parfum de tout ce que son université préparait, en avait informé Irma et avait offert de lui assurer une place sur ce navire où de nombreux Canadiens français, dont près d'une dizaine de médecins, se sont embarqués : les Dr Victor Bourgeault, Stanley Birkett, Avila Waters, Arthur Mignault, Raoul Brault et Albiny Paquette. Maude lui annonçait aussi :

Sophie Hoerner, une infirmière de ton âge, qui a fait sa formation ici, à McGill, devait être sur le même navire que toi, mais elle a décidé de reporter son départ. Elle craint que l'entassement occasionné par l'embarquement de dernière minute d'un deuxième hôpital stationnaire, celui du Dr Arthur Mignault, un hôpital uniquement francophone, lui cause nombre de désagréments. Ce M. Mignault est exceptionnel, tu verras. C'est un grand philanthrope. Savais-tu qu'en 1909, il a donné un de ses terrains situés au cœur de Montréal pour en faire un terrain de jeu pour les enfants des familles défavorisées ?
Tu serais peut-être surprise de voir comment plusieurs Montréalais réagissent à cette guerre. J'ai rencontré des volontaires qui trouvaient là une occasion inespérée de retourner gratuitement en Grande-Bretagne. D'autres se montrent fiers de pouvoir servir l'empire britannique. Plusieurs Canadiens français

souhaitent quitter le métier d'agriculteur pour devenir soldats.
Ceux-là ne semblent motivés que par le goût de l'aventure. Je
me dis qu'ils auront tôt fait de connaître la misère. La plu-
part n'ont pas ta lucidité, encore moins ta générosité. Je
m'inquiète aussi pour notre personnel médical. Je doute
qu'il soit outillé pour travailler dans un pays en guerre.
Le plus honnêtement du monde, très chère amie, je te fais un
aveu : même si je n'avais pas ma sœur Alice sur les bras, je ne
m'embarquerais pas avec toi. Je n'ai pas ton courage.
Tu occuperas ma pensée et mon cœur chaque jour... jusqu'à
ton retour tant espéré.

Que le Ciel te protège !
Maude

P.-S. Je vais t'envoyer un petit cadeau par l'entremise d'un de
nos médecins, le Dr Albiny Paquette, probablement.

Irma n'a pas à se retourner pour comprendre que les voix d'enfants qui s'approchent sont celles de ses jeunes protégés. Un défilé de cinq garçons et filles précédé de Bob et de Rose-Lyn tenant chacun la main d'une jumelle. Un spectacle qui tire les larmes d'Irma. Moment redouté et non moins souhaité. Sa trousse de médecin posée près de ses valises, elle ouvre grand son cœur et ses bras. Charles s'y lance le premier. Cramponné à la taille d'Irma, sa tête nichée dans son col de fourrure, il gémit, puis se ressaisit :

— Une marraine, ça ne meurt pas. Tu vas revenir pour mes huit ans puis on partira tous les trois pour aller se reposer dans le plus beau pays du monde. Papa me l'a dit.

— Oui, mon petit homme. Dans le plus beau pays du monde.

— Tu sais où il est, ce beau pays, toi, marraine ?

— Oui. Ton papa aussi le sait.

— Dis-le-moi !

— Ce sera une belle surprise pour toi quand on ira, lui dit-elle.

Bob vient les étreindre tous deux, s'efforçant de croire à des retrouvailles... sur terre. Irma n'écarte pas l'autre éventualité.

— Un petit mot de temps en temps, si tu le peux, la supplie-t-il. Un signe que tu t'accroches à la vie.

Sa bouche effleure la sienne, résiste un instant... au baiser fiévreux que la fourrure de son col pourrait avoir dérobé au regard de Rose-Lyn.

— Éternel... notre amour, murmure-t-il avant que les larmes chassent les autres paroles affectueuses qu'elle peut deviner.

À Edith et Harry, le privilège de devancer tous les autres enfants qui attendent, une petite enveloppe à la main. L'envergure du *S.S. Metagama*, qui n'a rien de comparable à celle d'une ambulance, rassure le garçonnet.

— Il est plus fort que les baleines, ton navire, croit-il.

— Plus fort que les plus grosses vagues, enchaîne sa sœur Edith.

— Tu ne vas pas te noyer, émet Harry, déposant dans le cou de sa bienfaitrice, accroupie sur ses talons, d'insatiables câlins.

— C'est mon tour, implore Edith, en larmes, ne parvenant à balbutier que des «Je t'aime, Irma. Je t'aime... Je...»

Edith reprend la main de son jeune frère, puis tous deux offrent leur enveloppe à Irma.

— Interdit de l'ouvrir avant d'être montée sur le navire, l'avertit Rose-Lyn, qui se tient derrière eux.

Les autres enfants imitent leur geste, reçoivent de chauds câlins. Vient le tour de Rose-Lyn de faire ses adieux à celle qu'elle a chérie comme sa propre fille. Des yeux noyés, des sanglots retenus, une accolade déchirante avant de se retourner vers Bob et les enfants, à qui elle signifie que le temps est venu de chanter. En demi-cercle autour de l'héroïne du jour, ils entonnent :

— Faut-il nous quitter sans espoir

Sans espoir de retour ?

Faut-il nous quitter sans l'espoir

De nous revoir un jour.

Ce n'est qu'un au revoir, Irma

Ce n'est qu'un au revoir.

Oui, nous nous reverrons, Irma

Ce n'est qu'un au revoir.

D'autres adultes et enfants sont venus lui serrer la main et lui formuler des vœux touchants. D'autres passagers se dirigent vers le pont. La D^re Irma LeVasseur leur emboîte le pas sans tarder, sans retourner la tête, alourdie de ses bagages et de la peine qu'elle partage avec ceux qui sont demeurés figés sur le quai. Leurs regards mendient un dernier adieu. Les signes de la main s'estompent au gré des nœuds qu'avale ce gigantesque paquebot.

⊷⊶

Les gens qui avaient l'habitude de ces périples en mer ont parlé à Irma de l'occasion formidable de découvertes et de partages qui lui serait offerte. Elle anticipait facilement qu'il en serait ainsi avec les commandants des deux hôpitaux militaires à bord, leurs assistants et les étudiants en médecine. Cette traversée d'au moins dix jours n'avait toutefois rien de comparable à celle que ces messieurs et dames avaient vécue comme touristes. Les soubresauts de l'Atlantique constituaient pour tous un danger réel. Pire encore, les périls effarants causés par la présence des sous-marins allemands. Personne sur ce transatlantique n'ignore l'existence des U-Boot allemands qui s'en prennent aux Alliés et souvent même à des bateaux neutres. Tous ont appris qu'un de ceux-là, le *Falaba*, un paquebot anglais, a été torpillé le 28 mars précédent. Les journaux du Canada et des États-Unis ont fait la une de cette opération de piraterie.

Le *Falaba* était éloigné de Liverpool d'à peine douze heures quand le capitaine aperçut la tourelle conique d'un sous-marin allemand qui naviguait en surface sur une mer houleuse. Il avançait rapidement quand, à une cinquantaine de mètres, le commandant allemand annonça qu'il allait couler le *Falaba*. Les deux cent cinquante passagers et les membres de l'équipage eurent juste le temps de se munir de leurs ceintures de sauvetage et de s'entasser dans les cinq canots mis à la mer que les torpilles sifflèrent. Deux canots sombrèrent aussitôt, et le *Falaba* piqua du nez en moins de cinq minutes. Cent treize personnes périrent, dont le capitaine. Un sort aussi tragique attendait les cent trente-neuf autres si un vapeur de pêche n'était passé par là.

Quelques jours avant que le *S.S. Metagama* accoste au port de New York, le témoignage d'un des survivants du *Falaba* fut publié dans tous les grands quotidiens, dont la revue *France Illustrée* :

> *Les Allemands étaient massés sur le pont du sous-marin, regardant, comme un spectacle intéressant, tous ces pauvres gens qui se débattaient dans l'eau et luttaient contre la mort. Alors qu'ils n'avaient qu'à faire un geste pour les sauver, ils riaient de leurs efforts inutiles, ils les insultaient; on assure même qu'ils leur tirèrent des coups de revolver.*

Nombre de voyageurs, affolés, avaient décidé de ne pas prendre la mer.

Sitôt plongée dans l'opacité des nuits en mer, cette tragédie hante la D^re LeVasseur. Tant de vies fauchées, de secours perdus, d'espoirs anéantis. Dans la solitude humide de sa cabine, elle presse sur sa poitrine les billets d'amour que les protégés de Rose-Lyn lui ont offerts le jour du départ. Les mots d'admiration d'Edith, les cris du cœur de son frère Harry, les baisers dessinés à pleine page par les jumelles et les autres bambins qui ne savent pas encore écrire la réchauffent. Quand la mer en révolte menace de les engloutir, ces petits billets lui rappellent qu'elle n'est pas seule pour l'affronter. Leur pureté, leur sincérité, leur fidélité, des rocs de Gibraltar face à l'océan. Quand la nostalgie veut la gagner, Irma presse dans sa main le cadeau que Maude lui a fait parvenir : un médaillon en or qui enchâsse une photo prise lors d'un séjour à sa maison d'Argenteuil. Le Dr Albiny Paquette, chargé de le lui remettre, a été le premier à accueillir l'unique femme médecin sur ce navire. Ce geste sympathique ne la met pourtant pas à l'aise avec ce jeune médecin au port de tête altier.

Né à Marieville, ancien du collège Saint-Louis, diplômé de l'Université Laval, le Dr Albiny Paquette est reconnu pour ses talents d'initiateur et de leader. En 1912, un an avant d'être reçu médecin, il a organisé la première fédération des facultés de médecine. À son actif, Irma possède plus de huit ans de pratique médicale et une formation en Europe dont il est jaloux. Et tous deux découvrent qu'ils auraient bien pu se rencontrer en 1913 alors que le Dr Paquette était venu chercher une formation en gynécologie au Bellevue Hospital de New York.

Si le Dr Albiny Paquette a fait les premiers pas vers Irma, le Dr Bourgeault, cet autre diplômé de l'Université McGill, l'a instantanément prise sous son aile. Passionnés d'engagement social, tous deux éprouvent un réel plaisir à causer ensemble pendant les longues soirées de la traversée. Ses yeux charmeurs, sa moustache bien tournée ne lui déplaisent pas.

L'heure des repas ramène autour de la même table d'autres médecins canadiens, tels les Drs Waters, Birkett, Brault et Mignault. Les échanges sont particulièrement vifs au cours de ce souper du 9 mai.

Apprenant que le Dr Mignault, originaire de Saint-Denis-sur-Richelieu, a pratiqué la médecine dans le Maine pendant de nombreuses années, Irma s'intéresse à son parcours professionnel. Son nom ne lui est pas inconnu et pourtant, elle est certaine de ne l'avoir jamais rencontré. Un souvenir lui revient : le Dr Mignault, de retour à Montréal en 1896, a fait fortune dans l'industrie pharmaceutique avec la vente, notamment, des fameuses « pilules rouges » pour les femmes souffrant d'anémie.

Les propos de Victor Bourgeault, homme affable et intelligent, fascinent tout autant Irma. Ce Québécois natif de Berthierville a connu Maude Abbott vers la fin de sa formation médicale à McGill.

— C'est difficile de trouver plus originale que cette femme, dit-il, prenant pour témoin le Dr Birkett, doyen de la faculté de médecine de l'Université McGill. Par exemple, quand, à l'automne 1885, tous les étudiants de McGill ont dû retourner chez eux trois semaines seulement après le début de la session, à cause de l'épidémie de petite variole, savez-vous ce qu'elle a fait, Maude Abbott ?

Le Dr Birkett fait mine de ne pas l'entendre. Les deux hommes éprouvent peu d'affinités l'un pour l'autre. Victor Bourgeault n'a pas caché son agacement chaque fois que son confrère anglophone a tenu à évoquer son titre d'ancien lieutenant-colonel du *Canadian Army Medical Corps* de la milice montréalaise. En fin conteur, le Dr Bourgeault reprend :

— Je vous donne un indice. Les conversations de l'étudiante Abbott étaient devenues très particulières.

— Un mot français, un mot anglais, risque le Dr Brault.

— C'est presque ça. Voilà donc qu'à notre retour, Maude assaisonnait ses conversations de latin et de grec.

Irma se l'imagine facilement. Les autres médecins en font des gorges chaudes.

— Maude Abbott avait profité de son congé forcé pour étudier ces deux langues et elle veillait à ne pas les oublier, explique le Dr Bourgeault.

— Savez-vous ce qu'elle devient ? demande le Dr Brault en s'adressant à son tour à l'ex-doyen de la faculté de médecine.

Stanley Birkett dodeline de la tête, visiblement ennuyé. « Monsieur de McGill ne s'abaisserait pas à louanger une femme qui est parvenue à faire sa médecine », se dit Irma, empressée de témoigner du courage, de la ténacité et des réalisations de son amie depuis la fin de ses études. Son intervention porte ses fruits.

Un peu embarrassé d'être le seul à ne pas connaître le travail et les publications de la conservatrice du musée de McGill, Victor Bourgeault justifie son ignorance :

— J'ai vécu davantage en Saskatchewan depuis 1902. Comme plusieurs étudiants de McGill, j'ai fait un stage aux États-Unis. Au Rhode Island. Quand je suis revenu au Québec, j'ai cherché un village où m'installer pour gagner ma croûte. Je pensais avoir trouvé à Saint-Hyacinthe, mais non. J'avais trop de compétiteurs. Puis, j'ai appris qu'on manquait de médecins en Saskatchewan.

— Ce n'était pas à la porte, fait remarquer le Dr Avila Waters, un tantinet timide et fort discret.

— Non, mais ça valait le déplacement. Moins d'un an après mon arrivée, j'ai été nommé officier de la santé pour plusieurs réserves indiennes du nord de la province. Je ne me doutais pas que ce poste me plongerait dans tant de péripéties... Entre autres, je devais tout mettre en place pour enrayer les épidémies. Dans cette région, les voyages vers le nord étaient pénibles il y a dix ans. Plus difficiles encore, les enquêtes que j'ai dû mener sur les circonstances entourant certains décès.

Ses auditeurs le pressent de raconter.

— Avec un détective et un policier, on a parcouru une distance de 1 750 milles, en canot et en traîneau à chiens, pour se rendre au lac Brochet. La « police montée » avait commandé l'autopsie d'un homme trouvé mort dans des circonstances... mystérieuses. Toute cette misère pour mettre en évidence qu'il ne s'agissait pas d'un meurtre mais d'une mort accidentelle. Combien de fois j'ai mis des semaines et parfois un mois à me rendre à destination pour des banalités ! Par contre, j'étais bien payé. Ça m'a permis de me procurer des *homestead*. Une bien belle aventure. Il y a dix ans, j'ai fait construire sur une de mes propriétés une grande maison pour ma famille. Un hôtel aussi, que j'ai dû transformer en restaurant, le permis d'alcool m'ayant été refusé alors qu'il était accordé à d'autres hôteliers.

— De la magouille politique, présume le Dr Mignault, qui en avait été témoin à plus d'une occasion dans sa vie.

— C'est ce que je pense aussi. J'étais un ami de Me Alphonse Turgeon, procureur général de la Saskatchewan. Les franco-catholiques de cette province n'ont pas eu de représentant plus habile et d'allié plus précieux que cet homme-là dans la lutte pour la préservation de leurs droits scolaires.

Irma fronce les sourcils.

— Turgeon ! C'est un nom que j'ai souvent entendu à New York, souligne-t-elle.

— C'est possible, la famille Turgeon habitait New York avant de venir s'installer près de Bathurst au Nouveau-Brunswick, et il a obtenu un diplôme de bachelier ès arts de l'Université Laval avant de retourner faire son droit au Nouveau-Brunswick.

Le silence porte la réflexion des convives.

— Vous avez fait de gros sacrifices en quittant tout ça, Dr Bourgeault, dit Irma.

Un hochement de tête, puis un aveu touchant :

— La politique ne me manquera pas, mais Dieu que j'ai peur de m'ennuyer de ma famille et de mes chevaux !

L'allusion à l'élevage de ces bêtes plaît au Dr Mignault, dont la discussion glissait souvent de la médecine et de la guerre au polo et aux compétitions équestres. Amateur et propriétaire de chevaux de course, le docteur Arthur Mignault avait aussi cofondé, en 1901, le premier club de polo chez les Canadiens français.

Les échanges qui suivent n'intéressent nullement Irma. Elle s'empresse de vider son assiette, sort de table et va écouter de plus près l'orchestre du *S.S. Metagama* qui, pour soutenir le moral des passagers, se produit souvent pendant le souper. Certaines pièces, dont l'*Attila* de Verdi et une sérénade de Schubert, la ramènent trente ans en arrière. Nazaire a dirigé le Septuor Haydn pour certaines d'entre elles et Phédora a chanté ces airs. «Que choisir entre des souvenirs qui te chamboulent et la solitude de ta cabine ?» se demande Irma, incapable de s'éloigner de l'orchestre.

Plus le *S.S. Metagama* s'approche de sa destination, plus les médecins à bord multiplient les occasions de se regrouper. Il suffit que le Dr Mignault aborde des sujets à saveur nationaliste pour que l'intérêt d'Irma et celui de plusieurs de ses collègues lui soient acquis.

Le 2 août 1914, le consul général de France avait reçu l'ordre de mobiliser les francophones du Canada. Le corps médical de la milice canadienne, sous le commandement du médecin lieutenant-colonel Arthur Mignault et du médecin-major Émile Peltier, s'était dès lors activé à préparer la mise sur pied de l'Hôpital militaire canadien n° 4 composé de cent soixante-douze personnes. Leur quartier général était établi à l'arsenal de l'avenue des Pins et l'autorisation de donner une formation en français leur était accordée dès janvier 1915. Le personnel de cet hôpital militaire devrait quitter le Canada le 20 juillet à destination de la France.

Au début d'août 1914, l'entrée en guerre de la Grande-Bretagne avait déterminé la participation canadienne au conflit. Or, lorsque le premier ministre, Robert Borden, communiqua avec Londres pour savoir quel pourrait être le rôle du Canada sur les mers, on lui répondit que compte tenu de sa flotte marchande qui se résumait à deux vieux navires et à trois cent cinquante hommes, du temps requis pour construire des navires, l'effort canadien serait plus utile s'il portait essentiellement sur l'armée de terre. Dès le 6 août, le gouvernement avait ordonné la formation d'un contingent de volontaires et avait désigné le camp Valcartier comme lieu de mobilisation. Le 8 septembre 1914, l'effectif du premier contingent comptait 32 665 hommes, et le 3 octobre, ce contingent quittait le Canada vers l'Angleterre.

Le Dr Mignault avait dès lors engagé des pourparlers houleux avec les autorités en place. Il s'en explique :

— Dans ce premier contingent, il n'y avait que 1 245 volontaires canadiens-français. Nos francophones ont été disséminés dans les unités de langue anglaise composées en grande partie de ressortissants britanniques. Les autorités gouvernementales ne se sont pas préoccupées d'assurer une représentativité canadienne-française adéquate.

Sous son commandement, des gens d'affaires, des politiciens provinciaux et fédéraux, des membres de l'épiscopat et de l'intelligentsia francophone avaient fait pression auprès du gouvernement pour qu'il crée un bataillon exclusivement canadien-français pour participer à la guerre. Grâce aux collectes de fonds mais plus encore au don de 50 000 $ offert par le Dr Mignault, dès 1914, dix-neuf unités de la milice contribuaient à la formation du 22e Bataillon, composé exclusivement de Canadiens français.

Irma constate que le combat qu'elle a mené au Québec pour qu'on offre des consultations gratuites aux enfants et aux indigents s'apparente à celui de ce médecin. « La disparité existe sur tous les plans entre anglophones et francophones », conclut-elle.

— Il ne faut pas être trop orthodoxes si on veut faire évoluer notre société, ajoute le Dr Mignault. J'irais jusqu'à dire que nos collègues francs-maçons ont fouetté les médecins trop soumis au clergé. Les affrontements idéologiques ont été difficiles, mais ils ont ouvert une voie nouvelle qui a permis de fonder des hôpitaux dirigés par des laïques.

Puis, se tournant vers Irma, il dit, avec un enthousiasme sincère :

— L'hôpital que vous nous avez donné a servi d'exemple pour la création de l'hôpital Saint-Luc, vous le saviez ?

Touchée, Irma n'a pas moins remarqué la froideur du Dr Birkett lors de cet hommage. Néanmoins, jouant d'audace, elle relance :

— Je souhaite que des dizaines d'autres s'ajoutent au cours des prochaines années. On manque d'institutions pour les incurables, les convalescents, les infirmes...

— ... de sanatoriums pour le traitement de la tuberculose, dit le Dr Paquette.

— ... de salles d'opération, de laboratoires de recherche, de médecins spécialisés, enchaîne Irma, partageant ses rêves quant aux soins de santé à accorder à la population canadienne-française.

Un peu en retrait, les Drs Bourgeault et Birkett se sont lancés dans une discussion au ton orageux.

— Cette guerre ne sera pas étrangère à la dualité qui existe encore entre la France et la Grande-Bretagne, et que tout le monde remarque malgré les efforts de camouflage, lance le Dr Paquette.

— Si les Canadiens français cessaient de se comporter en victimes de leur mère patrie, on n'en serait pas à tenir de tels propos aujourd'hui, considère le Dr Birkett.

La remarque atteint Victor au cœur même de sa fibre nationaliste.

— Si les Britanniques cessaient de nous opprimer, ça ferait longtemps qu'on aurait redressé l'échine, rétorque-t-il.

Aux yeux du Dr Paquette, les deux médecins ont un peu raison. De fait, les Français voulaient porter secours à la Serbie mais sans engager plus de trois divisions, alors que les Britanniques envisageaient surtout de défendre la Grèce et de prendre les détroits. Ils ne souhaitaient pas un engagement offensif plus au nord, vers le Danube. Leur plan a été retenu et l'armée prépare une percée sur le front principal, donc dans les Dardanelles.

Le *S.S. Metagama* a quitté New York depuis cinq jours quand son capitaine s'adresse à ses passagers pour leur annoncer une nouvelle bouleversante : un navire britannique en provenance de New York a été torpillé par un sous-marin allemand, au large de la pointe d'Irlande.

— Il a coulé avec ses mille deux cents passagers, dont deux cents Américains.

Tout comme le *Mauritania* et l'*Aquitania*, le *Lusitania* avait été réquisitionné par la *Royal Navy* comme croiseur auxiliaire pour des fonctions de guerre.

— Il était pourtant équipé d'appareils technologiques ultramodernes, en plus d'une douzaine de canons, fait remarquer le Dr Birkett.

— En temps de guerre, les plus gros paquebots peuvent être réduits en fétus de paille, rétorque le capitaine. Plus encore si on a manqué de prudence...

— Qu'est-ce que vous voulez dire ? demande Albiny.

— Il aurait dû être protégé par un croiseur britannique tout au long de sa traversée. On a su, juste avant notre départ du Canada, que le croiseur avait été retiré de cette zone par ordre de nul autre que Winston Churchill lui-même.

C'est la consternation autour du capitaine, qui enchaîne :

— Ce navire avait tout pour se rendre à bon port. Il était commandé par un capitaine expérimenté qui en était à son cent deuxième voyage. Un avertissement aurait été donné, à savoir qu'un sous-marin allemand croisait dans les parages. Le capitaine aurait aussitôt fait fermer les compartiments étanches et fait préparer les canots de sauvetage. Le paquebot naviguait à une vitesse réduite quand il a été attaqué par tribord. Personne ne peut expliquer pourquoi il a coulé par la proue et en moins de vingt minutes. Certains prétendent que la torpille aurait fait exploser une chaudière.

— Comme s'il avait été chargé de munitions, susurre le Dr Brault.

Du même avis, Victor Bourgeault lui marmonne à l'oreille :

— Même s'il le savait, le capitaine ne nous dirait pas que ce bateau, comme bien d'autres, ne transportait pas que des passagers. Il devait cacher des explosifs dans sa cale.

— Ce n'est pas impossible.

Irma a attendu que le silence se fasse pour poser la question qui lui brûle les lèvres :

— Des survivants ?

— Un peu plus de sept cents, semble-t-il.

— Des Américains parmi les victimes ?

— Une centaine. Autant d'enfants.

Plus un mot de la part de la D^{re} LeVasseur. Sa peine est plus accablante que toutes les appréhensions qui meublent ses insomnies.

— Il faut s'attendre à une réplique du président, émet Victor.

— Woodrow Wilson n'est pas le genre à subir une troisième attaque sans riposter énergiquement, à ce qu'on nous dit.

— Une troisième attaque !

Les États-Unis venaient de perdre deux bateaux : le *Cushing* avait coulé sous une attaque aérienne allemande le 28 avril et le *Gulflight* avait été torpillé par un sous-marin allemand le 1er mai.

Ces tragédies portent Irma à reconsidérer ses priorités. « Je jure sur la tête de mon grand-père LeVasseur que si je sors vivante de cette guerre, ma ville natale aura son hôpital pour enfants, quel qu'en soit le prix. »

Deux jours avant l'arrivée du *S.S. Metagama* à Liverpool, l'ordre est donné à son capitaine de naviguer *lights out*, afin de masquer sa présence sur l'océan.

Comme s'il était nécessaire de rappeler la tragédie du *Lusitania* au large de l'Irlande, une violente tempête s'élève, et la majorité des passagers en sont grandement incommodés. Dès lors, de plus importantes mesures de sécurité sont adoptées : les nuits et les jours se passent sur le pont, chaque passager devant porter une ceinture de sauvetage et un minimum de bagages afin d'être prêt à toute éventualité. L'angoisse, le manque de sommeil et la fatigue accablent les voyageurs, d'où leur apathie lorsque le capitaine du *S.S. Metagama*, heureux d'avoir réussi cette traversée périlleuse, annonce qu'il a fait préparer un grand banquet et mobilisé l'orchestre pour un bal de réjouissance.

Irma n'est pas enchantée de cette initiative. Sa pensée et son cœur sont d'ores et déjà dirigés vers les blessés de guerre, les victimes du typhus et les familles en détresse. Recluse dans sa cabine tôt après le souper, elle est importunée par les sollicitations de plusieurs passagers et plus encore par l'insistance du Dr Paquette. À contrecœur, elle revêt l'unique robe de soirée incluse dans ses bagages, pare sa chevelure de quelques peignes nacrés, chausse ses souliers du dimanche, maquille ses joues et ses lèvres avant de se présenter près de l'entrée de la salle de danse où Albiny l'attend. Un air de valse retentit, la résistance d'Irma est vaincue. Fier de son costume d'apparat, Albiny Paquette fait une entrée remarquée au bras de la mignonne petite dame LeVasseur. Leurs pas glissent sur le plancher verni de la salle de bal, puis se marient à la cadence qui les emporte loin des affres de la guerre, le temps d'une danse, du moins. Albiny Paquette n'est pas le seul à inviter Irma à danser. Loin de s'en plaindre, dans les bras d'Arthur, Irma goûte la chaleur d'un homme élégant, courtois et entiché. Dans ceux d'Albiny, l'impétuosité et la vigueur de Bob. Dans ceux de Victor, un désir à peine voilé de finir la nuit avec elle. Tout pour tourner la pensée d'Irma vers sa mère. La détresse de Phédora, délaissée par son mentor, si ce n'est son amant. Et malgré cela, une soif ardente de se lover dans les bras d'un homme compréhensif, chaleureux, sensuel. Une soif qu'elle partage, réfute, contrôle mais retrouve chaque fois que le séduisant Dr Bourgeault la ravit à un compétiteur pour l'entraîner dans un quadrille ou un rigaudon enlevant. À la fin de la soirée, Irma bénit le ciel que ce soit lui qui, enamouré, lui prenne un baiser dont elle doit freiner les ardeurs.

Le lendemain, dès l'aube, un vaisseau de guerre s'approche et, à l'aide d'un haut-parleur, il demande au capitaine d'identifier son navire. Un de ses pilotes vient se placer à la barre du *S.S. Metagama* et le conduit à travers un dédale de courbes pendant près d'une heure. L'angoisse étreint l'équipage jusqu'au moment où le haut-parleur fait savoir que cette manœuvre était destinée à écarter les navires alliés des mines sous-marines posées par l'Angleterre pour protéger ses ports.

À midi, le *S.S. Metagama* est à quai dans le port de Liverpool. La majorité des passagers sont blafards et vacillants, tant ils ont été indisposés par la tempête. La D^re LeVasseur et deux de ses collègues canadiens-français, sains et saufs, se portent à leur secours.

Impatients de toucher terre, tous doivent user de patience : douanes, passeports, examens d'immigration, et combien d'autres formalités. Suit le branle-bas autour des bagages que les marins ont déposés sur les quais.

✦·✦

À la fin de mai, Irma et ses collègues médecins quittent l'Angleterre en direction de la Serbie, sauf les Drs Paquette et Brault qui bifurquent vers Londres, et le Dr Mignault qui, avec son hôpital stationnaire, est dirigé vers St. Martin Plains en attendant son affectation en France. Au grand déplaisir de ce lieutenant-chirurgien, l'ordre de départ pour Lemnos est retardé, puis annulé en raison de la langue de travail en Serbie. Bien que la plupart des médecins et des infirmières parlent l'anglais, tel n'est pas le cas des soldats et des sous-officiers. Les autorités britanniques craignent que les blessés anglophones ne soient pas en mesure de se faire comprendre et d'être secourus dans leur langue maternelle. Les autorités considèrent que le don de cet hôpital à la France, plutôt qu'à la Serbie, en plus de resserrer les liens entre les deux pays, permettra au personnel francophone de travailler dans sa langue maternelle. Il est convenu que les médicaments et le matériel médical seront fournis par le Canada, mais qu'ils proviendront des entrepôts britanniques. Les ambulances et autres véhicules seront sous la responsabilité de la Croix-Rouge canadienne. En retour, la France fournira les édifices, la nourriture des patients et les cuisiniers pour le personnel.

Irma n'avait pas prévu éprouver un tel serrement de cœur en faisant ses adieux à Arthur Mignault.

— Si l'idée vous venait de rentrer en France, vous serez la bienvenue dans notre équipe, lui dit-il après une longue et fervente accolade.

Irma le regarde s'éloigner, la démarche digne, son abondante chevelure bouclée bien brossée, ses yeux du bleu de l'océan à jamais dans sa mémoire.

Comme nombre de passagers qui attendent le *Phaëton* pour se rendre en Grèce, passage obligé vers Salonique et Milanovats, Irma est logée dans un hôtel à proximité du port de mer. Son sommeil est agité. Les rêves les plus disparates la réveillent cinq ou six fois par nuit. Le dernier était suave : Phédora faisait le voyage avec elle. « À tort ou à raison, je me dis que c'est bon signe. Vous me protégerez, maman, comme lorsque j'étais petite », se répète-t-elle pour ne pas donner aux nouvelles reçues ces derniers jours le pouvoir de l'angoisser.

Tous les volontaires ont été informés des difficultés qui les attendent. Soit à cheval, soit par bateaux *torpedo-destroyers*, la police militaire, à la recherche d'espions et de documents, fouille le personnel médical étranger et l'accompagne pour s'assurer que chaque membre du groupe va bien là où il l'a dit.

Il est prévu que le *Phaëton* mette plus de quinze jours à se rendre à Salonique. Avant d'y arriver, il faut passer par Lemnos, une île grecque au nord-est de la mer Égée. Ironiquement, le décor est grandiose. La terre aride mais colorée sort de la mer comme une promesse de fertilité. Des monts couverts de neige se profilent à l'horizon, comme une fine dentelle. Un spectacle inoubliable que ces couchers de soleil qui couvrent la mer de poudre d'or.

— Il faut s'en remplir les yeux, conseille le Dr Bourgeault, jurant de n'avoir jamais rien vu d'aussi somptueux.

— Des réserves de beauté avant que l'horreur nous rattrape, réplique Irma, non moins contemplative.

Dans un long soupir trahissant son anxiété, le Dr Waters murmure :

— Demain, ce sera une autre découverte.

De fait, à une dizaine de milles au sud de Lemnos, la mer est agitée et la température a chuté brusquement. Les passagers ne sont pas nombreux à se hasarder sur le pont. Toutefois, Irma préfère le froid à l'humidité de sa cabine. Le Dr Bourgeault l'y a d'ailleurs précédée.

— Mais qu'est-ce qu'ils font là ? lui demande-t-elle, inquiète de voir des gens se lancer dans d'étranges embarcations.

— Un officier m'a dit que c'étaient des radeaux d'osier qui avaient été fabriqués au cas où l'Angleterre serait attaquée.

— À les voir aller, je n'aurais pas trop confiance.

Aucun commentaire de la part de son collègue, soucieux de ne pas ajouter à son anxiété.

Les jours se languissent, les nuits sont éprouvantes. Les menaces viennent et de la mer et des sous-marins qui s'y cachent.

— Nous devrions nous engager bientôt dans les Dardanelles, annonce le Dr Bourgeault, en guise de réconfort, au terme du neuvième jour de navigation. Nous franchissons le détroit qui relie la mer Égée à la mer de Marmara, qui traverse toute la Serbie avant de se jeter dans le Danube.

Quelques heures plus tard, la mer se démonte et de mauvaises nouvelles venant de la mer Égée retardent le départ. Des radeaux chargés de troupes sont en perdition et des cuirassés auraient été coulés. La nuit venue, la tempête prend de l'audace. Tout entière enveloppée de brume, Lemnos, qui avait tant charmé les passagers du *Phaëton*, est balayée par des vents violents. Tous les bateaux tanguent sur leur ancre. Cette fois, Irma a préféré attendre dans sa cabine que la mer s'apaise.

— Il vaut mieux se distraire, D^{re} LeVasseur. Venez, nous allons jouer aux cartes. Vous connaissez un jeu ? lui demande le Dr Bourgeault.

— Je ne suis pas friande de jeux de cartes. Puis à quoi bon ignorer une situation difficile ? Chaque fois que j'ai été tentée de le faire, j'ai perdu mon temps. Je crois que je suis faite pour regarder les choses en face, riposte-t-elle.

— Les tempêtes comme les beaux couchers de soleil ?

— Je dirais que oui.

— Dans ce cas, suivez-moi. Je vous emmène là où vous pourrez la voir dans toute sa fureur, cette tempête.

— Vous m'emmenez où, comme ça ?

— J'ai un bon contact avec le capitaine. Il va nous la faire voir de la cabine de pilotage.

De là-haut, Irma peut voir que le navire donne dangereusement de la gîte. La mer écume. Une furie qui menace de tout détruire. Plus forte que le vacarme, une phrase du pilote se rend jusqu'au Dʳ Bourgeault, qui la répète à l'oreille d'Irma :

— Il dit qu'il s'en souhaite une pareille à chaque traversée.

— Ça me rassure d'apprendre qu'il a autant le contrôle, lui avoue Irma, vite rassasiée du spectacle. Je serais d'accord pour une petite partie de cartes, maintenant.

Le quatuor Bourgeault, Waters, Birkett et LeVasseur a décidé de narguer la tempête. Il jouera aux cartes tant qu'elle ne se sera pas calmée. Elle leur tient tête jusqu'aux petites heures du matin.

Le lendemain, le *Phaëton* peut mouiller près du port de Moudros, où sont accostés des centaines de bateaux, dont de nombreux cuirassés anglais. Ce petit village, grouillant de mercantis, de soldats et de marins tant anglais que français et grecs, a accueilli des centaines de chevaux. Une gigantesque église toute neuve détonne au milieu d'un pâté de maisons délabrées. Partout, couvrant la mer de taches sombres, des bâtiments alliés vont et viennent. Ce sont des cuirassés, des torpilleurs, des dragueurs ou de simples navires de transport. Ces quelque cinq cents embarcations qui évoluent devant la côte ennemie, tranquillement et silencieusement, donnent une extraordinaire impression de confiance. Pourtant, sur toute l'étendue des Dardanelles, les combats se poursuivent. Les cuirassés tonnent. De tous côtés, des bateaux chargés de troupes alliées s'approchent du rivage. Des aéroplanes dans le ciel, des hydravions sur l'eau, un climat de menace constant.

➤◄

À leur réveil, les passagers du *Phaëton* apprennent avec soulagement que leur navire se déplace vers Salonique et que, de là, l'équipe médicale prendra la direction de la Serbie. Irma n'a qu'un nom en tête : Milanovats. Le temps que la troupe prendra pour s'y rendre ne doit pas retenir son attention. Les embûches sont assurées, la survie de la troupe médicale, non.

Le navire a fait la route flanqué de contre-torpilleurs qui s'agitaient beaucoup, et pour cause. En mer, il fallait se méfier des sous-marins.

Le *Phaëton* accoste fièrement dans la baie de Salonique. Cette ville, qui date de trois cents ans avant Jésus-Christ, porte les traces de son histoire. Elle fut successivement conquise par les Romains, les Athéniens, les Sarrasins, les Normands, les Vénitiens et, finalement, par les Turcs qui la gardèrent, non sans brutalité, jusqu'en 1910. Il n'est donc pas étonnant d'y retrouver près d'une centaine de mosquées musulmanes. Le peuple parle majoritairement le turc et vit à la turque. Les hommes portent le fez et les femmes sont toujours voilées. Ironie du sort, voilà qu'enfin sorties de cinq cents ans de servitude, la Macédoine tout comme la Serbie et la Roumanie entrent dans un conflit qui les oblige à défendre leurs frontières.

Malgré les appréhensions qui lui triturent le ventre, impossible pour Irma de ne pas s'émerveiller devant les paysages de Salonique. À gauche, les monts Pelion et Ossa, que les Anciens jugeaient si hauts qu'ils prétendaient que superposés, ces deux monts toucheraient le ciel. Plus loin, du même côté, le Vardar et son immense prairie marécageuse et malsaine. Tout le fond de la baie est dominé par des montagnes finement découpées. À droite, des alignements de bâtiments d'artillerie aux toits rouges. Au centre de la courbe, des villas entourées de verdure. La ville s'est développée sur les premières crêtes dominant le port.

Des dames de la Croix-Rouge et des médecins français, revenant de la mission serbe, viennent saluer les passagers et leur prédire que la lutte contre les poux et le typhus sera ardue. Irma sait qu'elle trouvera en temps et lieu le courage et la force d'affronter ces défis. En attendant, le regard tourné vers les quais, elle fait provision d'énergies. Là, ce sont les cafés, les banques, les hôtels. Plus haut, ce sont les quartiers turcs, leurs mosquées, leurs maisons à moucharabiehs, les costumes orientaux, les femmes voilées et enveloppées dans leurs noirs *firadjés*, des vieillards coiffés du fez rouge à dos d'âne, un teinturier qui fait bouillir ses marmites sur la place publique. Autour des minarets blancs, se profilent des cyprès. Pas de voitures motorisées, que des chevaux. Deux jours de vrai repos, sans entendre la canonnade et sans avoir à se garder des projectiles.

Vers les vingt heures, l'équipe médicale doit prendre le train à la gare de Miroftché, sur la ligne de Salonique à Niš, passage obligé en direction de Milanovats. Déception, le train ne partira qu'au petit matin. Dans la gare, un grand rassemblement d'hommes, à l'extérieur, des chevaux et des voitures. Il pleut. Vers vingt-deux heures, une trentaine de passagers, dont Irma et ses amis de la traversée, se font désigner un gîte pour la nuit : un wagon à bestiaux. Un subalterne couvre le plancher de paille en pleine fermentation sur laquelle il étend une nappe. Un repas de thon à l'huile, de bœuf froid et de lait est servi et fort apprécié. Le wagon est ensuite transformé en dortoir. La pauvreté des lieux, la promiscuité des occupants, leurs ronflements préparent à l'aventure qu'ils ont choisi de vivre.

La pluie a cessé, mais le ciel est lourd. Le train ne démarre qu'à sept heures vingt. Il s'engage d'abord dans les plaines encombrées de roseaux et de plantes aquatiques de l'embouchure du Vardar, puis le pays devient montueux.

— On sera bientôt à la frontière serbe, annonce un officier.

À la gare suivante, des civils et des soldats en capote de couleur kaki, leur fusil fixé à l'épaule, surveillent la voie ferrée. Des femmes serbes au regard méfiant et aux vêtements souillés assistent au passage du convoi. « La mendicité vient au-devant de nous », pense Irma, déplorant de ne pouvoir parler leur langue.

De gare en gare, le train s'enfonce davantage dans la Serbie. Quelques drapeaux des pays alliés flottent ici et là. L'indigence de la population est omniprésente. Les maisons de terre battue, entre autres, en témoignent. Apparaissent des soldats réguliers et quelques officiers affublés d'une coiffure qui tient à la fois du bonnet de police et de la tiare. À l'odeur, on devine la présence de cochons dans l'entourage. Peu de passagers sont tentés de descendre. Pas plus qu'à la gare suivante : un petit village qui, sous la pluie, a tout d'une cuvette entre les montagnes. Toutefois, quelques médecins décident de descendre et d'y demeurer jusqu'au passage du prochain train. Il faut soigner les malades et les blessés qui tremblent de fièvre sur des matelas éventrés, à la pluie battante. Un peu en retrait, des hommes gisent nus sur le sol. Irma apprend qu'ainsi sont disposés les morts de la ville. Dans les mares grouillantes traînent des vêtements déchiquetés, des couvertures en lambeaux. Les environs sont infestés d'ordures et de fange. Le spectre du typhus apparaît.

Le train a repris la direction de Niš. Tout le long du trajet, des convois de munitions et de ravitaillement, des cavaliers et des blessés défilent sous les coups de canon répétés. Les soldats serbes qui sont montés à cette gare déclarent qu'Uskub et Velès, situés un peu plus au nord, ont été détruits par l'armée bulgare et que l'armée autrichienne marche vers Kragouyevats, une ville placée sur leur parcours. Un autre rapporte avoir appris que l'armée serbe, refoulée vers l'ouest, est intacte. La D^{re} LeVasseur les écoute, assoiffée d'explications et de certitude.

— Si on pouvait avoir des journaux, on saurait peut-être la vérité.

— Pas plus, riposte le Dr Bourgeault. En tant de guerre, tous les chroniqueurs mentent.

— Puisque c'est comme ça, je vais aller dormir.

— C'est la seule façon de trouver du confort, admet-il.

Irma s'esclaffe.

— J'aime votre façon de farder la réalité, lui confie-t-elle avant de se retirer dans le wagon où des matelas sont étendus ; d'autres collègues l'y ont déjà précédée.

Ses couvertures remontées par-dessus la tête la protègent un tant soit peu d'une promiscuité accablante. Les vrombissements du train facilitent son sommeil.

Niš surprend les étrangers. Ses maisons à un seul étage tiennent à la fois du moderne et des traditions turques. Les plus récentes sont en briques avec un toit de tuiles. À quelques minutes du port, des centaines de voitures tirées par des paires de bœufs ou des buffles apportent à la ville des céréales et du bois. Un interprète répond aux questions des médecins canadiens-français au sujet des charrettes :

— Ces voitures s'allongent. Elles sont conçues pour s'adapter tant au transport de longues pièces de bois qu'aux chargements de pierres.

— Et là-bas, qu'est-ce qui se passe? demande le Dr Birkett, intrigué de voir passer des gens affublés d'oripeaux en lambeaux.

— C'est un quartier habité par des Tsiganes.

— Un peu plus loin derrière, ça me semble très différent, qu'est-ce que c'est?

— Un des rares quartiers turcs qui restent. Les musulmans qui l'habitent mènent une vie paisible. Les juifs y sont nombreux et ils respectent les orthodoxes; en retour, ils jouissent d'une grande liberté religieuse.

Les passagers apprennent avec bonheur que le repas du midi sera préparé par des cuisiniers de Niš.

Le menu, inscrit sur un grand carton que le capitaine tient à bout de bras, leur est annoncé par l'interprète :

— D'abord un potage, la *tchorba*. Suivra du bœuf bouilli accompagné d'une sauce à base de lait aigre. Comme plat de résistance, le cuisinier a préparé du *sarmas*, c'est-à-dire de l'agneau haché cuit dans la graisse et servi sur une feuille de vigne.

Un régal pour tous ces convives nourris principalement au *corned beef* depuis leur départ de Salonique.

À la faveur de la nuit, le convoi gagne Kragouyevats.

Le jour se lève sur un spectacle inusité : des vieillards serbes sans uniforme mais armés, qui ressemblent davantage à des mendiants qu'à des soldats. Irma apprend que ces patriarches à la fois repoussants et touchants sont des *cheechas*, mot qui signifie oncle. Par une chaleur humide, ils sont vêtus d'une cape de laine brune sur une veste sans manches en peau de mouton avec la laine tournée vers l'intérieur. Sous leur veste, une chemise de lin et un pantalon ajusté aux mollets et aux cuisses. D'épaisses chaussettes viennent recouvrir leur pantalon jusqu'aux genoux. À leurs pieds, un mélange de sandales et de souliers qu'ils nomment *opanki*. Ils sont plus d'une trentaine à venir accueillir les secours envoyés du Canada. Autour de la gare, des civils et des soldats chantent.

— Comment peuvent-ils avoir le cœur à chanter ? demande Victor Bourgeault.

L'interprète qui a accompagné le convoi depuis Salonique répond :

— C'est que le Serbe chante quand il est triste ou simplement contrarié. Et plus sa souffrance est grande, plus il chante haut et fort et plus sa complainte est longue. Vous avez remarqué cet air plaintif ?

— Ça s'entend qu'ils sont malheureux, comprend Victor.

— Il faut dire que plusieurs d'entre eux ont perdu des compagnons sur les champs de bataille. Tous sont séparés de leur famille pour des années, peut-être même pour toujours. Je ne serais pas surpris qu'ils n'aient rien mangé depuis plusieurs jours, ils ont l'air si épuisés.

Les champs sont ravagés et on ne voit pas d'animaux à part les chevaux pour le transport et les chiens pour préserver les soldats des mines.

— De quoi se nourrissent-ils ? s'inquiète Irma.

— De pain noir et de gros piments verts.

— Ils sont à moitié morts ! considère Victor.

— Sachez, monsieur, que le Serbe ne croit jamais qu'il va mourir tant qu'il n'est pas mort, clame l'interprète.

— J'ai donc du sang serbe dans les veines, balbutie Irma.

Victor l'a entendue.

— Vous pouvez m'en donner un peu, D^{re} LeVasseur ?

— Si j'étais sûre d'en avoir amplement...

Des charrettes tirées par des chevaux aux flancs creux transportent l'équipe médicale et ses munitions dans une ancienne usine abandonnée. Sa structure semble solide. Irma et Victor vont en examiner l'intérieur divisé en six salles. L'espace est là mais, avant de descendre les bagages, il faudra débarrasser le plancher de tout ce qui traîne, le frotter et le désinfecter.

La nouvelle de cette arrivée de secours médicaux tant attendue s'est propagée avec une rapidité incroyable. Avant que le matériel soit mis en place, que des lits et des paillasses soient distribués sur le plancher, les grabats s'alignent devant l'édifice. Un défilé de têtes, de bras, de jambes et de pieds enrubannés dans des bandages encrassés, dégoulinants. Nombre de malades, pieds nus, à moitié vêtus de tissus souillés de sang et de boue semblent très fiévreux. Certains n'échapperont à la mort que si l'on procède vite à une amputation. Pire encore, ces pauvres soldats qui, déchiquetés par les tirs, gémissent sans arrêt.

Avant la nuit et avant que la pluie gagne de l'intensité, l'équipe doit avoir entré tout le matériel et mis à l'abri le plus de blessés possible.

— On ne pourra loger tout le monde, constate le Dr Birkett, essoufflé.

Les salles débordent, les couloirs sont occupés à pleine capacité, les tentes dressées à l'extérieur aussi. Une dizaine d'hommes devront passer la nuit dehors sur des brancards. Pendant que des civils viennent livrer le matériel entassé dans les wagons, d'autres apportent ce qui reste de couvertures et de nourriture. Les Drs Bourgeault et Waters se chargent de monter la salle de chirurgie pendant que la D^{re} LeVasseur aménage un espace pour la vaccination. Aux odeurs nauséabondes qui montent, elle a vite fait de découvrir que les cas de dysenterie aussi sont nombreux.

Les infirmières volontaires nettoient les plaies des malades à traiter en priorité. Avant la levée du jour, la salle d'opération est déjà assiégée. Les chirurgiens, exténués et dégouttant de sueur, ne perdent pas une minute. Ils sont trois à se relayer pour s'offrir une couple d'heures de sommeil avant de se remettre à la tâche. Manger et boire pour refaire ses énergies n'est guère plus facile. L'eau potable est rare et, à part les patates et le *corned beef*, appelé singe en conserve par les francophones, il y a peu de denrées à se mettre sous la dent dans cet hôpital improvisé.

Sur l'heure du midi, des charrettes aux roues basses, en bois mal équarri et disjoint, traînées par des bœufs de taille ridicule, au poil laineux, transportent d'autres blessés. On ne peut faire de place à ces gens que si les charrettes ramènent avec elles les malades dont les plaies ont été désinfectées et pansées, ceux qui ont reçu leur vaccin et ceux dont les fractures sont immobilisées dans un plâtre rudimentaire.

Après quarante-huit heures de travail, l'équipe médicale a décrété qu'à tour de rôle, les médecins s'accorderaient six heures de sommeil ininterrompues. Devant tant de souffrances, les esprits risquent de subir un déséquilibre et de se laisser gagner par une exaltation psychique déformante qui obscurcit tout et conduit au déraisonnement.

Il est tout près d'une heure du matin quand Irma peut penser à prendre un peu de repos. Elle s'étend, tout habillée, dans une tente où une mère et son enfant frôlant l'agonie, au dire de ses collègues, ont été emmenés.

— Si on les isole, on a des chances de les sauver, espère-t-elle.

Pour couverture, un léger voile kaki qui ne la protège pas du froid. Il fait à peine huit à dix degrés. Le repos n'est pas facile. Préoccupée par les plaintes de la mère fiévreuse, alertée par le va-et-vient des charrettes, et tirée abruptement de son sommeil par les canons, après une brève nuit de quatre heures, la D^{re} LeVasseur décide de reprendre du service. Non loin de la tente, un soldat serbe dont la jambe droite a éclaté sous les obus raconte à un collègue le drame qui a failli lui coûter la vie :

— Les canons de marine sont dix fois plus puissants que ceux qu'on vient d'entendre. Quand un premier coup part, tout le monde est étourdi, notre tête est en feu et la douleur est si intense dans nos oreilles qu'on pense en rester sourds pour le reste de notre vie. J'ai vu ces canons détruire un village en un rien de temps. Nos coquettes maisons au toit rouge volent en éclats. Vient un moment où tu n'en peux plus de voir des maisons éventrées, des ruines, des décombres puis encore des ruines.

Le soldat a pris du temps avant de poursuivre son récit.

— Un obus est tombé à quelques mètres de notre navire, un deuxième sur la plage dont je revenais avec une dizaine de compagnons d'armes. J'ai compté au moins huit projectiles avant que l'éclat de l'un d'eux me déchiquette la jambe. Les mitrailleuses turques tiraient sur les hommes qui s'accrochaient désespérément aux épaves. Comme si ce n'était pas assez, un aéroplane allemand volait au-dessus de nos têtes et se préparait à larguer ses bombes. J'ai bien cru mourir là.

Ce qu'Irma entend de la bouche de cet homme la bouleverse.

— Parlant de mort, j'ai beaucoup appris d'un officier serbe, blessé aux jambes et au ventre, mais qui ne cédait pas au désespoir. Le plus sincèrement du monde, il me disait : « Après la mort de plusieurs des nôtres, c'est la liberté qui viendra. Le ciel est beau partout. Très jeunes, nous avons appris à boire la vie plus voracement encore quand nous sommes dans l'adversité. »

Irma cueille ces paroles comme une source d'énergie pour les vingt heures de travail qu'elle entreprend.

À l'entrée de l'hôpital de fortune, un soldat attend, le visage ruisselant de sang, une plaie ouverte au front et sur la tête. Irma le fait entrer, demande l'aide d'une infirmière et le fait allonger sur un grabat. Pour ne pas trop ressentir la douleur des points de suture qui referment ses plaies, le blessé ne laisse aucun espace au silence :

— Le bataillon a traîné toute la nuit dans les champs et les chaumes mouillés. L'artillerie a tapé et cliqueté sans arrêt. On traversait des maisons vides, des jardins piétinés où il restait encore des concombres. Nous avons couché sur les coteaux, entassés les uns sur les autres. J'ai eu l'impression d'entendre venir des gens dans les champs. Je me suis avancé en rampant. Comme nous parlions tous des langues différentes, nos signes n'étaient pas très perceptibles dans la nuit. Ils ont essayé de me faire saisir qu'un danger me guettait, mais il était trop tard. J'aurais pu me faire arracher la tête... Je n'ai eu qu'à penser à ma femme et à mes petites jumelles de deux ans pour trouver le courage de me traîner jusqu'à la tranchée.

Puis, plus un mot. « La douleur et le chagrin l'ont bâillonné », croit Irma. Son patient serre les dents, ferme les poings, impuissant à retenir ses gémissements. Avant que l'intervention ne soit terminée, il est foudroyé... par une syncope...

— De l'aide, vite !

L'infirmière qui l'assistait revient avec le Dr Bourgeault. Palpations, respiration artificielle, massage du muscle cardiaque. Rien. Un rictus de grande déception sur le visage de Victor.

Le corps de ce jeune père de famille ira rejoindre ceux des victimes du typhus dans un fossé, à quelque cent mètres de l'hôpital. La pensée d'Irma reste là, figée sur cet échec... «Qu'est-ce que j'aurais dû faire? Ou ne pas faire?» Elle n'est plus que désolation et atterrement. Victor s'en inquiète :

— On ne peut pas tous les sauver, ma chère Irma.

— Pas à lui. Il ne fallait pas que ça lui arrive, à lui. Sa femme, ses petites jumelles...

Sa voix s'est cassée. Tournée vers le mur, elle pleure. Victor s'approche; sa poitrine collée au dos de sa collègue, il noue ses bras à sa taille et murmure :

— Pense à tous ceux que tu as soulagés depuis que tu es arrivée ici, Irma. Pense au bonheur que leur famille va éprouver quand ils vont rentrer chez eux.

— Je ne pense pas que je m'habituerai à les voir mourir...

— Il le faudra, ma chère Irma.

— Tu y es arrivé, toi? demande-t-elle en se retournant vers lui.

— Je pense que oui. En me rentrant dans la tête que, d'ici la fin de cette guerre, on assistera à beaucoup plus d'atrocités que d'enchantements, je me fais une carapace.

— Tu n'as pas peur de ne plus être capable de t'en défaire?

— C'est ça le danger, j'en suis bien conscient. Mais avons-nous le choix? On est venus ici pour soigner et c'est ce qu'on va faire. Notre amitié devrait nous faciliter la chose. Puis-je être assuré de la tienne, Irma?

De ses bras tendus vers lui, Irma lui donne la réponse souhaitée.

Ce moment de réconfort l'incite à se tourner vers ceux qu'elle avait priés, seule, sur le quai de New York. «Maman, mes petits frères, mes grands-papas, Florence Nightingale, je vous ai demandé de m'accompagner. Je suis ici pour ramener la vie, pas pour donner la mort», leur rappelle-t-elle.

Le Dr Bourgeault a une autre faveur à lui demander :

— Je dois commencer une opération délicate dans quelques minutes, sur un jeune garçon d'une douzaine d'années blessé au ventre. J'aimerais que tu viennes m'aider. Un obus lui a traversé l'abdomen à la hauteur de l'intestin grêle. J'espère que l'infection n'a pas eu le temps d'étendre le mal...

Dans ses yeux encore mouillés, Victor retrouve toute la détermination de sa collègue.

— Il ne faut pas perdre une minute, lui répond-elle.

La gravité des blessures infligées au corps des combattants a forcé les médecins à adapter leur attitude thérapeutique : intervenir plutôt que s'abstenir d'opérer sous prétexte de n'avoir pas les outils conventionnels et les conditions de salubrité requises. Ne pas hésiter à amputer un ou des membres pour sauver la vie du malade. En un mot, opter pour le vrai savoir du moment, celui du champ de bataille.

L'intervention chirurgicale terminée, les deux médecins, remplis d'espoir, vont reconduire leur jeune rescapé dans une salle voisine, sous la surveillance d'une infirmière.

⁂

Un mois plus tard, arrive un officier venu accompagner les porteurs de ravitaillement et de médicaments jusqu'à leur hôpital.

« Mon équipe invisible ne m'a pas oubliée », pense Irma, reconnaissante et encouragée. Puis, de l'extérieur, des voix connues se font entendre. Les Drs Paquette et Brault ont terminé leur tournée touristique en France et en Italie et viennent leur porter secours. Albiny semble exténué. Victor s'en étonne. « Il n'est pas au bout de ses peines », se dit-il, au fait de la tâche à accomplir et des conditions de vie qui sont les leurs depuis des semaines.

— Nous avons mis quatre jours à parcourir les cent quarante milles qui séparent Salonique de Niš, raconte le Dr Paquette, aussi volubile en Serbie que sur le *S.S. Metagama*. C'est là que notre train a été bloqué. Belgrade a été bombardée par les Autrichiens et leurs troupes avancent dans notre direction pour faire la liaison avec les Bulgares et les Turcs.

— Le gouvernement serbe aurait fui la capitale et se serait réfugié pas loin d'ici, ajoute le Dr Brault, amaigri.

— Les routes étaient encombrées de charrettes et de troupeaux que les femmes voulaient pousser vers l'ouest, relate Albiny. Il faut dire qu'il ne reste à Niš que des femmes, des vieillards et des éclopés. Tous les hommes de seize à soixante ans ont été mobilisés.

La D^{re} LeVasseur n'a pas le cœur à ces récits. Des enfants, des femmes, des civils et des soldats souffrent à l'intérieur.

Accueillis avec toutes les attentions souhaitées, les Drs Paquette et Brault souhaitent dormir avant de mettre l'épaule à la roue.

❧

L'humidité accablante de l'été a fait place au froid. L'usine-hôpital ne suffit plus. Des appels de la Croix-Rouge ont gardé la D^{re} LeVasseur éveillée pendant plus d'une heure alors qu'elle s'était réfugiée dans une tente pour quatre ou cinq heures de sommeil.

À son rôle traditionnel auprès des blessés et des malades, la Croix-Rouge s'est vue obligée d'ajouter la protection des prisonniers de guerre. Sous la surveillance de soldats, quatre d'entre eux, d'origine autrichienne, joueront le rôle d'infirmiers aux côtés de la D^{re} Irma... dans un autre hôpital stationnaire.

— Je vous laisse continuer ici, annonce-t-elle à ses collègues ce 20 octobre 1915.

— Tu t'en retournes en Amérique? craint Albiny.

— Oh, non! Comment pouvez-vous imaginer ça? Je ne serai pas très loin d'ici mais plus près de la Morava, à Yagodina. Des blessés y sont trop mal en point pour être transportés jusqu'ici, sans compter que ce sera plus facile de recevoir du ravitaillement et de l'aide.

Deux rivières portent le nom de Morava, ce cours d'eau qui sert de frontière entre l'Autriche et la Slovaquie. L'une d'elles est un affluent de la rive droite du Danube et arrose la Serbie.

— On me dit que, dans ce hameau encore passablement peuplé, le typhus se répand comme une traînée de poudre. Je vais aller leur aménager une clinique de vaccination. Des infirmières de la Croix-Rouge m'ont fait savoir que je pourrais m'installer dans une école un peu délabrée mais qui, semble-t-il, s'y prêterait bien. Elles ont promis de me faire livrer du matériel chirurgical, des médicaments, des draps et des couvertures. Du ravitaillement aussi.

Quatre infirmières, dont Ljubica, surnommée « la femme au pantalon », offrent de la suivre. Deux jeunes Serbes, Korka et Ludovik, un féru d'histoire, l'accompagneront.

D'autres médecins ont-ils l'intention de se joindre à la D^{re} LeVasseur ? S'en trouve-t-il qui approuvent sa décision ? Irma le souhaite, mais, quoi qu'il en soit, sa décision est prise.

Le Dr Bourgeault ne la déçoit pas :

— C'est une bonne décision que de ne pas tout concentrer ici. D'ailleurs, l'hiver s'en vient et il faudra trouver un autre bâtiment. Les tentes ne suffiront plus contre le froid. Je t'admire, Irma. Si tu as besoin que l'un de nous se joigne à toi, fais-nous-le savoir.

— Vous serez toujours le bienvenu, Dr Bourgeault, dit Irma, qui a repris le vouvoiement en présence des deux collègues récemment arrivés.

Birkett, Waters, Paquette et Brault, se voulant courtois, lui souhaitent une chance en laquelle ils ne croient plus.

Le lendemain matin, la petite docteure d'à peine cinq pieds est prête à partir. Son collègue Victor l'a retenue dans ses bras avec la ferveur des adieux, avant de la hisser dans une charrette attachée à deux bœufs éreintés et qui tient sur ses roues par miracle. Une deuxième est bondée de tout ce qui pourra servir à démarrer un autre hôpital stationnaire.

— Tu sais que tu seras bien plus exposée là-bas qu'ici, la prévient Victor.

— Oui, oui. Les habitants et les civils aussi.

— Tu plonges dans un bassin d'épidémie...

— ... mais pas la tête baissée, Victor. J'ai imaginé le pire avant de prendre ma décision. Je ne te cache pas que la peur d'être contaminée m'a fait beaucoup hésiter. Mais perdre une vie pour en sauver des milliers, ça ne vaut pas la peine, tu penses ?

Le moment est pathétique. Le tutoiement a repris dans leurs échanges. Victor aurait aimé qu'elle diffère son départ de quelques jours, le temps de réfléchir...

— Je me sens un peu lâche, Irma, de te laisser partir sans un autre médecin avec toi. Par contre, je ne me sens pas prêt à quitter cet hôpital-ci, mon équipe...

— Quand j'ai pris ma décision, j'ai envisagé les deux possibilités : me débrouiller sans ou avec des collègues. Je serai le seul médecin, mais je me sens bien entourée par l'équipe qui me suit. Ne t'inquiète pas, Victor.

— Tu me demandes l'impossible, Irma.

— Pour moi aussi, c'est difficile d'imaginer que tu ne seras pas près de moi... surtout dans certains cas de chirurgie. Mais...

Sa gorge s'est nouée. Avant que la charrette se mette en route, Irma fait un dernier aveu à son ami Victor :

— Quand j'attendais le bateau sur le quai de New York, le 6 mai 1915, je me suis promis de ne jamais oublier cette phrase de Dostoïevski : «La pire des souffrances est celle de ne plus pouvoir aimer.»

≫-≪

À l'approche de la rivière Morava, se dressent de grandes forêts humides peuplées de chênes et de tilleuls, s'étendent des alpages à perte de vue sur le flanc des montagnes. Le regard nostalgique, Ludovik raconte à Irma et à Ljubica, assises de chaque côté de lui sur un siège de fortune :

— Il y avait tellement de beaux oiseaux ici avant que les sifflements des canons et des mitrailleuses les chassent. Sur les bords de la rivière, dans les alluvions de cailloux, on pouvait admirer les pluviers et les guignettes, pendant que des castors et des martins-pêcheurs creusaient leurs galeries dans les rives escarpées. Pourvu que la guerre ne nous enlève pas nos plantes thermophiles, ajoute-t-il dans un soupir plaintif.

— C'est possible ? lui demande Irma.

Ljubica, impatiente de donner sa version, déclare :

— La guerre a le pouvoir de tout dévaster et de vider une région de tous ses habitants, les animaux compris. Voyez-vous, ici les lièvres, les marmottes, les loutres, les martres et les visons se sentaient chez eux. On pouvait se nourrir des faisans, des perdreaux, des sangliers, des canards et des oies qui vivaient ici en grande quantité. Ou les armées les ont chassés à leur profit, ou ils ont fui vers le nord. Nos familles n'ont même plus la possibilité de s'en nourrir.

— Tout ça à cause de la bêtise d'une seule personne, marmonne Irma.

— L'assassinat de l'archiduc n'a été qu'un prétexte, reprend Ludovik. Le gouvernement autrichien était bien content de l'imputer à la Serbie. Je ne sais pas ce qu'on vous a fait croire en Amérique, mais nous, ici, on sait comment ça s'est passé.

— Ludovik a raison, enchaîne Ljubica. Saviez-vous, ma petite dame docteure, que Princip et ses complices étaient de jeunes gens pauvres, originaires de Bosnie? que tout ce qu'ils voulaient, c'était faire avancer la cause yougoslave?

Cette ancienne province a été successivement romaine, slave, hongroise, ottomane, autrichienne et yougoslave. Elle était devenue un protectorat de Vienne avant d'être formellement annexée par l'Autriche-Hongrie le 5 octobre 1908. Mais la Serbie la revendique avec vigueur du fait de son caractère yougoslave.

— Dans leur plan original, l'archiduc n'était pas visé. Princip et cinq amis, dont un Bosniaque musulman, avaient projeté, de leur propre initiative, d'assassiner un haut fonctionnaire autrichien. Quand les journaux leur ont appris que l'héritier du vieil empereur d'Autriche, François-Joseph 1er, venait d'arriver à Sarajevo, ils ont jugé que sa tête serait plus convaincante que celle de n'importe quelle autre personnalité.

L'archiduc visitait Sarajevo en qualité d'inspecteur général des forces militaires. Ludovik a suivi l'affaire de très près.

— Une première alerte a été donnée le matin, relate-t-il. Gabrinovitch, un des complices, a lancé une bombe tout près du cortège officiel. Elle a rebondi sur le capot de la voiture de l'archiduc et atteint un officier de la voiture qui suivait. Il allait de soi que l'archiduc et son épouse se rendent à l'hôpital pour prendre des nouvelles du blessé. Mais voilà que leur chauffeur s'est trompé d'itinéraire. Il a dû ralentir dans une ruelle pour négocier un virage. Princip, qui se trouvait à proximité, a tiré deux coups de revolver sur la voiture. L'archiduchesse est tombée sur-le-champ. François-Ferdinand, au bout de dix minutes. Princip et plusieurs de ses présumés complices ont été emprisonnés.

— En Amérique, ils auraient été pendus pour leur crime, dit Irma.

Ljubica, qui connaît très bien la suite, feint de ne pas avoir entendu cette réflexion et enchaîne :

— Le prince a été enterré à Vienne, en catimini, presque. C'était évident que son père, François-Joseph 1er, qui se faisait très vieux, ne l'appréciait pas beaucoup.

— Ils ont été jugés ? demande Irma.

— Sur des aveux de trois membres du groupe assassin, lui répond-elle.

Ludovik nuance :

— Ils ont déclaré avoir reçu leurs armes de la Serbie avec la complicité de gardes-frontières, rien de plus. Mais ça faisait l'affaire des policiers autrichiens d'accuser les nationalistes serbes d'être derrière ce complot et de nourrir le terrorisme bosniaque.

— Notre peuple n'a jamais été terroriste, précise Ljubica. Parmi nos jeunes étudiants révolutionnaires, il n'y avait pas que des serbes orthodoxes, il y avait aussi des étudiants catholiques et musulmans.

— Comme la Bosnie était occupée par l'Empire austro-hongrois, ce meurtre justifiait Vienne de prendre sa revanche sur la Serbie, croit Ludovik.

— Qui aurait pensé qu'un conflit local entre le prestigieux empire des Habsbourg et la Serbie aurait dégénéré ainsi ? émet Irma.

La remarque a retourné ses deux aides serbes à leur réflexion.

La charrette s'aventure sur un terrain légèrement ondulé au milieu de superbes chênaies.

— Nous sommes presque arrivés. C'est de l'autre côté, annonce Korka, debout dans la charrette.

Irma en éprouve un certain regret. Tant de beautés avant d'affronter de nouveau les multiples facettes de la souffrance. Le décor fuit trop vite pour les réserves d'espoir et de bien-être qu'elle voudrait faire.

Une route jalonnée de débris de canonnades, de maisons sans toit, de granges affaissées à côté d'édifices demeurés debout les conduit devant une série de maisons désaffectées. Le typhus les a vidées. En bordure de la route cahoteuse, des brancardiers, sales, sans dorures ni galons, sortis des tranchées, regardent passer la charrette... de l'espoir. Korka leur indique la direction de l'école. Leur joie a quelque chose de surhumain.

La bâtisse promise, adossée à une colline, repose sur de grosses pierres qui donnent l'impression de se tenir en équilibre par la force du raisonnement. Irma se réjouit de voir que les murs en sont de brique plutôt qu'en gâchis comme ceux de la plupart des maisons avoisinantes.

— Vous êtes sûrs qu'une toiture en tuiles comme celle-là ne va pas écraser les murs ? s'inquiète-t-elle.

Ludovic éclate de rire.

— Rassurez-vous, on connaît de bons trucs pour bâtir des maisons solides. Remarquez que l'argile ne coûte pas cher par ici ; on en a en abondance.

Les quatre prisonniers autrichiens et deux infirmières de la Croix-Rouge les reçoivent avec enthousiasme ; le nettoyage de deux des quatre salles est terminé. Dans les débris des maisons éventrées, des aides ont retiré ce qui pouvait être utile à leur futur hôpital : tables, chaises, lits de fer, paillasses, tapis qu'on prend soin de nettoyer pour ne pas répandre davantage l'épidémie de typhus.

Irma est d'autant plus impressionnée qu'il n'y a ni électricité ni eau courante dans ce village. Par contre, l'éclairage à l'huile est assuré et des femmes ont pris l'habitude d'aller aux fontaines publiques emplir des jarres d'eau qu'elles portent sur leur tête. La nourriture devrait suffire. Le melon est abondant, l'orge pousse encore dans les champs épargnés par le feu et le poulet reste accessible même si les poules, faute de grains, sont toujours trop maigres. Chez les humains, la pénurie de légumes frais dans les quartiers bombardés a causé des centaines de cas de scorbut.

Amadeus, un des prisonniers de guerre, vient lui présenter un plateau : un café, un verre d'eau et des morceaux de sucre y sont disposés. Avec la même courtoisie, il revient en offrir aux deux infirmières de la Croix-Rouge et aux compagnons de la « petite dame docteure », qui ne s'attarde pas à la dégustation. Elle doit veiller au déchargement de la charrette et voir à ce que le matériel soit placé au bon endroit. À peine est-ce terminé qu'une douzaine de blessés, empilés dans une charrette, lui sont confiés : des fractures, des lésions profondes, en plus des trois cas de typhus à vacciner et à isoler le plus rapidement possible.

La journée a été épuisante. Étendue tout habillée sur un lit de camp, la tête enveloppée d'un foulard, Irma sombre vite dans un profond sommeil. Quand les canons se mettent à tonner, elle a du mal à réaliser qu'elle n'est pas en Amérique et que ce sont les fusillades incessantes qui l'ont arrachée du sommeil. C'est lugubre et affolant. L'aube qu'elle priait de venir la livre à des assauts encore plus furieux. Le lendemain matin, Amadeus lui apprend que c'est comme ça toutes les nuits depuis que les armées ennemies occupent la région.

Trois jeunes hommes serbes ont été désignés pour l'entretien et la cuisine.

« On dirait qu'ils sont devenus insensibles », note Irma. Le déjeuner n'est pas encore prêt que deux soldats haletants, hirsutes, couverts de boue arrivent sur des grabats, portés par deux vieillards et trois jeunes garçons au visage émacié, aux membres squelettiques mais au regard si éloquent d'espoir que la D^{re} LeVasseur se précipite vers eux avec son fidèle interprète. Un peu plus loin, trois femmes ensanglantées lui sont confiées : la mère et ses deux jeunes filles. Leur maison a été éventrée par des bombes. Les trois jeunes garçons et leur grand-père qui les emmènent ont tout vu des champs où ils raclaient des brindilles de paille pour en faire des matelas. C'est la première fois que la D^{re} LeVasseur se voit dans l'obligation de procéder toute seule à une amputation : la plus jeune des filles a les jambes en charpie. « Ce que je donnerais pour qu'un collègue de l'équipe soit près de moi. Le Dr Bourgeault, surtout », soupire-t-elle.

Ljubica fait de son mieux. Ses mains tremblent en nettoyant les plaies de la jeune estropiée.

— Je n'ai jamais vu de plaies aussi horribles, lui avoue Irma.

— Vous voyez ce que font les *shrapnels*?

— C'est une sorte de bombe?

— Oui. C'est rempli de vis, de pointes d'aiguilles, d'éclats de verres, explique Ljubica.

— Tu crois que les soldats ont continué de tirer après que leur maison s'est effondrée?

— C'est sûr! Ils sont devenus fous. Ils tirent partout, ces Autrichiens.

«Fous». Ce mot, les quatre prisonniers le saisissent. Leurs regards sont fulgurants. Ljubica regrette ses paroles, mais il est trop tard. Elle devra désormais vivre avec la menace d'une vengeance de leur part. La simple pensée de dormir seule l'affole.

— Tu t'allongeras auprès de blessés qui ne sont pas contagieux, lui conseille Irma.

Sur le visage de la mère des deux jeunes blessées, du sang séché, de la boue et des larmes. Un éclat de *shrapnel* a emporté sa mâchoire inférieure. «Mon Dieu, mais comment pourrais-je la soigner? Recoudre des lambeaux de chair pour lui refaire une bouche? Sa langue... n'est plus là. Si cette femme survit aux douleurs des traitements, elle ne pourra plus jamais parler. De l'aide. Il me faut de l'aide», gémit-elle, déchirée entre le devoir de soigner cette femme et la cruauté des interventions requises.

Ljubica est chargée de la délicate tâche de nettoyer la plaie pendant qu'Irma se dirige vers une infirmière de la Croix-Rouge qui venait vers elle.

— Deux messieurs demandent à vous voir, lui annonce-t-elle.

Irma regarde ses mains et sa blouse... maculées de sang, retourne prévenir Ljubica et emboîte le pas à l'infirmière. L'attendaient sur le seuil de la porte les Drs Bourgeault et Paquette. Irma se serait lancée en pleurant de joie dans les bras de Victor, mais elle se retient pour ne pas souiller les vêtements de son collègue. Son sourire, des hochements de tête, la lumière de son regard parlent haut de l'émotion qui l'habite.

— Vous êtes des anges !

— Ç'a été plus fort que nous, on voulait voir comment tu t'organisais, dit Albiny Paquette.

— Je m'arrange comme je peux.

— J'étais inquiet, avoue Victor.

— Je demandais un miracle, je suis exaucée, lui apprend Irma.

Les deux hommes se regardent, intrigués.

— Une opération très très délicate... Vous m'aideriez avant de repartir ?

Victor se débarrasse aussitôt de son pardessus et suit Irma jusqu'à la patiente à la mâchoire éclatée et à la langue tronquée. Légèrement en retrait, Albiny les observe. La gestuelle de son confrère pique sa curiosité, l'interpelle. Il s'approche, écoute le diagnostic de la D^re LeVasseur et ne cache pas son appréhension :

— ... le temps, la douleur et le peu de chances de réussite. Je lui donnerais des calmants en attendant...

— En attendant quoi ? demande Irma.

Le Dr Paquette hausse les épaules.

— Il n'est pas question de la laisser comme ça, rétorque-t-elle.

— Il me semble plus utile de soigner les hommes, réplique Albiny. Surtout en temps de guerre.

— Dr Bourgeault, parlez-lui. Moi, je n'ai ni salive ni temps à perdre.

Un battement de cils, et Victor se lave les mains, revêt une blouse blanche et se met au travail.

— Dr Paquette ! Vous voulez soigner les hommes ? Près du mur, là, y a un soldat qui a perdu un bras et qui est en train de mourir au bout de son sang, lui propose Ljubica.

Vexé de recevoir des ordres d'une subalterne et, qui plus est, d'une femme, Albiny lui retourne une grimace de mépris. Amadeus, ne parlant ni l'anglais ni le français, lui offre son assistance d'un geste de la main.

L'ampleur du travail a vite fait de reléguer les susceptibilités aux oubliettes. Quelques minutes entre deux interventions pour se ravitailler et chaque médecin reprend la tâche pour ne s'arrêter que vers les vingt-deux heures.

— Vous allez dormir avant de repartir, déclare Irma à ses anges du jour. Il y a de bonnes paillasses dans le hangar, derrière la bâtisse.

— Moi, je ne repars pas demain, annonce le Dr Bourgeault.

Gratitude chez Irma. Déception chez le Dr Paquette.

— Dans ce cas, je vais attendre à demain pour voir ce que je ferai, dit-il, visiblement harassé. J'irais bien dormir maintenant, si ça ne vous offense pas.

Victor et Irma manifestent le besoin de respirer l'air frais avant d'aller au lit. Amadeus a pris des couvertures, des serviettes et un bassin d'eau et va reconduire Albiny à son dortoir improvisé. Ludovik, assisté de Nikola et de Bora, deux des prisonniers autrichiens, sont de garde pour la nuit.

Emmitouflés dans des redingotes chaudes fournies par la Croix-Rouge, les D^{rs} LeVasseur et Bourgeault ont du mal à fermer les yeux sur les blessés qui gémissent. Mais Irma a dû se faire une raison. « Si j'attendais que personne ne souffre pour me reposer, on m'aurait déjà enterrée », réfléchit-elle.

— Je suis impressionné de voir comment tu t'es organisée en si peu de temps, Irma. Mais j'ai peur que tu y laisses ta peau si tu n'as pas de renforts. Tu as dormi la nuit dernière ? s'inquiète Victor.

— Je prends une heure ici et là quand je suis trop fatiguée. Je ne peux pas m'absenter longtemps. Et je ne crois pas que ça aille en s'améliorant.

— Je vais demander à notre ami Albiny qu'il me fasse envoyer mes choses personnelles ici.

— Tu n'es pas obligé de faire ça, Victor. Personne ne m'a forcée à venir ici... sinon les patients qui ont besoin de quelqu'un, jour et nuit.

— Personne ne m'oblige à rester, moi non plus, sinon le manque de personnel qualifié ici, et...

Les mots se font attendre. Irma n'ose questionner.

— ... l'affection que j'ai pour toi, avoue-t-il avec tendresse.

— Comment te dire ma...

Au tour d'Irma de chercher des mots... superflus.

Des rayons argentés jouent dans les tilleuls pour peindre un tableau qu'Irma souhaite reproduire à son retour en Amérique. Dans ce majestueux décor, les paroles de Victor sont une musique. Depuis la fin de mai, elle n'a entendu que celle des canons et, quelques fois, les chants plaintifs des paysans serbes.

— On t'a expliqué, Victor, comment ces gens peuvent encore avoir le cœur à chanter ?

— Je ne m'y habitue pas. Tu le sais, toi ?

— Ludovik m'en a parlé. Le Serbe chante quand il est heureux et il chante encore plus fort quand il ne l'est pas. Comme pour dominer la souffrance. Il semble que pendant les longues veillées d'hiver, alors que les femmes filent et qu'un grand feu flambe au milieu de la pièce, tout le monde chante.

— Une flamme... Ça me fait tout drôle d'entendre ce mot-là, ce soir.

— Ça me rappelle celle qui m'a poussée à m'embarquer, dit Irma.

Cette évocation ramène avec elle le souvenir de Bob et du petit Charles. Un vague à l'âme chez Irma. Victor l'a perçu.

— Tu le regrettes un peu ? lui demande-t-il.

— Mon engagement ? Absolument pas !

— Moi, je regrette que les services soient si mal organisés et que tu sois plongée dans un monde de contamination extrême.

— Je ne fais pas exception, Victor.

— Ce qui sera exceptionnel, ce sera ta survie.

— Et la tienne, lance Irma dans un éclat de rire qui abasourdit son collègue.

— Si j'ai à mourir pendant cette guerre, je souhaite que ça se fasse vite, lui confie Victor.

— Moi, reprend Irma, je demande à tous les saints du ciel que ce ne soit pas du scorbut. Justement, on devrait recevoir ces jours-ci une livraison de vaccins. C'est toute la population qu'il faut immuniser...

— Raison de plus pour que je ne te laisse pas seule, Irma.

Une canonnade les tire de leur dialogue et les pousse, horrifiés, vers l'hôpital. Victor attrape la main d'Irma, qui ne parvient pas à s'ajuster aux enjambées de ce grand six pieds trois pouces.

— Aïe! Ma cheville, se lamente Irma.

Tout de go, Victor la porte dans ses bras jusqu'à l'intérieur de la baraque.

— Si je meurs ici, je ne mourrai pas tout seul, au moins, dit-il.

Un peu plus et la panique gagnait les occupants de l'hôpital. Le Dr Paquette, tiré de son sommeil, s'y était refugié, terrifié et inquiet de ne pas trouver ses deux collègues sur place. L'arrivée d'Irma dans les bras de Victor le surprend, l'affole.

— Des éclats d'obus? demande-t-il, se portant vers sa collègue.

— Elle s'est fait mal à un pied, corrige Victor en la déposant délicatement sur une chaise.

— C'est une vieille blessure à ma cheville. Avec un bon bandage autour, je vais régler le problème assez vite, laisse croire la D^{re} LeVasseur.

Victor réplique d'un regard sceptique.

Après deux heures d'un vacarme infernal, plus aucun bruit.

— Il faudrait que tu dormes, Irma. Je vais rester de garde, propose Victor.

— Je viendrai te remplacer, offre Albiny.

Vers trois heures du matin, un tohu-bohu lointain jette Irma hors de son lit. L'appréhension l'a tenue dans un demi-sommeil. Penché sur le grabat d'une fillette récemment confiée à ses soins, le Dr Bourgeault ne l'a pas vue revenir.

— Tu n'es pas raisonnable, Irma. Tu fais comme si tu étais encore seule ici.

— Une autre bourrasque d'obus se prépare.

— Mon Dieu! Il faudrait faire de la place pour les quatre malades restés dans la charrette.

— Qu'est-ce qu'ils ont? demande-t-elle.

— Rien en apparence, mais une très forte fièvre. J'ai bien peur que ce soit le scorbut qui les fasse délirer comme ça.

— On ne peut pas les mettre avec nos blessés, Victor! Les deux salles d'à côté sont pleines de contagieux.

— On ne peut pas les laisser dehors non plus.

— Il va falloir sortir le Dr Paquette du hangar et les installer là.

Avec l'aide d'un des prisonniers autrichiens, Ljubica se charge d'aménager le hangar. Le roulement des canonnades les accompagne.

Il faut faire vite. Irma n'attend pas qu'ils soient sortis de la charrette pour leur injecter le vaccin.

— On n'en sauverait qu'un que ça vaudrait la peine de se dépêcher, dit-elle.

— Un de moins à enterrer, réplique Albiny, dont la nuit a été abrégée dans le meilleur de son sommeil.

Après trois autres jours qui ont rogné de plus en plus les nuits, le Dr Paquette annonce son retour au premier hôpital.

— Je vais essayer de vous envoyer de l'aide. Tu es bien décidé à ne pas revenir, Victor?

— Sans le moindre doute. Fais-moi porter mes affaires, Albiny. Je ne laisserai pas une petite femme comme Irma seule dans une situation semblable. Il faudrait au moins dix médecins avec elle.

Le Dr Paquette a baissé les yeux, collé le menton à la poitrine et s'est dirigé vers la charrette qui doit revenir avec les effets personnels de son collègue.

⤞⤝

Le 24 décembre est à nul autre comparable. Désespérant!

Il a fallu s'empresser de creuser des fosses avant que la terre ne soit trop gelée. Les cadavres se multiplient. On va manquer de chaux. Le bateau qui devait apporter du ravitaillement et des médicaments a été coulé dans la mer Égée.

— Ç'aurait été un si beau cadeau de Noël, dit Irma, dévastée.

— On va quand même réussir à faire un semblant de fête, lui affirme Ljubica dont la ceinture de pantalon ferait deux fois le tour de sa taille tant elle a maigri.

— La guérison de quelques-uns de nos patients vaut tous les cadeaux que j'ai reçus dans ma vie, confie le Dr Bourgeault, un sanglot dans la gorge.

Gavrilo, le plus jeune des quatre prisonniers de guerre, pleure à chaudes larmes.

— Il est épuisé, ce garçon, juge Victor.

— Puis bien trop jeune pour voir la vie lui glisser sous les pieds, ajoute Irma.

— Je vais voir si on ne pourrait pas trouver un truc pour le renvoyer chez lui, chuchote Victor.

Les deux femmes qui l'écoutaient s'approchent.

— Un déguisement, peut-être, suggère Irma.

— En infirmière, propose Ljubica.

— Tu l'as! s'exclame Irma. James Barry, une Anglaise, s'est bien déguisée en homme pour pratiquer sa médecine; pourquoi on ne déguiserait pas notre petit Gavrilo en jeune femme?

— Bien rasé, bien peigné, avec un costume de la Croix-Rouge, précise Ljubica, pressée de passer à l'acte pour que leur protégé soit ramené chez lui.

À l'interprète est confiée l'heureuse tâche de l'en informer.

Irma en ressent un bonheur indescriptible.

— Ça me fait penser à un conseil que je donnais à mon amie Maude qui me demandait comment sortir d'un grand chagrin.

— Et tu lui conseillais de...

— ... de se demander à qui elle pourrait, dès que possible, faire du bien.

— Venant de toi, cette idée ne me surprend pas, murmure Victor, pour qui le compliment n'aurait pas été complet sans un baiser sur chaque joue et une accolade plus intime, plus languissante...

Irma s'y abandonne, le temps de lui exprimer des sentiments semblables... dans les circonstances. L'heure n'est pas au scrupule mais bien à la quête du moindre réconfort.

Cette nuit-là, les volontaires de l'hôpital revêtent ce qu'ils ont de plus beau. Autour de la table dont la quatrième patte vient d'être rafistolée, un banc à trois places et six chaises dont la moitié n'ont plus de dossiers ont été placés pour recevoir les convives de ce 25 décembre 1915 à Yogodina. Cordés serré, toutes races confondues, ils ne s'en plaignent pas. L'impossible a été tenté pour que, selon la tradition serbe qui situe Noël le 7 janvier, un *tchorba*, ou soupe de poule, ouvre le réveillon du 24 décembre.

Ljubica a cédé à la nostalgie des années de paix et de prospérité.

— Avant cette guerre de malheur, relate-t-elle, deux jours avant Noël, dans toutes les maisons, on préparait des gâteaux et des rôtis de cochon de lait ou d'agneau. La veille, on sortait la table et les chaises dehors et un homme de la famille allait dans la forêt couper le *badgnak*.

— Pour faire un arbre de Noël ? demande Gertrude, une infirmière de la Croix-Rouge.

— Non. Une bûche. Je vais vous raconter comment ça se passe, notre Noël. La maison est éclairée par deux gros cierges placés de chaque côté de la porte. Une fois la bûche entrée avec beaucoup de solennité, le maître et la maîtresse de maison se lancent du blé puis ils en versent sur la bûche. Ensuite, on enduit la bûche de miel et tous les membres de la famille doivent venir la lécher après s'être embrassés deux à deux.

Tous les convives s'esclaffent, sauf Victor et Irma dont les regards échangés n'ont pas échappé à l'œil de Ljubica. Elle en ressent un profond déplaisir... un vif sentiment de jalousie. Cette jeune femme serbe avait l'intention de demander à sa «petite dame docteure» de devenir sa *probatime* tant elle l'affectionne. Entraînée à la maîtrise d'elle-même, elle parvient à reprendre son récit :

— La bûche est ensuite placée dans l'âtre, où un bon feu l'attend. Aussitôt, la maîtresse de maison, suivie de ses enfants, sort chercher une botte de paille et la promène autour de la maison en imitant le cri de la poule. Les enfants répondent par des cris de poussins et arrachent chacun un peu de paille à leur mère pour en couvrir le plancher.

— Qu'est-ce qu'il fait, le père, pendant ce temps-là ? demande Gertrude.

Ludovik se réserve la réponse :

— Justement, son tour vient d'entrer en scène. Il allume une bougie, prend un encensoir et encense toute la maison en commençant par la bûche et l'âtre. Comme il n'y a plus ni chaises ni table dans la maison, on dispose les plats pour le souper sur le plancher.

— Vous prenez votre repas tous assis par terre? demande Irma.

— Ce n'est pas aussi difficile pour nous que ce l'est pour vous. On en a l'habitude, lui apprend Ljubica, encore incapable de supporter son regard.

— On ne laisse pas la bûche se consumer tout entière. On en garde une partie comme relique pour l'année qui vient, précise Korka, plus réservé que Ludovik.

— Un porte-bonheur, présume Victor.

D'un signe de la tête, il lui donne raison.

Faute de cochon de lait ou d'agneau, Ljubica leur sert du bœuf bouilli, des pommes de terre et du maïs en grains. Pour dessert, des fruits à chair rouge et très juteuse qu'ils nomment pastèques. De plus, chacun a droit au raki, une eau de vie parfumée à l'anis dont une rasade suffirait à faire oublier la guerre. Mais autour d'une table estropiée, comment deux Canadiens, deux Françaises, trois Serbes et trois Autrichiens, tous épuisés, pourraient-ils se croire en temps de paix?

— Si on chantait pour la demander? suggère Korka, qui déplore de n'avoir pas sa cornemuse avec lui.

— Chacun choisit deux chants de Noël parmi les plus populaires dans son pays, propose Victor.

Aussitôt dit, il ramasse deux cuillères pour donner un rythme à ces airs de Noël. Les femmes frappent dans les mains. Amadeus, Nikola et Bora, les trois prisonniers autrichiens, tapent du pied. Amadeus se lève pour leur offrir une danse solo comparable à la danse à claquettes. Nikola et Bora, ragaillardis, quittent leur banc, ouvrent leurs bras vers deux femmes : l'un invite Irma et l'autre, Gertrude, la plus jeune des deux infirmières françaises, pour une valse dont ils fredonnent l'air.

Les malades encore capables de s'asseoir sur leur paillasse voient leurs souffrances lénifiées, le temps du spectacle. Pour les autres, la musique et les éclats de rire ont fourni un analgésique non moins bienfaisant qu'éphémère.

Six semaines plus tard, tout est devenu impossible à Yogodina comme dans une grande partie de la Serbie. Un officier de l'armée serbe arrive avec l'ordre d'évacuation, qui ne tolère aucune résistance. Ludovik traduit ses paroles, des larmes dans la voix. L'armée ennemie est en train de descendre le long de la rivière Morava et dans quelques jours, tout le village, toute la région même pourraient être rasés.

— Je ne peux pas abandonner mes malades, proteste la D^{re} LeVasseur.

— Vous emmenez ceux qui ont des chances de s'en sortir... Si vous restez ici, vous risquez d'être tous ensevelis sous les débris.

— Les autres ? questionne le Dr Bourgeault.

— On leur donne tout ce qui peut les soulager en attendant... la mort, décrète l'officier.

Irma jette un regard dévasté sur les malades entassés dans les trois salles de la vieille école. Elle peut imaginer leur détresse quand ils se verront abandonnés, leurs supplications et leurs lamentations. Elle les entend déjà.

Il faut vite fuir vers l'ouest, ou vers le sud, de préférence.

— À Gorni Milanovats, propose Ljubica.

L'officier les prévient :

— Le temps de vous y rendre, l'ennemi pourrait bien s'être avancé jusque-là.

— C'est loin d'ici ? demande Irma.

— Ça peut se faire en vingt-quatre heures si nos charrettes et nos bœufs tiennent le coup, l'informe Ludovic.

— Est-ce que tu viendras avec nous, Ljubica ? s'inquiète Irma.

— Oui, j'irai. Pour nos malades, pour toi et pour moi aussi... pour que mon vœu le plus cher se réalise.

— Ton vœu ?

— Ce n'est vraiment pas le bon moment d'en parler, répond Ljubica, on ne peut plus mystérieuse.

Irma demande aux hommes de charger les charrettes de tout le matériel médical pendant que, d'un diachylon collé sur le pied de leur lit, elle désignera les malades qui seront embarqués. Avec l'aide des infirmières françaises, elle administre à tous ceux qui ne seront pas du voyage la dose de morphine qui les aidera à partir sans douleur.

— Tu connais une prière ou un rituel qui les aiderait à mourir dans la sérénité ? demande-t-elle à Ljubica.

— Ma mère était *petrecàtoarli*, ce qui veut dire « passeuse ». Elle m'a enseigné comment faire passer quelqu'un du monde des vivants au monde des morts. Je ne pourrai pas faire les quatre étapes ici. Je vais essayer de me souvenir des chants qui doivent guider le défunt sur le chemin qui mène à l'autre monde. Dommage qu'on ne puisse respecter le rituel de l'enterrement.

— Qu'est-ce que c'est ?

— Nos morts sont toujours enterrés dans la cour de la famille ou à un endroit qu'ils appréciaient particulièrement de leur vivant.

De toute évidence, il ne reste à Ljubica que le pouvoir de leur offrir les lamentations funèbres auxquelles ils ont droit.

— Je n'ai jamais rien vécu d'aussi triste, confie Victor.

— Moi non plus. Je me demande si j'aurai le courage de partir la dernière. Il le faudra pourtant.

— Je serai là avec toi jusqu'à la dernière minute, Irma.

Avec elle, Victor s'est arrêté près de chaque malade, a caressé le front de l'un, les mains de l'autre, même si tous avaient les paupières closes pour un long sommeil, leur dernier, souhaite-t-il.

À peine le convoi s'est-il engagé sur la route raboteuse que, derrière lui, un bruit strident se fait entendre.

— C'est une batterie de 75, dit Korka.

Aucune autre canonnade ne peut être confondue avec celle-là tant le bruit est irritant et brutal.

— Quand les coups se précipitent, on sent une rage folle, une destruction infernale, un appel à la mort qui nous glace d'épouvante, explique Ljubica.

Le trajet entre Yogodina et Milanovats prend une allure d'apocalypse. Ici, des monastères dont il ne reste qu'un pan de mur, là un plateau creusé de tranchées où il n'y a plus de soldats. Les balles sifflent de plus en plus près.

Deux patients ont succombé à leurs blessures au cours de la nuit. Il faut les descendre de la charrette. À la faveur d'une lune dans son plein, Victor croit apercevoir, à moins d'un kilomètre, un petit cimetière dans un enclos.

— Ce sera plus digne d'eux, dit-il.

Ni lui ni ses compagnons ne s'attendaient à y trouver une cinquantaine de soldats en capote gris-bleu, alignés coude à coude sur le sol gelé, le fusil à la main. Selon toute vraisemblance, ils sont morts là, tous ensemble, asphyxiés en même temps par un obus. Déposer près d'eux en vitesse les deux cadavres et filer s'avère urgent.

À l'approche de Milanovats, plus aucun bruit de guerre. Pour combien de temps?

— Il se pourrait bien que les assaillants aient contourné ce petit coin de pays, dit Irma, en quête de sources d'espoir.

Illusion de courte durée. Des tranchées ont été creusées et des soldats y sont déjà tapis. La menace de voir arriver l'armée ennemie est bien réelle.

Près d'une mosquée, derrière la place du marché sans vendeurs ni acheteurs, des entrepôts désertés. Tout a été déserté.

Tout est à recommencer pour l'équipe médicale dirigée par la « petite dame docteure ».

Chapitre IX

— Je te le promets, Paul-Eugène. Je vais te traiter comme... le meilleur de mes employés, puisque tu n'aimes pas que je te rappelle que je suis ton père.

— Ce qui veut dire...

— Que tu ne manqueras de rien. Logé, nourri, habillé sans qu'il t'en coûte un sou.

— Comme un enfant! Je refuse. Je veux un salaire.

— Un salaire! Mais tu ne vois donc pas qu'il n'y a plus d'argent qui rentre dans cette maison?

Certains jours, Nazaire LeVasseur ne peut plus lire, même avec la loupe la plus performante. L'année précédente s'est montrée impitoyable à son égard. En quelques mois, son acuité visuelle a chuté à vingt pour cent, le minimum pour assurer une autonomie élémentaire. Une cruelle épreuve pour cet intellectuel sexagénaire dont la fille est retenue «à l'autre bout du monde par une guerre qui ne nous appartient pas», se plaint Nazaire. À tout moment, il prie sa sœur de lui lire les chroniques de guerre des quotidiens comme des hebdomadaires, principalement celles du journal *Le Devoir*. Lourde tâche pour Angèle.

— Si tu étais plus compréhensif envers Paul-Eugène qui ne sait pas quoi faire de sa peau, je n'aurais pas à perdre tout ce temps, gémit-elle.

— De toute façon, tu les lirais, ces journaux, ne serait-ce que pour te faire une idée de cette guerre stupide et des Canadiens non moins stupides qui risquent leur vie pour une mère patrie qui n'a plus rien d'une mère envers ses colonies.

— Calme-toi, Nazaire, sinon, tu te chercheras quelqu'un d'autre...

— Vas-y, je t'écoute. Et je t'interdis de sauter une seule ligne.

Angèle s'accoude à la table de la cuisine, le *Devoir* tout grand ouvert devant elle, et lit la chronique de Henri Bourassa, directeur de ce journal :

> *Éloigné du conflit, libre de tout engagement international, le Canada n'avait aucun motif immédiat pour se jeter dans la fournaise; il en avait de graves et de nombreux pour s'abstenir. Si ses gouvernants s'étaient inspirés des mobiles qui guident tous les autres chefs, s'ils étaient restés fidèles à la tradition canadienne et aux accords avec la Grande-Bretagne, ils se seraient bornés à préparer la défense du territoire canadien. Cependant, vu l'extraordinaire gravité du conflit, une intervention raisonnable et raisonnée, motivée avec soin et proportionnée aux ressources et à la situation du pays, aurait rencontré un acquiescement général. Mais cela ne suffisait pas à nos war-mongers. Ils avaient décidé de ruiner le Canada pour sauver l'Empire. Sans pouvoir invoquer aucune des raisons qui ont entraîné les peuples d'Europe, la défense du territoire, le respect des engagements pris, etc.*

Nazaire ne tient plus sur sa chaise. De la colère, il en a jusque dans ses talons de souliers dont il frappe le parquet.

— Je me demande comment il se fait qu'il soit le seul journaliste à voir clair dans les manipulations de l'Angleterre.

— Je sais que c'est révoltant, mais on n'y peut rien. On n'est pas du côté du pouvoir, Nazaire. On reprend cette lecture un autre jour?

— Non. Demain, il y aura d'autres textes à lire. Je soupçonne nombre de journalistes de vouloir accuser M. Bourassa d'être du côté de l'Allemagne.

— On n'a vu que la moitié de l'article, précise Angèle.

— Vas-y.

— Ils ont demandé puis imposé au pays un effort proportion-nellement plus considérable que celui des peuples qui luttent pour leur existence. Pour atteindre leur objectif, ils ont commencé par enrégimenter la totalité des mercenaires de presse et des hâbleurs de tribune. Cette armée de guerriers de bouche et de plume s'est mise à faire le siège de l'opinion publique. Histoire, constitution, droit naturel, théologie, on a tout saboté, tout démoli pour ne laisser sub-sister que « l'obligation morale de servir la mère patrie » et le « devoir de sauver l'Empire »...

Nazaire est retourné s'asseoir. Il opine de gestes à peine contenus.

— Tu ne trouves pas que M. Bourassa exagère un peu ? ose Angèle.

— Exagérer ! Tu m'en reparleras quand cette sale guerre sera finie. Tu verras ce qu'elle nous aura coûté. Lis !

— Mais comme tous leurs sophismes et toutes leurs phrases creuses ne suffisaient pas à entraîner le peuple au-delà d'un effort légi-time, ils ont entrepris de créer de toutes pièces un militarisme factice, intense, beaucoup plus pernicieux que le « militarisme prussien »... Ils ont fait du service militaire une carrière exceptionnellement favo-risée. Ils ont créé à pleines charretées des colonels et des majors d'oc-casion, ils ont offert aux recrues des avantages extraordinaires, un traitement de faveur après la guerre, une situation politique privi-légiée. Aidés de la magistrature, ils ont assuré l'impunité à l'émeute, au pillage, aux insultes de toute sorte, pourvu que les criminels fussent des soldats et les victimes, des civils. Ils ont tout fait pour créer et développer la notion que les soldats de l'Empire doivent former une caste à part, au-dessus des lois et des conditions ordinaires de la société civile... En quoi, je vous le demande, ce militarisme diffère-t-il du prussien, si ce n'est qu'il est encore plus pernicieux, puisqu'il n'a même pas la grandeur de la patrie pour excuse ?

— Vous avez totalement raison, M. Bourassa, s'écrie Nazaire. Quand on pense que 32 000 des nôtres ont traversé l'Atlantique et que le ministre de la Milice en prépare dix fois plus pour la fin de 1916, c'est révoltant. Pendant ce temps-là, nos femmes triment dur, nos enfants sont privés de leur père. Même notre agriculture est mise au service de la guerre. Le gouvernement n'en a que pour la culture du blé.

— Le prix de nos céréales et de notre viande a beaucoup grimpé depuis la guerre, fait remarquer Angèle.

— Il ne faut pas croire que c'est pour notre bien ! C'est à la guerre que ça sert. Pourquoi penses-tu qu'on nous rationne en sucre et en beurre ? Pour que des frères aient plus de forces pour s'entretuer.

— J'admets qu'on est sollicités de tous bords tous côtés : contribution à l'*Aide au soldat,* la quête de la Croix-Rouge...

— ... sans compter les *Bons de la Victoire*, lui rappelle son frère.

Nazaire avait souligné d'autres gros titres qui l'intéressaient.

— Encore des chroniques sur la guerre ! Tu peux bien avoir le moral bas, mon pauvre Nazaire.

— Tu oublies que ma fille est là. Ma fille unique...

Son espoir de la revoir un jour se nourrissait des reportages publiés.

— Je te comprends, Nazaire, mais qu'est-ce qui te dit que ces nouvelles sont fondées ? Je suis portée à croire qu'on déforme la vérité pour faire peur à l'ennemi...

— Si j'avais une preuve que mes lettres lui sont remises, murmure Nazaire, le dos courbé sous le poids de l'inquiétude.

— Connaissant Irma, je ne serais pas surprise d'apprendre un jour qu'elle ne trouvait simplement pas le temps d'écrire ou qu'elle n'avait pas la possibilité de t'envoyer de ses nouvelles.

— Tu parles comme si tu étais sûre qu'elle va revenir.

Angèle s'approche de son frère, presse ses mains tremblantes dans les siennes et dit avec une assurance indubitable :

— Elle va revenir, Irma.

— Qu'est-ce qui te permet d'en être si certaine ?

— Une petite flamme à l'intérieur... qui ne m'a jamais trompée.

— Un privilège de femme, quoi ?

— Je ne saurais te dire, mais je crois que certains hommes la ressentent aussi.

Nazaire déplore de ne pas être de ceux-là.

Angèle lit en silence un reportage sur l'expédition dans les Dardanelles.

— Si ça peut te rassurer, d'après cet article, ta fille ne serait plus en Serbie.

— Lis-moi ça, Angèle.

— C'est bien trop long. Ce qui est important à retenir, c'est ce paragraphe-ci : Putnik, le général en chef des armées serbes, a donné l'ordre d'évacuer toute la région entourant Milanovats et de fuir vers l'Albanie, où les civils seront protégés des fusillades et des bombes.

Angèle n'a pas le choix de tricher et de taire certains passages... Ainsi en est-il d'une série de mauvaises nouvelles comme la prise de Belgrade par les Austro-Allemands, l'échec de l'expédition franco-britannique vers le Sud, le projet d'attaques navales de Churchill qui a échoué, trois cuirassés dont deux de la *Royal Navy* et un de la Marine nationale qui ont été coulés et quatre, sérieusement endommagés.

— Si Irma a quitté la Serbie, elle ne peut être ailleurs qu'en France... ou en Angleterre. Je devrais avoir de ses nouvelles sous peu, murmure Nazaire.

— Donne-lui quand même le temps de s'y rendre, lui conseille Angèle. Dans un pays dévasté par la guerre, les routes ne doivent pas être en bon état.

— Puis les moyens de transport doivent être rares, tu as raison, Angèle.

Touchée par l'infortune de son frère, mais non moins lasse d'être à son service depuis près de six mois, Angèle y va d'une proposition :

— Tu m'as dit que Paul-Eugène voulait un salaire pour les services que tu lui demandes. On va lui en donner un. C'est un peu normal si tu le considères comme un employé.

Nazaire lève les bras vers le ciel, prêt à exploser.

— Attends que je t'explique, réclame Angèle. Moi aussi, j'ai besoin de ses services. J'ai surtout besoin qu'il te lise les journaux à ma place. Je vais te donner un montant d'argent au début de chaque mois et tu vas le payer à la pièce.

— Tu sais ce qu'il va faire avec cet argent ?

— Ça ne regarde que lui, ça. Même avec ses limites, Paul-Eugène est un homme, pas un enfant.

Forcé de donner raison à sa sœur, Nazaire ne s'inquiète pas moins de sa situation financière.

— Avant que je sois passée à travers l'héritage que papa m'a laissé, puis mes propres économies, tu as le temps de mourir deux fois, dit-elle à la blague.

— Mourir... Je t'avoue que certains jours, je le souhaite.

— Je t'en prie, Nazaire, secoue-toi. Si ta fille t'entendait! Qui sait si elle ne doit pas se battre contre la vermine, la contagion et quoi encore, pour te revoir?

Nazaire cède à son chagrin. Ses longues mains posées sur ses yeux ne suffisent pas à cacher ses larmes. Angèle juge que pleurer le rendra moins agressif. Elle quitte la cuisine, va préparer une enveloppe qu'elle garnit de cinq billets de vingt dollars et vient la placer sur la table, devant son frère.

La porte extérieure claque. Du portique, on entend un bafouillage qui sonne l'affolement. Puis :

— Tante Angèle! Sauriez-vous où est mon... Ah! Vous êtes là!

Paul-Eugène est livide.

— Ce que je viens d'apprendre...

— Prends le temps de t'asseoir, Paul-Eugène. Ton père ne part pas dans la minute, dit Angèle.

— D'où est-ce que tu arrives? demande Nazaire, prêt à s'emporter.

— Ça n'a pas d'importance, s'empresse-t-elle de déclarer.

Puis, s'adressant à Paul-Eugène :

— Qu'est-ce que t'as appris de si terrible?

— À la taverne de la falaise, y a deux soldats qui sont arrivés; blessés à la guerre dans les vieux pays. Ils ont vu de leurs propres yeux des nuages vert kaki qui roulaient jusqu'aux tranchées et qui tuaient les soldats comme des mouches. Une sorte de vapeur qui brûle les poumons. Qui se répand partout. Ma petite sœur, là-dedans! Ma petite sœur!

Anéanti par une vision apocalyptique, Paul-Eugène, les bras croisés sur la poitrine, plié en deux sur sa détresse, pleure comme un enfant.

— Les gaz au chlore des maudits Allemands, marmonne Nazaire.

— Ils n'ont pas le droit ! Les conventions de La Haye... fait remarquer Angèle.

— Droit, pas droit, les Allemands s'en sacrent.

Les réflexions de Nazaire et de sa sœur n'ont en rien distrait Paul-Eugène de son cauchemar.

— Le plus petit des deux soldats en a vu par dizaines, l'écume à la bouche, courir droit dans le nuage qu'ils voulaient fuir... puis mourir là, étouffés.

— Ta sœur n'est pas dans ce pays-là, Paul-Eugène. Ta tante l'a su par les journaux.

— Plus que ça, je sais qu'elle est vivante, ajoute Angèle.

— T'as reçu une lettre d'elle ? suppose Paul-Eugène, en quête d'apaisement.

— Elle est en chemin, sa lettre. Ça me le dit en dedans, explique-t-elle, une main sur le cœur.

— Tu sais que tu peux faire confiance à ta tante là-dessus comme sur le reste, l'incite Nazaire. C'est normal que le courrier soit plus lent. Même sans la guerre, il prendrait des semaines à nous arriver, soutient Nazaire.

— C'est moi qui vas vous la lire, papa. Gratis, à part ça.

— Quant aux journaux, ta tante et moi en avons discuté. Ça mérite un petit salaire. Pour les autres tâches que tu pourrais faire, aussi.

— Vous avez trouvé de l'argent ! s'étonne Paul-Eugène.

— Comme je te disais, on s'est arrangés, ta tante et moi, l'assure-t-il en glissant l'enveloppe de billets dans sa poche de pantalon.

— As-tu pensé comme ta sœur va être fière de toi quand elle va apprendre comment t'occupes ton temps en attendant qu'elle revienne ?

Paul-Eugène a relevé le menton, redressé les épaules, épousseté le devant de sa chemise.

— Si on lui écrivait ? propose-t-il.

Nazaire et sa sœur échangent des regards embarrassés.

— C'est une bonne idée, lance Angèle. Aussitôt qu'on aura son adresse, on la lui enverra.

— Peut-être que du côté de New York... murmure Nazaire.

— Non, non, proteste Angèle. Tu sais bien que c'est à nous qu'elle donnerait des nouvelles en premier,

— À tante Rose-Lyn, peut-être, réplique Paul-Eugène. C'est probablement moins loin pour Irma.

— Par bateau, bien sûr! approuve son père.

Un effroi soudain, dans les yeux de Paul-Eugène.

— Par bateau... marmonne-t-il. Non, pas par bateau. Il ne faut pas!

Une opposition formelle, de la part de Nazaire, à ce que la disparition de son fils, après la mort de Phédora, fût signalée à la police les a maintenus dans un mystère... sur le point de s'éclaircir. Angèle et Nazaire devinent que Paul-Eugène a dû passer ses trois mois de disparition sur un bateau et ils imaginent sans peine à quels traitements il a eu droit. De quoi paniquer à la seule évocation de ce mot.

— Tu n'as pas à craindre, lui jure Angèle. Même si un jour le gouvernement exigeait que tous les hommes s'enrôlent pour la guerre, tu serais exempté, tout comme ton père. L'armée refuse les hommes qui sont obligés de prendre des médicaments. Elle n'accepte que les hommes en très bonne santé. Vous n'avez pas à vous cacher, vous deux.

— Il me faudrait de l'argent aujourd'hui même, réclame Paul-Eugène, redevenu anxieux. Ma bouteille de pilules est vide.

Même si Angèle promet d'aller avec lui à la pharmacie, son neveu continue de s'agiter.

— Ils pourraient m'embarquer sur les bateaux de guerre... pour faire du ménage, le capitaine l'a dit, raconte-t-il, un nuage de folie dans le regard.

— Plus maintenant! Ils ont tout leur monde, avance Angèle.

Paul-Eugène l'a regardée, l'a écoutée et l'a crue.

❧❧

Deux ans après s'être embarquée sur le *S.S. Metagama*, Irma connaît la pire tourmente de son périple. D'une part, les quelques lettres acheminées à sa famille et à Bob Smith sont restées sans réponse. «Ou elles ont été perdues en route, ou celles que j'attendais ne se sont jamais rendues en Serbie, doit-elle conclure. Comment tous ceux que j'aime peuvent-ils s'accrocher à l'espoir de me revoir vivante?» se demande-t-elle, recluse dans une prison avec son équipe médicale et quelques patients serbes.

Après un an de résistance aux ordres répétés de quitter Milanovats et d'y abandonner les vieillards et les grands malades, elle a été traînée en pleine nuit dans cette prison pour femmes gérée par l'armée austro-allemande. Une prison bondée de civiles serbes séparées de leurs enfants et de leurs maris. Des êtres dont le seul crime était leur amour pour leur pays et pour la liberté. Chaque nuit, vers deux heures, pendant que des femmes montent la garde au judas, d'autres grimpent à la fente, leurs corps tremblants entassés les uns contre les autres, pour voir si elles n'apercevraient pas leurs maris, leurs enfants. Pour s'assurer que les gardiens veillent. Pour trouver un moyen de fuir le châtiment final... se glisser parmi les troupeaux, peut-être. Les pauvres femmes qui s'y hasardent ignorent que si les gardiens feignent la complaisance, ce n'est que pour mieux les pousser à leur mort. Chaque jour, Irma voit ces Serbes de toutes les conditions sociales marcher dignement jusqu'au peloton d'exécution.

Les nuits sont interminables, les jours cauchemardesques. À tout moment, un nom est hurlé dans la sombre cellule. Une femme se lève sans un mot, attrape maladroitement son manteau et, péniblement, se rend jusqu'à la porte, tandis que les autres femmes demeurent étendues sans voix. À un moment, elle chancelle contre le mur du couloir alors que la lumière l'éblouit; les gardiens se tiennent là, le fusil à l'épaule, puis esquissent un geste d'impatience. D'un air digne, elle relève la tête. Pendant un instant, les témoins peuvent encore voir la silhouette de leur compagne qui se rend, dans toute sa dignité, à son exécution. Elle s'en est allée pour toujours.

Mais il y a pire encore. Irma sait bien que les mots ne peuvent décrire la peine insondable de ces gens. Une peine qui devient sienne.

« À qui la décrire pour ne pas en mourir ? Qui pourra en connaître la cruauté sans en être terrassé ? » Un seul nom lui vient en tête, Bob Smith.

Quelque part en Serbie, le 15 avril 1917

Mon cher Bob,

Pour la troisième fois, je tente de te donner de mes nouvelles. L'espoir que ma lettre se rende jusqu'à toi n'est pas plus grand que par le passé, mais j'ai beaucoup de temps libre, maintenant. Pour la deuxième fois, les forces armées m'ont obligée à quitter l'hôpital que j'avais réussi à monter avec l'aide du Dr Bourgeault, de quelques volontaires serbes et de prisonniers autrichiens. En attendant d'être ramenée en France, je suis en prison. Je ne suis pas maltraitée, mais je souffre du manque d'intimité. Les gardes masculins ont toujours un œil dans le judas et ils ne manquent pas une occasion de nous intimider. Pour te dire la vérité, ce sont les drames dont je suis témoin tous les jours qui me torturent le plus profondément. Des drames qui me ramènent douloureusement le souvenir de ton fils, mon filleul adoré. Je vais essayer de te les décrire sans trop détremper mon papier. Je n'ai jamais tant pleuré de toute ma vie...
Environ une fois ou deux par semaine, les enfants des prisonniers ont la permission de venir à la barrière pour voir leur mère. Si l'un des deux parents parvient, d'une façon ou d'une autre, à soudoyer le gardien, l'enfant peut entrer dans l'enclos afin de recevoir une petite étreinte, pendant que son père qui l'a amené reste dehors. J'ai vu ces mères soulever leurs enfants dans leurs bras, leurs visages transformés par le plus inépuisable amour dont la nature nous ait dotés. Je les ai vues toucher, avec des mains tremblantes d'affection et de désespoir, chaque partie de leurs petits corps. Je les ai entendues leur marmonner des bribes de mots et leur démontrer leur tendresse tout en douceur. J'ai vu ces enfants caresser les cheveux de leur mère, tandis qu'elles les embrassaient en essayant de sécher leurs larmes incontrôlables.

C'était la dernière fois que ces femmes tenaient dans leurs bras ceux qu'elles aimaient plus que leur vie.

Qui, même avec le plus dur des cœurs, pourrait être insensible à un destin aussi sombre sur une terre désolée et ruinée? C'est insupportable. J'ai réussi à ne pas m'effondrer devant des souffrances innommables, mais j'ai peur que celles-ci m'enlèvent la vie. Mon attachement à ceux que j'ai laissés derrière moi demeure ma seule source de courage. Celle qui me relance dans ce combat contre la mort, ma propre mort. Te dire combien ton souvenir m'a été d'un grand secours! Permets-moi de me reposer dans tes bras quand mon quotidien devient un enfer.

Si je n'avais au cœur d'autres grands projets, je passerais le reste de ma vie par ici à rechercher ces orphelins et à m'en occuper pour honorer la mémoire de leurs parents.

Si tu avais vu comment les soldats ont vidé notre village! Entassés dans des charrettes, pêle-mêle, des vieillards, des baluchons, des enfants, des chiens. Les rues étaient bondées de familles poussant devant elles leurs troupeaux sans savoir où elles allaient. Toutes les boutiques étaient barricadées. Impossible de se procurer de quoi se couvrir ou se mettre sous la dent.

Je jure sur la tête de ton fils, mon très cher Bob, que si je sors vivante de cette guerre, je consacrerai le reste de ma vie à soigner les enfants, surtout les plus délaissés.

Des soldats autrichiens doivent nous conduire jusqu'au Monténégro, d'où un navire devrait nous ramener en Angleterre ou en France. Je me demande ce qu'ils attendent pour nous sortir d'ici. J'ignore combien de temps ça prendra. En attendant, j'ai pour réconfort celui que j'essaie d'apporter à ces femmes tremblantes dont le silence douloureux est si intense que, de ma cellule, je pourrais entendre les battements de leurs cœurs broyés.

À ma chère tante Rose-Lyn, dis au moins que je suis vivante. Pour le reste, je te laisse juger...

Dès que je serai en mesure de le faire, je te tiendrai au courant
de la suite de mon périple.

Ton unique
Irma

Cette lettre est confiée à l'une des infirmières de la Croix-Rouge qui passent deux ou trois fois par semaine dans les deux prisons et dans la baraque où sont gardés les enfants serbes… en attendant l'orphelinat. Son sort ne peut être pire que celui des enfants de la guerre.

Ljubica a suivi la D^re LeVasseur jusque dans la prison avec un courage exemplaire. La permission leur étant donnée de sortir dans la cour entourée de barbelés, Irma lui pose la question qui la chiffonne tellement :

— Pourquoi viendrais-tu jusqu'en France ou en Angleterre au lieu d'attendre au Monténégro que la guerre soit terminée ?

— As-tu oublié mes sentiments pour toi ?

— Comment pourrais-je oublier ton dévouement, ta gentillesse, ta vigilance !

— Tu n'as pas encore compris que je veux que tu sois ma *pro-batime* ? rétorque Ljubica, au bord des larmes.

— Je ne sais pas ce que c'est, une *probatime* !

Irma apprend alors qu'en Serbie, lorsque deux personnes du même sexe, sans aucun lien de parenté, ressentent l'une pour l'autre une vive amitié, elles peuvent s'unir par un acte solennel et, dès lors, elles se doivent aide et protection jusqu'à leur mort.

— J'aurais tellement voulu que la cérémonie se fasse avant qu'on soit chassées de Milanovats, lui déclare Ljubica.

— Je t'offre mon amitié, mais je ne serai jamais ta *probatime*, Ljubica.

— Mais pourquoi pas ?

— Ce n'est pas dans mes traditions, tout simplement.

Ljubica fond en larmes. Irma est consternée. « Me prêter à ce jeu pour lui faire plaisir, j'en suis incapable, même si je le voulais »,

déplore-t-elle, impuissante à consoler cette incomparable collabo-
ratrice. « Comme si la vie n'était pas assez cruelle sans ça », pense
Irma.

Le jour de la libération venu, Ljubica ne répond pas à l'appel.
Une voisine de cellule dit l'avoir entendue discuter avec un gardien
qui faisait la tournée au cours de la nuit, puis elle serait partie avec
lui. Où ? La crainte qu'elle soit allée au-devant de la mort effleure
l'esprit d'Irma. Sa confidente l'a deviné et lui conseille d'implorer l'aide
d'une des passeuses emprisonnées avec elles. Une autre femme serbe
le lui déconseille, alléguant que les prêtres jurent que les passeuses
sont en relation avec le diable et qu'elles vont brûler en enfer. Une
troisième se mêle de la conversation en se déclarant passeuse et affirme
que ce sont les popes qui vont aller en enfer parce qu'ils mentent
beaucoup et qu'ils volent l'argent des pauvres gens. Deux autres
femmes, visiblement de la classe populaire, soutiennent que les crimes
sont punis non pas après la mort mais dans le monde des vivants et
que, très souvent, ce sont les descendants qui écopent des punitions
pour les vols et les meurtres de leurs parents. La discussion s'anime.
Une interprète au service des prisonnières étrangères apprend à Irma
que cette croyance est davantage répandue dans les communautés
roumaines et que les Serbes ne sont plus tenus de passer par l'Église
pour enregistrer les naissances, les mariages et les décès. Irma lui
demande d'aviser les femmes de ses prières pour Ljubica.

⇥⇤

Une nouvelle fracassante crée une onde de choc dans toute l'Amérique : une tragédie s'est produite en mer. Le *Vigilentia*, un autre navire
de commerce américain, vient d'être torpillé par un sous-marin allemand. Deux ans moins un mois après l'attaque du *Lusitania*.

Depuis le 7 mai 1915, des affiches et des conférences incitant à la
guerre nourrissaient les rumeurs de vengeance de la part des États-
Unis. À la demande du président Woodrow Wilson, qui exigeait
réparation, l'Allemagne avait restreint son offensive sous-marine.
Étrangement, aux yeux de Bob Smith et de sa mère qui n'avaient jamais

été aussi fidèles à la lecture des journaux, les Américains, auparavant hostiles à la guerre, basculaient en sa faveur. Mais Bob faisait confiance à son président, un homme des plus pacifistes. Et pour cause : Thomas Woodrow Wilson, élu à la Maison-Blanche le 5 novembre 1912, souhaitait à tout prix éviter que son pays ne soit entraîné dans la tourmente qui s'était levée en Europe. Fils de pasteur, pacifiste convaincu, il avait vécu, enfant, les horreurs de la guerre civile, et il craignait le retour à la barbarie qu'entraînerait une nouvelle conflagration. De plus, le souci de maintenir l'unité nationale d'un pays dont un habitant sur quatre était né à l'étranger ou de parents venus d'un des deux blocs antagonistes lui dictait la plus grande prudence : comment prendre parti, en effet, quand les sympathies des Américains d'origine allemande du Middle West allaient aux Empires centraux, tandis que les protestants anglo-saxons de la côte est étaient plutôt favorables à l'Entente signée par la France, l'Angleterre et la Russie, que les Irlandais détestaient l'Angleterre et que les Polonais étaient hostiles à la Russie ? Dès le printemps de 1914, Wilson avait chargé son éminence grise, le colonel House, d'une mission d'entremise entre Paris, Londres et Berlin. Mais l'assassinat de Sarajevo a anéanti les efforts du Texan et le conflit tant redouté a éclaté dans les premiers jours d'août. Depuis près de trois ans, Wilson multipliait les initiatives diplomatiques pour tenter de créer entre les belligérants les conditions d'une « paix sans victoire ». Mais aucun n'en voulait vraiment.

— La décision prise par les Allemands en janvier dernier a fortement ébranlé notre président, soutient Bob devant sa mère catastrophée.

— Rappelle-moi de quoi il s'agissait, lui demande-t-elle, alors que ses protégés et le jeune Charles jouent dehors.

— Berlin a déclaré la guerre sous-marine contre tous les navires, même neutres, qui commerçaient avec les nations alliées.

— Il ne manquait plus que le torpillage du *Vigilentia* pour faire déborder le vase, conclut Rose-Lyn.

Bob hoche la tête, le regard braqué sur une copie du *New York Evening Sun* qu'il a apportée avec lui.

— Qu'est-ce qui est arrivé, encore ?

— La découverte d'un télégramme. Le secrétaire d'État allemand aux Affaires étrangères a suggéré au Mexique de préparer une alliance contre les États-Unis et il prévoit se rallier le Japon contre notre pays.

— Tu viens de le lire dans ce journal-là ?

— Non, c'est un reportage sur ce qui serait arrivé il n'y a pas longtemps dans le sud de la Serbie, au Kosovo.

— Montre-le-moi.

— Je ne suis pas sûr que ça te fasse du bien. Il est question de jeunes Serbes de douze à dix-huit ans sortis des sentiers d'évacuation et que l'armée prenait avec elle pour qu'ils ne soient pas faits prisonniers. Il me semble voir les plus jeunes assis sur le toit des trains de marchandises, serrés les uns contre les autres et... et pleurant.

— C'est ce qu'on raconte ?

— Pire encore. Les plus vieux devaient marcher derrière le train. Mais comme ils souffraient du froid et de la faim, ils n'avançaient pas assez vite au gré de l'officier...

— Il les battait ?

— Il fonçait sur eux à cheval et les fouettait. Certains d'entre eux auraient été piétinés par les bêtes.

— Écoute, Bob. Si Irma a eu le courage de risquer sa vie pour soigner des gens à l'autre bout du monde, je devrais avoir celui de m'informer de ce qui se passe autour d'elle.

— Bon, d'accord. On va regarder la suite.

Rose-Lyn colle sa chaise à celle de son fils et tous deux entreprennent la lecture de cette page étalée devant eux sur la table.

Quand les garçons atteignirent la frontière entre la Serbie et l'Albanie, un gendarme leur ordonna de marcher droit devant tout en désignant l'ouest en prétendant qu'ils y trouveraient la mer et des navires, et puis il les abandonna.

Les garçons traversèrent la frontière sans leader et sans guide, marchant en Albanie, confiants de trouver la mer et les navires dans tout au plus deux jours. Ils furent dépassés par des colonnes de vieux soldats, armés et équipés, qui leur donnèrent tout le pain disponible en les encourageant à continuer.

Personne n'a pu préciser combien de temps ces garçons ont pris pour atteindre la mer. Mais on a su qu'ils avaient souffert de faim, qu'ils avaient dû se nourrir de racines et d'écorce d'arbres. La nuit venue, ils se regroupaient pour se réchauffer et dormaient sur la neige. Beaucoup ne se réveillaient pas le matin, et tous les jours le nombre diminuait; quand la colonne arriva à Avlona, des trente mille qui avaient traversé la frontière, il ne restait que quinze mille garçons.

Il est inutile de tenter d'expliquer leur souffrance. Quinze mille étaient morts en route, et ceux qui virent la mer et les bateaux n'avaient plus rien d'humain que leurs yeux. Et quels yeux!

Les Italiens d'Avlona ne pouvaient accueillir quinze mille personnes dans leurs centres hospitaliers. Ils ne pouvaient absolument pas permettre à ces garçons serbes couverts de vermine et porteurs de maladies contagieuses d'entrer dans leur ville. Ils les envoyèrent camper au milieu de la campagne près d'une rivière, leur fournissant toute la nourriture possible, des biscuits de l'armée et de la viande en conserve. Pour se désaltérer, les réfugiés n'avaient que les eaux de la rivière contaminées par les corps en décomposition qui y avaient été jetés.

Le temps que le navire qui devait les transporter à Corfu arrive, de quinze mille ils passèrent à neuf mille. Environ deux mille autres garçons moururent dans les vingt-quatre heures requises pour se rendre d'Avlona à Vido. Seulement sept mille atteignirent le camp situé dans l'orangeraie et l'oliveraie en bordure de mer sur l'île de Vido.

Les médecins français et serbes affectés au camp dirent que s'il y avait eu un lit pour chaque garçon, une quantité suffisante de lait et un large contingent d'infirmières, peut-être que des sept mille garçons réfugiés à Vido les deux tiers auraient pu être sauvés. Mais il n'y avait pas de lits, pas de lait, pas d'infirmières à Vido, et malgré le travail acharné des médecins, plus de cent garçons moururent chaque jour durant le dernier mois.

Quand un navire, le Saint-François d'Assise, accosta, les sur-
vivants y montèrent et les cadavres de leurs confrères aussi.
Comme il n'était pas possible de les enterrer sur l'île, ils devaient
être jetés à la mer, cette mer vers laquelle on leur avait donné
l'ordre de marcher. Les navires de guerre alliés qui les atten-
daient à Corfu mirent leurs drapeaux en berne, leurs équipages
se rassemblèrent sur le pont, tête nue, et présentèrent les armes.
Les survivants, couchés sur la paille en attendant leur tour de
mourir, se demandaient s'il s'agissait bien là de la mer et du
navire auxquels le seul leader serbe qui les avait accompagnés
jusqu'à la frontière avait fait allusion quand il avait levé son
bras et désigné l'ouest en leur ordonnant de marcher dans cette
direction.

— Irma a dû être témoin de scènes semblables, murmure Rose-
Lyn, remuée au plus profond de ses tripes de mère.

— Je ne peux m'empêcher d'imaginer Charles... lui confie Bob,
chamboulé.

Inquiets au sujet d'Irma, dont ils sont toujours sans autres nouvelles
que celles de l'évolution de la guerre en Serbie et des ordres d'évacuation données par les autorités serbes depuis décembre 1915, Rose-
Lyn et Bob craignent le pire.

De fait, Wilson décrète la rupture des relations diplomatiques
avec Berlin, et le 6 avril 1917 à 13 h 18, le Congrès vote la guerre. Or,
les États-Unis ne disposent que d'une armée de métier aux effectifs
réduits, dont les seules expériences de combat ont été acquises contre
les Indiens, les rebelles philippins, les Espagnols de Cuba ou les hors-
la-loi mexicains, et ils ne semblent guère capables de soutenir un
conflit lointain impliquant un engagement massif.

— Je ne serais pas surpris que, dans quelques mois, le Congrès
vote la conscription, dit Bob, qui lutte contre l'affolement.

— Les nouvelles reçues du Québec me portent à croire que
l'enrôlement va devenir obligatoire là aussi. Ça ne changera pas

grand-chose du côté des anglophones, mais du côté des francophones, quel drame !

— Vous arrive-t-il, maman, de craindre que cette guerre n'emporte
un des nôtres ?

— Une des nôtres, surtout... rétorque Rose-Lyn, dont la voix
s'est éteinte.

❧

Après trois semaines de détention, la D^{re} Levasseur et son équipe sont
informées de leur libération et de leur exode vers le Monténégro, ce
pays limitrophe de la Serbie, d'un côté, et de la mer Adriatique, à
l'ouest. Le départ se fera en pleine nuit et le plus discrètement possible.
L'interprète précise qu'il faudra se rendre d'abord à Krushevats, plus
au sud, pour bifurquer ensuite vers Kraljevo, au nord-est. Peu habituée
à ces noms, Irma s'inquiète, ne sachant si on les dirige vraiment vers
le Monténégro.

— On s'en éloigne un peu, mais ce sera plus sécuritaire, lui
apprend-on.

À bord d'un train déglingué, Irma retrouve avec bonheur ses
deux aides serbes, Ludovik et Korka, ainsi qu'Amadeus, ses deux
confrères autrichiens et Gertrude, l'infirmière de la Croix-Rouge.

— Le Dr Bourgeault n'est pas avec vous ? leur demande-t-elle,
anxieuse.

— Il serait parti dès la première semaine, ils ne savent où, ni
pourquoi, ni comment, lui apprend Korka.

La déception d'Irma prend un goût amer. Son regard se dirige vers
Nikola, Amadeus et Bora, les trois prisonniers autrichiens fidèles au
rendez-vous. Son dépit est tel qu'elle les échangerait cent fois contre
Victor Bourgeault. La haine monte jusque dans sa gorge, sur ses lèvres,
dans ses mains ouvertes, prêtes à étrangler le premier Autrichien
mis sur sa route. Ludovik reconnaît cette pulsion qui s'empare d'Irma.
Il l'a éprouvée plus d'une fois depuis le début de cette guerre.

— Ce n'est pas de leur faute, à eux autres, si votre ami n'est pas là, lui souffle-t-il à l'oreille. Il vous attend peut-être de l'autre côté de l'Adriatique ou dans le bateau...

— ... ça va aller, Ludovik. Ça va aller, rétorque-t-elle, exigeant le droit de boire sa coupe jusqu'à la lie.

Le plan d'évacuation exposé par l'officier serbe est simple : se rendre par train à Chupriya, pas très loin de Milanovats, pour se diriger ensuite vers le sud et, de là, bifurquer vers le sud-ouest afin d'atteindre Ipek et, plus au sud, Scutari, dernier poste avant le port de mer de Saint-Jean de Medua. Mais, pendant quinze jours, le groupe doit vivre dans un wagon de marchandises avec, comme seul répit, de rares haltes où les gens courent aux pompes pour se désaltérer. Des centaines de réfugiés s'accrochent au train. Ils sont si nombreux qu'il est inutile de bouger quand une bombe tombe ; aussi, il n'y a nulle part où se réfugier à Chupriya. Quatre heures plus tard, l'armée apprend qu'il est trop dangereux de tenter de rouler en ligne droite vers Kraljevo ; elle ordonne donc d'emprunter la route vers Krushevats. Un trajet qui devrait se faire en quatre ou cinq heures.

Assise sur sa botte de foin, Irma compte les heures, interminables. Condamnée à l'impuissance, elle ne trouve d'autre réconfort que d'écrire... des textes qu'elle n'adressera peut-être à personne, mais écrire.

Des milliers de blessés et de mourants arrivaient de partout. Encore à la faveur de la nuit, nous avons pris la route vers Krushevats sur ces trains dangereux conduits par de non moins dangereux mécanos enrôlés pour l'occasion et sans formation. La peur que j'y ai vécue a connu son paroxysme quand j'ai vu rouler la première tête, décapitée par une porte du train. Notre train a été bloqué à Trestenik, de mauvaises nouvelles étant venues de Kraljevo, considéré comme l'un des points les plus dangereux de Serbie. La décision fut prise de suivre l'Ibar. Impossible de trouver de la nourriture, encore moins pour les étrangers. Tôt le matin, des centaines de soldats blessés quêtaient déjà un morceau de pain. Affamés, mourants et morts, ils augmentaient d'heure en heure.

La vallée d'Ibar est une région sauvage d'une beauté incomparable, mais pendant les trois jours que nous avons mis à la traverser, elle a éprouvé notre endurance au point que nous ne la voyions même plus. La route longe une plaine puis suit les bords plus escarpés pour atteindre des sommets extrêmes taillés dans le roc. Dans l'entonnoir qui se déverse vers Rashka, le flot de réfugiés du nord de la Serbie s'engouffre. La famine court le long de cette route entretenue par des prisonniers autrichiens à qui ni pain ni quinine ne peuvent être fournis. La souffrance n'est pas moins grande du côté de leurs gardiens. Il ne leur reste souvent qu'un épi de maïs, dont ils comptent les rangs et qu'ils mangent crus ou bouillis si la chance leur fournit du feu. Parfois, ils croquent un ou deux rangs accompagnés de viande tirée de la carcasse d'un animal.

Un des spectacles à jamais incrustés dans ma mémoire est celui de cette voiturette de l'armée tirée par des chevaux et qui fut précipitée dans le vide avec ses occupants éjectés comme des brindilles; les chevaux se retrouvèrent suspendus à l'envers dans les arbres, jusqu'à ce qu'on les libère à la hache et qu'ils chutent dans la rivière plus bas.

Aux premières lueurs de l'aube, la ville est évacuée dans le plus indescriptible chaos. L'Amiral croisé au détour d'une rue les somme du haut de son fiacre de se rendre à Ipek par la route de la plaine du Kosovo.

Ludovik et Korka ont le cœur gros. Cette plaine leur rappelle un passé glorieux.

— Vous auriez dû entendre mon grand-père en parler, dit Korka. Les Turcs ont été les plus traîtres... Vous voyez, maintenant? Pas un arbre sur la plaine du Kosovo! Même pas de quoi se faire un feu.

En arrivant dans la plaine en question, un déluge de réfugiés empêche tout mouvement vers l'avant et le convoi doit s'arrêter à la brunante dans un champ de maïs... pour y passer la nuit.

Ce qui s'offre à la vue d'Irma est si déchirant qu'il lui est impossible de dormir malgré l'accablante fatigue qui draine son énergie depuis des semaines, depuis des mois. De son mince bagage coincé entre elle et un mur du wagon, elle sort un crayon et un cahier à qui elle confie le trop-plein de l'horreur vécue.

Aujourd'hui, j'ai côtoyé le summum du sordide. À part quelques huttes de branchages, rien n'indiquait qu'aucun être humain ait jamais traversé le Kosovo. Les soldats fous se ruaient sur les animaux pour se nourrir de leur chair fraîche et encore chaude. Les enfants pleuraient et les réfugiés perdaient toute force malgré leur détermination à continuer. Des vieillards criaient après les femmes qui tiraient leurs enfants derrière elles. Des gens s'enlevaient la vie à l'aide d'un fusil abandonné. Des couples âgés quittaient de la route pour s'installer plus loin et rendre leur dernier souffle main dans la main, réconfortés de pouvoir être ensemble. De pouvoir mourir ensemble. Que j'ai mal à leur douleur!
Je ne connaissais pas les affres de la guerre. Je savais toutefois que nous approchions des limites de l'endurance humaine.

Le lendemain matin, la route est devenue un champ de munitions et d'armes. Ce que chacun porte ou traîne avec lui mine son énergie. Les jeunes hommes armés sans formation militaire et les soldats le comprennent et se délestent de cet excédent de poids qui les ralentit. Les réfugiés refusent de faire de même. Beaucoup d'entre eux, entremêlés à l'armée, poussent une petite charrette branlante contenant toutes les possessions familiales derrière un énorme canon tiré par quinze immenses bêtes. Soudain, une magnifique limousine apparaît et exige le passage. Des gens sont alors forcés de marcher dans les eaux sales de la rivière.

Irma écrit :

Pour la deuxième journée, je suis plongée au cœur d'une grande détresse humaine, à la différence qu'aujourd'hui j'ai vu de l'amour. J'en ai vu chez ces douzaines de paysannes qui tenaient dans chaque main celle d'un enfant dont elles guidaient les pas, et sur leur dos, elles portaient, à la manière indienne, un enfant trop jeune pour marcher. De vieux messieurs pliés en deux sous le poids des paquets étaient secourus par des jeunes filles non moins chargées. Des enfants de tous âges se faufilaient parmi la foule, sous les buffles et les chevaux, s'accrochaient aux automobiles. Certains pleurnichaient, d'autres riaient ou hurlaient.

Une étoile d'humanité dans le firmament d'atrocités qui couvre notre évacuation. Je vais essayer de dormir en ne pensant qu'à cette étoile.

Dans cette avancée vers le Monténégro, le convoi entre de plain-pied dans un immense camp de réfugiés. Plus de cinq mille chariots occupent la vallée et autant de feux de camp les illuminent tout le long de la rivière. Des dizaines de milliers de gens précédant les Bulgares et des dizaines de milliers de gens se sauvant des Allemands y sont rassemblés. Il y a des Turcs, des Albanais, des Monténégrins, des Serbes, des Anglais, des Français, des Russes et des milliers de prisonniers autrichiens, sans compter les morts couchés ici et là. Partout, les rues et les trottoirs sont encombrés d'animaux morts.

Ludovik s'inquiète pour Irma.

— Je peux vous obtenir une place confortable pour la nuit.

— Ce mot n'existe pas ici, Ludovik.

— Oui, pas loin d'ici, on a l'impression de tomber dans un autre univers.

Irma se demande si Ludovik hallucine sous le poids du chagrin, de la faim et de la fatigue. Korka intervient :

— C'est dans un harem. Les femmes réfugiées y sont bien accueillies.

— Un harem ? Vous n'y pensez pas !

— Les Turcs se montrent très courtois envers les femmes, soutient Ludovik.

— Je vous remercie, mais je ne suis pas venue en Serbie pour obtenir un traitement de faveur.

Le moment venu de quitter cette plaine, Korka l'embrasse du regard d'est en ouest et dit avec une infinie tristesse :

— Ce qui a été un pays est maintenant un désert, peuplé de gens et d'animaux morts, sans eau, sans vie économique, sans la moindre trace de bonheur.

→-←

À quelques heures du pont qui délimite la ligne entre la Serbie et le Monténégro, un vent d'espoir souffle sur le convoi. À Ipek, un monastère accueille les réfugiés. Les derniers arrivés attendent patiemment leur tour de venir s'y laver, s'y reposer et se mieux nourrir. Irma et sa petite équipe médicale s'y attardent. Tant de blessés et de malades à soulager. Faute de moyens, Irma ne peut leur prodiguer que des soins élémentaires. On manque de médicaments, de matériel pour faire des pansements, d'analgésiques, de quinine, de tout.

— Ce qu'on aura fait pour eux les aidera à traverser la frontière... soutient Irma devant Gertrude, complètement épuisée et fiévreuse.

L'entrée fracassante d'un officier dans le monastère sème la panique. Il vient porter l'ordre des généraux d'armée de quitter Ipek dans les plus courts délais. « Dernière épreuve avant de toucher le sol italien », se dit Irma, forcée d'y croire pour ne pas perdre le peu d'énergie et d'optimisme qu'il lui reste.

Les événements lui donneront raison. Lorsqu'elle trouve des conditions favorables pour écrire, Irma adresse une longue lettre à sa parenté new-yorkaise.

Le 6 mai 1917

Mon très cher Bob,
Mon petit Charles adoré,
Précieuse tante Rose-Lyn,

Jour anniversaire de mon départ de New York pour la Serbie. Quelle coïncidence!

Cette fois, je suis presque totalement sûre que ma lettre se rendra à New York. Demain, ou après-demain, un bateau devrait venir nous chercher pour nous emmener en Italie. De là, plusieurs d'entre nous prendrons la direction de la France. J'ai appris par la Croix-Rouge qu'elle avait perdu beaucoup de soldats lors de la bataille de Vimy et que des centaines ont été grièvement blessés, sans compter les civils et les enfants qui écopent dans cette guerre. Aussi, j'ai une dette de reconnaissance envers les infirmières de la Croix-Rouge pour leur fidèle soutien en Serbie et pour leurs délicates attentions quand mon corps n'obéissait plus à ma volonté.

Dorénavant, il nous sera donc plus facile de communiquer. J'ai tellement hâte d'avoir de vos nouvelles! Dès que j'aurai l'adresse de l'hôpital où je serai affectée, je vous la ferai connaître.

J'ai beaucoup écrit depuis un mois. Je pense ne jamais montrer ces textes ni même les relire, pour ne pas revivre l'horreur... Installée dans un ancien entrepôt où sont alignés des sacs de maïs qui nous servent ou de lits ou de tables ou de sièges, selon les besoins, je retrouve assez de confort et de tranquillité pour vous écrire.

J'ai le goût de vous faire part de ma sortie de la Serbie. Elle n'a pas été des plus faciles, mais l'aboutissement a été à la mesure de mes attentes. Pendant ce long périple en montagne et par des sentiers cahoteux, j'ai vu pour la première fois les soldats serbes travailler sans rire ou chanter. Ça m'a fendu le cœur de voir l'un d'eux pleurer à chaudes larmes après avoir reçu l'ordre de détruire son fusil. Tout ce qui ne pouvait être transporté devait être laissé derrière soi. Un spectacle de destruction massive que je n'aurais jamais pu imaginer. Des canons géants ont été démolis par de puissants explosifs, les carrioles et chariots flambaient, les automobiles aussi, quantité de limousines arrosées de kérosène ronflaient sous la puissance du brasier avant d'exploser et d'être réduites en ferraille. Des soldats

recevaient l'ordre de pousser ces carcasses d'autos au bord de
la falaise et de les jeter dans la rivière. Les Fiat et les Cadillac,
les voitures françaises, tout y passa. Je regardais bouillir cette
rivière, navrée de constater qu'elle emportait avec elle des pages
d'histoire. Les wagons aussi ont été détruits sur place. Les soldats
durent trouver des chevaux pour continuer notre évacuation
par les montagnes. Ces bêtes, trop peu nombreuses pour transporter les réfugiés, étaient plus malingres et écorchées les unes
que les autres. Il était très difficile d'installer les selles de bois
chargées de vivres sur leurs dos à vif. À part le minimum nécessaire pour les premiers soins, nous avons ramassé tout ce qui
restait de pain, thé et café, sucre, petites boîtes de conserve et
de lait condensé, et de fromage. Nous avions été avisés que, trois
jours plus tard, nous serions sortis d'Ipek. Nous les avons crus.
On nous a dit qu'il y aurait là un train qui nous emmènerait
à Skutari. Nous les avons crus.

Un Monténégrin du nom de Moustafa avait été engagé comme
guide pour la traversée, c'était un expert dans l'art difficile de
charger et de seller un cheval. Au tout début de la piste, à l'ouest,
un torrent déferlait de la montagne et son rugissement était
si fort qu'on ne pouvait plus s'entendre parler. La piste défi-
lait le long de murailles de mille pieds nous surplombant, et
plus loin, à travers une pinède, on apercevait une rangée de
montagnes éclatantes. De là, de manière ténue, nous pouvions
entendre gronder le canon. Ce fut la dernière fois. Une heure
plus tard, ce son ne nous parvenait plus. Par contre, le risque
de trébucher dans un précipice était grand.

Le quatrième jour, les pieds dans la boue comme je ne veux
plus jamais en voir, nous atteignions le paradis promis pour
n'y trouver aucune provision. À cause d'une inondation, pas
un train, pas une automobile ne se rendraient jusqu'à nous.
Nous allions devoir amorcer une marche de neuf jours, espérant chaque jour que le prochain nous verrait progresser en
automobile ou en chariot. Ces neuf jours eurent raison de ma
cheville affaiblie. Je n'ai pas eu d'autre solution que de conti-

nuer la route à dos de cheval. Ma cheville faisait moins mal, mais cette monture me causait d'autres inconforts. Je suis aussi maigre que le cheval qui me portait. Pendant cette succession monotone de jours à espérer voir l'Adriatique, à se demander comment nous la traverserions, la mer était devenue le principal sujet de conversation. Elle occupait toutes nos pensées. Vous dire ce que j'ai ressenti quand enfin une brise tempérée, le souffle chaud de l'Adriatique, est venue jusqu'à moi ? Impossible. Je peux juste comparer ce grand bonheur à celui que j'ai ressenti quand ma mère m'a rouvert les bras après vingt et un ans d'absence. Toutes ces heures à pleurer, tous ces jours à l'attendre, toutes ces années à espérer la voir... vivante étaient derrière moi ; comme en ce jour de libération où les envahisseurs et les canons se trouvèrent derrière nous. Au bout de la très belle route se déroulant devant nous, la mer ! Comme au bout de cet autre périple où le pire de ma souffrance était emprisonné dans ma poitrine, je trouvai Phédora, MA mère.

Pendant des semaines, la mer avait été l'objectif à atteindre, un but réaliste pour nous, un rêve impossible pour les cent mille mourants que nous laissions derrière. Aussi étrange que ça puisse vous paraître, j'avais de grands deuils à faire en échange de cette traversée en France. Une grande amitié s'était développée entre mes interprètes serbes, mes assistants autrichiens et une femme, serbe elle aussi, dont la fidélité et le dévouement étaient de tous les instants. Le plus éprouvant de tous mes deuils fut celui d'un camarade médecin qui m'avait toujours assistée et dont j'avais perdu la trace depuis notre séjour en prison. Nous, les femmes, étions séparées des hommes, bien sûr, et quand nous avons été libérés, il n'était plus là. J'ai bien peur que sa bravoure ne se soit retournée contre lui et qu'il n'ait été fusillé. Si vous lisez les journaux régulièrement, peut-être avez-vous été informés de sa mort ou le serez-vous dans les prochaines semaines. Son nom : Victor Bourgeault, un Canadien-français né en 1863. J'ai travaillé avec deux autre médecins originaires du Québec : les Drs Albiny

*Paquette et Arthur Mignault. Ils ont quitté la Serbie depuis plus
d'un an, dès que le premier ordre d'évacuation a été donné.
Peut-être sont-ils déjà rentrés au Canada, sains et saufs.
À vous trois et à mes petits protégés, je dis : oui, nous nous
reverrons.*

Irma

Ces papiers pliés en quatre remplissent une enveloppe qu'Irma
adresse à Bob, en se demandant quand et comment elle lui parviendra. « J'ai du mal à me souvenir des visages d'Edith et de Harry
tant je m'ennuie d'eux. Ils ont dû changer en deux ans. Charles
aussi », se dit-elle en regardant ses bras vides qu'elle croise sur sa
poitrine, en attendant... Prendre l'air tout en ménageant sa cheville n'est pas simple mais vital. L'espoir de survivre se nourrit
de la vue de cet estuaire et du chant des vagues qui viennent
lécher le sable. Il faut éviter de porter son regard vers le sud, vers
ce cimetière de navires. Des Monténégrins ont raconté que le dernier cargo entré d'Italie, huit jours plus tôt, et chargé de nourriture
a été éventré comme les dix autres par des torpilles autrichiennes.

— Comment se surprendre que d'autres bateaux tardent à prendre
la mer en direction du Monténégro ? rétorque Gertrude, dont le moral
se maintient à marée basse.

— Ceux qui nous l'ont promis sont bien informés, fait savoir l'interprète de Nikola, saisi par la mine déconfite de la jeune infirmière.

Du coup, il leur apprend qu'un autre groupe de réfugiés devrait
arriver bientôt. Que pour leur donner une chance, il faudra peut-être retarder le départ du navire. Éprouvée par tant de déceptions
et de mésaventures, Gertrude n'y voit qu'une arnaque de plus.

— Je te gage qu'ils ne savent pas s'il viendra d'autres bateaux
par ici, lance-t-elle en s'adressant à Irma.

— Repose-toi sur ma conviction, Gertrude. Ne pense plus. Essaie
juste de te reposer.

— Comment peux-tu encore leur faire confiance ?

— Tu vois la surface lisse de la mer ? Laisse glisser dessus ton vœu le plus cher jusqu'en...

— ... jusqu'en France, murmure Gertrude.

— Essaie de dormir maintenant. Je reste près de toi. Je vais surveiller. Je te réveille aussitôt que je vois arriver le bateau.

Sur le point de s'endormir elle aussi, Irma porte ses mains en œillères de chaque côté de son visage. Derrière elle, une vague de murmures qui se lève, devant elle, une tache sur l'Adriatique. Des mâts. Un drapeau italien. Les chuchotements inquiets, avalés par les cris de réjouissance, réveillent Gertrude.

— Qu'est-ce qui se passe ? demande-t-elle, affolée.

— Il s'en vient. Regarde. Il mouille droit devant nous.

Les deux femmes s'étreignent en pleurant. Leur joie est à la mesure des peurs qui les ont hantées depuis deux ans, dont celle de ne jamais sortir vivantes de cette terre dévastée. Forcées d'abandonner là ce que leur dos ne peut transporter, Irma et Gertrude se glissent dans la marée humaine qui a repris vigueur.

Le *Toranto* avance, protégé par un escadron fort armé. De quoi dissuader les sous-marins ennemis qui oseraient s'en approcher. De la plage, une vague hétéroclite de chariots, de gens à pied, de grabats roulent vers le quai. Le navire jette l'ancre. Étrangers et réfugiés serbes retiennent leurs applaudissements de peur que... Enfin, un officier leur fait signe de monter. Irma redescend pour porter secours à une vieille dame qui semble incapable de marcher seule.

— Je garde ta place, promet Gertrude, qui a trop peur de ne plus trouver la sienne si elle ose la quitter.

Il n'y a déjà plus de places assises. Un entassement se prépare sur le pont. « Dépêche-toi, Irma ! » crie Gertrude, les mains en porte-voix.

Mais une caravane apparaît à une demi-heure de marche derrière elles. D'autres réfugiés qui réclament du secours.

— Il faut faire vite, ma petite dame, si on ne veut pas que le bateau parte sans nous, dit Irma, sachant que peu importe la langue, la dame comprendra l'urgence de ramasser toute son énergie pour atteindre le quai et mettre le pied sur le pont du navire. Deux jeunes Serbes clopinant se portent à leur secours ; leurs bras se sont joints pour offrir un siège à l'infortunée et la transporter sur le bateau. La tension devient intense. Les passagers sont refoulés par la montée du deuxième groupe de réfugiés. Irma sait qu'elle pourra retrouver Gertrude. Debout tout près de la passerelle, elle agrippe les barreaux de fer de la rambarde, croise ses pieds autour de la batayole pour ne pas être emportée ou blessée par la bousculade des passagers. De là, elle peut voir l'effet de l'instinct de vie dans sa plus pure expression. Il n'y a plus ni amis, ni frères, ni sœurs. Il n'y a que des sinistrés en quête de bouées de sauvetage. Au milieu de cette meute de Serbes qui poussent pour monter à bord, une casquette d'officier fait saillie. Un port de tête qui ressemble à celui de... « Mais la chevelure et la corpulence ne sont pas celles de Victor Bourgeault. Tourne donc ta tête vers moi... » l'en supplie Irma. À la seconde près, il le fait. Ses yeux ! « C'est lui ! » À la main d'Irma qui s'agite, qui l'appelle dans sa direction, il répond par un sursaut d'étonnement, de scepticisme, puis naissent un sourire lumineux et un empressement à se faufiler, de force ou de gré, jusqu'à elle. Leur étreinte fait fi de leur chevelure hirsute, de leur allure déguenillée et de l'odeur fétide de leur corps.

— Je te pensais morte !

— Moi aussi, j'ai eu peur que tu sois tombé sous les balles ou dans une tranchée. Mais où étais-tu ? Qu'est-ce qui t'est arrivé ?

— J'ai commis une bêtise. Je pensais que pas un garde ne veillait et j'ai essayé de traverser du côté de la prison des femmes pour te voir. Ils m'ont pris pour un espion.

— Qu'est-ce qu'ils t'ont fait ?

— Je te raconterai, mais pas maintenant. Savourons ce moment que je n'espérais plus vivre... On est là, tous les deux, Irma.

— J'ai peur de rêver et de...

— ... me réveiller dans la boue d'une tranchée, avec le risque d'être piétiné à chaque seconde. Oh, non ! Plus jamais !

— Plus jamais la guerre, Victor !

— Viens, Irma. Ton dos contre ma poitrine. Plus personne ne pourra te faire de mal. Dans une dizaine d'heures, nous goûterons à l'Italie.

— Puis, la France.

Du pont sur lequel ils se tiennent debout, faute d'espace pour s'asseoir, Irma et Victor regardent le quai noirci par la foule de réfugiés qui réclament en vain une place à bord. Au-delà du grincement de la chaîne de l'ancre qui remonte, le bruit de la foule déçue leur parvient et, dans la demi-pénombre, les groupuscules un peu fantomatiques sur fond de navires coulés leur donnent l'impression qu'ils ne verront jamais l'Italie. Laisser derrière eux cette armée et ces gens leur semble tenir à la fois de la haute trahison et de la désertion.

— Le fait de ne plus rien pouvoir pour eux me brise le cœur, dit Irma, détournant son regard de cette tragédie.

— Si une torpille nous trouvait, la situation serait pire encore, réplique Victor. Je ne compte plus les fois où j'ai frôlé la mort ces deux dernières années.

— Je ne pourrais compter le nombre de cadavres que j'ai recouverts de chaux et enterrés depuis que j'ai mis les pieds en Serbie.

— Tu es la seule femme que je connaisse qu'on a voulu sauver et qui a choisi de rester au service des blessés, quitte à en mourir.

— On ne réalise pas ça quand on se laisse prendre par son métier.

— Tu es d'un courage exceptionnel, Irma. Je me demande encore par quel miracle tu n'as pas attrapé le typhus.

— Tu l'as dit. C'est un miracle. J'en vois sur ce bateau qui n'ont pas eu notre chance.

À bord du *Toranto* se trouvent quelques médecins, des centaines de soldats, des civils blessés et une centaine de femmes, des Françaises, des Russes, des Anglaises et une Canadienne française, Irma LeVasseur. Les blessés étendus sur les ponts sont si nombreux qu'il est impossible de faire un pas. En haute mer, où les eaux sont agitées, les neuf dixièmes d'entre eux sont tellement malades que la scène, même au clair de lune, ne perd rien de son horreur.

Il est dix heures trente du matin quand le navire jette l'ancre au port italien de Brindisi. Il y a tellement de formalités à remplir que les passagers doivent rester à bord jusqu'à trois heures de l'après-midi et encore une heure à attendre par terre avant de pouvoir entrer dans la ville. La police encercle le périmètre et les gens dévisagent les réfugiés comme autant de curiosités. Il n'y avait aucune nourriture à bord et la plupart des passagers n'ont pas mangé depuis le matin de la veille. Plusieurs en sont réduits à humer l'odeur sortant des boulangeries sans pouvoir s'en approcher tant les premiers passagers s'y sont précipités.

Le groupe est dirigé vers la gare une heure avant le départ du train. Tous ceux qui sont encore capables de marcher se ruent vers un bâtiment qui tient à la fois du restaurant et du marché d'alimentation. Les piles d'oranges, de raisins, de pommes et de bananes ont de quoi rendre fous ces gens qui n'ont rien avalé de décent depuis des mois. Trois cents personnes affamées cèdent à la séduction des comptoirs garnis de saucisses et de boîtes de sucreries et de fruits séchés. Quand le train arrive, le restaurant n'en porte plus que le nom.

Une fois de plus, on se rue vers les wagons. Des places sont disponibles pour les deux tiers des passagers. Allongés dans les couloirs, dans les vestibules et sous les sièges, enroulés dans des couvertures de l'armée, tous dorment à la dure pour la dernière fois, espèrent-ils. Irma et Victor échangent leur tour de reposer leurs jambes et de prendre une heure ou deux de sommeil. À bord de cet express pour Milan, un engourdissement les gagne, plus fort même que l'excitation du retour.

— J'ai l'impression de traîner avec moi le froid du Kosovo, la faim de Prizrend et le désespoir des montagnes, confie Victor qui n'arrive pas à goûter le minimum de confort qui lui est offert.

— Qu'est-ce qui t'est arrivé avant ta montée sur le *Toranto*? lui demande Irma, anticipant le récit d'un sort plus tragique que celui qu'elle a connu.

— On marchait depuis quatre heures du matin, entre la vie et la mort, quand un cavalier serbe est venu nous dire que le navire arrivé le matin partirait à minuit tapant pour éviter les torpilleurs et que Dieu seul savait quand le prochain bateau pourrait voguer sur ces eaux. Nous avons ramassé tout ce qui nous restait d'énergie dans nos os et nos muscles endoloris pour ne pas manquer ce bateau.

L'épuisement passe dans la voix de Victor. Une pause porte sa réflexion.

— On ne peut comprendre l'importance de cette annonce qu'après avoir subsisté sans toutes ces choses que la civilisation nous procure pour la rendre moins pénible. L'Italie à dix ou douze heures de distance ! J'étais au bord de l'hallucination. L'Italie, où je pourrais trouver de la nourriture fraîche et propre en quantité illimitée. Où je pourrais me régaler encore et encore. N'avoir plus, ne serait-ce que pour trois ou quatre jours, que le seul souci de manger avant d'aller me coucher. Prendre un bain chaud après avoir vécu deux ans dans des conditions primitives. Ajoute à cela le froid, la saleté, la vermine, l'anxiété liée au manque total de nouvelles et la peur que l'Adriatique soit un obstacle insurmontable...

— Je comprends ce que tu as ressenti d'excitation mais aussi d'angoisse en apprenant qu'un cargo pourrait t'emmener en Italie si tu arrivais à temps, dit Irma, se considérant comme privilégiée de n'avoir eu que deux jours et deux nuits à l'attendre, ce navire de l'espoir.

— Que d'images on ne pourra jamais sortir de notre tête !

— Il y en a que j'aimerais conserver si je pouvais les revivre sans avoir trop mal.

— Tu en as une en tête ? lui demande Victor, un coude sur le plancher du wagon, la tête nichée dans le creux de sa main.

— C'était dans une brunante sombre et froide. Nous étions une centaine sur un sentier montagneux quand j'ai aperçu un homme étendu sur du foin moisi et détrempé. Je me suis approchée. Il était recouvert d'une peau de vache couverte de saloperies. Il était blessé. Tout près de lui, un petit feu misérable. Une flamme qui lui a probablement survécu. Très près, les fusils des Serbes et de l'ennemi se livraient un duel très actif. Sentant ma présence, il a levé une paupière pour me saluer. À ma grande surprise, cet homme parlait anglais. Je lui ai demandé si je pouvais faire quelque chose pour lui. « Tout a été fait quand on meurt pour son pays », qu'il m'a répondu, à bout de souffle. Puis, de peine et de misère, il a ajouté qu'une vie sacrifiée pour une nation qui n'a pas perdu son individualité par-delà cinq cents ans de lutte, ce n'est rien. J'ai senti que l'infortune de son peuple était vécue avec une tristesse profondément personnelle. Je ne pourrai jamais oublier le patriotisme exemplaire des Serbes, ni leur bravoure, encore moins cette endurance qui dépasse l'entendement.

Victor l'a écoutée avec un respect empreint d'émotion.

— Je pense que leur foi en la liberté et leur dévotion pour tout ce qui est juste et honorable méritent un destin glorieux, murmure-t-il comme on dévoile un testament spirituel.

❧-❦

Le 17 mai 1917, la D^{re} LeVasseur et son collègue Victor Bourgeault touchaient le sol français avec une émotion décuplée.

Ce vœu exaucé, le retour ne s'est pas fait sans peine. La France a connu les affres de la guerre et elle tremble encore sous la menace d'assauts ennemis. Tout comme en Serbie, Irma doit apprendre à compter les morts. Plus de 300 000 soldats français et allemands ont trouvé la mort dans la bataille de Verdun. Soixante-huit des cent douze divisions ont été touchées, plus de six cents soldats ont été condamnés et cinquante d'entre eux ont été fusillés... pour l'exemple. « La solidarité et le patriotisme ne sont donc pas dans le cœur de tous les soldats », découvre Irma, désillusionnée.

— La guerre, pas plus que la vieillesse, ne change la nature de l'homme, riposte Victor.

D'autre part, apprendre que les États-Unis sont à leur tour entrés en guerre l'a bouleversée. De fait, à la fin de juin, les premières troupes américaines sont débarquées dans la Loire, à Saint-Nazaire.

À l'instar des plans militaires constamment déroutés, les projets d'Irma sont chambardés. Son affectation dans un hôpital de la Croix-Rouge est différé, l'hôpital de Joinville-le-Pont n'ayant pu être construit à la date prévue. Elle restera donc à Saint-Cloud pour travailler à l'Hôpital stationnaire n° 4 devenu Hôpital général n° 8. De s'y rendre en compagnie du Dr Bourgeault et d'y retrouver le Dr Mignault ainsi que d'autres médecins et infirmières du Canada l'en consolent.

— Je ne suis pas surprise que vous ayez choisi un hippodrome pour y installer votre hôpital, admet Irma au Dr Mignault,venu les accueillir sur le site.

— Votre passion pour les chevaux a donc survécu à la guerre, ajoute le Dr Bourgeault, encore incertain de l'hôpital où il choisira de travailler.

Tous deux sont étonnés d'apprendre que l'Hôpital stationnaire n° 4 de l'Université Laval a vécu une colocation avec celui du Dr Mignault jusqu'au début de cette année 1917.

— Pourquoi n'est-il plus ici ? s'inquiète Victor.

— Quand l'équipe de Laval s'est présentée, en janvier 1916, elle ne savait pas que mon hôpital était installé ici depuis le 17 novembre 1915, et moi, je n'avais pas été prévenu de leur arrivée. Il n'y avait rien de préparé pour les recevoir. J'ai fait mon possible pour bien accueillir tout le personnel. On a visité les lieux et, ensemble, on a décidé de l'endroit où ils installeraient leur hôpital. Mais c'était évident que cette colocation ne plaisait à personne, surtout pas au sous-colonel Beauchamp. Il a tout fait pour que les autorités lui offrent un autre site pour son hôpital.

Le regard d'Arthur Mignault s'est embrumé. Victor imagine que de mauvais rapports ont pu être rédigés sur Mignault.

— Il l'a eu. Le gouvernement français mandatait Beauchamp et son équipe en Champagne pour prendre en charge une station sanitaire de mille quatre cents lits. Nous avions cohabité pendant un an. Un an de trop, je dirais.

Les relations entre les deux équipes médicales s'étaient envenimées au point que les journaux français soulignaient leur rivalité.

— Dommage ! laisse tomber Irma. C'est un si bel endroit !

Le bâtiment de l'hippodrome de Saint-Cloud logeant l'Hôpital général n° 8 était impressionnant, avec ses trois étages d'une architecture toute en dentelle et sa grande allée paysagée.

Avec sa verve légendaire, le Dr Mignault, féru d'histoire, fait à la D^{re} LeVasseur et à son collègue Bourgeault le récit de son épopée depuis l'automne 1915 :

— Partout en France, on connaît l'hippodrome de Saint-Cloud. Avant que ses terrains deviennent un champ de courses en 1901, ce site portait le nom de Domaine de Fouilleuse. C'était une terre seigneuriale avec une ferme modèle créée par Napoléon III. Elle est devenue un lieu d'affrontements sanglants entre soldats français et prussiens en 1871, puis une colonie pénitentiaire pour jeunes délinquants. Mais ce site n'était pas mon premier choix.

Victor se montre sceptique.

— J'aurais préféré le Château de Sceaux avec son grand parc. Mais il semble que l'eau aurait fait défaut. Et Dieu sait comme c'est important pour un hôpital.

L'intérêt de ses deux collègues lui étant acquis, il leur confie avec une certaine amertume ses débuts à Saint-Cloud :

— Quand je suis venu m'installer ici avec ma première équipe, j'ai trouvé tout l'équipement non déballé, laissé derrière par une équipe partie à la hâte pour Lemnos. Un travail colossal nous attendait. Imagine un peu ! Les Français avaient déposé sur place tout le bois nécessaire à la construction des huttes qui devaient servir de salles mais pas une n'était montée. On a dû creuser plus de deux kilomètres de tranchées pour les égouts. La construction des bâtiments, les installations électriques, tout a été fait par le personnel de mon hôpital mais selon les plans conçus et approuvés, par qui pensez-vous ?

Irma se limite à un hochement de tête. Victor choisit le silence.

— Par le Génie français, on sait bien.

— C'était un peu normal. Mais vous vous êtes repris en baptisant vos huttes, riposte Irma en décrochant un sourire malicieux au Dr Mignault.

Pour ne citer que Maisonneuve, Québec, Montréal, Wolfe, Montcalm, Trois-Rivières, toutes portaient des noms familiers aux Canadiens français.

— Nous avons reçu notre premier convoi de blessés le 17 mars 1916.

— D'où provenait-il ? demande Victor.

— De Verdun. Il a fallu ajouter des huttes et j'ai dû emprunter du personnel de l'Hôpital général n° 6, celui de nos collègues de l'Université Laval, tant il y avait de blessés à soigner et de travail à faire. J'ai obtenu une centaine d'hommes et une quinzaine d'infirmières à qui je lève mon chapeau.

— Pourquoi votre hôpital a-t-il perdu son titre d'Hôpital stationnaire canadien n° 4? Vous étiez d'accord? s'inquiète Irma, au rappel encore douloureux du remplacement de l'HÔPITAL DES ENFANTS MALADES en celui de l'hôpital Sainte-Justine.

Non sans fierté, Arthur Mignault apprend à Irma qu'en prévision d'une possible augmentation des activités, non seulement le statut de cet hôpital a changé mais des honneurs ont été rendus au Dr Mignault : promu colonel, Arthur Mignault a été aussi nommé premier officier supérieur médical canadien à Paris.

— Ah, je comprends! réplique-t-elle, réjouie des égards accordés à son collègue.

Avec l'augmentation du nombre de lits et des responsabilités, l'hôpital du Dr Mignault avait un grand besoin de personnel supplémentaire.

— Les autorités de l'hôpital Laval n'ont pas bien accueilli l'ordre de m'envoyer une quarantaine de personnes, explique Arthur, annonçant du même coup que le Dr Albert Lebel avait été nommé pour le remplacer au poste de commandant de cet hôpital.

Originaire de Québec, vétéran de la campagne de la Rébellion du Nord-Ouest de 1885, Albert Lebel s'était enrôlé dès 1914 au sein d'un autre hôpital stationnaire avant de rejoindre celui du Dr Mignault. Curieusement, au cours des six premiers mois de cette année 1917, l'Hôpital général n° 8 a reçu moins de patients que prévu et sa réputation s'en est trouvée entachée.

À Victor Bourgeault qui en demande la cause, il soutient :

— Des jaloux ont prétendu que mon équipe manquait de discipline et que ma gestion laissait à désirer...

De telles allégations ajoutent aux doutes que Victor entretenait quant à la perspective de travailler sous la houlette de ce collègue. «Dans une semaine ou deux, je serai en mesure de décider», prévoit-il.

— Je sais aussi que mon choix de ne pas vivre auprès de mes subalternes mais d'installer mes bureaux à l'Hôtel de France, à onze kilomètres d'ici, n'a pas été bien vu par tout mon personnel.

— Pourquoi ne pas habiter sur place ? questionne Irma, un reproche dans la voix.

— C'est mieux ainsi, à cause de mon titre d'officier supérieur médical des deux hôpitaux. Je ne veux pas être accusé de favoriser l'un plus que l'autre. Je me rends aux deux chaque jour. D'autre part, je trouve important de ne pas m'éloigner des autorités françaises.

— À ce que je vois, la compétition entre médecins est aussi présente à l'étranger qu'au Canada, dit Victor.

— Même en temps de guerre ? s'étonne Irma.

— Même en temps de guerre ! On aurait pu s'attendre à ce que les deux seuls hôpitaux militaires canadiens-français entretiennent la meilleure des collaborations et des relations cordiales. Que mon hôpital ait obtenu le statut d'hôpital général, ajouté au fait que des officiers, des infirmières et des soldats de l'hôpital Laval m'aient été prêtés ont créé une grande tension entre les deux groupes, je dirais même une rivalité malsaine, a-t-il tenté d'expliquer à Irma pour taire les rumeurs négatives à son endroit. Georges-Étienne Beauchamp a eu tort de penser que je voudrais garder son personnel, ajouta-t-il, visiblement affecté.

— Ça ressemble à une chicane de famille, fait remarquer Irma, sans cacher sa déception.

— J'ajouterai même qu'elle s'est nourrie des querelles entre universités canadiennes-françaises.

— Qu'est-ce que vous voulez dire ?

— Je ne suis pas un diplômé de Laval mais de sa rivale, l'École de médecine Victoria.

S'il est une situation qu'Irma n'avait pas prévue, c'était bien celle de se retrouver au cœur d'un conflit qui s'apparente à celui qu'elle a vécu à Montréal dix ans plus tôt : les Drs Mignault et Beauchamp à couteaux tirés.

— J'espère que ce climat d'antagonisme n'est pas présent dans toutes les équipes médicales, souhaite-t-elle, annonçant du même coup à son collègue Mignault qu'elle n'est que de passage à son hôpital, le temps que celui de la Croix-Rouge soit prêt à recevoir l'équipe médicale et les blessés.

— Vous faites allusion à celui qui doit être construit par la Croix-Rouge à Joinville-le-Pont, à l'autre extrémité de Paris ? Mais c'est là que l'équipe de Laval doit aller s'installer.

— Ah, oui ? s'écrie Irma. Sous les ordres du commandant Georges-Étienne Beauchamp ?

— Tout à fait !

Une visite des lieux, au cours de laquelle le personnel de l'Hôpital général n° 8 est présenté aux deux nouveaux arrivants, a un effet persuasif sur le Dr Bourgeault. Il est fasciné par la salle de chirurgie, ses installations et la réputation de son chirurgien en chef, le Dr François de Martigny, qui a longtemps exercé sa profession à Paris. La présence du Dr Léo Pariseau, radiologiste, ajoute à son attrait pour cet hôpital en dépit des quelques points négatifs soulevés par son directeur.

Quant à Irma, peu de temps après son installation à Saint-Cloud, des rumeurs viennent à ses oreilles : les unes visent les infirmières, spécialement les Anglaises, accusées de tentatives de débauche auprès des médecins mariés et pères de famille. Une nouvelle à saveur de scandale l'affecte profondément : un médecin canadien-français a ouvert un cabinet privé à Saint-Cloud pour apparemment y soigner gratuitement les habitants français pauvres et est accusé, preuves à l'appui, d'avoir chargé des honoraires astronomiques à ses patients. Agacée par ces histoires, qu'elle considère comme des mesquineries, Irma se réjouit de constater qu'il lui suffit d'être en contact avec les blessés pour les oublier. Affectée à la salle de chirurgie, elle y passe de longues journées de travail en compagnie d'une équipe de chirurgiens exclusivement masculins. Dans de telles circonstances, faire exception ne l'importune point.

À partir de l'automne, l'hôpital reprend ses opérations à pleine capacité. Il n'est pas rare de voir arriver plus de cinq cents blessés à la fois. La D^{re} LeVasseur doit s'occuper de cas de maladies les plus diverses. Les pleurésies et les pneumonies sont nombreuses, mais il faut surtout apprendre à vivre avec des blessures de guerre presque intraitables, tel les néphrites, les brûlures par gaz et les amputations. Les plus fréquentes ont été causées par des éclats d'obus, par des balles ou par des baïonnettes.

En cette terre moins étrangère que les Dardanelles et la Serbie, des nouvelles sont arrivées du Canada. Certaines datent de cinq ou six mois. Ainsi, celle du naufrage du bateau français *Mont-Blanc*, chargé de 2 750 tonnes de munitions et d'explosifs, à la suite d'une collision avec un navire norvégien. Le 6 décembre 1917, l'explosion, qui a été perçue jusqu'à l'Île-du-Prince-Édouard, a fait à Halifax plus de 1 600 morts, 9 000 blessés et laissé plus de 6 000 personnes sans abri, dans un froid intense.

D'autres nouvelles sont venues récemment de ses proches; ses dernières lettres les ont rejoints par l'intermédiaire de la Croix-Rouge. Celle tant attendue des LeVasseur est écrite par Angèle, dictée en grande partie par Nazaire.

Notre chère Irma, à tous,

Ta lettre si attendue nous a causé, à ta tante et à moi, une joie énorme. Bien sûr qu'entre les lignes, nous sentons que tu fais beaucoup de sacrifices et que ton existence est très éprouvante, mais te savoir vivante nous a libérés d'un gros fardeau. Nous avons très hâte que tu viennes nous raconter ce que cette guerre t'a fait vivre.

Je passe la plume à ta tante, elle a de bons yeux, elle.

Je dicte les paroles de ton père : ma santé continue de décliner et c'est en grande partie la faute à la guerre qui m'a enlevé mon unique fille. Chaque jour et chaque nuit, ma chère Irma, ta pensée m'obsède. Je ne sais jamais si mon cœur souffre pour une vivante ou pour une morte. Reviens vite, ma chère petite Irma. Je crains de devoir quitter mon logis pour m'en aller dans une pension. Ici, à Québec, on n'entend ni canons ni fusils, mais le climat est devenu très déprimant. Sais-tu que, depuis le début de la bataille de Vimy, nous avons perdu des milliers de soldats ? Mais ce n'est pas ce qui m'attriste le plus. L'agressivité des

anglophones envers nous s'amplifie et devient de plus en plus
ouverte. J'ai demandé à ta tante de t'envoyer un article de
la Gazette *datée du 26 avril, tu vas voir que je n'exagère*
pas.

Irma interrompt la lecture de sa lettre pour prendre connaissance de l'article annoncé.

Aucune des explications fournies n'est suffisante pour effacer
le reproche qui pèse lourdement sur le Québec. Cette province
ne peut espérer adopter et suivre une politique différente de
celle adoptée et suivie par le reste du Canada. Les Canadiens
français ne peuvent espérer être dans la Confédération et hors
de la Confédération. Comme peuple, ils ont été, dans le passé,
très jaloux de leurs droits et privilèges, qu'ils défendent en vertu
d'anciennes garanties. Ces droits ne valent-ils pas la peine
d'être défendus? Les habitants du Québec veulent-ils, à l'avenir,
jouir de ces droits comme d'un cadeau, conservé par le sacrifice
des autres? Il serait étonnant que l'inertie du Québec face à
son devoir ne lui soit pas reprochée dans l'avenir.

Irma se propose de faire lire ces propos à son collègue Victor.
Mais elle s'inquiète de Paul-Eugène, dont elle n'a pas encore entendu
parler.

Je ne sais pas pour combien de temps encore nous pourrons
garder ton frère dans le droit chemin. S'il fallait que ton père
s'en aille vivre en pension, j'ignore ce qu'il adviendrait de ce
pauvre garçon. Je ne pourrai pas le faire vivre bien des années
encore, surtout s'il ne fait plus rien pour son père.
Ma petite Irma, je joins ma voix à celle de ton père pour te sup-
plier de revenir tandis que tu es encore en vie. (Ma petite voix
intérieure me dit que tu es épuisée mais que tu tiens le coup.)
Ton père me répète de ne pas oublier d'écrire qu'il t'admire

plus que tous les pères de la Terre ne pourraient admirer leur fille. Je sais qu'il est sincère.
Maintenant que tu le peux, donne-nous plus souvent de tes nouvelles. Me croiras-tu si je te dis qu'ici, chaque jour, on vit accrochés à l'espoir de recevoir une lettre de toi ou de te voir arriver ?

Sois prudente, ma chérie.
Tante Angèle

P.-S. Ton frère sait que tu es vivante et il t'espère de jour en jour.

« On dirait que Paul-Eugène n'a pas été informé de ma lettre. J'aimerais bien comprendre pourquoi », se demande Irma en reprenant la lecture du texte, en quête d'un indice... qu'elle ne trouve pas.

« Comme j'aurais aimé recevoir des nouvelles de Bob, aussi ! » Les plus beaux moments d'intimité vécus avec cet homme prennent le chemin de sa mémoire, vont jusqu'à son cœur, la possèdent... L'éloignement et les affres de la guerre n'en ont pas terni le souvenir.

❧

Le 21 juin 1918, Irma LeVasseur jubile. Une infirmière vient de lui annoncer que la construction de l'hôpital de la Croix-Rouge canadienne de Joinville-le-Pont, que l'on attendait depuis si longtemps, est terminée. Elle se prépare donc à déménager.

— Depuis plusieurs mois, des officiers, infirmières et soldats quittent Champagne et se dirigent par petits groupes d'éclaireurs vers les nouvelles installations de Joinville-le-Pont, lui a appris garde Trottier.

L'ouverture au public a eu lieu le 20 juin.

— L'équipe médicale de Laval a reçu de beaux témoignages, ajoute garde Trottier, encore touchée par ce qu'elle a vu et entendu. La semaine dernière, j'ai assisté à une belle réception donnée en l'honneur des officiers de Laval aux bureaux de la Direction du Service de santé français. L'état-major de la 20ᵉ Région et les médecins-chefs de la région ont sabré le champagne avec les officiers canadiens. Hier, le général de Buyer, commandant de la région, est venu remercier nos officiers, infirmières, sous-officiers et soldats et nous souhaiter un bon voyage. Il a encensé le colonel Beauchamp pour sa direction et remercié les médecins.

Un encouragement à la confiance pour Irma, qui se prépare à aller travailler sous son autorité.

— Je n'oublierai jamais ce qu'il a dit de nous, les infirmières : vous possédez tout le charme de la femme et toute la bonté de la sœur ou de la mère. Vous avez donné les soins les plus assidus et les consolations les plus réconfortantes aux malades en traitement.

— Je comprends votre émoi, dit Irma.

— Les Canadiens qui arriveront de Champagne amènent avec eux un bagage d'expériences et, surtout, une excellente réputation. Pendant les dix-huit mois de leur présence au sein de cet hôpital complémentaire, ils ont admis 14 185 patients, dont 9 485 sont sortis guéris, et ils ont pratiqué plus de 1 243 opérations.

— Le colonel Beauchamp a de quoi être fier, rétorque Irma.

— Justement, il a été fait chevalier de la Légion d'honneur. Il faut dire qu'avant même le départ officiel de l'hôpital Laval pour Joinville-le-Pont, le colonel Beauchamp et plusieurs de ses officiers ont fait la navette entre les deux villes pour bien préparer le transfert.

— Je serai des vôtres dans deux ou trois jours, promet la Dʳᵉ Levasseur.

Les adieux à l'équipe de Saint-Cloud sont difficiles. Les collègues ont été des plus courtois, professionnels et efficaces. Les ergoteries appréhendées ont fondu comme neige au soleil sous le zèle suscité par l'arrivée massive des blessés. Somme toute, cette expérience s'avère très positive pour Irma... plus encore pour Victor Bourgeault.

— J'ai décidé de rester à cet hôpital tant que la paix ne sera pas revenue en Europe, lui annonce-t-il alors qu'ils allaient se diriger chacun vers leur chambrette respective après une journée harassante à la salle de chirurgie.

— Puis, après la guerre? lui demande Irma.

— Je passerai sûrement par le Canada avant de piquer vers le sud.

— Vers le sud?

— Oui. Aux États-Unis.

Irma en a le souffle coupé. Elle espère des précisions. Victor s'en doute bien.

— C'est tout ce que je peux te dire de solide pour l'instant. Dieu seul sait si la guerre n'aura pas raison de nous.

— Elle n'aura pas raison de nous, Victor, riposte Irma, s'abreuvant dans ses bras à tout ce qu'il ont vécu de bon depuis mai 1915.

Ni l'un ni l'autre n'avaient prévu qu'au terme de cette causerie, ils seraient emportés par une vague où les inhibitions et les interdits allaient être balayés.

Un vertige passionnel auquel Victor n'a pu résister avant de dire adieu à cette « merveilleuse petite femme » au courage plus grand que nature.

— Depuis notre traversée à bord du *S.S. Metagama,* je t'ai admirée, Irma… comme on peut être fasciné par un papillon ou par un vase de pur cristal. On n'ose pas trop s'en approcher, encore moins le toucher. Mais cette nuit, Irma, tes grands yeux mouillés, la chaleur de tes mains délicates sur mon dos, toi, tout ton petit corps contre le mien m'ont fait perdre la raison. Je voudrais m'en excuser, t'en demander pardon, mais j'en suis incapable. C'est comme si l'on me demandait de renier les instants merveilleux que je viens de vivre avec toi dans mes bras. Toi, Irma, tout abandonnée, sans armes. Là, rien que pour moi.

Son regard mendie l'approbation d'Irma.

— Tu n'as pas à te tourmenter, Victor. Si j'avais des reproches à faire, c'est à moi qu'ils iraient.

— Tu regrettes?

— Tu ne m'as pas vraiment forcée, Victor. Tu as seulement fait sauter le barrage que j'avais installé dès l'arrivée des premières ondes amoureuses entre toi et moi. Mais...

— Pour toi aussi, il y a un mais, je sais.

— Il fallait peut-être que ça arrive... une fois.

— Tu souhaites que ce soit la seule, c'est ça ?

— Ce sera le seule, Victor. Si bienfaisante et agréable fût-elle, précise Irma.

Sa pensée s'est tournée vers Bob, le premier homme à l'avoir initiée aux plaisirs voluptueux.

Chapitre X

« Si Bob savait », se dit Irma, consciente que son amour pour lui ne s'est pas transmué en simple amitié. Au contraire, elle avait rêvé que cet homme lui rende visite en Europe. Sa grande affection pour le Dr Bourgeault et plus de quatre ans d'éloignement n'ont rien enlevé à la ferveur de ses sentiments pour son cousin. Irma le constate sans le moindre doute dès qu'elle l'aperçoit sur le quai de New York, là même où elle lui a fait ses adieux en mai 1915. Ce 1er juillet 1919, au cœur de la matinée, le *S.S. Caronia*, après avoir transité par la Grande-Bretagne, a jeté l'ancre dans le port de New York.

Irma aurait bien couru se jeter dans les bras de Bob Smith pour l'embrasser... d'amour et de passion. Sur la passerelle où elle s'est engagée, sa trousse de médecin à la main, une trousse quelque peu cabossée, elle cède le pas à des voyageurs pressés, le temps de se ressaisir. De sa longue écharpe de lainage brun qui drape ses épaules, un pan flotte au vent et ébouriffe son chignon. « Charles ! Me concentrer sur lui », décide-t-elle. À cet instant, elle remarque qu'un jeune garçon agite sa main dans sa direction. « Mais c'est Charles ! Il est bien grand ! J'oubliais qu'il a maintenant onze ans et demi », se dit-elle, de nouveau empressée de se retrouver sur le quai. Derrière eux, elle reconnaît Rose-Lyn entourée d'une marmaille. Du coup, la guerre est derrière elle.

Instant éphémère !

Les bribes de phrases entremêlées qui frôlent son oreille, les uniformes qui défilent sous ses yeux, les soldats rapatriés, manchots ou unijambistes, qui rentrent à la maison, tout en porte les échos. Le 26 juin 1919, le *S.S. Caronia* a sorti d'Europe une unité militaire, le 10ᵉ Bataillon de Réserve, et deux unités médicales : l'équipe de Joinville-le-Pont et celle de l'Hôpital général n° 3 rattaché à McGill. Comme ces unités avaient été formées à Montréal, elles ne devaient descendre à New York que le temps d'être conduites à la gare Windsor, où un accueil grandiose leur était réservé.

Irma ne prendra pas ce train pour le Canada. Pas aujourd'hui. À la demande de la Croix-Rouge, elle a accepté de se joindre à l'équipe de New York pour y soigner les blessés de guerre rapatriés dans leur pays.

Sur le pont du *S.S. Caronia*, avant que la vue de New York ne lui cause trop de fébrilité, Irma LeVasseur a salué tous ses collaborateurs à bord de ce navire, réservant au Dʳ Mignault ses hommages les plus sincères, et fait à Victor Bourgeault la promesse d'une amitié indéfectible.

— Jamais ton souvenir ne s'effacera de ma mémoire, lui a-t-elle soufflé à l'oreille.

— Irma, ma petite Irma, l'empreinte de tes mains sur ma peau, la chaleur de ton souffle dans mon cou puis ton ardeur amoureuse resteront gravées en moi pour toujours, a chuchoté Victor, mal résigné à relâcher son étreinte.

Des larmes indociles ont coulé sur leurs joues, les au revoir se sont faits d'un geste de la main, le regard du Dʳ Bourgeault tendu vers la jeune femme qui, d'un pas alerte, tourne le dos au passé pour entrer de plain-pied dans une autre réalité, non moins tramée de défis.

Les bousculades sont inhérentes au débarquement, surtout quand vient le temps de reprendre ses bagages. Irma n'a à surveiller qu'un petit sac à dos prêté par l'armée canadienne et sur lequel elle a peint, tant bien que mal, la fontaine du *Central Park*. Avant qu'elle ne l'ait vu rouler sur un amoncellement de bagages hétéroclites, un homme l'a empoigné.

— Le dernier service que je pouvais te rendre... à moins que le destin ne fasse que nos chemins se croisent sur cette terre américaine, dit Victor, l'enlaçant sans retenue avant de lui donner un baiser brûlant.

Prise au dépourvu, Irma n'a pu l'en empêcher à temps. Aucune riposte n'est d'ailleurs possible, Victor Bourgeault n'est déjà plus dans sa mire. Bob et sa tante, oui. Il lui tarde de sortir de ce vertige et de courir au-devant de ceux qui sont venus l'accueillir. Tendues vers elle, les mains des enfants et celles des deux adultes se font suppliantes. Rose-Lyn, qui a poussé sa patience dans ses derniers retranchements, ne se demande pas s'il convient qu'elle soit la première à serrer Irma LeVasseur dans ses bras.

— Toi, ma petite ratoureuse, on ne te laissera plus partir, lui lance-t-elle avant de lui souffler en rafale tous les mots que la peur et la douleur de son absence lui ont inspirés.

À ses trousses, trois bambins qu'elle ne connaît pas, les jumelles et Harry que ses quinze ans ont rendu plus introverti, mais qui ne présente pas moins sa joue à Irma.

— Où est Edith?

— Au travail, répond son frère.

— Au travail! J'oubliais qu'elle a dix-huit ans, ma belle Edith, avoue Irma, dont le regard se pose sur Bob en train de l'observer d'un air amusé.

— Tu pourras venir te reposer à la maison, lui dit-il au terme d'une chaleureuse accolade.

— Ta chambre est toute repeinte en neuf, lui annonce Charles, qui s'avance fièrement vers sa marraine.

Irma n'est plus qu'enchantement et fébrilité devant ce beau garçon qui promet déjà d'être aussi grand que son père. Leur étreinte est à la mesure de leur affection et de leur crainte de ne plus se revoir.

— Tu vas faire des jaloux, Charles, si tu continues, lance Bob, secondé par Rose-Lyn qui invite tout le monde chez elle pour « un festin de retrouvailles », précise-t-elle.

Accrochée au bras de Rose-Lyn, Irma s'arrête subitement, craignant d'avoir oublié son sac de l'armée sur le quai lorsqu'elle l'aperçoit sur le dos de Harry.

— Ce n'est pas surprenant : aussitôt après ton départ pour la Serbie, il a commencé à dire qu'il voulait être soldat, lui apprend Rose-Lyn. Je ne comprends pas qu'un jeune garçon puisse avoir le goût de se battre...

— Il en faudra toujours, tante Rose-Lyn. Je suis loin d'être sûre que notre paix sera de longue durée.

— Moi, j'ai confiance. En novembre dernier, il y a eu l'armistice puis, samedi passé, les Allemands ont signé un traité de paix au château de Versailles. Le monde a assez souffert de cette guerre qu'il va sûrement en tirer des leçons.

— Il y en a quand même à qui cette guerre a profité, riposte Irma, non moins pressée d'orienter la conversation vers des sujets plus réjouissants.

Dans la voiture de Bob, Charles et Harry ont pris place sur le siège avant alors que Rose-Lyn, sa nièce et les trois bambins se sont cordés en arrière, les jumelles assises sur de petits sièges escamotables. Irma leur pince les joues, les abreuve de compliments :

— Que vous êtes belles, mes petites chouettes ! Deux grandes filles de six ans, blondes comme des chérubins !

— C'est quoi, des chérubins ? demande l'une d'elles.

— Ce sont des anges. Les plus mignons !

Le miroir l'une de l'autre, les fillettes se regardent, satisfaites.

À peine la Ford s'est-elle arrêtée devant la maison de Rose-Lyn qu'un fumet de volaille rôtie caresse les narines des huit affamés. Derrière la porte moustiquaire, deux jeunes personnes attendaient discrètement que l'héroïne du jour pose le pied sur la première marche pour se manifester.

— Mais c'est Edith ! Comme tu es belle, ma petite rouquine ! s'écrie Irma en se lançant au cou de sa protégée.

— On voulait vous faire une surprise, mon fiancé et moi...

— Ton fiancé ?

— Oui, oui. C'est John Miller. Il a vingt et un ans, vous savez, souligne Edith, lumineuse.

Irma va de surprise en surprise. Ses félicitations présentées, elle s'intéresse tantôt aux bambins, tantôt à Charles, puis elle passe à Harry, à Bob, avec le sentiment de voltiger de l'un à l'autre pour ne capter que le nectar. L'urgence de refaire ses provisions de sérénité, de joie et d'affection dicte ses gestes. En chassé-croisé, des images de la Serbie font irruption, aussitôt éconduites. Souverain, l'instant présent. Autour de la table, on lève son verre à la paix, à l'héroïsme de la D^{re} LeVasseur, à son retour en Amérique. Une mise en scène se prépare. Se veut-elle discrète ? Les efforts sont vains.

— Je vous vois aller... Qu'est-ce que vous mijotez donc ? demande Irma.

— On n'est pas rendus au dessert, explique Harry, résolument mystérieux.

On se consulte du regard. Rose-Lyn accepte que le programme soit quelque peu modifié.

John Miller se lève de table, se dirige vers Irma et pose un genou par terre.

— M'accordez-vous la main de Mlle Edith Young ?

Irma, on ne peut plus abasourdie, se frotte les yeux, sans pouvoir dire un mot.

— Mais à qui d'autre voulez-vous que je la demande ? s'exclame John, désemparé. Edith m'a dit que...

Rose-Lyn intervient.

— Tu n'as quand même pas oublié que tu es la protectrice d'Edith et de son frère !

— Jamais ! Au grand jamais ! C'est que je me sens un peu étourdie par tout ce que je découvre depuis que je suis descendue du *Caronia*.

Bob pince les lèvres sur la surprise qu'il lui réserve. Rose-Lyn en fait autant. Ébranlée pas un ressac d'émotions, Edith trouve la force de plaider pour son fiancé, qu'Irma a prié de se relever :

— Quand vous le connaîtrez, D^{re} Irma, vous verrez bien que je suis la plus chanceuse des filles de New York.

Rose-Lyn souligne le sérieux, l'honnêteté, la hardiesse et la générosité de John.

Bob l'approuve de petits signes de la tête.

— Il enseigne... comme le faisait votre maman, renchérit Edith.

— La musique ?

— Non, mais tout le reste. Aux petits enfants, précise John.

— J'avais pensé que ce serait un beau cadeau à vous faire que de vous annoncer mes fiançailles, reprend Edith. Vous avez été si bonne pour moi et mon frère, puis vous avez tellement souhaité que je sois heureuse.

— Tu as raison, Edith, c'est un très beau cadeau ! Si Rose-Lyn souhaite que tu épouses John, je le souhaite aussi. Vous avez décidé d'une date ?

— Le 30 août, répondent en chœur les jeunes fiancés.

— Si ça vous convient, nuance John.

— Juste avant la rentrée scolaire, c'est une bonne idée, approuve Irma. D'ici là, on aura le temps de faire plus ample connaissance...

John lui sourit et va reprendre sa place à la table. Rose-Lyn porte les trois benjamins dans leur lit pour la sieste.

— C'est votre tour de recevoir votre dessert, annonce-t-elle aux adultes alors que les jumelles ont été servies et jouent dans la cour.

Harry attendait ce moment d'accalmie pour questionner Irma sur son expérience de la guerre. Bob et Rose-Lyn, n'ayant reçu que de brèves lettres au cours de la dernière année, se montrent d'autant plus curieux des moindres détails qu'Irma en parle avec enthousiasme :

— Quand je suis descendue à Paris, j'ai été frappée de voir tant d'hôtels parisiens transformés en hôpitaux. Des blessés, il y en avait partout. Ça m'arrachait le cœur.

— Ils se lamentaient ? demande Charles en grimaçant.

— Oh, oui ! Ils espéraient du secours.

— Parle-nous de ta dernière année, insiste Rose-Lyn.

— Mon expérience à Joinville-le-Pont avec la Croix-Rouge et des collaborateurs venus en Serbie a été une des plus édifiantes. Ce nouvel hôpital, construit par la Croix-Rouge canadienne, a coûté 100 000 $, mais il était tellement bien outillé ! J'ai entendu nombre de visiteurs dire qu'il surpassait tous ceux construits pendant le conflit. On y perdait presque la sensation d'être en temps de guerre.

— Des visiteurs ? s'étonne Harry. Ils n'avaient pas peur de se faire tirer ?

— C'était de fait très dangereux. L'alerte était donnée presque toutes les nuits. Les raids aériens n'avaient pas cessé. Les Allemands étaient à Château-Thierry, à une soixantaine de milles de Paris. Nous vivions constamment sous la menace... À mon arrivée dans la région parisienne, au début de l'été 1918, la ville regorgeait de blessés. Notre hôpital a dû se transformer en hôpital d'évacuation.

— Qu'est-ce que ça veut dire ? demande Edith, dont la chaise s'est rapprochée de celle de John.

— Les blessés devaient être soignés dès leur arrivée, mais ils étaient aussitôt redirigés ailleurs, dans un hôpital de convalescence. Nous les médecins, nous n'avions pas que les soldats à traiter. Il fallait aussi s'occuper de tous les civils des environs qui avaient été touchés par la guerre ou les maladies.

— Vos journées étaient longues, suppose Rose-Lyn.

— Pendant plusieurs semaines, c'était jour et nuit.

— Pas étonnant que tu aies tant maigri, souligne Bob, ému.

— C'était affolant de voir dans le ciel tous ces zeppelins qui pouvaient nous larguer une bombe à n'importe quel moment.

Harry a rapproché sa chaise pour ne rien manquer.

— J'aimerais bien comprendre ce que vous appelez des zeppelins, demande-t-il.

— C'est une catégorie d'avions qu'on nomme ainsi. Ce sont de gros dirigeables à carcasse métallique qui peuvent larguer une cinquantaine de tonnes de bombes sur leur passage.

— Personne ne peut les détruire ? demande Charles.

— Il faut les bombarder à partir d'autres avions.

— Vous avez eu des visiteurs ? relance Rose-Lyn, qui a du mal à entendre raconter des scènes de guerre sans en être complètement bouleversée.

— Pour souligner l'ouverture officielle de notre hôpital de Joinville-le-Pont, oui. La fête a eu lieu le 3 juillet 1918. Une cérémonie simple mais importante pour la Croix-Rouge et pour les personnalités qui ont pris la parole.

— Tous des Européens, présume Bob.

— Non. Il y avait sir Robert Laird Borden, le premier ministre du Canada, et M. Philippe Roy, commissaire général du Canada à Paris.

— Parlons-en, de Borden ! C'est lui qui nous a imposé la conscription. C'est à cause de lui que des milliers de Canadiennes sont veuves et que des dizaines de milliers d'enfants sont orphelins aujourd'hui, rétorque Rose-Lyn, courroucée.

Harry ne peut garder le silence.

— Vous ne pensez pas que c'est héroïque de défendre ceux à qui on veut voler leurs territoires et leurs richesses ?

— Je suis d'accord, mais seulement ceux qui veulent le faire librement.

— Qu'est-ce qu'il a dit dans son discours, Borden ? questionne Bob.

— Il a offert cet hôpital à la France au nom du peuple canadien qui, dit-il, lui porte toujours une grande admiration. M. Poincaré, le président français, a profité de cette cérémonie pour honorer M. Philippe Roy de la cravate de commandeur de la Légion d'honneur et pour nommer le colonel Casgrain, le commandant de l'Hôpital de Saint-Cloud, Chevalier du même ordre.

— Ça devait être ennuyant, suppose Charles.

— Par moments, oui. Au cours des semaines suivantes, plusieurs médecins espagnols sont venus visiter notre hôpital, ajoute Irma, visiblement émue.

Du coup, Bob soupçonne que celui qui l'a embrassée avec tant de ferveur sur le navire accosté devait être un de ceux-là.

— Il s'est passé quelque chose de triste ? devine Rose-Lyn à voir le regard de sa nièce se rembrunir.

— J'ai vu partir des amis que j'ai salués pour la dernière fois. Des médecins, des infirmières puis des soldats. Notre hôpital n'était pas assez grand pour loger plus de cinq cents lits alors qu'il y avait là du personnel pour mille lits. Ironie du sort, une fois que tout le personnel en surplus a été affecté à d'autres hôpitaux, une terrible épidémie, qu'on a nommée grippe espagnole, a frappé ceux qui avaient été épargnés. Trop peu nombreux pour s'occuper et des blessés et des contagieux installés dans des huttes, on a dû reprendre du service jour et nuit. La fatigue aidant, j'ai eu bien peur cette fois de ne pas être assez forte pour résister à la contamination.

Irma s'éponge les joues du revers de sa main. Bob sent qu'il lui sera difficile de reprendre la parole.

— C'est quand on est si proche du but que l'échec fait le plus mal, avez-vous remarqué ça ? dit-il en s'adressant aux deux jeunes hommes, trop troublés pour ajouter une syllabe.

— Deux infirmiers que j'avais beaucoup appréciés l'ont attrapée, balbutie Irma. Leur corps n'a même pas été rapatrié; ils ont été enterrés dans le cimetière municipal de Joinville-le-Pont. Je me demande s'ils auront droit à une croix de bois gravée à leur nom, confie-elle.

— Tu as l'air épuisée, Irma. Viens te reposer. Un bon lit t'attend à la maison. Viens, insiste Bob.

Charles, qui s'entend de mieux en mieux avec Harry, réclame de prolonger sa visite chez sa grand-mère Rose-Lyn. Bob n'en est nullement contrarié.

⋙⋘

Des retrouvailles tout en douceur et en tendresse pour Irma, accueillie chez Bob après quatre ans d'une absence meublée d'inquiétudes, de questionnements et d'appréhensions. De part et d'autre, les interrogations ont été feutrées, les réponses réfléchies, les gestes réservés, les confidences dosées. Tout pour disposer au repos. Pourtant Irma passe une mauvaise nuit. Des scènes de guerre troublent son sommeil. Assise sur le bord de son lit, seule dans cette coquette chambre de la résidence Smith, elle ne se sent pas bien. Une étrange sensation la fait frissonner sous 21°C. « Combien de temps dois-je m'attendre à vivre de ces cauchemars qui me mettent toute en sueur ? On dirait que des éclats de drames vécus en Serbie se sont logés dans ma peau. En est-il ainsi de tous les hommes et de toutes les femmes qui ont survécu à la guerre ? de tous ceux que j'ai côtoyés ? Ici, à New York, personne autour de moi ne peut me répondre. Il me faudra attendre d'avoir rejoint l'équipe de la Croix-Rouge... quand je serai assez reposée pour reprendre le travail. »

Allongée sur ses couvertures en fin d'après-midi, Irma avait gardé son chemisier blanc au jabot de dentelle et sa longue jupe de coton bleu aux volants étagés. Elle croit ne s'être assoupie qu'un court moment mais, à sa grande surprise, le carillon du salon sonne trois coups. « Si Bob n'a pas changé ses habitudes, il sera le premier à saluer l'aurore. J'aurais le temps d'aller me chercher quelque chose à grignoter. » À pas feutrés, elle se rend à la cuisine sans que les quelques gémissements du plancher n'aient alerté les deux Smith. Dans le garde-manger, des changements ont été apportés. Les condiments ne sont plus disposés comme avant 1915. L'ordre est impeccable malgré l'abondance de pots, de boîtes et d'emballages. Irma cherche des biscuits. Elle se souvient de la jarre et de l'endroit qu'elle occupait sur une tablette supérieure. « Il n'y en a plus, croit-elle, lorsque, après avoir tourné le dos au garde-manger, elle découvre près de l'évier ce qui ne peut être autre chose qu'une jarre à biscuits avec ses décorations naïves et ses couleurs bigarrées. Mais Irma doit se contenter d'y puiser quelques carrés de caramel enveloppés de papier cellophane... bruyant. La tentation lui vient alors d'aller les développer dehors, dans le jardin, tout en humant l'air frais de la nuit.

Elle marche pieds nus sur le plancher de la cuisine, sort pieds nus dans la cour. Le contact avec le gazon frais, sublime sensation. La quiétude de cette nuit étoilée, un bien-être qu'elle avait cru à jamais perdu. Irma constate avec soulagement que ses épreuves passées n'ont pas emporté avec elles son goût des petits bonheurs simples, comme celui de sentir les chatouillements de l'herbe sous ses pieds. Cette nuit, elle jurerait ne pas avoir quarante-deux ans tant elle a retrouvé de sujets d'émerveillement en elle et autour d'elle.

Avec la ligne fuchsia qui se dessine à l'horizon, les oiseaux ont repris leurs gazouillis et des parfums s'exhalent timidement. Ceux qui parviennent d'un îlot au fond de la cour lui sont inconnus. Irma s'en approche... pour en connaître la provenance. Son talon droit se pose sur du verre.

— Aïe! Aïe! Qu'est-ce que c'est, ça! s'écrie-t-elle.

Accroupie sur le sol, Irma constate que des éclats de vitre ont percé sa peau et pénétré dans son talon. Elle doit retourner à sa chambre... à quatre pattes ou en marchant sur le bout du pied blessé. Cette dernière tentative échoue, la douleur est trop vive.

— Attends-moi, marraine. Je vais aller t'aider, chuchote Charles de la fenêtre de sa chambre.

Pour Irma, l'humiliation n'est pas plus facile à supporter que la blessure.

La chevelure en fardoches, le torse et les pieds nus, Charles s'est précipité dans le jardin. Oh, malheur! Il a laissé la porte de la cuisine claquer derrière lui. Irma pose ses mains sur ses oreilles comme pour amortir ce bruit... pire qu'un réveille-matin.

— Vous vous êtes fait mal à la tête aussi? lui demande Charles, accroupi devant elle.

— Non, non! Au talon seulement. Mais ne fais pas tant de bruit. Tu vas réveiller tout le quartier. Va me chercher ma trousse, s'il te plaît.

La voix d'Irma a couvert les pas de Bob qui apparaît dans le jardin, abasourdi. Explications, excuses, absolutions, tout s'enchevêtre dans ce micmac où les émotions sont souveraines. Les regards se fuient avant même de se croiser. Les mains laissent une empreinte connue sur la peau. Un malaise qui ne tient pas qu'à l'incident.

Obéissant à l'ordre de son père, Charles retourne se coucher. Irma ne témoigne pas de la même docilité quand Bob décide de la prendre dans ses bras pour la ramener à la maison. Vaine résistance. Déposée sur le sofa du salon, elle n'a qu'à lui donner ses directives pour que sa blessure soit nettoyée et protégée. Tout se fait dans une économie de mots.

— Toi aussi, Bob, tu peux retourner te coucher, dit Irma, mortifiée.

— Tu sens le besoin de dormir ?

— Non. J'ai assez dormi, moi. Je ne voudrais pas...

— ... je sais, Irma. Je te connais assez pour comprendre que tu es malheureuse de ce qui vient d'arriver. Mais il y a peut-être une manière d'en tirer profit. Ça fait quatre ans qu'on ne s'est pas vus. On a de belles heures de tranquillité devant nous pour se rattraper.

Irma cherche le sens exact de ses propos dans ses grands yeux azur. Elle n'y trouve qu'une belle compassion, aucun reflet de passion amoureuse. Tout pour l'inciter à la sérénité.

— Tu es bien comme ça ou tu préfères qu'on aille dans ta chambre ?

Cette fois, le message est clair. Bob souhaite une conversation amicale.

— J'ai trouvé très intéressant ce que tu as raconté chez ma mère, hier midi. Mais ce matin, j'aimerais que tu me parles plus de toi.

Irma se montre surprise, quelque peu embarrassée.

— Pendant ces quatre ans, j'ai été ce que la guerre a fait de moi, comme de mes collègues, tu sais. Une boule de peur, ou de fatigue, ou de dévouement, ou les trois à la fois, selon les événements. La plupart du temps, je n'avais pas une minute pour penser à moi. Les soins à donner prenaient toute la place. La nuit comme le jour.

— Jamais de répit ?

— Jamais, en Serbie. Un peu plus, en France.

— C'est là que tu l'as rencontré ?

Irma se fige. Plus un mot. Que des questions dans son regard.

— Tu n'as pas à en être gênée, reprend Bob. Ce n'est que normal.

Irma le fixe droit dans les yeux sans desserrer les dents.

— Si ça peut te mettre à l'aise, moi aussi j'ai quelqu'un dans ma vie maintenant. Rien de définitif, mais une femme intéressante.

Un sourire forcé de la part d'Irma. Une bousculade d'aveux dans sa gorge. Des souhaits de bonheur à formuler mais qui restent là. Un démenti qui ne vient pas.

— Mais qu'est-ce qui se passe, Irma ? Je t'ai blessée ? Parle ! la supplie-t-il, accroupi devant elle.

— C'est difficile pour moi. J'ai l'impression que si j'ouvre la bouche pour répondre à tes questions, c'est un déluge de mots incohérents qui va sortir.

Bob, la tête retombée sur sa poitrine, confesse :

— Je suis probablement à cent lieues d'imaginer combien tu dois être marquée par tout ce que tu as vécu là-bas. Pardonne-moi...

— Ni toi ni personne d'autre n'a à souffrir de mes cicatrices.

— C'était un adieu sur le quai ? relance Bob.

— On ne se reverra probablement jamais. Le Dr Bourgeault a été pour moi un collaborateur exemplaire, un ami fidèle, attentionné, mais notre avenir n'est pas lié l'un à l'autre.

— Ton cœur non plus, Irma ?

Le silence.

Bob vient prendre place sur le sofa et presse Irma tout contre lui. Elle ne résiste pas.

— Alors, pourquoi ces larmes que tu voudrais bien me cacher ? lui demande-t-il, plein d'amour dans la voix et le geste.

Des instants tissés de sentiments innommables défilent avant qu'Irma reprenne la parole.

— Tous ces deuils empilés dans ma vie depuis 1915 ! Les amitiés solidement bâties sous les bombardements ! Les adieux déchirants au bord des fosses creusées pour les enfants fauchés par le typhus, pour leurs mères vaincues dans cette lutte, pour les soldats qui n'attendaient plus rien de la vie. Bob, j'aurai besoin de temps pour guérir de tout ça. C'est pour ça que j'ai décidé de travailler avec la Croix-Rouge, ici, à New York.

— Je vois. Ces gens sont mieux placés que nous tous pour te comprendre et soigner tes blessures. Sans le savoir, je t'en ai peut-être infligé une autre en t'apprenant que je fréquentais...

Irma l'interrompt avec un courage plus grand que nature :

— Parle-moi d'elle.

Bob hésite, tiraillé entre la volonté de protéger Irma et l'envie de parler de celle qui l'a aidé à survivre à son absence, à l'inquiétude éprouvée pendant toutes ces années.

— Son nom?

— Clara. Elle est infirmière. J'avoue que j'ai un faible pour les Canadiennes françaises, ajoute-t-il, rieur.

— C'est beau, Clara.

— Tu as vu John hier...

— Oui, un beau garçon, très gentil.

— C'est le fils de Clara.

— Ah, je comprends! J'étais surprise de l'entendre parler français comme nous.

— Elle était mariée à un Américain, un commerçant de meubles.

— Elle était...

— Oui. Le naufrage du *Lusitania*...

— Non!

Un long silence fait place à la compassion.

— C'est la peine qui nous a rapprochés, lui confie Bob. Moi, de te savoir chaque jour en danger; elle, d'avoir perdu son mari de façon aussi injuste. Veuve à trente-huit ans, tu t'imagines?

Du coup, Irma apprend que cette femme a son âge, quarante-deux ans. Une pensée qu'elle juge narcissique lui traverse l'esprit : «Bob a été attiré par les similitudes entre Clara et moi. Est-ce un bon ou un mauvais présage?»

— Elle a d'autres enfants?

— Hélas, non! Qu'un fils. Pas de filles.

— Tu aurais aimé?

— Et comment! Si notre relation va bien, on a l'intention d'adopter les jumelles que ma mère garde depuis quatre ans.

Un grand bonheur, sur le visage d'Irma.

— Maman est fatiguée. Le temps est venu pour elle de...

— ... fermer sa pension? Mais où vont aller ces pauvres enfants?

— Chez John et Edith, quand ils seront mariés. Sauf les jumelles... qui viennent de perdre leur mère. Charles et moi, on les veut avec nous.

Des questions... indiscrètes bombardent l'esprit d'Irma. « Est-ce une condition posée à Clara ? Qui prendra soin des jumelles quand Bob est à la bijouterie ? »

— Aussi, j'ai offert à ma mère de venir demeurer avec nous. Dans une plus grande maison que celle-ci.

— Elle a accepté ?

— Pas encore. Elle est tourmentée.

— Entre Québec et New York ?

— C'est ça, répond Bob, visiblement attristé.

— Moi, je te dis qu'elle va vous choisir, tante Rose-Lyn. Compte sur moi pour l'aider à prendre cette décision.

Ses bras noués dans le dos de sa cousine, Bob la remercie avec une intensité que les mots ne peuvent rendre avec justice.

❖❖

— Demain, je prends le train pour Québec, annonce Irma à sa tante Rose-Lyn tôt en matinée.

— Ton pied est assez bien pour que tu entreprennes ce voyage ?

— Ma tante ! Il y a pire qu'une entaille au talon ! Ça fait trois semaines qu'il se fait dorloter.

— Seulement ton pied ? relance Rose-Lyn espiègle.

— Vous pensez que ça mérite une réponse ? Dites-moi donc plutôt si vous venez avec moi.

La sexagénaire quitte sa chaise d'osier, va vers Irma, l'air grave et solennel des grands moments.

— J'aimerais beaucoup que tu embrasses pour moi tous ceux que je connais là-bas. Que tu me rapportes des images de ma ville natale. Que tu dises à ma parenté que je suis en paix et que je ne leur souhaite que du bonheur... à mon frère William surtout.

D'autres mots se sont perdus dans une vague d'attendrissement qu'Irma n'est pas près d'oublier.

— Tu seras longtemps partie ?

— Deux ou trois semaines, si tout va bien. Le temps qu'il faudra pour aider papa à se trouver une pension, organiser l'avenir de mon frère, rendre visite à tante Angèle et aller saluer mes amies de Montréal et...

— Quoi donc ?

— Commencer à mettre en place mon... mon nouvel hôpital.

— Tu te relances dans cette aventure-là ? Mais tu es indomptable, Irma LeVasseur.

— Ma tante, je vous comprends de réagir comme ça. Vous voyez mon projet avec vos yeux de femme épuisée à force de dévouement.

— Tu n'oses quand même pas me rappeler mes soixante-neuf ans ?

— Au contraire ! Ils vous honorent, tante Rose-Lyn.

Le 27 juillet 1919, la gare de Saint-Roch est aussi accueillante que vingt ans plus tôt, avec une différence : cette effervescence que crée le retour de nombreux soldats dans leur coin de pays. Et puis, c'est dimanche. Les femmes sont coquettes, les hommes galants et les enfants chantent leur liberté. Irma savoure la surprise qu'elle va causer à son père. C'est chez lui qu'elle demande à être conduite.

— Attention à votre belle toilette blanche, lui recommande le cocher, trouvant là un prétexte pour placer ses deux larges mains autour de sa taille afin de la hisser dans sa calèche.

— Ce n'était pas nécessaire, monsieur. Je suis habituée à me débrouiller seule.

— Je ne voulais pas vous offenser... Madame la Française.

Il y a longtemps qu'Irma n'avait pas entendu l'écho de son rire.

— Il n'y a pas plus fille de Saint-Roch que moi, mon cher monsieur, rétorque-t-elle, amusée.

— Votre parler est si beau que j'ai cru...

— Vous n'êtes pas tant dans l'erreur que ça, je viens de passer quatre ans en Europe.

— Une petit femme comme vous ! Là où plein des nôtres ont roulé sous les balles ? Mais qu'est-ce que vous faisiez là ?

— Je soignais ceux que les balles n'avaient pas tués.

— Ah, je comprends. Vous êtes garde-malade. Quel courage ! Vous en auriez long à raconter, j'imagine.

— Oui, très long. Il y a de quoi être fier des Canadiens, vous savez.

— Ça, c'est vrai ! J'espère bien que si un jour on a besoin de la France puis de l'Angleterre, elles vont s'en souvenir.

Irma lui sourit.

— Votre nom déjà ?

— Vous ne me l'aviez pas demandé, monsieur. Je m'appelle Irma LeVasseur.

— Comique en plus, Mlle LeVasseur ! Seriez-vous apparentée à...

— ... à Nazaire LeVasseur. Oui. C'est mon père.

— Nazaire ? Oui, oui. Ça me dit quelque chose.

Irma ne le croit pas. Jamais elle n'oserait lui demander quel nom il avait en tête. Que ce cocher, comme tous ses compagnons de métier, connaisse Paul-Eugène, elle se reproche de n'y avoir point pensé assez vite.

— Comme ça, vous arrivez des vieux pays ? la relance-t-il avec bienveillance.

La conversation suit son cours, nourrie des événements d'outre-mer exclusivement.

Chez Nazaire, depuis la porte moustiquaire, Irma peut voir son père assis près d'une fenêtre, accoudé à une table bondée de journaux. Une loupe à la main, il semble très absorbé dans sa lecture. Trop pour qu'elle entre sans lui occasionner une syncope. Elle se gratte la gorge, donne deux petits coups de loquet... Nazaire a relevé la tête et s'approche du portique.

— Je ne vous dérange pas, M. LeVasseur ?

— Irma ! Ma belle Irma ! Je le savais que je devais mettre mon plus bel habit ce matin, s'écrie-t-il en se précipitant à sa rencontre.

— Vous avez l'air bien !

— Mieux ! Beaucoup mieux depuis hier.

— Depuis hier ?

— Depuis le temps que tu ne vis plus au Québec, tu as oublié que le 26 juillet, c'est la fête de la bonne sainte Anne.

Irma attend un développement.

— On est allés à Sainte-Anne-de-Beaupré, tous les trois, hier.

Elle n'a pas à lui demander qui l'accompagnait.

— Il est dit dans l'Évangile quelque chose comme : si deux ou trois d'entre vous se réunissent pour demander une faveur, ils seront exaucés.

— Vous pensez l'avoir été ?

— Je ne te dirais pas que c'est le miracle parfait, mais je vois beaucoup mieux aujourd'hui. J'ai repris espoir de mener mes projets à bonne fin.

— Vos projets ?

— Entre. Viens t'asseoir que je te raconte. Oh ! As-tu faim ?

— Soif.

— Je te sers une limonade ou un verre d'eau ?

— Un bon verre d'eau.

— Ouf ! Je suis sauvé !

— Vous n'en aviez pas ?

Tous deux s'esclaffent. Le moral de Nazaire semble à son meilleur.

— Paul-Eugène est...

— Il été invité à dîner chez Angèle. S'il avait su que tu arrivais aujourd'hui, il aurait fait comme moi, il n'y serait pas allé.

— Pourquoi êtes-vous resté ici tout seul ?

Nazaire sourit.

— Mon intuition me disait de ne pas quitter la maison... ma fille s'en venait !

— Il y a longtemps, papa, qu'on n'a pas ri ensemble.

Le visage assombri, Irma lui exprime son regret de n'avoir pu trouver un spécialiste pour ses yeux avant de partir pour la Serbie.

— Il aurait fallu que j'aille à New York, mais c'était devenu très compliqué... et je n'en avais pas les moyens.

Le père et sa fille partagent les craintes, les inquiétudes et les inconforts vécus depuis mai 1915. Les épanchements sont aussi incontournables que libérateurs.

— Et vos projets ? redemande Irma.

— Ah, oui ! Mes projets : trois publications.

— Trois !

— Oui, ma fille ! D'abord un recueil de mes chroniques de journaux; celui-là est terminé, prêt à être imprimé.

— Son titre ?

— *Têtes et figures.* C'est décidé. Pour l'autre, j'ai choisi : *Réminiscences d'antan.*

— Qu'est-ce que ça raconte ?

— Des événements survenus ici, à Québec, au cours des soixante-dix dernières années.

— Et le troisième ?

— Je t'en ai déjà parlé. C'est la biographie de mon ami Ferdinand Canac-Marquis.

— Vous êtes encore en contact avec lui ?

— Bien sûr ! Pourquoi pas ?

« Pourquoi pas ? » se demande Irma, résolument muette sur l'agacement qu'elle éprouve au souvenir de cet homme qui avait un peu trop insisté pour la convaincre de l'épouser.

— Puis, votre intention de fermer maison ?

La tête tournée vers la fenêtre, Nazaire lisse sa moustache et réfléchit ou hésite à exprimer sa pensée.

— Vous avez changé d'idée ?

— J'ai bien envie de me donner une autre chance de vivre ici quelques années encore... surtout que je vois mieux depuis mon pèlerinage à Sainte-Anne. J'ai confiance. Les progrès vont continuer.

Le regard perplexe de sa fille le trouble.

— Tu ne crois pas aux miracles, Irma ?

— Ce qui compte, c'est que vous y croyiez et que ça vous fasse du bien.

Nazaire en convient.

— Si on allait surprendre ta tante et ton frère ? propose-t-il.

Leur apparition dans le jardin d'Angèle cause un émoi sans pareil. Angèle reste sans voix. Des larmes de joie sur ses joues parcheminées. Des bras qui se tendent. Une accolade qui parle des tourments passés. Paul-Eugène observe, ébahi. Sa chemise blanche et son pantalon du dimanche l'habillent d'une dignité qui plaît à Irma.

— Que vous êtes chic, M. LeVasseur! lui dit-elle, heureuse de faire les premiers pas vers son frère, qu'elle embrasse affectueusement.

— Il va falloir qu'on retourne magasiner, je n'en ai presque plus, de beau linge.

La remarque amuse Irma. La promesse est faite de retourner au magasin de son choix au cours de la semaine. L'attitude sereine de Paul-Eugène ne peut être qu'empruntée à la médication, juge sa sœur, rassurée.

⇒⇐

— Il ne s'en remet pas, dit Maude au sujet de William Osler, qui a perdu son fils unique sur les champs de bataille.

Irma ne s'attendait pas à trouver une femme ravagée par un chagrin secret lorsqu'elle frappe à son bureau de l'Université McGill ce midi 5 août 1919.

— Qui te l'a appris?

— Lui. Il m'a écrit quelques lignes. Il implore la mort et prédit qu'elle surviendra avant la fin de l'année, révèle-t-elle à son amie Irma.

L'approche de la guerre avait inspiré de l'horreur et de noirs pressentiments à William Osler.

— Son intuition ne l'a jamais trompé, ajoute Maude. Pas plus en recherche que dans sa vie privée. Il y a deux ans, il a perdu ce qu'il avait de plus cher dans sa vie : son fils Edward. Une épreuve insurmontable pour lui. C'est d'autant plus compréhensible qu'il l'a eu sur le tard, ce garçon.

— Il était dans la quarantaine, si je ne me trompe pas.

— Oui, puis Grace, la veuve qu'il a épousée, aussi.

— Il ne t'invite pas...

— Oh, non! Je n'irais pas non plus. Je me contente de lui écrire de temps à autre. Dans ma dernière lettre, je lui rappelle une phrase qu'il a lui-même si souvent répétée : «Rien dans la vie n'est plus extraordinaire que la foi, cette grande force qu'on ne peut ni peser ni vérifier.»

Une gifle, pour Irma. «Mon père était en droit d'entendre semblables paroles de moi quand il me parlait de miracles.»

Son mutisme incite Maude à expliquer cet aspect peu connu de la personnalité du Dr Osler :

— Tu savais qu'il avait fait un an de théologie avant de choisir la médecine? Il fréquentait l'église, mais pas régulièrement. Il évitait de discuter ouvertement de ses convictions religieuses. Par contre, ses écrits contiennent des indices. Le plus pertinent est peut-être cet aveu fait peu avant la conclusion d'un discours prononcé en 1904 ou 1905 sur les rapports entre la science et l'immortalité. Il avait dit : «Certains d'entre vous passeront peut-être par toutes les étapes de la foi. Ils arriveront, je crois, à penser comme Cicéron, qui préférait se tromper avec Platon plutôt qu'avoir raison avec ceux qui nient tout à fait l'existence de la vie après la mort : telle est ma propre profession de foi.»

Maude s'accorde quelques instants de silence puis elle réclame une réaction de son amie :

— C'est impressionnant de la part d'un homme de science comme lui, tu ne trouves pas?

— Très impressionnant, murmure Irma, visiblement ébranlée.

De nouveau, son silence fait place à une autre confidence de Maude :

— Il m'a dévoilé une partie de son testament.

La curiosité d'Irma se manifeste dans son regard.

— Il lègue sa bibliothèque personnelle à notre université. Plus de cinq mille livres, chuchote Maude, émue aux larmes.

— Quelle belle façon de survivre à la mort, s'exclame Irma.

— C'est comme s'il revenait ici, ajoute son amoureuse anonyme.

— Je te comprends...

— Merci, Irma. J'avais tellement hâte qu'on se retrouve. Parle-moi de toi maintenant.

De retour à l'appartement de la D^{re} Abbott, les confidences vont bon train entre les deux femmes. Irma parvient même à parler de ses déroutes amoureuses.

— Je me demande si j'aurais autant résisté aux avances du Dr Bourgeault si j'avais su que Bob était amoureux d'une autre femme.

— Tu n'avais pas dit que tu ne te marierais jamais?

Irma s'esclaffe.

— C'est nécessaire, tu penses?

Reprenant son sérieux, Irma explique :

— À nos âges, les attentes ne sont pas les mêmes. Puis Victor a tellement la même vision que moi de notre métier. Je pense qu'il m'aiderait beaucoup à réaliser mon projet...

— Un nouveau projet?

— Oui, Maude. À Québec, cette fois.

— Laisse-moi deviner. Je l'ai : un hôpital pour nos enfants!

L'amitié de Maude et d'Irma dessine autour de ce rêve une couronne d'espérance.

— «Rien dans la vie n'est plus extraordinaire que la foi, cette grande force qu'on ne peut ni peser ni vérifier», répètent-elles à l'unisson.

Cahier photos

La D^re Irma LeVasseur, à l'âge de 20 ans, à Saint-Paul, Minnesota.
Source : Archives de l'Hôpital de l'Enfant-Jésus

La mère d'Irma, Phédora Venner, à droite, et sa jeune sœur Alma, vers les années 1860.
Source : Musée McCord, I-13364

Nazaire LeVasseur, père d'Irma, après le départ de Phédora, son épouse, 1887.
Source : BAnQ – Centre d'archives de Québec / P1000, S4, PL119 / Nazaire LeVasseur / Auteur non identifié, s.d.

Mary et William Venner, grands-parents maternels d'Irma.
Source : Archives de la famille Shee

La rue Saint-Joseph de Québec, où Irma aimait magasiner.
Source : BAnQ – Centre d'archives de Québec / P547, S1, SS1, SSS1, D1, P3551 / ND Photo, 1907

Un des airs interprétés par Phédora, la veille de sa disparition.
Source : Fonds Nazaire LeVasseur

```
                                              .../30


        _____

            Programme du Concert complimentaire

    1°: Sextuor instrumental...............Fauconnier.
               Septuor Haydn

    2°: Duo - La Nuit est tout mystère.....Mercadante. ·
            Mlle. Tourangeau et Mme. LeVasseur

    3°: 12è. Symphonie -Andante et Allegro......Haydn.
               Septuor Haydn

    4°: Sérénade.........................Schubert. .
               Madame Levasseur.

    5°: Ballets de Faust................. ....Gounod.
               Septuor Haydn

    6°: Romance:"Je ne sais pas si je vous aime"
                              ......Rupès.
               Mlle. Tourangeau.

    7°: Valses: "Fleurs du Printemps"........Bousquet.
               Septuor Haydn

    8°: Ouverture: "La Dame Blanche"........Boieldieu.
               Septuor Haydn.

        _____

    Minutes:          Par une lettre reçue le 11 février
    _____           M. Ernest Hamel annonce qu'il ne peut
                      participer à notre prochain concert.
                      Déjà engagé.
                      Lettre bien rédigée!
                      Cf. Section des Photostats, page 13ii.

    Minutes:          23 février 1875: (Mardi)
    _____           - Répétition...
                      - Accepte l'invitation de la Société
                        Saint-Joseph... pour le 7 mars.

        _____

         Programme du Concert du 26 février 1875

    1°: Ouverture: Cenerentata...............Rossini.
               Septuor Haydn

    2°. Le Pain du Ciel...........(?) Veldy ou Meldy.
```

Un programme de concert présenté à Québec en 1875 : Phédora (Madame LeVasseur) interprète la Sérénade de Schubert.
Source : Fonds Nazaire LeVasseur

Sir William Venner, riche banquier et commerçant, père de Phédora.
Source : Archives de la famille Shee

Le *Bienvenue,* bateau de William Venner au port de Québec.
Source : Archives de la famille Shee

La paroisse Saint-Roch de Québec, où les familles Venner et LeVasseur ont vécu.
Source : *Histoire de Saint-Roch de Québec et de ses institutions, 1829-1929*, Imprimerie Charrier & Dugal, ltée, Québec, 1929.

Le futur hôpital Sainte-Justine, 644, rue Saint-Denis, mis sur pied par la D^re Irma LeVasseur, printemps 1907.

Source : BAnQ – Centre d'archives de Montréal / Fonds Famille Justine Lacoste Beaubien / P655, S4, SS3, D9, P2

Le mausolée des familles Venner et Shee, au cimetière de la paroisse Saint-Roch, Québec. De gauche à droite : William, père de Phédora; Phédora; sa jeune sœur Alma; Mary, leur mère; derrière elle, Louis, futur prêtre; Alfred, un autre des fils Venner.
Source : Archives de la famille Shee

La ville de New York au début du XXe siècle et les principaux repères des séjours d'Irma entre 1900 et 1920.

La fontaine Bethesda dans Central Park, à New York, dessinée par Emma
Stebbins en 1868, oasis préférée d'Irma.
Source : Collection personnelle de l'auteure

Le *Metropolitan Opera* de New York, où Irma aimait aller écouter des concerts.
Source : U.S. National Archives and Records Administration (NARA)

La D^re Maude Abbott, grande amie d'Irma, lors de sa graduation à la faculté de médecine de l'Université Bishop, Montréal.
Source : Musée McCord, II-85442